D0900827

LES HÉRITIÈRES
D'EMMA HARTE

DU MÊME AUTEUR
CHEZ LE MÊME ÉDITEUR

Les Femmes de sa vie
L'amour est ailleurs
Le Secret de Katie Byrne
Trois Semaines à Paris
L'Espace d'une vie
Le Secret d'Emma Harte

Barbara Taylor Bradford

LES HÉRITIÈRES D'EMMA HARTE

Roman

Traduit de l'anglais (Etats-Unis) par Eveline Charlès

PRESSES
DE LA CITÉ

Titre original : *Unexpected Blessings*

Le Code de la propriété intellectuelle n'autorisant, aux termes de l'article L. 122-5, 2ᵉ et 3ᵉ a), d'une part, que les « copies ou reproductions strictement réservées à l'usage privé du copiste et non destinées à une utilisation collective » et, d'autre part, que les analyses et les courtes citations dans un but d'exemple et d'illustration, « toute représentation ou reproduction intégrale ou partielle faite sans le consentement de l'auteur ou de ses ayants droit ou ayants cause est illicite » (art L. 122-4).
Cette représentation ou reproduction, par quelque procédé que ce soit, constituerait donc une contrefaçon, sanctionnée par les articles L. 335-2 et suivants du Code de la propriété intellectuelle.

© Beaji Enterprises, Inc, 2004. Tous droits réservés
© Presses de la Cité, 2005, pour la traduction française
ISBN 2-258-066739-1

Pour mon époux, Robert Bradford,
A qui je dois tant.
Avec tout mon amour.

LES TROIS CLANS

Les Harte

Emma Harte : fondatrice de la dynastie, et d'un empire économique

LES ENFANTS D'EMMA

Edwina : comtesse douairière de Dunvale, premier enfant ; fille illégitime d'Emma et d'Edwin Fairley

Christopher Lowther, dit Kit : deuxième enfant ; fils d'Emma et de son premier mari, Joe Lowther

Robin Ainsley : troisième enfant ; fils d'Emma et de son second mari, Arthur Ainsley

Elizabeth Ainsley : jumelle de Robin ; fille d'Emma et de son second mari, Arthur Ainsley

Daisy Ainsley : quatrième enfant ; fille illégitime d'Emma et de Paul McGill

LES PETITS-ENFANTS D'EMMA

Anthony Standish : comte de Dunvale ; fils d'Edwina et de Jeremy Standish, comte et comtesse de Dunvale

Sarah Lowther : fille de Kit et de June Lowther

Jonathan Ainsley : fils de Robin et de Valérie Ainsley

Paula McGill Harte Amory Fairley O'Neill : fille de Daisy et de David Amory

Philip McGill Harte Amory : fils de Daisy et de David Amory

Emily Barkstone Harte : fille d'Elizabeth et de Tony Barkstone

Amanda Linde : fille d'Elizabeth et de son second mari, Derek Linde

Francesca Linde Weston : fille d'Elizabeth et de son second mari, Derek Linde ; jumelle d'Amanda

LES ARRIÈRE-PETITS-ENFANTS D'EMMA

Tessa Fairley Longden : fille de Paula et de son premier mari, Jim Fairley

Lorne Fairley : fils de Paula et de son premier mari, Jim Fairley ; jumeau de Tessa

Lord Jeremy Standish : fils d'Anthony et de Sally Standish, comte et comtesse de Dunvale

Toby Harte : fils d'Emily et de Winston Harte II

Gideon Harte : fils d'Emily et de Winston Harte II

Honorable Giles Standish : fils d'Anthony et de Sally Standish, comte et comtesse de Dunvale

Lady India Standish : fille d'Anthony et de Sally Standish, comte et comtesse de Dunvale

Linnet O'Neill : fille de Paula et de son second mari, Shane O'Neill

Chloe Pascal : fille de Sarah Lowther et d'Yves Pascal

Fiona McGill Amory : fille de Philip McGill Amory et de Madalena O'Shea Amory (décédée)

Emsie O'Neill : fille de Paula et de son second mari, Shane O'Neill

Desmond O'Neill : fils de Paula et de son second mari, Shane O'Neill

Les Harte (suite)

Winston Harte : frère aîné d'Emma, et son associé

Randolph Harte : fils de Winston et de Charlotte Harte

Winston Harte II : fils de Randolph et de Georgina Harte

Sally Harte Standish : comtesse de Dunvale ; fille de Randolph et de Georgina Harte

Vivienne Harte Leslie : fille de Randolph et de Georgina Harte

Toby Harte : fils de Winston Harte II et d'Emily Harte
Gideon Harte : fils de Winston Harte II et d'Emily Harte
Natalie Harte : fille de Winston Harte II et d'Emily Harte
Frank Harte : frère cadet d'Emma
Rosamund Harte : fille de Frank et de Natalie Harte
Simon Harte : fils de Frank et de Natalie Harte

Les O'Neill

Shane Patrick Desmond O'Neill, dit Blackie : fondateur de la dynastie, et d'un empire économique
Bryan O'Neill : fils de Blackie et de Laura Spencer O'Neill
Shane O'Neill : fils de Bryan et de Géraldine O'Neill
Miranda O'Neill James : fille de Bryan et de Géraldine O'Neill
Laura O'Neill Nettleton : fille de Bryan et de Géraldine O'Neill
Linnet O'Neill : fille de Shane et de Paula O'Neill
Emsie O'Neill : fille de Shane et de Paula O'Neill
Desmond O'Neill : fils de Shane et de Paula O'Neill

Les Kallinski

David Kallinski : fondateur de la dynastie, et d'un empire économique
Sir Ronald Kallinski : fils de David et de Rebecca Kallinski
Michael Kallinski : fils de Ronald et de Helen Kallinski, dite Posy
Mark Kallinski : fils de Ronald et de Helen Kallinski, dite Posy
Julian Kallinski : fils de Michael et de sa première femme, Valentine Kallinski
Aielle Kallinski : fille de Michael et de sa première femme, Valentine Kallinski
Jessica Kallinski : fille de Michael et de sa première femme, Valentine Kallinski

PREMIÈRE PARTIE

LES PÉTRELS DES TEMPÊTES

Eté 2001

« Pétrel est un diminutif de Peter. Lorsqu'il se nourrit, l'oiseau plane au-dessus de la mer, qu'il frôle souvent. Ses pattes semblent alors piétiner la surface. On dirait qu'il "marche sur l'eau", comme il est dit que le fit saint Pierre, dans le Nouveau Testament. »

Guide des oiseaux de Grande-Bretagne.

1

Il était sept heures du matin, et rien ne bougeait chez Harte, la fameuse enseigne située dans Knightsbridge, à Londres. Plantée au beau milieu du rayon, Evan Hughes profitait du silence qui régnait dans les lieux, si tôt dans la matinée. A huit heures, le personnel chargé du nettoyage se répandrait dans cet espace spacieux et à neuf, quelques-unes des vendeuses les plus dévouées à leur travail arriveraient pour se préparer avant l'ouverture des portes, à dix. Mais pour l'instant, la jeune femme jouissait d'une tranquillité absolue.

Elle aimait ce magasin, et plus particulièrement cet étage. Il était son royaume... Il lui appartenait. La semaine précédente, elle avait été nommée responsable de la mode, une grosse promotion, qui l'avait remplie d'allégresse.

Tout en circulant lentement parmi les derniers modèles de haute couture, elle ne put s'empêcher d'évoquer la première fois qu'elle avait franchi le seuil de Harte, en janvier 2001. Il y avait huit mois, aujourd'hui. Cela avait été son jour de chance. Presque par hasard, elle avait rencontré l'homme (et trouvé le métier) de ses rêves. Elle n'aurait jamais imaginé que ses aspirations se réaliseraient ; mais c'était arrivé !

S'arrêtant un instant, elle balaya l'espace d'un regard circulaire. Ses yeux gris-bleu dévoraient chaque détail de ce qui l'entourait : les vêtements, sous l'éclairage brillant, la beauté du rayon, l'un des plus importants du magasin, lui-même considéré comme le plus prestigieux au monde.

Harte, sur Knightsbridge, avait été fondé par l'une des reines du monde des affaires, Emma Harte. Elle avait disparu depuis trente ans et sa petite-fille, Paula O'Neill, avait pris la relève. Cette belle femme de cinquante-sept ans avait hérité de l'habileté de sa grand-mère en matière de commerce. Ses filles, Tessa et Linnet, marchaient sur ses traces. Toutes les deux travaillaient sur place. Tessa gérait les trois premiers étages, consacrés à la parfumerie, aux cosmétiques, aux vêtements de sport ou de loisir et à la lingerie ; Linnet, sa demi-sœur, dirigeait le département de la mode et s'occupait des relations publiques avec sa mère.

Linnet O'Neill avait engagé Evan et l'avait prise comme assistante. Pendant les premiers mois, Evan l'avait aidée à organiser une rétrospective sur la mode, saluée par un immense succès, qui avait attiré de nombreux nouveaux clients. Pour la récompenser de la peine qu'elle s'était donnée, Linnet lui avait accordé cette promotion... Evan était dans son élément.

Elle se tenait devant les stands qu'on avait fini de mettre en place la veille au soir. Ils étaient fantastiques, jugea-t-elle ; l'équipe avait fait du beau travail avec les articles qu'elle avait choisis.

Elle se détourna et traversa l'étage en direction de son bureau. Grande, élancée et brune, elle était à la fois élégante et ravissante. Assise à sa table, elle regarda une photographie de Gideon Harte, l'homme de sa vie. Elle était tombée amoureuse de lui, et lui d'elle, dès le premier jour, lorsqu'il l'avait rencontrée dans un couloir. Elle cherchait les quartiers de la direction et il l'y avait conduite – en la mitraillant de questions. Il avait aussi parlé d'elle à sa cousine Linnet. Cette dernière l'avait ensuite reçue, puis engagée.

S'appuyant au dossier de sa chaise, Evan évoqua les événements qui s'étaient succédé durant les huit derniers mois.

Elle n'aurait jamais cru trouver une seconde famille en Angleterre. Un an auparavant, la seule qu'elle se connût était composée de ses parents et de ses deux sœurs adoptives, qui vivaient dans le Connecticut. Mais tout cela avait changé, à cause de sa grand-mère paternelle, Glynnis Hughes. Sur son lit de mort, la vieille dame lui avait demandé de se rendre en Angleterre pour y rencontrer Emma Harte, qui était, disait-elle, la « clé de son avenir ». Evan avait exécuté à la lettre ses ultimes vœux ; mais Emma Harte était décédée. Pourtant, Evan était tombée amoureuse du magasin et avait décidé d'y solliciter un emploi.

Et maintenant, elle travaillait chez Harte, avait une liaison avec Gideon, faisait des projets d'avenir avec lui et s'efforçait de s'adapter à son entourage inédit. Parce qu'elle-même était une Harte, en réalité. Paula avait découvert qu'Evan était une arrière-petite-fille d'Emma Harte ; Glynnis Hughes avait, en effet, donné naissance à un garçon, le père d'Evan dont le propre père était l'un des fils d'Emma.

Les Harte l'avaient accueillie chaleureusement, et traitée avec bonté et beaucoup de compréhension, mais parfois Evan avait du mal à croire à ce qui lui arrivait. Tant de fils à démêler, tant de révélations à accepter, tant de gens à connaître... Le chemin lui semblait sans fin et difficile. Elle s'inquiétait, ressassait tout cela pendant des heures.

Le plus troublant était ce qu'elle avait appris à propos de son grand-père biologique, et qu'elle avait peur de rapporter à son père. Comment Owen Hughes accueillerait-il ces nouvelles ? Souhaitait-il vraiment apprendre que l'homme qui l'avait élevé n'était pas son géniteur ? Evan n'en savait rien et continuait de se tourmenter, tournant et retournant la question dans sa tête.

Elle savait qu'elle allait devoir prendre une décision, car ses parents, désireux de se reposer et de passer quelque temps avec elle, arrivaient à Londres dans une semaine environ. Pourrait-elle regarder son père dans les yeux et *ne pas* lui dire la vérité ? Arriverait-elle à garder le secret pour elle seule ? Et le devait-elle ? Personne n'était vraiment en position de la conseiller. Gideon lui avait dit d'agir selon sa conscience et les autres étaient restés très vagues.

La balle était dans son camp.

Et puis il y avait Robin Ainsley, son nouveau grand-père, l'amant de sa grand-mère pendant la Seconde Guerre mondiale. Il avait été pilote dans la Royal Air Force, alors que

Glynnis Jenkins travaillait pour Emma Harte, dont elle était la secrétaire, dans ce même magasin.

Robin plaisait à Evan. Ses sentiments pour lui étaient même plus forts que cela. Elle ne connaissait que trop bien son désir de connaître son fils, Owen Hughes. Mais ce dernier accepterait-il de rencontrer cet étranger ? L'homme à l'origine de sa conception ? Oh, Seigneur !

Evan se tourna vers son ordinateur et se mit à la tâche. Mais au bout d'une heure, elle fut de nouveau envahie de pensées importunes... Robin, Glynnis, l'arrivée imminente de ses parents. Elle éteignit la machine et prit une décision. Elle solliciterait l'avis de Linnet et partirait une semaine dans le Yorkshire. Elle retournerait voir Robin Ainsley ; elle l'interrogerait de nouveau sur sa relation avec Glynnis Jenkins et comprendrait pourquoi il ne l'avait pas épousée.

— Elle était belle, éclatante de beauté, sans doute la femme la plus désirable que j'aie jamais connue. Mais j'ai réalisé qu'à long terme notre relation tournerait à la catastrophe. Nous aurions fini par nous entretuer, conclut Robin Ainsley.

Laissant échapper un petit soupir, il s'appuya au dossier de la bergère à oreilles, les yeux fixés sur Evan Hughes.

Il fallut un instant à la jeune femme pour comprendre ce qu'elle venait d'entendre.

— Vous voulez dire que vous formiez un couple explosif ?

— Exactement. Ensemble, nous ne connaissions pas une seconde de paix.

— Vous n'étiez pas compatibles ?

— En aucune façon, sauf au lit. Cela ne suffisait pas pour construire une union durable.

Evan hocha la tête, sans quitter son interlocuteur des yeux.

— Grand-mère ne cessait de me répéter que la compatibilité était ce qu'il y avait de plus important entre un homme et une femme, avoua-t-elle. Et je sais de source sûre qu'elle s'entendait parfaitement bien avec mon grand-père... Je veux dire, Richard Hughes.

— Tu as raison de l'appeler ainsi, Evan, dit calmement Robin en hochant la tête. Richard Hughes *était bien* ton grand-père, comme il *était bien* le père d'Owen. Quand j'ai rencontré Glynnis, c'était une merveilleuse jeune femme, mais elle ne me convenait pas, tout simplement, pas plus que je ne lui convenais. Du moins, pour que nous envisagions le quotidien ensemble. Nos rapports étaient bien trop forts, et c'était ma faute autant que la sienne.

— Est-ce vous qui avez finalement rompu ?

— En effet. Nos querelles s'intensifiaient de façon alarmante. La vie avec elle devenait un enfer.

— Mais elle était enceinte, Robin, et vous n'avez rien fait...

Evan s'interrompit, comprenant que ses paroles pouvaient passer pour une accusation. Son intention n'était pas de blâmer Robin.

Ce dernier répondit patiemment :

— Nous en avons déjà discuté, mais je veux bien m'expliquer encore à ce sujet... Nous nous sommes séparés et j'ai commencé à fréquenter Valérie Ludden. Nous nous entendions bien, elle et moi, et n'avons pas tardé à nous engager sérieusement l'un envers l'autre. Quand Glynnis m'a annoncé qu'elle portait mon enfant, j'étais déjà fiancé avec Valérie. Pourtant, je tiens à préciser une chose, pour que tu comprennes la situation : même s'il n'y avait pas eu d'autre femme dans ma vie, je n'aurais pas épousé ta grand-mère. Notre vie, si nous étions restés ensemble, n'aurait pas valu la peine d'être vécue, et elle le savait.

— Pardonnez-moi si je me suis montrée désagréable, Robin.

— Ce n'est pas grave, répondit-il avec un petit sourire, il est normal que tu veuilles tout savoir.

— Je me demande pourquoi Glynnis a refusé que vous l'aidiez financièrement.

— Par orgueil, sans doute.

— Pourtant, elle a accepté le soutien d'Emma.

— C'est vrai. Ma mère l'aimait comme sa propre fille. Glynnis savait qu'elle se sentait proche d'elle parce qu'elle-même, jeune fille, avait été enceinte d'un homme qui ne l'avait pas épousée. C'est sûrement ce qui explique cette empathie.

— Je vous remercie de votre franchise, Robin. J'avais besoin de cerner ce qui s'était passé entre ma grand-mère et vous, il y a très longtemps.

— C'était une passion fondée sur le désir. J'étais amoureux d'elle, mais aucun projet durable n'était possible entre nous.

Robin sourit à Evan, les traits adoucis par une tendresse soudaine. Ses yeux d'un bleu fané exprimaient la bien-veillance et l'amour. Evan lui rendit son sourire, avant de tendre le bras pour prendre la main fine dans la sienne et la presser doucement. Ils se trouvaient dans la bibliothèque de Lackland Priory, la propriété de Robin, située dans le Yorkshire. Ils ne s'étaient pas vus depuis plusieurs semaines et savouraient l'occasion qui leur était offerte d'apprendre à se connaître.

Le monsieur âgé et la jeune femme... Liés par le sang, mais totalement étrangers l'un à l'autre jusque très récemment. Le grand-père et sa petite-fille. Deux êtres qui venaient à peine de découvrir mutuellement leur existence. Si c'était possible, ils souhaitaient devenir amis, se comprendre, se rapprocher et même parvenir à l'intimité qui lie les membres d'une même famille. Evan désirait ardemment décrypter le passé et cette relation désastreuse ; Robin espérait qu'Evan ne le condam-nerait pas pour ses actes.

Le silence qui régnait dans la pièce harmonieuse et paisible fut rompu par la sonnerie stridente du téléphone, qui les fit sursauter. Presque aussitôt, le bruit cessa ; un domestique avait dû décrocher, quelque part dans la maison.

Un instant plus tard, le majordome parut sur le seuil de la bibliothèque.

— Pardonnez-moi, monsieur, le Dr Harvey souhaite vous parler un instant.

— Merci, Bolton, répondit Robin.

S'excusant auprès d'Evan, il se leva et gagna son bureau à grandes enjambées. Il s'assit et décrocha le récepteur.

— Bonjour, James.

A son tour, Evan se leva et s'approcha d'une porte-fenêtre qui donnait sur la terrasse de l'ancien manoir. Elle la franchit et la referma derrière elle, puis elle fit quelques pas dehors et inspira profondément. L'air était toujours pur et frais, dans cette région. C'était une belle matinée du début du mois d'août, le ciel azuré était dégagé. Une journée ensoleillée, baignée d'une lumière virginale, comme la veille et l'avant-veille. Elle s'était mise à aimer cette clarté cristalline, très présente dans le nord de l'Angleterre, ainsi qu'elle l'avait découvert.

Elle s'assit sur un banc de pierre et regarda les pelouses vertes qui s'étendaient devant la demeure, bordées de parterres garnis de vivaces aux tons éclatants. Son regard se posa finalement sur un bouquet d'arbres, plantés légèrement à l'écart, sur la droite. Au-delà du luxuriant feuillage, elle pouvait apercevoir la lande, qui formait une masse sombre contre l'horizon pâle et teinté de bleu. Lackland Priory se dressait depuis des siècles dans cette vallée du Yorkshire. C'était un endroit véritablement magnifique, à proximité de Penninstone Royal. Depuis quelques mois, Evan avait passé beaucoup de temps dans cette région verdoyante et douce. Un peu au nord, le coin, aride et hostile, était lugubre et froid une grande partie de l'année. Evan savait que Linnet ne partageait pas ce point de vue. Selon elle, les pentes abruptes étaient magnifiques, dans leur splendeur austère et solitaire. « J'aime la lande comme Emma Harte l'aimait, lui avait-elle expliqué un jour. Ma grand-mère était une enfant du pays et elle ne supportait pas d'en être éloignée très longtemps. Je lui ressemble. Je me languis de cet endroit. »

Emma Harte.

Evan tourna et retourna ce nom dans sa tête. Emma avait beau avoir disparu depuis trente ans, son esprit et sa présence étaient presque aussi marquants que lorsqu'elle vivait encore. Emma était son arrière-grand-mère, bien qu'elle n'en ait rien su lorsqu'elle était arrivée en Angleterre, en janvier. En huit mois, sa vie avait bien changé ! *Elle* était une Harte. Elle avait été acceptée par le clan familial, dont elle avait aujourd'hui le sentiment de faire partie. Pourtant, elle s'efforçait encore d'intégrer les derniers événements.

Presque aussitôt, ses pensées se tournèrent vers Robin Ainsley, le préféré d'Emma ; Evan l'appréciait et pourrait facilement l'aimer, elle le savait. Il y avait quelque chose d'attachant en lui, presque de vulnérable, qui lui donnait l'envie de le protéger. Il avait quatre-vingts ans et paraissait vivre une vieillesse solitaire.

Robin avait abandonné Glynnis pendant la Seconde Guerre mondiale, mais il avait ses raisons, et la rupture datait d'un demi-siècle. Si Evan était honnête avec elle-même, elle devait admettre que sa grand-mère avait mené une existence bien meilleure, et sans nul doute plus paisible, loin de Robin. Richard Hughes l'avait épousée quelques mois avant la naissance d'Owen. Il avait été un mari aimant et avait élevé l'enfant comme son propre fils. On ne pouvait rêver meilleur homme que lui, lui avait souvent raconté Owen lui-même.

Evan se raidit, car le visage de son père venait de s'insinuer dans son esprit. Une fois encore, elle se demanda comment lui apprendre ce qu'elle avait découvert si peu de temps auparavant. Owen idolâtrait Richard Hughes.

La voix de Robin, qui se tenait sur le seuil de la bibliothèque, arracha Evan à ses pensées.

— Pardonne-moi de t'avoir laissée seule. Le Dr Harvey peut être très bavard.

Elle se leva d'un bond pour lui faire face.

— Vous allez bien, n'est-ce pas ? Vous n'êtes pas malade ?

Sa voix vibrait d'une inquiétude sincère et ses yeux reflétaient son anxiété.

— Je t'assure que je suis en très bonne santé, ma chérie. Le Dr Harvey voulait seulement me confirmer que nous dînons bien ensemble demain soir.

Tout en parlant, Robin fit quelques pas sur la terrasse.

— Restons ici un instant, à jouir du spectacle que nous offre la nature, dit-il. Cette matinée est véritablement magnifique.

— C'est vrai.

Ils s'assirent sur le banc et Robin reprit :

— Tu m'as dit, tout à l'heure, que tu souhaitais discuter d'un certain nombre de choses avec moi, mais jusqu'à présent, nous n'avons parlé que de ma relation avec ta grand-mère. A quoi faisais-tu allusion, exactement ?

— Je pensais à mon père.

— Ah oui, Owen. Tu lui as parlé de moi ? Sait-il quelque chose... du secret bien gardé d'Emma ?

— Non.

— Tu as perdu ton courage, Evan ? Sûrement pas ! Pas toi !

— Non, pas vraiment, mais j'ai pensé qu'il valait mieux attendre son arrivée à Londres, ce mois-ci.

— Tu ne crois pas que tu devrais au moins lui fournir un indice à mon sujet, auparavant ? Pour le préparer à ce qui, pour lui, constituera immanquablement un choc.

Evan se mordit la lèvre inférieure, l'air soucieuse.

— Cette idée ne m'a pas effleurée, je l'avoue. Je me suis dit qu'il fallait lui en parler face à face.

Les sourcils froncés, Robin regarda au loin, ses yeux pâles tournés vers l'horizon lointain. Au bout d'un moment, il remarqua d'une voix songeuse :

— Il ne va pas apprécier ce qu'il entendra. Je ne serais pas surpris qu'il soit très en colère. Après tout, quelques-unes de ses illusions risquent de voler en éclats. Il va certainement m'en vouloir.

— Peut-être aussi en voudra-t-il à sa mère de lui avoir caché la vérité, dit brièvement Evan. Grand-mère lui a menti.

— Je suis convaincu qu'elle a eu raison. Il était plus sage de ne pas lui révéler que j'étais son père. Richard a épousé Glynnis quelques mois avant la naissance d'Owen et même s'il ne l'a pas conçu, il l'a aimé comme un fils. Il s'est comporté de façon irréprochable, aussi je crois que Glynnis a fait ce qu'elle pensait être le mieux.

— C'est vrai, mais...

— Mais quoi ?

— Mon père n'est pas un homme facile, Robin.

Un éclair de compréhension passa dans les yeux du vieil homme, qui s'écria :

— Je me rappelle quelque chose, Evan. Quand Paula t'a amenée ici, la première fois, tu nous as dit qu'Owen avait peut-être trouvé des papiers, après la mort de Glynnis.

— C'est exact, mais il n'y a jamais fait allusion. C'est une intuition que j'ai eue, parce qu'il s'était mis à tenir un discours assez étrange, à propos des Harte.

— *Oh ?* Quel type de discours ?

— Il est devenu… très critique, à leur sujet, il n'y a pas d'autre mot. Il n'était pas content de mon emploi au magasin. Cela m'a étonnée, parce qu'il était d'accord pour que je me rende à Londres afin de rencontrer Emma, ainsi que grand-mère me l'avait suggéré sur son lit de mort.

— Je pense qu'il a dû tomber par hasard sur un agenda, suggéra Robin, ou bien des lettres, ou tout autre souvenir de l'époque, dont Glynnis aurait oublié l'existence.

— Ce pourrait être cela, admit Evan. Et la découverte l'aurait refroidi vis-à-vis des Harte ? C'est ce que vous pensez ?

— En effet.

Robin se tut un instant, puis il reprit :

— Je me demande s'il ne vaudrait pas mieux laisser les choses en l'état, ma chérie. Pourquoi devrais-tu révéler la vérité à ton père sur cette paternité ? Peut-être est-il préférable de conserver le secret à propos de sa conception et de sa naissance.

— C'est une bonne idée ! s'exclama Evan.

Aussitôt, il lui sembla qu'on venait de lui ôter un grand poids de la poitrine. Comme s'il devinait ses sentiments, Robin passa un bras autour de ses épaules et l'attira contre lui.

— *Nous* savons la vérité, et c'est tout ce qui importe, tu ne crois pas ?

— Oui.

Elle posa sa tête contre son torse et ferma les yeux, submergée par le soulagement. Ils se turent un instant, perdus dans leurs pensées respectives. Evan songeait à Gideon et se demandait comment elle lui expliquerait ce soudain revirement. Elle savait, cependant, que quoi qu'elle décidât, il se rangerait à son avis. Gideon était compréhensif et très sensible à ce qu'elle éprouvait envers son père. En fait, il lui avait suggéré, quelques jours auparavant, qu'il valait peut-être mieux ne pas lui dévoiler qu'il était un Harte. Elle-même restait indécise. Gideon avait poursuivi en l'assurant qu'il approuverait sa décision, quelle qu'elle fût.

Quant à Robin, ses pensées étaient centrées sur Evan. Il se réjouissait qu'elle fût entrée dans sa vie. Très tardivement, certes, mais du moins savait-il maintenant qu'elle existait, et il considérait cela comme une chance. Il avait appris à l'apprécier, durant ces dernières semaines. Une fois, auparavant, il l'avait serrée dans ses bras, alors qu'elle cherchait à le réconforter. Il était heureux, aujourd'hui, que l'occasion se présentât à nouveau, ce qui lui permettait d'établir un lien silencieux avec elle et de l'apaiser à son tour.

Lorsqu'il avait fait sa connaissance, ses yeux s'étaient régalés à la vue de ce ravissant visage. Il avait tout de suite remarqué combien elle ressemblait à sa jumelle, Elizabeth, quand cette dernière avait vingt-sept ans – comme Evan aujourd'hui. *Evan*. Sa seule petite-fille. Son sang coulait dans les veines de la jeune femme et coulerait dans celles de ses enfants, si elle se mariait un jour... Grâce à elle, ses gènes seraient transmis à ses descendants. Il avait toujours espéré fonder une famille, mais avant l'arrivée d'Evan, cela ne risquait pas de se réaliser.

Il pensa soudain à Jonathan et un frisson le parcourut. Il pouvait seulement prier le ciel que son fils ne fît jamais de mal à Evan. Il lui avait bien fait comprendre que son héritage n'était nullement menacé. En fait, il lui avait fallu beaucoup de temps, l'intervention de deux notaires et la signature de nombreux documents pour l'en convaincre.

Mais Jonathan était imprévisible. Depuis longtemps, il le considérait comme quelqu'un d'incontrôlable, pire encore, comme un sociopathe. Il n'y avait aucun moyen de prévoir ses réactions. Ni de savoir quand il allait réagir.

Evan perçut la soudaine tension de Robin.

— Vous allez bien ?

— Tout à fait bien, répondit le vieux monsieur en se forçant à sourire. Mais je dois avouer que, même par une journée ensoleillée comme celle-ci, je perçois la fraîcheur. Rentrons, Evan, je veux te montrer quelque chose.

Ils entrèrent ensemble dans la bibliothèque et Robin murmura :

— Assieds-toi sur le sofa, je reviens tout de suite.

Elle obéit, tandis qu'il se hâtait vers son bureau. Les yeux d'Evan le suivirent. Il avait vraiment de l'allure. Malgré son âge, il restait grand et droit. Aujourd'hui, il semblait encore plus robuste et plein de vigueur. Elle s'en réjouit. Elle venait à peine de faire sa connaissance et il avait quatre-vingts ans... La perspective de le perdre la désolait.

Un instant plus tard, Robin s'assit près d'elle et lui tendit une photographie, un instantané pris bien longtemps auparavant.

— C'est vous et ma grand-mère ! Quel couple magnifique vous formiez ! Comme vous étiez beaux !

Il se mit à rire, ravi du compliment.

— Nous allions très bien ensemble, tout le monde nous le disait. Comme tu peux le constater, je porte mon uniforme de la Royal Air Force et ta ravissante grand-mère est vêtue à la dernière mode, comme toujours. Eh bien... ce cliché est pour toi, Evan.

— Oh, Robin, comme c'est gentil de votre part ! Mais vous êtes certain de vouloir vous en séparer ? Vous l'avez gardé pendant si longtemps !

— Et à qui d'autre pourrais-je l'offrir, sinon à *notre* petite-fille ? Je veux que tu aies ce portrait de nous, quand nous étions jeunes et amoureux, avant que les choses ne se gâtent.

Evan hocha la tête et posa une main affectueuse sur le bras de Robin.

— Je le conserverai précieusement.

Les yeux bleus de Robin étincelèrent et il lui sourit.

— Et maintenant, auras-tu pitié d'un vieil homme au point de déjeuner avec lui ?

— Très volontiers !

Mais tout en gagnant la salle à manger avec lui, Evan pressentit qu'il n'y avait que des ennuis à l'horizon. Son intuition lui disait que son père allait créer des difficultés et que la situation risquait d'exploser.

2

Tessa Fairley Longden se tenait sur la terrasse, à l'arrière de la maison, regardant Adèle, sa fille, s'activer telle une mère poule autour de ses poupées. Elle installait Daisy, le bébé de porcelaine, Teddy, l'ours en peluche, et Reggi, la poupée de chiffon, sur des chaises qu'elles venaient de placer autour d'une table miniature. Quand elle fut satisfaite de son organisation, elle leva les yeux vers sa mère.

— Daisy tient compagnie à Teddy et moi, je m'assiérai près de Reggi.

— C'est une bonne idée, Adèle. Je suis sûre qu'ils sont très contents, répondit Tessa en souriant à l'enfant de trois ans.

Tout en parlant, elle prit la résolution de faire disparaître Reggi dès que possible. Elle était sale au point d'en être presque dégoûtante, mais la petite l'aimait tant qu'elle ne la lâchait quasiment jamais. Tessa savait à quel point elle comptait pour elle. Elle la lavait de temps en temps, à la main, bien entendu, pour éviter qu'elle ne tombe en morceaux. « Ce soir, pensa-t-elle, je la ferai tremper, si je réussis à la lui arracher. »

Elle était heureuse de se trouver ici, dans le Yorkshire, avec sa fille. Le seul havre de paix qu'elle avait trouvé après avoir quitté son mari, Mark Longden.

Elle se pencha pour caresser les cheveux blonds et soyeux de l'enfant.

— Je vais dans la bibliothèque pour travailler, murmura-t-elle. Tu sais où me trouver, si tu as besoin de moi.

Adèle hocha la tête et dit d'une voix solennelle :

— Tu es devant ton ordinateur, maman.

— C'est cela.

Le cœur de Tessa s'emplit d'amour pour la petite, l'être qu'elle aimait le plus au monde. Elle s'inclina davantage pour déposer un baiser sur son crâne et s'attarda encore un instant sur la terrasse. Elle inspira profondément, puis se dirigea vers la bibliothèque, où elle s'assit derrière la table collée à la porte-fenêtre.

C'était le jour de congé d'Elvira, la jeune baby-sitter. Elle était partie pour Leeds, laissant Adèle à la garde de sa mère. Tessa avait envisagé de l'emmener au magasin de Harrogate, mais elle avait finalement changé d'avis. La matinée était si belle qu'il semblait presque criminel d'enfermer Adèle dans un bureau. Tessa pouvait très bien plancher sur place sur les plans de rénovation de l'enseigne. Pendant ce temps, Adèle profitait du soleil et du grand air.

Bien longtemps auparavant, Tessa avait décidé que la bibliothèque était l'endroit idéal pour travailler, lorsqu'elle séjournait à Penninstone Royal. La pièce, spacieuse et claire, au plafond haut et aux murs lambrissés de pin naturel, était un lieu paisible et silencieux, bien insonorisé, grâce aux étagères chargées de livres à reliure de cuir qui occupaient tout l'espace disponible.

Dans la matinée, elle s'était installée à l'extrémité, près des portes-fenêtres qui ouvraient sur la terrasse, où Adèle jouerait tranquillement jusqu'au déjeuner. Tessa avait poussé la table tout contre pour s'en faire un bureau temporaire. Adèle se trouvait ainsi dans son champ de vision et elle l'entendait même, qui gazouillait à l'oreille de Teddy. Elle pouvait, ainsi, garder un œil sur la petite et intervenir immédiatement si elle avait besoin d'elle.

Pendant vingt minutes, Tessa se concentra, levant les yeux de temps à autre de l'écran et souriant à la vue d'Adèle, dont la capacité à s'amuser seule était remarquable. Elle traitait ses poupées telles des compagnes de jeu et leur parlait tout naturellement, comme à des êtres vivants.

C'était une enfant intelligente et imaginative. Elle déchiffrait déjà de petits livres très simples. Tessa avait compris peu à peu qu'elle était avide d'apprendre, et extrêmement précoce. Mais pas de façon irritante, comme certains bambins. Naturellement douce, Adèle était aussi très attachante, avec ses minauderies et ses manières innocentes.

Se retournant, elle s'aperçut que sa mère la regardait. Elle se mit à rire et lui adressa un signe de la main à travers la vitre. Tessa lui rendit son salut et se remit à la tâche. Elle travaillait dur au projet de modification du magasin de Harrogate pendant que sa demi-sœur Linett et sa cousine India s'occupaient de relooker l'établissement de Leeds avec Evan Hughes. L'enseigne Harte se refaisait une beauté.

La sonnerie du téléphone l'arracha à son travail. Comme elle ne s'interrompait pas, Tessa se demanda pourquoi personne ne décrochait, puis elle se rappela qu'elle était seule dans la maison. Elvira était partie, Margaret faisait le marché à Ripon et elle avait vu Evan s'éloigner au volant de sa voiture une heure auparavant. Quant à Emsie et Desmond O'Neill, son demi-frère et sa demi-sœur, ils faisaient du cheval dans la lande.

Se levant d'un bond, Tessa se précipita vers le bureau dix-huitième et saisit le récepteur.

— Penninstone Royal. Allô ?

Il y eut un crépitement, puis une voix lointaine, apparemment masculine, prononça :

— Tessa... C'est Tess...

Ce fut le silence.

C'est Toby, pensa-t-elle, il m'appelle de Los Angeles.

Serrant le combiné, elle s'exclama :

— Tessa Longden ! Qui est à l'appareil ?

Mais à sa grande frustration, ce fut le vide. Elle écouta encore un moment, puis se résigna à raccrocher, exaspérée.

Elle avait fait quelques pas en direction de son bureau improvisé quand la sonnerie retentit de nouveau. Elle décrocha très vite et articula fort :

— Tessa Longden. Qui est à l'appareil ?

Pour toute réponse, il n'y eut que le grésillement et un bruit qui ressemblait à celui des vagues.

— Allô ? Allô ?

Son ton vibrait de frustration. Elle était certaine que son correspondant n'était autre que son cousin, parti voir sa femme à Los Angeles. Il avait promis de l'appeler et sans doute, *c'était* lui, qui tentait de la contacter de son téléphone portable. La communication s'interrompit. Haussant les épaules, elle raccrocha brutalement et gagna sa table de travail. A peine avait-elle tourné le dos que la sonnerie insistante lui fit rebrousser chemin. Elle décrocha.

— *Qui est à l'appareil ?*

— Tess...

La voix se tut avant même d'avoir prononcé entièrement son prénom, puis il n'y eut plus que de la friture, entrecoupée d'un mot par-ci par-là.

— Allô ? répéta-t-elle plusieurs fois.

Mais qui que ce fût, à l'autre bout du fil, il ne put se faire comprendre.

Elle resta debout plusieurs minutes, le récepteur collé à l'oreille, puis le reposa enfin, maudissant Toby. Pourquoi ne l'appelait-il pas depuis un poste fixe ? Il lui vint brusquement à l'esprit qu'il avait peut-être cherché à la joindre au magasin de Londres, aussi forma-t-elle le numéro de son assistante. Cette dernière décrocha sur-le-champ.

— C'est moi, Patsy, dit-elle aussitôt. Je pense que Toby Harte essaie de me contacter des Etats-Unis. Mais cela ne marche pas, la liaison est toujours interrompue. Vous ne l'avez pas eu, ce matin ?

— Non, répondit Patsy. En revanche, vous avez reçu un appel de Jess Lister, au sujet d'une robe que vous avez commandée, et d'Anita Moore, qui veut vous présenter une ligne de crèmes pour le visage et le corps. Je lui ai dit de rappeler au début de la semaine prochaine.

— Vous avez bien fait. Si Toby appelle, demandez-lui de me joindre à partir d'un fixe, s'il vous plaît. Je serai toute la journée et la soirée à Penninstone Royal. Je ne sors pas.

— Je le lui dirai. A plus tard, Tessa.

Regagnant son bureau, Tessa jeta machinalement un coup d'œil en direction de la terrasse avant de se remettre à la tâche. La surprise lui coupa le souffle. Adèle avait disparu. Seigneur, où était-elle ?

Tessa se rua dehors, regardant à droite et à gauche. Sa fille n'était nulle part, pourtant elle n'avait pas l'habitude de s'éloigner. C'était une enfant obéissante. Tessa sentit ses cheveux se dresser littéralement sur sa tête, tandis qu'une sonnette d'alarme retentissait dans son crâne. Elle courut dans un sens, puis dans l'autre, regarda les poupées abandonnées, comme si elles pouvaient lui fournir un indice, et remarqua immédiatement que Reggi avait disparu.

Où Adèle était-elle partie ? Plus bas, en direction du vieux chêne, peut-être ? A cette idée, Tessa se précipita vers la balustrade de pierre et scruta le vallon, au-delà des pelouses en pente. L'arbre ancestral, dont le feuillage s'étendait au-dessus d'un jardin où Adèle jouait souvent, se dressait au bout. Mais aujourd'hui, aucun signe ne trahissait la présence de l'enfant.

Comment avait-elle réussi à descendre les marches ? se demandait Tessa en les dévalant quatre à quatre. La sonnette d'alarme retentit encore plus fort. Tessa redoutait ce qu'elle allait voir, s'attendant presque à trouver sa fille évanouie en bas du perron. Mais Adèle n'y gisait pas.

La panique se mua en terreur. Tessa contourna la bâtisse en courant, regardant autour d'elle, le visage tendu et les yeux emplis d'angoisse.

L'allée était déserte. Personne en vue, pas même les jardiniers ou les palefreniers. Tout était calme, comme si tout le monde avait disparu et qu'il ne restait plus qu'elle.

Lorsqu'elle atteignit la lourde porte d'entrée, elle s'immobilisa, les sourcils froncés. Le battant était entrouvert, ce qui la surprit, car il était toujours verrouillé, par sécurité. Troublée, elle le poussa et entra dans la maison, préoccupée.

— Adèle ! Adèle ! appela-t-elle très fort. Tu es là, ma chérie ?

Pas de réponse, ni aucune petite fille se précipitant vers elle sur ses jambes potelées. Seul lui parvint l'écho de sa voix, renvoyée à travers le hall. Elle pensa soudain qu'Adèle avait pu se rendre dans la cuisine afin que Margaret lui donne ses gâteaux au chocolat préférés pour le goûter des poupées. Se ruant dans le couloir, elle entra dans la pièce, déserte elle aussi. La déception l'envahit, son cœur battit plus fort et la peur lui noua l'estomac. De façon inattendue, des larmes emplirent ses yeux et elle dut s'appuyer au chambranle de la porte durant quelques secondes. Tout en s'efforçant de recouvrer son calme, elle tentait d'imaginer où pouvait bien se trouver Adèle. *Où ?*

Inspirant profondément, elle s'élança vers l'entrée, puis sortit et marcha dans l'allée couverte de gravier, balayant le parc du regard. Par où commencer ? Il semblait évident, maintenant, qu'Adèle s'était rendue dans le parc. Tessa réalisa brusquement qu'elle avait besoin de Wiggs et de ses deux assistants, pour qu'ils se mettent à la recherche d'Adèle. Pendant qu'elle y était, mieux valait aussi réquisitionner les palefreniers. La propriété était immense et il y avait plusieurs bois, au-delà des champs et des prairies.

— Mademoiselle Tessa ! Mademoiselle Tessa !

En reconnaissant la voix du jardinier, Tessa se retourna. Wiggs accourait vers elle et elle vit qu'il serrait Reggi dans sa main.

Elle se précipita à sa rencontre.

— Où avez-vous trouvé cette poupée ? s'exclama-t-elle.

Wiggs s'arrêta près d'elle et la lui tendit.

— Dans l'allée, à l'endroit où elle fait une courbe, dit-il en jetant un coup d'œil par-dessus son épaule. Vous savez où c'est, mademoiselle Tessa. Là où l'on commence à voir la maison.

Serrant le trophée, Tessa dit d'une voix tremblante :

— Je ne trouve plus Adèle, Wiggs. Tout d'un coup, elle n'était plus là et je ne comprends pas comment elle a pu s'éloigner. Nous devons inspecter la propriété.

Wiggs laissa échapper une exclamation.

— Je croyais qu'elle avait lâché son jouet avant de monter dans la voiture, dit-il en fronçant les sourcils, l'air troublé.

Les yeux de Tessa s'écarquillèrent, pleins d'appréhension.

— Quelle voiture ? Il y avait une voiture, ici ? s'enquit-elle sur un ton anormalement aigu en agrippant le bras de Wiggs.

— Oui. J'ai entendu un crissement de pneus, quand elle s'est éloignée à toute allure. Elle a même failli renverser un poney, et deux palefreniers ont crié au chauffeur de s'arrêter. Mais il ne l'a pas fait.

Tessa était devenue très pâle. Elle crut que ses jambes allaient la trahir, tandis que le choc produisait des ondes dans son corps. Mark. Ce devait être Mark. Oui. Oh, Seigneur, oui ! Il avait enlevé leur enfant. Elle ferma les paupières, tremblante. Submergée par la panique, elle porta une main à son visage.

— Vous feriez mieux de rentrer vous asseoir, mademoiselle Tessa, dit Wiggs. Vous avez l'air mal.

Tandis que Tessa rouvrait les yeux et s'efforçait de respirer calmement, elle perçut un bruit de sabots, au loin, et se tourna très vite dans sa direction.

Wiggs regarda derrière lui et murmura :

— C'est sûrement Emsie et Desmond, qui reviennent de promenade.

— Oui, fit-elle d'une voix étrange, comme étranglée.

Elle était au bord des larmes. Elle les réprima et demanda :

— Cette voiture, Wiggs, comment était-elle ? Avez-vous vu le conducteur ? Pensez-vous qu'il s'agissait de M. Longden ?

Wiggs secoua la tête.

— Je n'ai pas repéré son visage, mais c'était un homme... pour sûr ! La voiture était noire, une Mercedes... je crois.

Il hocha la tête, soudain sûr de lui.

— Pour sûr, c'était une Mercedes, mademoiselle Tessa.

A cet instant, Emsie et Desmond parvinrent dans le tournant, ayant mis leurs chevaux au pas. Emsie leur fit un signe de la main et lança :

— Salut, Tessa !

Desmond la salua à son tour, son jeune et beau visage détendu par un large sourire.

Après une brève hésitation, Tessa se mit à courir vers eux, Wiggs sur les talons.

Monté sur un superbe étalon noir, Desmond baissa les yeux vers son aînée. Il remarqua aussitôt sa pâleur et la tension qui marquait ses traits.

— Que se passe-t-il, Tess ? s'enquit-il vivement.

— C'est Adèle… commença-t-elle avant de secouer la tête, perdue. Je ne peux pas la trouver. C'est comme si elle s'était évanouie dans l'atmosphère. Il se peut qu'elle ait été enlevée, ajouta-t-elle, brisée, en se tournant vers Wiggs.

Celui-ci, qui connaissait Tessa depuis l'enfance, prit le relais et fournit des explications aux jeunes gens.

— Voici ce qui s'est passé, Desmond. Il y avait une voiture. Je ne sais pas qui la conduisait, mais elle roulait à toute allure et a failli heurter un poney. Deux palefreniers lui ont couru après en criant, mais le chauffeur ne s'est pas arrêté. Il a franchi la grille comme s'il avait le diable aux trousses. Je remontais l'allée… quand j'ai remarqué la poupée de chiffon d'Adèle. Je pensais qu'elle l'avait laissée tomber en montant dans le véhicule. Je n'en étais pas sûr, en fait, mais ça a l'air d'être ça, conclut-il en hochant la tête.

— Mais vous ne l'avez pas vue dans la voiture ? demanda Desmond.

— Non, mais pourquoi ce jouet se serait-il trouvé là ? Il a dû échapper à la petite.

Tessa inspira profondément, avant de déclarer d'une voix soucieuse :

— S'il vous plaît, Wiggs, faites fouiller la propriété et parlez à Joe. Il se peut qu'il ait distingué les passagers. Peut-être se sont-ils adressés à lui à propos de quelque chose en rapport avec la propriété.

— Je m'occupe des recherches, mademoiselle Tessa, mais pour ce qui est de Joe, il est allé à East Witton et je ne pense pas qu'il soit revenu. Pourtant, une personne qui aurait voulu le voir n'aurait pas foncé comme ça, pas avec tous les panneaux de ralentissement que nous avons posés, à cause des chevaux. Non, c'étaient forcément des étrangers. Les gens du coin savent qu'ils ne doivent pas rouler à vive allure.

— Je suis d'accord avec Wiggs, dit Desmond.

Il descendit de sa monture, s'approcha de Tessa et la prit par les épaules. Il était aussi inquiet à son sujet que préoccupé par les récents événements. Et que pouvaient-ils faire, hormis explorer le parc et ses alentours ?

A son tour, Emsie mit pied à terre.

— Voudriez-vous ramener les chevaux à l'écurie ? demanda-t-elle à Wiggs. Nous arrivons dans quelques minutes pour les panser.

— Bien sûr, dit Wiggs en prenant les rênes des mains d'Emsie. Mais les palefreniers vont s'en occuper ; vous feriez bien de rester auprès de Mlle Tessa.

La jeune fille lui adressa un faible sourire et il s'aperçut qu'elle était aussi pâle que sa demi-sœur. Elle paraissait très effrayée. Wiggs la réconforta :

— Essayez de ne pas vous faire trop de souci, mon petit. Nous allons certainement retrouver Adèle, elle ne peut pas être bien loin.

Emsie se mordit la lèvre inférieure.

— J'espère qu'elle n'est que perdue, murmura-t-elle, que ce n'est que cela.

Wiggs s'éloigna en hâte avec les chevaux, pensant à part lui que Mark Longden devait avoir enlevé l'enfant. Tout le personnel savait à quoi s'en tenir au sujet du divorce qui s'annonçait. Beaucoup de rumeurs couraient à propos de Longden. Personne ne l'aimait. Il était le père d'Adèle et certainement, il ne lui ferait pas de mal. Mais à ce que Wiggs avait entendu dire, Mark Longden était une fripouille, un alcoolique et un drogué, capable de brutaliser sa femme. Selon lui, un homme qui frappait son épouse était un lâche, un tyran et un voyou.

Tessa, Desmond et Emsie entrèrent dans la maison. Comme ils traversaient le hall, Desmond prit le bras de son aînée et suggéra :

— Je te sers un cognac ? Tu as l'air sur le point de t'évanouir.

— Non merci. J'ai envie d'une tasse de thé et d'un cachet d'aspirine. J'ai une migraine affreuse. Allons dans la cuisine.

Le jeune homme hocha la tête et lui emboîta le pas, suivi par Emsie. Celle-ci remplit la bouilloire électrique et la brancha, puis elle sortit la théière et trois tasses d'un placard.

Ils s'assirent à la table ronde, près de la fenêtre, et Desmond prit la main de Tessa, espérant la rassurer. Il se mit à parler mais s'arrêta presque aussitôt, remarquant son expression concentrée. Il avait toujours été très sensible à ses humeurs et comprit qu'elle cherchait à faire le tri dans ses pensées.

A quinze ans, il faisait preuve d'une grande maturité. Il mesurait environ un mètre quatre-vingts et avait une carrure athlétique. Il avait hérité sa stature robuste et ses larges épaules, ainsi que sa beauté, de son père. Ses cheveux et ses yeux noirs lui venaient de ses ancêtres irlandais, et ceux qui avaient connu son arrière-grand-père, Blackie O'Neill, disaient qu'il était son portrait craché. Bien que son bisaïeul fût mort depuis bien longtemps, son souvenir était resté gravé dans la mémoire des habitants de la région et de quelques membres des trois clans.

Le silence régnait. Emsie préparait le thé et Desmond attendait que Tessa se fût calmée pour dire quelque chose – ce qui semblait impossible tant qu'Adèle ne serait pas retrouvée.

L'esprit de Tessa fonctionnait à toute allure. Elle se sentait malade, nouée par l'anxiété. Elle ne savait que faire, pour l'instant. Comment pouvait-elle rester assise, à attendre que Wiggs et les autres aient fouillé la propriété ? Cela prendrait des siècles ! Si Adèle s'était perdue, elle ne tarderait pas à mourir de peur. Elle risquait d'avoir un accident, de se blesser. Tessa se demanda si elle ne ferait pas mieux de rejoindre ceux qui la cherchaient. Et si Adèle avait été enlevée par Mark ? Etait-il capable de commettre un tel acte ? A moins que Jonathan Ainsley ne se trouve à l'origine de tout cela ? Cette idée terrorisa Tessa. Si Mark avait kidnappé Adèle, allait-il l'appeler ? En tout cas, il ne lui ferait aucun mal, puisqu'il l'adorait. Mais il n'était plus lui-même, ces derniers temps. Tessa frissonna.

Desmond le remarqua et dit aussitôt, sur un ton rassurant :

— Je suis certain qu'Adèle était dans cette voiture, Tess. Wiggs peut ne pas l'avoir vue. Je ne crois pas qu'elle soit quelque part dans la propriété, Emsie et moi l'aurions aperçue en revenant. La seule façon d'accéder aux champs, c'est d'emprunter le sentier.

Tessa ne répondit pas.

Desmond se tut, devinant les pensées de sa demi-sœur. Bien que celle-ci eût, dans la famille, la réputation d'être difficile, autoritaire et snob, il la connaissait sous un aspect fort différent. Il l'aimait, et elle le lui rendait bien ; ils avaient toujours été bons amis. Elle n'était pas vraiment l'ogre que d'aucuns voyaient en elle. Du moins, pas à ses yeux.

S'arrachant à ses réflexions, la jeune femme déclara soudain :

— Comme toi, je ne peux pas m'empêcher de penser qu'elle était dans cette voiture. Tu as raison. Elle est si petite, elle ne serait pas partie aussi loin.

— Mais qui l'aurait emmenée sans te prévenir ?...

Le jeune homme s'interrompit, ses yeux ayant rencontré ceux de Tessa.

— Mark ! s'écria-t-il. Bien sûr ! Tu penses que c'est lui, n'est-ce pas ?

— Oui.

— Moi aussi.

Emsie posa le plateau, garni de la théière et des tasses, sur la table.

— Je ne vois pas qui cela pourrait être, sinon, intervint-elle. Il se rappelle à ton bon souvenir parce qu'il t'en veut d'avoir demandé le divorce, ou pour te faire du mal.

— A moins que quelqu'un d'autre... commença Desmond.

Il prit le temps d'inspirer profondément, avant de poursuivre :

— ... l'ait kidnappée dans l'espoir d'obtenir une rançon. Notre famille a toujours offert une cible parfaite, pour ce genre d'actions.

— J'y ai pensé...

Tessa ferma les yeux. Elle se tint immobile, tâchant de maîtriser le tremblement qui s'était emparé de ses membres.

— C'est pour cela que je suis rentrée, pour rester près du téléphone.

Elle était si pâle et si tendue qu'elle semblait sur le point de s'évanouir, pensa Desmond. Il aurait voulu que Linnet fût là ; elle aurait su quoi faire. Mais Tessa l'aurait-elle écoutée ? Elles étaient souvent en désaccord.

Emsie fixait Desmond. Leurs regards se croisèrent tandis qu'elle servait le thé. Ils avaient toujours été sur la même longueur d'ondes. Elle avait deux ans de plus que lui, pourtant c'était lui qui la protégeait. Ils s'adoraient et chacun considérait l'autre comme son meilleur ami. Les origines irlandaises d'Emsie étaient tout aussi marquées que celles de son frère. Elle avait hérité de la « marque de fabrique » des O'Neill : une chevelure sombre et brillante, des yeux aussi noirs et étincelants que le charbon.

Elle articula en silence :

— *Linnet*. Nous avons besoin de Linnet.

Desmond hocha la tête, puis il se tourna vers Tessa et attendit. Malgré son air fragile et sa beauté délicate, Tessa était forte et résistante, intérieurement. Comme elle le disait souvent, elle n'était pas l'arrière-petite-fille d'Emma Harte pour rien, et elle pouvait se montrer tenace et déterminée. Elle finit par se ressaisir, ouvrit les yeux et se redressa sur sa chaise.

— Merci pour le thé, Emsie, murmura-t-elle.

Elle en avala une longue gorgée puis, au bout d'un instant, jeta un coup d'œil à l'horloge murale.

— Il est presque dix-neuf heures, ici… Cela fait six heures du matin à New York. Inutile de prévenir maman et Shane.

— Ils dorment certainement, renchérit Emsie. Pourquoi ne pas contacter ton avocat ?

— Non ! s'exclama Tessa en regardant durement la jeune fille. Tu connais parfaitement les règles familiales : nous nous débrouillons tout seuls, dans la mesure du possible, et avec l'aide éventuelle des autres clans. Mais à moins de ne pas avoir le choix, nous ne recourons pas aux étrangers.

— Tu devrais appeler Linnet, suggéra Desmond.

Il espérait que Tessa n'allait pas prendre le mors aux dents. La relation très tendue qui unissait les demi-sœurs posait de nombreux problèmes. Chacune souhaitait, un jour, diriger Harte. Mais en dehors de leurs parents, Linnet était sans doute la plus compétente de la famille. Desmond était persuadé qu'elle était la plus apte à les remplacer en leur absence.

Bizarrement, Tessa ne prit pas la mouche. Se levant d'un bond, elle se précipita sur le poste posé sur le comptoir.

— Tu as raison, Desmond, je le fais immédiatement.

40

Linnet, qui comptait se rendre à Penninstone le jour même ou le lendemain, était sans doute en route vers le Yorkshire. Aussi Tessa composa-t-elle le numéro de son téléphone portable.

On décrocha presque immédiatement :

— Linnet O'Neill.

— C'est Tessa. J'ai un problème...

— Au magasin de Harrogate ? fit Linnet, surprise.

— Non. A la maison. A Penninstone Royal.

— Que s'est-il passé ?

— C'est Adèle... Elle a disparu. Je ne la retrouve pas et je suis folle d'inquiétude. Je crains que Mark ne l'ait enlevée.

La gorge serrée dans un étau, Tessa déglutit péniblement.

— Si tu penses que c'est lui, alors c'est lui, s'exclama Linnet. Garde ton calme, j'arrive dans une heure, à peu près. Et n'appelle pas la police, nous pouvons nous débrouiller seuls.

— Je connais les règles. Ecoute... Desmond pense que ce pourrait être un vrai enlèvement, avec demande de rançon.

— Mon Dieu ! Espérons que non ! Raconte-moi ce qui s'est passé, exactement.

Tessa fit le récit détaillé des événements. Lorsqu'elle eut terminé, Linnet déclara :

— Cet appel téléphonique était destiné à te distraire. Je suis certaine que Mark est derrière tout ça, tu as raison. Mais il est quand même préférable que Wiggs fouille la propriété. Si Adèle s'est écartée de la maison, elle ne peut être allée bien loin. Qui est avec toi ?

— Desmond et Emsie. C'est le jour de congé d'Elvira et Margaret est partie faire les courses. Quant à Joe, il est en route pour East Witton.

— On peut compter sur Desmond, qui est tout à fait responsable, ainsi que sur Emsie. Je suis contente qu'ils te soutiennent. Où est Evan ?

— Je l'ignore. Elle a filé en voiture il y a plusieurs heures.

— Elle va sans doute rentrer bientôt. Reste près du téléphone et si Mark appelle, dis-lui de ramener Adèle immédiatement. Sois ferme, mais polie. Essaie de ne pas te disputer avec lui.

— Qu'est-ce que je fais, s'il veut passer un marché avec moi ?

— Promets-lui tout ce qu'il veut, et qu'il te ramène ta fille. On s'occupera de lui plus tard.

— Très bien... Mais si ce n'était pas lui ? Si les ravisseurs prennent contact pour fixer leurs conditions ?

— Ecoute-les, accepte leurs exigences, mais explique-leur qu'il te faut du temps pour réunir l'argent. Parce que je suis sûre que c'est ce qu'ils réclameront... Du moins, c'est ce que veulent la plupart des kidnappeurs.

— Je comprends.

— Tessa ?

— Oui ?

— Je te promets qu'Adèle sortira indemne de tout cela.

— Mais...

— Je te le promets ! Et surtout, ne pars pas à sa recherche ; reste près du combiné. A tout de suite.

Sur ces mots, Linnet raccrocha.

Dès qu'elle repéra une aire de stationnement, Linnet O'Neill se gara. Elle réfléchit un instant à ce qu'elle venait d'apprendre. Elle était à la fois désolée et furieuse. *Je savais bien que ce salaud ne la laisserait pas tranquille,* songea-t-elle.

Elle n'avait jamais aimé Mark Longden. Elle le trouvait radin, ambitieux et carriériste. Des années auparavant, elle l'avait placé dans la catégorie des chasseurs de dot, estimant qu'il en voulait surtout à la fortune de Tessa. D'autant qu'elle était auréolée du prestige des Harte. Elle n'avait jamais très bien compris pourquoi sa demi-sœur, belle et intelligente comme elle l'était, l'avait épousé. Pour couronner le tout, ce n'était même pas un bon architecte, quoi qu'en disent certains.

Paula lui avait récemment révélé que Mark Longden avait fait du mal à Tessa, physiquement et psychiquement. A son propre étonnement, cette nouvelle ne l'avait pas surprise le moins du monde. Elle avait toujours su qu'il cachait une nature méchante et brutale, sous ses airs doucereux et faux.

Linnet resta immobile un instant, réfléchissant aux derniers événements. Pour le moment, elle ne croyait pas vraiment à la thèse de l'enlèvement crapuleux. Elle avait l'intime conviction que Mark Longden avait kidnappé sa fille pour exercer un chantage sur sa femme. Il utiliserait la petite comme monnaie d'échange.

— Le salaud ! murmura-t-elle.

Et elle le maudit entre ses dents serrées.

Elle n'avait pas oublié ce que lui avait dit, un jour, sa mère : « "Tout le monde a un prix et il ne s'agit pas toujours d'argent", me répétait souvent Emma. » C'était exact. Il y avait en chaque être humain une sorte de faille, quelque chose qu'il voulait absolument préserver, à n'importe quel prix. Souvent, l'argent n'entrait d'ailleurs pas en ligne de compte.

Aux dernières nouvelles, Mark Longden non seulement buvait beaucoup, ces derniers temps, mais était aussi sous l'empire de la drogue. Sur le coup, l'information n'avait que troublé Linnet ; aujourd'hui, elle lui paraissait bien plus inquiétante. Un homme drogué pouvait facilement se comporter de façon irresponsable, voire imprévisible, être violent ou même dangereux. Linnet était absolument sûre que Mark ne ferait pas volontairement de mal à sa fille unique. Mais que se passerait-il si cela tournait mal, de son fait ou de celui d'autrui ? Adèle risquait d'être blessée.

Il vint soudain à l'esprit de Linnet que Tessa avait envisagé cette éventualité. Jamais elle ne lui avait paru si nerveuse, si vulnérable et indécise. Il était clair que l'enlèvement d'Adèle l'avait privée de toute défense.

Habituellement, Tessa prenait les choses en main, se montrait autoritaire. Elle voulait tout contrôler, tout gérer. Et très souvent, parce que Tessa se considérait comme l'héritière de leur mère, la dauphine, comme elle se plaisait à dire, elles s'étaient disputées telles des chiffonnières. Mais il y avait une loi qui n'avait jamais été enfreinte, dans la famille, et qui remontait à Emma Harte et à ses frères. Quelles que soient les circonstances, un Harte se montrait loyal envers un autre Harte. Ils avaient été élevés de façon à se serrer les coudes, dans un combat, et à se défendre mutuellement contre le monde entier. Ils auraient tué ou donné leur vie les uns pour les autres, s'il l'avait fallu. Linnet connaissait les règles familiales par cœur, et elle les respectait.

Adèle était la faille de Tessa, Linnet en avait bien conscience. Tout le clan adorait l'enfant, qui ressemblait à un ange de Botticelli avec ses cheveux blond cendré, ses yeux gris argent et son exquis petit visage. Elle était à la fois ravissante et attachante, en raison de sa douceur naturelle. Linnet pensait à Adèle comme à une créature d'exception, unique, presque éthérée. Que Dieu la préserve de tout mal ! songea-t-elle.

Comment résoudre ce drame ? Que faire ? Et par où commencer ?

Il lui fallait repartir. Elle s'arracha donc à la myriade de pensées qui tournoyaient dans sa tête, desserra le frein à main, démarra et reprit la route.

Elle savait qu'elle allait devoir gérer les événements. Le fait que Tessa se fût adressée à elle lui faisait clairement comprendre une chose : sa demi-sœur reconnaissait qu'elle-même était trop impliquée affectivement pour tenir les rênes. Je vais avoir à prendre une décision rapidement, estima-t-elle. Aujourd'hui. Cette situation ne doit pas s'éterniser. Il faut retrouver Mark et la petite avant que quelque chose ne tourne mal.

Elle était seule pour faire face. Ses parents se trouvaient à New York avec oncle Winston et tante Emily. Pour l'instant, les quatre membres les plus puissants de la famille Harte n'étaient pas aux commandes.

Gideon ?

L'espace d'un instant, elle pensa à son cousin et meilleur ami. Il pouvait lui apporter une aide précieuse. Il dirigeait le groupe de presse des Harte, et il était brillant, avisé et plein de ressources. Le fait d'être à la tête d'un journal international impliquait une chose : le pouvoir. Un immense pouvoir. Oui, elle mettrait Gideon au courant. Mais le plus urgent était de s'appuyer sur un professionnel. Un policier qui n'était plus dans le circuit.

Jack Figg.

Le nom s'imposa à elle. Le conseiller en sécurité des Harte était considéré comme un membre de la famille. Elle le connaissait depuis l'enfance et pensait à lui comme à un ami. Dès qu'elle vit une autre aire de stationnement, elle s'y arrêta. Elle fouilla dans son sac, en sortit son carnet d'adresses et y trouva très vite les coordonnées de l'intéressé. Quelques secondes plus tard, elle formait le numéro du téléphone portable de Jack.

— Figg, répondit-il presque aussitôt.

— C'est Linnet, Jack.

— Bonjour, beauté. De quoi as-tu besoin ?

— De toi, Jack.

— Je suis à ton service, dit-il en riant. Quelle que soit l'heure du jour ou de la nuit.

— Tu te rappelles ce que tu m'as dit, le jour de l'anniversaire de Shane, en juin ? Que je pouvais m'adresser à toi en cas d'urgence ?

— Oui, et c'est toujours vrai.

— Merci, Jack. Nous avons une urgence.

— Dis-moi ce qu'il faut que je sache.

Elle lui décrivit rapidement la situation et lui exposa son point de vue.

— L'appel téléphonique était destiné à distraire Tessa, c'est certain, conclut-il. Où es-tu, en ce moment, Linnet ?

— Garée au bord de la route, à une heure environ de Penninstone Royal. Et toi ?

— Devant la cathédrale de York, avec un ami. Si je pars tout de suite, j'arriverai sans doute à Penninstone en même temps que toi. On s'y retrouvera. Mais préviens Tessa que tu as demandé mon aide, s'il te plaît, au cas où j'arriverais avant toi.

— C'est entendu. Merci, Jack.

— Je ferais n'importe quoi pour toi, beauté.

Dès qu'il eut raccroché, elle repartit et profita du faible trafic pour appuyer sur l'accélérateur. Il n'y avait pratiquement aucune circulation, ce qui jouait en sa faveur.

Elle se concentra sur la conduite pendant vingt minutes, puis ralentit et appela Tessa. Celle-ci lui dit qu'il n'y avait rien de nouveau et qu'on n'avait pas retrouvé Adèle. Wiggs et son équipe fouillaient encore la propriété. Linnet la mit au courant de l'arrivée imminente de Jack et se réjouit que Tessa ne lui oppose aucune résistance.

Quelques secondes plus tard, elle tenta de joindre Evan, mais n'obtint aucune réponse. Elle se doutait que son amie se trouvait avec oncle Robin, avec qui elle souhaitait discuter depuis plusieurs semaines. Linnet songea alors brusquement à sa cousine India Standish. Très tôt dans la matinée, elle avait quitté Londres pour se rendre à Leeds, comptant travailler sur les plans de rénovation. Linnet était très proche d'elle. En réalité, tout le monde l'adorait. Elle était compréhensive, gentille et affectueuse. D'aucuns la croyaient délicate, voire fragile, mais sous des dehors aristocratiques hérités des Fairley se cachait une grande force de caractère.

Linnet la savait pragmatique, les pieds bien sur terre et physiquement solide. Tout comme leur arrière-grand-mère, Emma Harte, elle ne connaissait pas la peur.

India travaillait avec elle au département de la mode de Harte, à Londres, et elles étaient intimes depuis l'enfance. India avait grandi sur les terres de son père, en Irlande, mais elle passait les vacances d'été à Penninstone. Linnet aimait se remémorer les exploits d'India, lorsqu'elle était enfant... Par exemple, la fois où elle s'était précipitée dans le jardin, les mains glissées dans des gants de cuisine, pour séparer deux chiens qui se disputaient le cadavre d'un lapin ; ou le jour où Emsie ne parvenait plus à redescendre du grand chêne en haut duquel elle avait grimpé. Sans écouter Linnet, qui craignait de les voir dégringoler toutes les deux, India était montée s'asseoir sur la branche d'où Emsie n'osait plus bouger. Elle avait séché ses larmes et l'avait serrée dans ses bras jusqu'à ce que Linnet revînt avec Joe, l'intendant, muni d'une grande échelle.

Oui, pensa Linnet, la présence d'India pouvait se révéler utile, dans ce genre de situation, d'autant qu'elle avait l'art de calmer Tessa.

India devait passer quelques jours à Penninstone, mieux valait la mettre au courant des événements avant son arrivée. Linnet composa le numéro de sa cousine et attendit patiemment, tandis que la sonnerie retentissait encore et encore à son oreille.

3

Russel Rhodes, dit Dusty, jeta un coup d'œil à India, qui se tenait près de la fenêtre.

— C'est ton téléphone portable qui sonne, pas le mien.

Elle balaya la pièce du regard, les sourcils froncés.

— Zut ! Où est mon sac ?

— Là, sur cette chaise, sous ta robe.

— Tu as raison !

Tout en parlant, India se précipita vers le siège, les doigts crispés sur la serviette éponge qui dissimulait son corps. De l'autre main, elle attrapa son sac et fouilla dedans. Elle en sortit l'engin, appuya sur une touche et le colla à son oreille.

— Allô ?

— India ?

— Salut, Linnet.

— Où es-tu ? Au magasin de Leeds ?

— Non. J'y suis passée, puis je suis allée… déjeuner.

De l'autre côté de la pièce, Dusty fit la grimace avant de se mettre à rire. India le foudroya du regard.

— Silence ! articula-t-elle sans émettre le moindre son.

— India, reprit Linnet, nous avons un problème. Adèle a disparu depuis plusieurs heures et Tessa est dans tous ses états.

— Mon Dieu !

Les yeux emplis de frayeur, India s'assit lourdement sur la chaise et se concentra sur les propos de sa cousine.

— Il se peut qu'elle se soit perdue dans le parc, continuait cette dernière, qu'elle ait simplement voulu se promener, mais j'en doute. A mon avis, et c'est aussi celui de Tessa, Mark Longden l'a enlevée.

— Je suis assez d'accord avec cela, mais il ne lui fera certainement aucun mal...

— C'est vrai, l'interrompit Linnet, mais les choses peuvent mal tourner, aussi devons-nous la retrouver avant qu'un accident ne se produise. J'ai appelé Jack Figg à l'aide et en ce moment, on fouille la propriété. Je devrais y être moi-même d'ici une demi-heure.

— Je ferais peut-être bien de venir, moi aussi.

— Termine ton déjeuner, India. Tu ne pourras rien faire de plus, sinon réconforter Tessa. Apparemment, elle est complètement démontée.

— C'est assez compréhensible...

India hésita un instant avant de s'enquérir d'une voix soucieuse :

— Tu ne crois pas que Jonathan Ainsley puisse être impliqué dans cette affaire ?

— J'espère sincèrement qu'il n'en est rien, mais si c'est le cas, cela change radicalement les choses.

— Oui, tu as raison, mais qu'est-ce que tu...

— Je préfère ne pas envisager cela tout de suite, India. A tout à l'heure.

— Je me dépêche de vous rejoindre.

India raccrocha et remit l'appareil dans son sac. Elle était plus pâle que jamais et ses yeux reflétaient son anxiété.

— Que s'est-il passé ? demanda Dusty, assis dans le lit. J'ai eu l'impression que tu avais peur... Non, ce n'est pas cela, tu n'as peur de rien, n'est-ce pas ? Tu es *inquiète*. Ou très alarmée.

India le fixait en silence. Elle hocha la tête.

— Je suis inquiète, c'est vrai. Adèle, la petite fille de Tessa, s'est évaporée. Linett dit qu'elle pourrait avoir été kidnappée par son père, Mark Longden.

— C'est moche. Et toi, qu'en penses-tu ?

— J'aurais tendance à être de son avis. Mark n'est pas quelqu'un de très fréquentable et il est capable d'un tel acte.

— Elle ne peut pas s'être égarée dans le domaine ?

— C'est possible, mais je pense qu'on l'aurait trouvée, maintenant. C'est encore un bébé, elle ne serait pas allée bien loin. Linnet dit qu'elle a disparu depuis plusieurs heures et ils ont organisé une battue.

— Mais pourquoi s'en prendrait-il à elle ? s'étonna Dusty. Je suis idiot ! Pour s'en servir comme d'une arme, lors de la procédure de divorce ! Il veut l'utiliser contre ta cousine, la manipuler, enchaîna-t-il en hochant la tête avec commisération.

Il passa la main dans ses cheveux noirs et ondulés, le visage crispé par le mépris.

— Bon sang ! Ce genre de type me dégoûte. C'est vraiment un salaud, s'il se sert de l'enfant de cette façon.

India rassembla ses vêtements en soupirant.

— Tu y seras dans moins d'une heure, alors viens dans le lit.

Dusty s'était exprimé d'une voix basse et tendre, et adressa à India un sourire enjôleur. Une fois de plus, elle remarqua combien ses dents étaient blanches, par contraste avec sa peau bronzée.

— Viens, répéta-t-il, et... recommençons.

Elle secoua la tête.

— Je dois vraiment partir, Dusty, fit-elle avec regret.

Il comprit immédiatement qu'elle souhaitait rester. Il voyait son désir dans ses yeux et sur son visage. Il rejeta les draps, puis il se leva et s'approcha d'elle avec détermination, arborant le même sourire séducteur.

Il sembla à India que ses yeux bleus étincelaient d'une lueur dangereuse, presque avide. Son estomac se noua, elle se sentit faiblir. Lorsqu'ils étaient ensemble, il y avait toujours un moment où elle éprouvait ce genre d'impression... Elle chancelait intérieurement... Elle se pâmait... Elle tremblait. Elle acquiesçait avec enthousiasme à tout ce qu'il souhaitait faire avec elle, car il l'excitait au moindre regard qu'il lui lançait, au moindre contact de sa main.

Comme il s'approchait, elle le trouva incroyablement, presque absurdement beau. On aurait dit qu'un sculpteur avait passé des heures à modeler chacun de ses traits : le nez droit et noble, le front large, les pommettes hautes, le menton parfaitement formé. Il y avait encore le dessin élégant des sourcils, au-dessus des yeux étonnamment clairs, si tendres dans la passion mais auxquels la colère pouvait conférer un éclat glacé.

Il n'avait pourtant rien du joli garçon idolâtré par un public féminin. Son visage, taillé à la serpe, comportait des méplats et des angles aigus, comme si le créateur, désireux d'en finir rapidement, avait expédié le reste du travail.

Son corps était assorti à sa tête. Il possédait un torse solide, avec de larges épaules et des hanches minces. Il paraissait plus grand que son mètre quatre-vingts, en raison de sa carrure athlétique. Dès leur première rencontre, elle avait été sensible à sa force et à sa virilité. Aucun homme ne l'avait jamais émue à ce point.

Il se tenait devant elle en souriant. Il l'attira dans ses bras et la serra contre lui. La serviette glissa par terre, ainsi que les vêtements qu'elle tenait, tandis qu'elle nouait ses bras autour de son cou. Il se pencha vers elle et sa bouche trouva la sienne. Pendant qu'il l'embrassait passionnément, elle sentit son sexe contre elle et, l'espace d'un instant, crut succomber, le suivre dans le lit et se plier à toutes ses fantaisies pour la seconde fois de la journée. Agrippée à lui, elle fondait.

C'est alors que l'entraînement mental auquel elle s'était livrée depuis l'enfance prit le dessus. Elle se rappela les lois des Harte ; elle devait partir pour Penninstone Royal. Quel que fût son désir physique, malgré l'envie qu'elle avait de cet homme, son éducation l'emportait. Une Harte était dans la peine et tous les autres lui devaient assistance, pour défendre leurs droits.

— Tu connais les règles, murmura-t-elle. Je te les ai dites il y a des siècles.

— Un Harte se porte toujours au secours d'un autre Harte, s'il a des ennuis ! s'exclama-t-il. Pas besoin de me faire un dessin. J'avais compris tes explications et je découvre à présent ce que cela implique.

— Ne sois pas fâché, je t'en prie.

— Je ne le suis pas, dit-il sèchement.

Il s'écarta d'elle et gagna la fenêtre. Il resta là, le corps raide et le visage mécontent.

Sans ajouter un mot, elle rassembla de nouveau ses vêtements et se rendit dans la salle de bains, où elle fit une rapide toilette avant de passer ses sous-vêtements. Elle enfila ensuite sa robe de lin noire, puis glissa ses pieds dans des sandales de même couleur, à hauts talons.

Lorsqu'elle retourna dans la chambre, il se tenait au même endroit et regardait dehors, mais il s'était rapidement habillé et portait un jean, ainsi qu'un T-shirt blanc.

En entendant ses talons claquer sur le parquet, il se retourna pour lui faire face.

— Excuse-moi, marmonna-t-il.

Pour une fois, il semblait penaud. India s'approcha de lui et lui caressa doucement la joue.

— J'aimerais rester avec toi, tu le sais bien, et tu sais aussi ce que je ressens. Mais je ne peux pas lutter contre ce sens de la famille. Ce doit être... gravé en moi, ajouta-t-elle en haussant les épaules.

Il prit sa main, la porta à ses lèvres et l'embrassa.

— Je le sais, mais parfois je me comporte en salaud belliqueux, dit-il en émettant un rire grave. La plupart du temps, tu pourrais dire, non ? Très bien, je te laisse partir, mais à une condition, précisa-t-il en l'accompagnant jusqu'à la porte.

Il s'était exprimé sur un ton léger, une lueur malicieuse dans les yeux.

— J'accepte n'importe quoi, dit-elle, pourvu que tu sois impliqué.

— Quand tu sauras ce que c'est, tu regretteras d'avoir été aussi imprudente.

La prenant par la main, il la fit sortir de la chambre et descendre le grand escalier. Elle eut une moue coquette.

— Tu crois vraiment ? Dis-moi ce que c'est, en ce cas.

Il s'immobilisa sur un degré et se tourna vers elle.

— Tu vas devoir poser pour moi.

India laissa échapper une exclamation de surprise.

— Tu veux me peindre ? Moi ? demanda-t-elle, totalement abasourdie.

Il vit qu'il l'avait prise par surprise et que son étonnement était sincère. L'espace de quelques secondes, il fut déconcerté. Elle était au milieu de la volée de marches, juste au-dessous du dôme vitré, inondée de lumière. Ses cheveux lui faisaient un halo argenté et ses prunelles grises paraissaient comme éclairées de l'intérieur. Par contraste, son expression était sensuelle, ses lèvres gonflées et meurtries. Il retint son souffle, regrettant de ne pouvoir la croquer sur-le-champ. Ses doigts frémirent.

— Tu me regardes bizarrement, dit-elle très vite.

Elle leva une main pour lisser ses cheveux. Soudain, elle avait conscience de son apparence négligée.

— Je sais que je suis affreuse.

Il prit son visage entre ses mains et plongea dans ses beaux yeux limpides.

— Je voudrais pouvoir te peindre tout de suite, capturer ton image à cet instant précis. Si vulnérable et ouverte, ta sensualité encore à fleur de peau. Tu ressembles à une femme qui vient de faire l'amour et y a pris beaucoup de plaisir.

— C'est vrai.

— Tu veux bien, alors ? Tu poseras pour moi ?

— Si tu y tiens vraiment, Dusty.

Il lui sourit, puis il lui prit la main et ils descendirent l'escalier côte à côte. En bas, Dusty s'immobilisa pour lui lancer un long regard pensif.

— Comment vas-tu lui expliquer ?

Etonnée, elle fronça les sourcils et leva vers lui des yeux interrogateurs.

— Je ne comprends pas…

— Comment vas-tu expliquer ce tableau à ton père ?

— Je ne vois pas à quoi tu fais allusion, Dusty.

Il l'observa plus attentivement, se demandant si elle était stupide ou si elle se moquait de lui. Il comprit alors qu'aucune des deux hypothèses n'était fondée. Très simplement, elle ne saisissait pas. Il secoua la tête et se mit à rire doucement.

— Tous mes tableaux sont exposés, expliqua-t-il, même les portraits de mes clients, et ils sont toujours photographiés.

Ton père peut tomber sur des reproductions de la toile que je vais faire de toi, quand elle figurera dans les journaux ou les magazines. Il saura que je te baise.

Elle battit des paupières. Parfois son franc-parler lui coupait le souffle, mais elle lui adressa un doux sourire et répondit :

— Ne sois pas ridicule, il n'en saura rien.

— Si fait, parce que je compte te représenter de façon très sensuelle... comme tu es maintenant. Cela ne laissera pas grand-chose à l'imagination.

— Oh, papa ne s'en offusquera pas. C'est... un homme moderne.

— Il est aussi comte de Dunvale et crois-moi, il s'en formalisera. Il ne voudra pas qu'on sache que je suis... Tu comprends ce que je veux dire... l'amant de sa fille. *Moi !* Le gamin issu des classes populaires et laborieuses, qui ai grandi dans les rues de Leeds ! Franchement, je ne crois pas qu'il appréciera.

— Ne sois pas bête ! Tu es le plus grand peintre au monde, aujourd'hui, chacun le sait. De toute façon, je me moque de ce que mon père, ou n'importe qui d'autre, peut penser. Et je veux être peinte par toi, je suis même plutôt flattée que tu me le demandes.

— C'est un engagement ?

Elle lui tendit la main.

— Bien entendu ! Tope là !

Il éclata d'un rire tonitruant, puis lui serra la main avant de l'attirer dans ses bras et de l'embrasser.

— Il y a une autre condition, murmura-t-il contre ses cheveux. Avant que je ne commence à travailler, nous devrons avoir quelques moments d'intimité, si tu vois ce que je veux dire.

— Absolument, monsieur Rhodes, et je suis tout à fait d'accord.

Il passa un bras autour des épaules de la jeune femme.

— Viens, je t'accompagne jusqu'à ta voiture, dit-il en actionnant la poignée de la porte-fenêtre.

Ils firent quelques pas sur la terrasse, située sur la façade sud de la maison, qui était fort belle, ornée d'un portique soutenu par quatre colonnes élancées. La terrasse occupait toute la longueur du bâtiment central, ainsi que des deux ailes.

La chaleur de l'après-midi les enveloppa.

— Il fait lourd. On dirait qu'il va pleuvoir, constata Dusty en regardant les nuages. Mais tu seras arrivée à Penninstone avant que l'averse ne se déclare.

— Je l'espère.

Elle leva à son tour le nez vers le ciel et pensa immédiatement à la battue. Pourvu qu'Adèle fût rentrée ou retrouvée, maintenant ! Elle frissonna involontairement en évoquant l'enfant disparue.

Dusty le remarqua et lui prit le bras tandis qu'ils traversaient la terrasse.

— Je devrais peut-être t'accompagner. Vous n'êtes que trois femmes et...

— Quatre, avec Evan.

— D'accord. Mais vous aurez peut-être besoin d'être assistées par un homme, un mec comme moi, qui sait affronter ce genre de situations. Mark Longden peut faire son apparition et présenter ses exigences. D'après ce que tu m'as dit, il est plutôt hargneux.

— C'est vrai, mais nous nous débrouillerons, ne t'inquiète pas. Il y a Wiggs, le jardinier en chef, ainsi que Joe, l'intendant.

— Et puis, il y a cette autre règle, n'est-ce pas, India ? Pas d'intervention extérieure.

India lui lança un coup d'œil en coin, s'efforçant d'évaluer son humeur. D'après le son de sa voix, il était contrarié. Saisissant son expression mécontente, elle se mit à rire.

— Tu as raison. Vous apprenez vite, monsieur Rhodes.

— Vous aussi, lady India, répliqua-t-il. Combien de temps penses-tu passer dans le coin ?

— J'avais projeté de demeurer une semaine à Leeds, avant ces événements. J'ai beaucoup de travail au magasin et je ne peux pas partir avant de l'avoir terminé. Mais si, en plus, je dois rester un peu à Penninstone, mon séjour risque de se prolonger.

— Quand pourrai-je commencer mon tableau ?

— Demain, j'espère. Cela dépend de...

Devinant son inquiétude, il affirma tranquillement :

— Je suis sûr qu'on va retrouver Adèle, India. Et je le pense vraiment. En tout cas, je le souhaite.

— Merci, Dusty.

Sa voix mourut tandis qu'elle fouillait dans son sac, en quête de la clé. L'ayant trouvée, elle s'approcha de sa voiture, garée près de l'écurie. Dusty tapota la splendide carrosserie.

— Je te l'envie. Une Aston Martin DB2-4, une véritable œuvre d'art.

Elle lui sourit.

— C'est gentil de la part de papa de s'être séparé de l'une des plus belles pièces de sa collection, tu ne trouves pas ? Je suis sa préférée, tu sais, ajouta-t-elle en se glissant derrière le volant après l'avoir embrassé sur la joue.

— Inutile de me le rappeler ! répliqua-t-il en riant. Appelle-moi dans la journée, surtout.

— Je n'y manquerai pas.

Elle lui souffla un baiser par la fenêtre ouverte, puis mit le contact.

Dès que l'Aston Martin fut hors de son champ de vision, Dusty tourna les talons et traversa la cour pavée pour descendre vers le lac artificiel. Il resta là un instant, cherchant à sonder ses profondeurs et se délectant du reflet parfait de la demeure de style georgien à la surface de l'eau, aussi lisse qu'un miroir. Les bâtisseurs du XVIIe et du XVIIIe siècle étaient vraiment avisés, songea-t-il. Chaque fois que la topographie des lieux le permettait, ils plaçaient la construction au sommet d'une colline et creusaient un lac artificiel à son pied, de telle sorte qu'elle s'y réfléchisse dans toute sa gloire. Une double image... Très ingénieux, vraiment.

Pendant un temps, Dusty avait étudié l'architecture. Les conceptions d'Andrea Palladio l'intéressaient tout particulièrement. Il considérait qu'elles faisaient partie intégrante de sa formation d'artiste. En outre, il avait toujours estimé qu'une bâtisse palladienne, située dans un parc verdoyant, conçu à l'anglaise, offrait une vue magnifique. Il y voyait l'union parfaite entre le matériau et la nature. Il aimait la pureté des lignes, parce qu'il appréciait tout ce qui était classique ou issu de la Renaissance. William Kent, un disciple d'Inigo Jones, le maître du XVIIᵉ siècle, avait conçu et fait bâtir Willow Hall environ deux cent soixante-quinze ans auparavant. Dusty en était tombé amoureux au premier regard, bien qu'il se fût énormément inquiété lorsqu'il avait constaté à quel point la maison avait été négligée. Les architectes qu'il avait consultés lui avaient certifié que les dégâts étaient superficiels, et que l'ensemble pourrait être restauré et retrouver son état originel, si l'on confiait le travail à des artisans d'art.

Il se dirigeait vers les bâtiments. Tandis qu'il gravissait la colline herbeuse, il se focalisa sur India Standish. Si quelqu'un semblait appartenir à ce lieu, c'était bien elle. Après tout, elle avait grandi dans un endroit assez semblable... Clonloughlin, en Irlande, une résidence illustre aux proportions impressionnantes, d'une grande beauté. Et bien sûr, elle était tout à fait assortie aux sublimes harmonies de Willow Hall. Il savait que son intuition ne le trompait pas, même si lui-même avait grandi dans les faubourgs, à des années-lumière d'un tel site.

Depuis huit ans et demi, Dusty avait consacré énormément de temps, d'efforts, de soin, d'amour et d'argent à la remise en état de Willow Hall. Cela lui avait permis de se l'approprier ; il ne pouvait imaginer vivre ailleurs.

Lorsqu'il parvint au sommet de la colline, il contempla un instant la façade sud, admirant la pierre pâle qui luisait au soleil de l'après-midi. C'était idéalement beau.

Levant les yeux vers le ciel, il se réjouit de voir que les nuages étaient partis. Il ne pleuvrait pas, finalement. Se détournant, il longea la terrasse et gagna son atelier. Il l'avait installé un peu à l'écart, sur la gauche, et il en avait lui-même dessiné les plans. De l'extérieur, on aurait dit une maison d'invités, conçue dans le style palladien.

Il cligna des yeux en pénétrant dans son antre. C'était un vaste espace ouvert, dont les murs semblaient s'élancer vers le ciel. De nombreuses fenêtres, sur les deux côtés, et plusieurs lucarnes percées dans le plafond permettaient à une lumière resplendissante, venue du nord, de déferler. Battant des paupières, Dusty appuya sur plusieurs boutons. Aussitôt, des volets électriques masquèrent les ouvertures, plongeant la pièce dans la pénombre et la rafraîchissant.

D'un pas souple, Dusty se dirigea vers une planche à dessin, prit un fusain et esquissa quelques croquis du visage d'India. Il s'interrompit brusquement, jeta le crayon et s'effondra dans un fauteuil.

Pourquoi voulait-il la peindre ? L'idée était absurde. Il cherchait vraiment les ennuis. Et de toute sorte. Pour lui, et pour elle. Son père n'apprécierait pas leur liaison. Quoi qu'elle en pensât, il savait qu'il avait raison. Ils venaient de deux mondes opposés. Elle était issue de la haute aristocratie, lui des classes laborieuses. Bien sûr, il était connu, très connu, même. Et riche. Tout cela parce qu'il avait du talent et exerçait un art sans lequel il n'aurait pu vivre. La peinture. Mais pour autant qu'il le sût, le comte de Dunvale n'en tiendrait pas compte. D'autres considérations l'emporteraient, comme l'origine sociale et diverses préoccupations stupides – quelle école il avait fréquentée, ce que faisait son père, et s'il avait l'accent des faubourgs.

Non, ce n'était pas correct envers elle ou envers lui-même, puisqu'il n'avait aucune intention de s'engager sérieusement avec India. Il gâchait son précieux temps avec elle, quand il aurait pu peindre, et il la préparait à une grande déception, lorsqu'il romprait. Oui, elle représentait des ennuis. Pour un tas de raisons.

Le téléphone rouge, posé sur le comptoir, se mit à sonner. Il le fixa d'un air lugubre, répugnant à décrocher. Mais au bout de six coups, il ne put résister. Exaspéré, il se leva, traversa la pièce en quelques enjambées et saisit le récepteur.

— Allô ?
— Russel ?
— Bonjour, Melinda.
— Comment as-tu su que c'était moi ?
— J'ai reconnu ta voix.

— Je veux sortir de cet endroit, Russel, gémit-elle. Dis au Dr Jeffers de me relâcher.

— C'est impossible. Tu dois rester là-bas jusqu'à ce qu'il estime que tu es désintoxiquée. Ensuite seulement, il t'autorisera à partir. Je n'ai pas à intervenir, tu le sais parfaitement.

— Je t'en prie, Russel, demande-le-lui.

— Il ne m'écoutera pas.

— Ne me punis pas de cette façon.

— Je ne fais rien de tel, Melinda. C'est toi-même qui as demandé ton internement dans cette clinique.

— Je raconterai à Atlanta ce que tu me fais.

— Je ne te fais rien du tout. De toute façon, elle est trop jeune pour comprendre.

— Elle va bien ?

— Oui, elle est merveilleuse. J'ai parlé à ta mère, hier, et elle a dit qu'Atlanta était gaie comme un pinson. Bon, je dois te quitter, Melinda, j'ai du travail.

— Tu vas appeler le docteur ? S'il te plaît.

— D'accord. Je lui téléphonerai demain. Maintenant, repose-toi et prends soin de toi. Au revoir.

Il raccrocha et fixa un instant le téléphone. Cela, c'était vraiment un ennui, et pas des moindres.

Il grogna. Qu'allait-il faire, à propos de Melinda et de leur enfant ? Il tremblait à l'idée que quelqu'un découvre leur existence. Pourtant, il savait bien que la vérité serait dévoilée un jour... Il était trop célèbre pour que cela n'arrive pas... Incapable d'affronter cette perspective, il écarta cette pensée désagréable.

De façon inattendue, il évoqua Tessa Longden et la situation fâcheuse dans laquelle elle se trouvait. Il devinait son état d'esprit, l'affreuse angoisse qui devait être la sienne. Sa propre fille avait trois ans et il imaginait très bien ce qu'il ressentirait si pareil drame survenait.

India avait suivi l'autoroute à une vitesse soutenue. Elle avait laissé Harrogate derrière elle et parvenait en vue du village de Penninstone Royal. Les nuages menaçants avaient été balayés par le vent en direction de la mer du Nord, dévoilant un ciel d'un ravissant bleu pâle. Elle en était soulagée. Rien n'aurait été pire que de patauger dans les champs et les prairies détrempées, en quête d'une enfant perdue.

Mais s'était-elle vraiment égarée dans la propriété ? Il semblait bien que non. Mark Longden l'avait enlevée pour s'en servir de monnaie d'échange, ainsi que l'avait suggéré Dusty. *Dusty.* Il était très difficile à cerner, à bien des égards, et en proie à de multiples contradictions. Il traînait dans ses valises ce qu'il appelait son milieu et accordait trop d'importance à leur origine sociale différente, ce qu'elle estimait ridicule. Il ne l'écoutait pas. Malgré cela, elle était tombée amoureuse de lui le soir de leur première rencontre, et aucune considération au monde n'y changerait rien. Il était le seul homme qu'elle voulût, celui qui lui était destiné, et elle était décidée à l'avoir. De façon permanente. A long terme. Le mariage. C'était le but qu'elle s'était fixé. Mais ce ne serait pas facile, elle en avait parfaitement conscience, du fait des obstacles qui se dressaient entre eux.

Dusty était extrêmement indépendant, il avait horreur des contraintes et détestait s'engager. C'était évidemment la raison pour laquelle il ne s'était jamais marié et n'avait pas eu de liaison durable. « Aime-les et quitte-les, telle a toujours été ma devise », lui avait-il dit lorsqu'ils s'étaient rencontrés, sept mois auparavant, en guise d'avertissement. Puis il avait éclaté d'un rire tonitruant, comme si son propre comportement l'amusait au plus haut point.

Il riait beaucoup et elle aimait cela. Elle ne supportait pas les gens moroses, qui prédisaient des catastrophes imminentes d'un ton sinistre. Il était toujours en forme, chaleureux, optimiste, enthousiaste et prêt à saisir sa chance – sauf lorsqu'il s'agissait du mariage, bien entendu. C'était un sujet tabou, qu'il n'était pas question d'aborder.

Dusty aimait clamer son appartenance aux « gars », ainsi qu'il appelait ses amis mâles, qui étaient nombreux et variés : acteurs, écrivains, politiciens, journalistes et « rien du tout », qu'il adorait, comme il le proclamait souvent. Il se plaisait à se présenter tel un mauvais garçon et maniait la provocation en faisant constamment référence à lui-même comme à un fauteur de troubles. Pourtant, depuis trois mois qu'India le connaissait, elle avait pu constater qu'il y avait loin de la parole aux actes. Par exemple, il buvait fort peu, alors qu'il faisait beaucoup de bruit autour de sa soi-disant ivrognerie. Les Harte sirotaient beaucoup plus que lui. Mais lui avait besoin d'une main sûre, le lendemain matin, s'il voulait peindre. Il appartenait à l'école des réalistes classiques[1] et de nombreux critiques d'art avaient vu en lui, dès le début de sa carrière, un nouveau Pierro Annigoni. On avait alors prétendu qu'il était l'héritier du fameux Italien, mort en 1998. On avait parlé de son « génie », avec la déférence et le respect accordés à Annigoni. Les tableaux de Dusty étaient de facture classique, dans la lignée des maîtres de la Renaissance. Il apportait beaucoup d'attention aux éléments du décor, que ce fût à l'intérieur ou à l'extérieur. Ses portraits des grands de ce monde étaient tellement fidèles, ses couleurs si extraordinairement belles que les gens s'arrêtaient pour regarder, comme pétrifiés, incapables de détourner les yeux.

Quelqu'un qui peignait avec cette précision pouvait difficilement se permettre de s'enivrer. Un jour, India le lui avait fait remarquer. Il s'était contenté de grimacer et de cligner de l'œil. De la même façon, elle doutait qu'il fût un agitateur ou un mauvais garçon. Là encore, beaucoup de bruit pour rien, d'exclamations, de claques dans le dos. De l'agitation à propos de pas grand-chose. En tout cas, c'était parfaitement inoffensif, mais la presse en faisait ses choux gras, et c'était ce qu'il voulait. Il aimait sa réputation de buveur impénitent, il appréciait qu'on dise de lui qu'il menait une vie de patachon, et il faisait tout pour entretenir cette image, surtout dans les journaux.

Lorsque India avait compris que tout cela n'était que du vent, elle avait éclaté de rire. Elle se trouvait au magasin, avec Linett, quand la vérité lui était apparue et elle n'avait pu réprimer son hilarité. Après l'avoir fixée un instant, sa cousine avait secoué la tête et déclaré avec compassion :

---

1. Mouvement américain en réaction à l'abstraction, mais qui s'inscrit dans la longue tradition du réalisme. *(N.d.T.)*

« Les gens qui éclatent de rire sans raison finissent avec la camisole de force. Surtout s'ils font du tintamarre au beau milieu d'un établissement très chic et très réputé, et attirent l'attention des clients.

— Je suis désolée, Linnet, avait bredouillé India, mais je ne peux pas m'en empêcher. Je viens de réaliser que mon petit ami est un imposteur.

— Alors, débarrasse-t'en ! s'était exclamée Linnet. Nous ne voulons que des pur-sang, chez nous. D'ailleurs, les garçons le tabasseront.

— Quels garçons ?

— Julian, Gideon, Toby et même le jeune Desmond. Ils vont lui tomber dessus.

— Exact.

— Quand tu parles de ton petit ami, tu fais allusion à l'HTC ?

— Qu'est-ce que c'est que ça ?

— Tu m'as dit que tu sortais avec un homme très célèbre, mais tu ne m'as pas avoué de qui il s'agissait.

— Russel Rhodes. »

Linnet avait ouvert de grands yeux. « *Dusty* Rhodes ? Le peintre ? »

India s'était contentée de hocher la tête, mais elle était ravie de la réaction de sa cousine.

« Il est plutôt sexy, India.

— Oui, mais assez compliqué, aussi.

— Ils ne le sont pas tous ? avait rétorqué Linnet en souriant.

— Au moins, avait rétorqué India en souriant, il n'a jamais été marié. Je n'aurai pas à affronter une ex ou des enfants. En fait, avant de me rencontrer, il n'avait pas eu de liaison durable depuis longtemps.

— Papa adore ce qu'il fait, tu sais, comme nous tous, d'ailleurs. Il aurait souhaité que Rhodes peigne maman, mais elle a prétendu qu'elle était trop occupée pour poser pendant des heures. Je suis comme papa, j'aimerais bien qu'elle accepte.

— Je suis d'accord. Dusty est exactement la personne qu'il faut pour croquer ta mère. Il pourrait faire d'elle un merveilleux portrait médiéval. »

Ensuite, Linnet lui avait posé tout un tas de questions sur Dusty, tandis qu'elles poursuivaient leur visite du magasin. Parfois elle avait répondu, parfois non. Elle avait découvert qu'elle ne souhaitait pas en dire trop sur lui, ou sur leur relation. Le vrai problème, avec Dusty, c'était son attitude envers la famille d'India. Sans connaître aucun de ses membres, il les avait tous placés dans la catégorie des aristos, et c'était sans appel. « Des snobs, des prétentieux, riches et oisifs. » C'était ainsi qu'il les jugeait.

India avait tenté de lui expliquer que c'était faux, elle lui avait raconté les débuts misérables de son arrière-grand-mère, mais il avait balayé ses propos d'un geste et changé de sujet, à sa façon impérieuse. Elle avait d'abord pensé qu'il faisait un complexe d'infériorité, en raison de son enfance difficile dans les faubourgs de Leeds, à laquelle il ne cessait de faire allusion. Mais elle avait dû admettre, finalement, que ce n'était pas le cas. Il était l'homme le plus sûr, le plus maître de soi qu'elle eût jamais rencontré. Il contrôlait tout, possédait un charme rayonnant et des manières parfaites, lorsqu'il le voulait.

Et pourtant, Dusty pensait que le père d'India le regarderait de haut, ne l'apprécierait pas et condamnerait leur relation. Elle avait été incapable de le persuader du contraire. Mais elle essaierait encore. En dehors du fait que ses parents adoraient ses tableaux et alors même qu'ils ignoraient leur liaison, elle était certaine que Dusty leur plairait.

Il faut que je lui laisse du temps, se dit-elle en ralentissant alors qu'elle entrait dans le village. Quelques minutes plus tard, elle quittait la rue principale et gagnait la route qui la mènerait directement jusqu'à Penninstone Royal.

Elle se concentra sur Tessa et la situation qu'elle aurait à affronter en arrivant. C'était à dessein qu'elle n'y avait pas réfléchi depuis qu'elle avait quitté la maison de Dusty, mais maintenant elle ne devait plus penser qu'à cela. Elle n'avait aucune idée de ce qu'elle allait apprendre. Elle espérait de tout son cœur trouver Adèle auprès de sa mère. Pourvu qu'elle ne fût pas perdue ! Ou kidnappée… India pria pour qu'aucune tragédie ne se trame dans l'ombre.

Le nom de Jonathan Ainsley s'insinua dans son esprit et elle fit la grimace. Récemment, elle avait appris que Mark Longden était sous son emprise. Comment quelque chose d'aussi affreux avait-il pu arriver ? Se pouvait-il que Jonathan tirât les ficelles en coulisse, qu'il eût orchestré l'enlèvement d'Adèle ?

Elle était incapable de répondre à cette question.

4

Linnet était assise près de Tessa, dans le petit salon du premier étage. Elle lui parlait posément, s'efforçant de la convaincre qu'Adèle allait bien et qu'elle serait bientôt rentrée. En même temps, elle priait intérieurement pour que ses assertions fussent exactes.

Evan se trouvait avec elles, mais elle se tenait légèrement à l'écart, près des baies vitrées. Elle observait la scène plus qu'elle n'y participait, sachant qu'il valait mieux laisser Linnet prendre la direction des opérations. Même dans ses meilleurs moments, Tessa pouvait se montrer irascible. Alors aujourd'hui...

— Mark ne fera jamais rien qui puisse bouleverser ou blesser Adèle, assura Linnet en prenant la main de Tessa dans la sienne. Il l'adore. Cela se voit, d'ailleurs.

— Oui, répondit Tessa, mais si ce n'était pas Mark, qui l'avait enlevée ? Desmond avait peut-être raison, quand il a suggéré qu'elle pouvait avoir été kidnappée par des inconnus et ne nous être rendue que contre rançon. En ce cas, elle est en danger.

— J'en doute vraiment, répliqua Linnet d'une voix ferme.

Elle aurait préféré que Desmond s'abstînt de formuler une telle hypothèse. C'était une possibilité, mais il aurait été plus avisé de garder son opinion pour lui.

— Tu peux faire confiance à Jack Figg, reprit-elle. Il est le meilleur des détectives privés, maman le répète depuis des années et elle s'est toujours fiée à lui dans les situations de crise. N'oublie pas qu'il a dirigé les services de la sécurité chez Harte.

— Mais il a pris sa retraite depuis assez longtemps, maintenant, fit remarquer Tessa d'une voix soudain aiguë.

— A moitié seulement, pour être exacte. Il travaille toujours à plein temps pour ceux qui ont besoin de lui, par exemple d'anciens clients dont il est resté très proche, comme nous. Tu sais très bien que maman a recours à ses services et que c'est lui qui a fait cette enquête approfondie sur Mark, il y a quelques semaines. Elle nous a mises au courant avant de partir pour New York.

— Oui...

La voix de Tessa se brisa, ses yeux s'emplirent de larmes. Elle les essuya rapidement avec un mouchoir et continua en hoquetant :

— Je me fais tellement de souci pour Adèle ; c'en est insupportable. Elle est si petite ! Elle doit avoir très peur, même si elle est avec son père ! Elle a été saisie et enlevée sur la terrasse, c'est extrêmement violent. Elle a dû être terrorisée. Je me sens impuissante, je ne sais pas quoi faire.

— Ecoute, dit Linnet avec fermeté et assurance, nous ignorons comment elle a été kidnappée et si cet enlèvement a constitué une terrible épreuve pour elle. En fait, je suis certaine du contraire. Je suis convaincue que Mark a présenté cela comme un jeu, poursuivit-elle, espérant apaiser Tessa. Il a dû lui faire des signes, poser son doigt sur ses lèvres pour qu'elle se taise, lui sourire, l'encourager à le rejoindre. Oui, je suis presque sûre que c'est ce qu'il a fait. Il est clair qu'il ne voudrait pas l'effrayer ou l'impressionner. Il ne devait pas la bouleverser, puisqu'il l'emmenait en douce. Elle aurait hurlé, s'il s'était contenté de se ruer sur elle pour l'empoigner.

Tessa lança un regard dur à Linnet et plissa les yeux.

— Tu as l'air persuadée qu'il s'agit de Mark. Je prie Dieu pour que tu aies raison. Mais que fait Jack Figg, pour l'instant ?

— Je crois qu'il est dans la bibliothèque, en train de briefer son équipe. Je ne l'interroge jamais à propos de ses méthodes et je ne te conseille pas de le faire non plus. Sache seulement qu'il a des contacts dans le monde entier, partout où cela bouge. Si quelqu'un peut retrouver Adèle, c'est Jack, crois-moi.

Tessa jeta un coup d'œil à Evan, puis elle dit lentement :

— Vous avez déjeuné avec oncle Robin, à Lackland Priory, aujourd'hui. A-t-il fait allusion à Jonathan Ainsley ? Où vit-il, en ce moment ?

Evan se raidit. Le ton de Tessa était presque accusateur, mais elle s'exprima d'une voix égale :

— Non, il n'a pas parlé de Jonathan. Je suis désolée, Tessa, mais je ne sais rien à son sujet. A mon avis, il se trouve à Hong Kong. Il me semble que Robin me l'aurait dit, s'il était en Angleterre... Vous comprenez, il m'aurait mise en garde. Je sais qu'il s'inquiète beaucoup à l'idée que Jonathan puisse me nuire, par pure rancune.

Les yeux verts de Linnet lancèrent des éclairs.

— Et à nous tous, pendant qu'il y est ! C'est ce qu'il cherche à faire à maman et à tous ses enfants depuis des lustres. A mon avis, il aimerait nous exterminer et être débarrassé de nous une bonne fois pour toutes. Et cela, parce qu'il s'estime lésé par Emma Harte. C'est vraiment un sale type, mais maman dit qu'il l'a toujours été.

— C'est vrai, renchérit Tessa. Et quand je pense que Mark s'est jeté de lui-même entre ses griffes !

Elle se tassa dans le canapé, tortillant son mouchoir dans ses mains, le visage creusé par l'inquiétude. A cet instant précis, elle souhaita ardemment ne jamais avoir épousé Mark Longden. En réalité, il lui avait rendu la vie impossible, sans parler du fait qu'il l'avait violée, peu de temps auparavant. Et maintenant, il avait enlevé leur enfant.

Soudain, la porte s'ouvrit à la volée et India parut sur le seuil de la pièce, courant presque.

— Bonjour tout le monde ! dit-elle avant de se diriger droit sur sa cousine.

Elle s'agenouilla près d'elle et lui prit la main.

— Je suis navrée de ce qui se passe, Tessa, murmura-t-elle.

Elle la fixait intensément, comme pour lui transmettre sa sympathie et sa sollicitude. Son visage exprimait la compassion, ses yeux étaient pleins de chaleur et d'affection.

— Je suis là pour toi, pour te donner ce dont tu as besoin. Tu n'as qu'à demander.

Tessa hocha la tête, un faible sourire aux lèvres.

— Merci, India, réussit-elle à dire. Je me réjouis de ta présence.

Evan, qui les observait, ne put s'empêcher de remarquer leur ressemblance. On eût dit deux sœurs sorties du même moule. En tout cas, leur parenté était évidente. Elles avaient les cheveux blond cendré, les yeux gris lumineux, le teint pâle et les traits délicats. Elles étaient ravissantes et très féminines. Elles partageaient les mêmes gènes, puisqu'elles appartenaient à la lignée des Fairley.

La légende familiale affirmait qu'Adèle Fairley, leur trisaïeule, avait été une beauté éblouissante, élégante, distinguée et peut-être légèrement folle. La petite Adèle tenait d'elle. Aux yeux d'Evan, elle n'avait aucune des caractéristiques des Harte. Elle repensa à sa disparition et frissonna intérieurement. Et si elle était en danger ? Tout le monde avait pensé que le kidnappeur pouvait être Mark ou quelqu'un qui exigerait une rançon, mais personne n'avait évoqué l'hypothèse d'un pédophile.

Evan écarta immédiatement l'idée, affreuse. Elle jeta un coup d'œil à Linett. Une vraie Harte, celle-là, avec son halo de cheveux roux, ses yeux verts et sa personnalité dynamique. Gideon avait les mêmes spécificités physiques et ce comportement de battant. Evan ne pouvait s'empêcher d'admirer Linet, cet après-midi. Elle avait pris la situation en main d'une façon paisible mais assurée, tout en faisant preuve d'efficacité et de diplomatie. Non seulement elle parvenait à communiquer aux autres sa manière positive d'envisager les choses, mais elle réussissait à apaiser Tessa. Celle-ci, sous le choc, ne savait que faire, ce qui était inhabituel.

Le téléphone portable de Linnet se mit à sonner. Elle se leva et décrocha en gagnant l'une des baies vitrées. Elle se tint là un instant, à discuter. Il devait s'agir de Julian, que Linnet était censée épouser l'hiver suivant. A cette occasion, elle avait demandé à India, Evan et Emsie d'être ses demoiselles d'honneur, proposition que celles-ci, ravies, s'étaient empressées d'accepter. Gideon serait témoin.

Les yeux d'Evan parcoururent le petit salon... Un jour, Linnet lui avait appris que la pièce avait été la préférée d'Emma Harte, et elle en comprenait aisément la raison. Elle était spacieuse, ravissante et agréable, avec son plafond élevé et ses fenêtres à petits carreaux. Le manteau de la cheminée était sculpté, au-dessus du foyer, et les murs avaient la couleur des jonquilles sous le soleil. Deux grands sofas confortables, recouverts d'une toile imprimée de motifs floraux, égayaient la place ; les verts, les bleus et les écarlates ressortaient sur un fond jaune pâle. Le tapis d'Aubusson, rare, était une pièce de valeur, tout comme les meubles anciens patinés. Linnet avait expliqué à Evan que la décoration était restée inchangée au fil des ans. On la rafraîchissait, mais on conservait des tissus et des coloris identiques, en hommage au goût d'Emma Harte.

Evan, qui était férue d'art, s'intéressait particulièrement à la peinture. Elle fixa le Turner accroché à un mur, puis se tourna vers la toile au-dessus de la cheminée. Elle représentait Paul McGill, le grand amour d'Emma Harte, posant en uniforme d'officier. Le portrait avait sans doute été fait pendant la Première Guerre mondiale. C'était vraiment un très bel homme, pensa Evan. Pas étonnant qu'Emma ait succombé à son charme.

— Evan, voudrais-tu préparer du thé ? demanda Linnet. Margaret confectionnera quelques sandwichs au saumon fumé. Je n'ai pas déjeuné et je meurs vraiment de faim.

Arrachée à sa rêverie, Evan sursauta.

— Bien sûr, dit-elle aussitôt.

Se levant d'un bond, elle traversa très vite la pièce. Elle regrettait d'avoir été surprise ainsi en flagrant délit de distraction.

— Et toi, Tessa ? s'enquit Linnet. Veux-tu quelque chose ?

— Je ne pourrais rien avaler ! s'écria-t-elle avec une sorte de violence.

— India ? poursuivit Linnet, ses sourcils auburn levés.

Sa cousine hocha la tête.

— J'apprécierais une tasse de thé au citron, avec quelques canapés, merci.

— Je croyais que tu avais déjeuné, murmura Linnet. Oh ! Tu n'as pas eu le temps de terminer ton repas, c'est ça ? Tu t'es hâtée de venir ici.

Linnet fixait India, mais son visage n'exprimait rien.

— C'est cela, oui.

India, de son côté, demeura impassible, pourtant elle ne put s'empêcher de se demander si Linnet avait deviné qu'elle lui avait raconté une histoire. Peu importait. Linnet était toujours de son côté, quoi qu'elle fît.

Dans la bibliothèque, Jack Figg était assis derrière le bureau dix-huitième, fixant les papiers étalés devant lui.

Au bout d'un moment, il leva les yeux vers Linnet, installée sur le sofa, près de Tessa. Elle était sombre et tendue, mais elle se maîtrisait, comme il l'en savait capable. En revanche, Tessa l'inquiétait. Elle semblait sur le point de s'évanouir. Son visage était morne et crayeux, ses yeux gonflés et rouges. Jack comprenait parfaitement son angoisse et éprouvait pour elle une profonde sympathie. En dehors du fait qu'il était bon et compatissant, il avait lui-même perdu un enfant, autrefois. Il ne s'était jamais remis de ce deuil insupportable. Maintenant, il priait pour qu'Adèle fût encore vivante. Il le croyait et plus que n'importe quoi d'autre, souhaitait se fier à son instinct. Bon sang ! Il fallait qu'elle fût en vie !

India Standish, qu'il connaissait depuis son enfance, occupait le second sofa, près de la cheminée, avec Evan. C'était la nouvelle venue, celle dont on venait de découvrir qu'elle était une arrière-petite-fille d'Emma Harte. Une même inquiétude marquait les traits des quatre jeunes femmes, qui attendaient depuis des heures qu'il leur dressât le bilan de la situation.

Il y avait aussi les deux plus jeunes, Emsie et Desmond, qu'il avait eus sur les talons pendant qu'il visitait la propriété avec Wiggs et Joe. Ils étaient dans des fauteuils et se tenaient cois. Il les avait prévenus que s'ils voulaient rester dans la bibliothèque, ils devraient se taire : « Pas un mot ! », les avait-il avertis. Et ils avaient acquiescé d'un mouvement de tête.

Sans se perdre en préliminaires, Jack se mit à parler, tourné vers Tessa et Linnet.

— Il est presque quatre heures et demie. Cela fait maintenant cinq heures et demie qu'Adèle a disparu. J'ignore malheureusement où elle est, poursuivit-il après avoir balayé l'assistance du regard, mais je sais où elle n'est pas : à Penninstone Royal. Elle n'est ni dans les champs, ni dans les prés, ni dans les bois ou les jardins, qui ont été soigneusement fouillés. J'ai même demandé à Wiggs de faire draguer l'étang. Par bonheur, nous n'y avons trouvé que des herbes. Adèle n'a pas non plus été aperçue au village. En revanche, deux ou trois personnes ont remarqué une Mercedes noire qui roulait à toute allure, aux environs de midi. C'est visiblement celle que Wiggs et les palefreniers ont vue dans l'allée.

— Et Mark ? Qu'as-tu appris à propos de Mark ? cria Tessa, serrant la poupée de chiffon dans ses mains, comme elle l'avait fait toute la journée. Tu as essayé de le trouver ?

— Bien entendu, répliqua doucement Jack. J'ai parlé à sa secrétaire. Elle m'a dit qu'il avait pris quelques jours de congé.

— Il est venu ici pour enlever Adèle ! l'interrompit Tessa d'une voix aiguë. Je parie tout ce que tu veux qu'il est dans le Yorkshire. Avec Jonathan Ainsley. Ils sont de mèche !

Les yeux étincelants, elle paraissait très agitée.

— Il est peut-être dans le coin, confirma Jack, mais il n'est certainement pas avec Jonathan Ainsley. J'ai chargé un de mes gars d'enquêter sur lui et je sais qu'il se trouve à Hong Kong, à cet instant précis. Il y est d'ailleurs depuis plusieurs semaines.

Linnet fixait intensément Jack.

— Si c'est bien Mark qui a kidnappé Adèle, intervint-elle, il l'a peut-être emmenée à Londres.

— Il n'est pas dans son appartement, pas plus que dans la maison de Hampstead. On a vérifié.

— Mais la maison est bouclée… commença Tessa.

Elle se tut en notant un éclair d'impatience dans les yeux de Jack.

— Oui, la maison est fermée, ainsi que l'appartement de Mark. Pourtant, nous devions procéder à ces vérifications.

Tessa se cala dans le canapé, ignorant Linnet qui venait de lui donner un coup de coude dans les côtes pour l'inciter, sans doute, à se taire.

— Tu as raison, dit-elle doucement.

— J'ai téléphoné à la mère de Mark, dans le Gloucestershire, continua Jack. Elle n'était pas chez elle, mais elle devrait rentrer en début de soirée, d'après ce que m'a dit une certaine Dory.

— C'est la gouvernante, expliqua Tessa. Mme Longden n'est pas une mère très attentionnée, mais elle est honnête, poursuivit-elle après s'être éclairci la gorge. Si Mark se rend chez elle avec Adèle, elle insistera pour qu'il me la ramène sur-le-champ.

— A condition qu'elle sache qu'il l'a emmenée sans ton accord, remarqua Jack. Mark peut très bien ne pas le lui dire. De toute façon, je suis à peu près certain qu'il se trouve quelque part dans le Yorkshire. Nous devons le retrouver.

— Mais comment ? demanda India, les sourcils froncés. C'est comme chercher une aiguille dans une botte de foin, non ?

— C'est vrai, admit Jack. Cela ne va pas être facile, même si nous avons recours à la police. Nous devrons nous y résoudre, et très bientôt. J'en ai longuement discuté avec Gideon, je lui ai dit qu'il nous faudrait peut-être faire paraître la nouvelle de l'enlèvement d'Adèle dans les médias. Nous commencerons par la chaîne de télévision et les journaux qui appartiennent aux Harte. Gideon est d'accord avec moi. Mais nous n'allons pas réagir tout de suite. Avant d'en arriver à cette extrémité ou de prévenir les autorités, je veux donner à Mark une chance de te ramener Adèle, Tessa. Ce soir, si possible.

— Mais si ce n'était pas lui ? demanda Tessa, de nouveau très agitée. Si c'était un vulgaire kidnapping ?

— Dans ce cas, on aurait déjà réclamé une rançon, ou les auteurs du crime seraient entrés en contact avec toi, répondit Jack. A ce propos, j'ai appelé Toby à Los Angeles, cet après-midi. Il n'a pas essayé de te joindre, aujourd'hui. C'est pourquoi je suis certain que les coups de fil de ce matin émanaient de Mark, ou d'un complice. Ils visaient à te distraire pendant qu'on embarquait la petite.

— Je n'ai pas vraiment reconnu la voix, dit Tessa. Pourtant, elle m'a paru familière, c'est sans doute la raison pour laquelle j'ai cru que c'était Toby.

Penché en avant, les coudes sur le bureau, Jack réfléchit un instant.

— Tout à l'heure, je téléphonerai à la mère de Mark. Je lui expliquerai ce qui s'est passé. Avec un peu de chance, elle acceptera de collaborer, si elle sait quelque chose, en tout cas. Mais si à six heures et demie nous n'avons toujours aucune nouvelle ou que nous ignorons où se trouve Mark, je n'aurai pas d'autre choix que de mettre la police dans le coup. J'appellerai aussi Gideon, pour qu'il publie un article sur la disparition d'Adèle. Je ne dois pas prendre le risque d'attendre davantage.

Portant vivement la main à sa bouche, Tessa réprima un sanglot.

— Dès que la nouvelle sera officielle, elle sera répercutée par les chaînes américaines ! s'exclama Linnet. Il faut prévenir maman avant qu'elle ne l'apprenne par une autre source.

Jack lui adressa un bref sourire.

— Je ferai le nécessaire, si besoin est. Mais pour l'instant, l'essentiel est de savoir si oui ou non Mme Longden est au courant de quoi que ce soit.

Jack s'appuya au dossier de la chaise, s'efforçant de détendre ses muscles noués, puis il jeta un coup d'œil à l'horloge.

Un brusque silence s'abattit sur la pièce. Personne ne prononçait plus un mot. Tout le monde était plongé dans ses réflexions.

L'esprit de Tessa était en proie au tumulte, tous ses sens en émoi. Il était près de six heures et sa fille restait introuvable. Il lui semblait qu'elle perdait la raison. Elle avait envie de vomir. Prenant une décision soudaine, elle se leva d'un bond.

— J'ai besoin d'air ! cria-t-elle.

Immédiatement, India fut debout et se précipita vers elle pour lui prendre le bras.

— Viens, ma chérie, sortons un instant. Dans dix minutes, tu te sentiras mieux.

— Oui, marmonna Tessa en se laissant entraîner.

Dès que les deux jeunes femmes eurent quitté la pièce, Evan toussota, puis se lança :

— Je ne voulais pas envisager cette possibilité devant Tessa, mais si celui qui avait enlevé Adèle était un pédophile ?

Jack laissa échapper un long soupir.

— Cette idée m'a traversé l'esprit.

A cet instant, la sonnerie de son téléphone portable retentit. Il appuya sur une touche et le colla à son oreille.

— Figg, dit-il.

Il se leva, s'approcha des fenêtres et resta là, à écouter son interlocuteur, puis il murmura un remerciement et interrompit la communication.

— C'était l'un de mes gars, expliqua-t-il en revenant vers le bureau. Il a enquêté dans tous les hôtels de la région. Mark Longden se trouvait bien dans le Yorkshire, il y a trois jours. Il a séjourné à l'hôtel de la Reine, à Leeds. Hier soir, il se trouvait au Cygne, à Harrogate. Mais il a quitté les deux établissements et jusqu'à présent, il n'y a pas trace de lui ailleurs. Pas encore, du moins.

— Peut-être se trouve-t-il chez des relations, suggéra Linnet.

Elle fit signe à Jack qu'elle souhaitait avoir un entretien privé avec lui.

— Je suis vraiment terrifiée à l'idée qu'on pourrait faire du mal à Adèle, dit doucement Tessa en regardant India. C'est une petite fille délicate, sensible et sans défense. Comme tout enfant face à un adulte.

— C'est vrai, répliqua India, mais efforce-toi d'être plus positive. Je suis certaine qu'elle est avec Mark, pas avec des inconnus. Elle ne court donc aucun danger.

Tessa frissonna.

— Tu ignores ce qu'il est devenu, India ! Un ivrogne, un drogué ! Il n'est plus lui-même depuis longtemps, et il est devenu violent. J'ai craint pour ma vie... Tu le savais ?

— Oui. Ta mère m'a dit qu'il s'en était pris à toi. C'est vraiment choquant, lorsqu'on y réfléchit... Cette idée qu'il puisse se transformer du jour au lendemain en quelqu'un de complètement différent.

— Quand il se maîtrise, ça va. Mais lorsqu'il est sous l'empire de la boisson ou de la drogue, il devient dangereux. Il pourrait faire du mal à Adèle sans le vouloir. C'est ce qui m'inquiète.

— Je comprends. Mais nous devons néanmoins rester optimistes.

Tout en parlant, India quitta le banc sur lequel elles étaient assises dans le jardin en suggérant :

— Pourquoi ne pas descendre jusqu'au vieux chêne et nous installer en dessous quelques minutes ? C'est plus sympa, là-bas.

— D'accord...

Tessa se leva à son tour, puis elle s'immobilisa et se tourna vers sa cousine.

— Nous devrions peut-être rentrer... J'ai peur de rater quelque chose.

— Linnet viendra nous chercher, s'il y a du nouveau. Cela te fera du bien de t'éloigner un peu de cette maison. Nous allons devenir claustrophobes, à force.

Tessa hocha la tête, puis elles empruntèrent le sentier en pente, longèrent la terrasse, traversèrent la pelouse et finalement s'arrêtèrent sous l'arbre ancestral. Elles s'assirent à la table de fer forgé, mais demeurèrent silencieuses pendant un long moment, perdues dans leurs pensées.

Tessa rompit finalement le silence, parlant d'une voix étouffée :

— Je ne sais pas ce que je ferais, s'il arrivait malheur à Adèle. Elle est toute ma vie ! Je me briserais en mille morceaux, mon existence n'aurait plus aucun sens, sans elle. Si ma petite fille disparaissait, ma vie serait finie.

— Allons, Tessa, ne dis pas des choses pareilles ! s'exclama India. Jack va la retrouver, tu verras. Ensuite, tu négocieras à l'amiable avec Mark. Le divorce sera prononcé et la situation se stabilisera.

— Oh, India, j'espère que tu as raison, mais il est très gourmand. Il veut la maison, et l'autorité parentale conjointe. Pour la première, je suis d'accord, mais pas pour la garde.

— Dès que tu auras récupéré Adèle, il faudra que tu règles rapidement la situation. Tu détestes que les choses restent en suspens au-dessus de ta tête, tu le sais bien.

Le visage de Tessa s'éclaira.

— C'est vrai. Je vais en parler à mon avocat, peut-être pourrions-nous accélérer la procédure. Mais je n'ai quitté Mark que depuis quelques mois.

— En effet, mais essaie quand même. De toute façon, Linnet et moi pensons toutes les deux que Mark est un être cupide ; on doit pouvoir l'acheter. C'est la seule solution, Tessa. Tout le monde a un prix... C'est l'une des devises des Harte, rappelle-toi.

Jack et Linnet discutaient près de la cheminée, dans le hall.

— Mark a des amis qui pourraient l'héberger, dans le Yorkshire ? C'est ce que tu suggérais ? demanda Jack.

— Oui.

Linnet se déplaça rapidement pour allumer plusieurs lampes. Jack l'observa un instant, s'émerveillant de sa ressemblance avec Emma Harte... dans sa jeunesse, du moins... Ses cheveux d'un roux doré, son teint rose d'Anglaise... Lorsqu'il avait dix-huit ans, quarante ans auparavant, il avait été engagé par Emma. Il l'avait aimée, admirée et respectée. Il avait trouvé en elle la femme la plus exigeante, la plus exaspérante, la plus charmante, la plus autoritaire et la plus brillante qu'il eût jamais connue. Elle avait été sa patronne préférée. Et aujourd'hui, Linnet était son sosie. Elle avait son intelligence, aussi vive que l'éclair. De toute la jeune génération, elle était sa préférée, parce qu'elle incarnait à la fois le passé et le présent de la famille. C'était comme si elle avait eu un pied dans chaque monde, l'ancien et le nouveau. Voilà pourquoi, à ses yeux, elle était unique.

— A quoi penses-tu, Jack ? demanda-t-elle en s'asseyant sur une chaise. On dirait que tu viens d'avoir une brillante idée.

— J'ai une idée, oui, mais elle n'est pas si brillante que cela. En fait, je l'avais déjà eue un peu plus tôt et elle vient de me revenir. Ecoute, Linnet, Jonathan Ainsley est à Hong Kong, nous en sommes absolument certains, mais le monde est petit, et il pourrait très bien tirer les ficelles de cette affaire de là où il se trouve. Par téléphone, probablement. Il ne ferait pas l'erreur d'écrire une lettre, un e-mail ou un fax. *Et*, ce qui est le plus important, il a eu une liaison dans le Yorkshire et la femme...

— Bien sûr ! Eleanor ! La secrétaire de ma mère ! Si je comprends bien, tu suggères qu'il manipulerait Mark à distance pour nuire à Paula et à nous tous. Quant à Mark, il lui obéirait par malveillance envers Tessa. Bien vu !

Linnet lança à Jack un coup d'œil pénétrant.

— Tu te demandes si Eleanor est dans le coup ?

Jack s'assit en face d'elle et croisa les jambes.

— En effet.

— Si c'est le cas, elle n'est pas très maligne, murmura Linnet. Ma mère la surveille de près, elle lui a retiré tout pouvoir. Mais elle *est* une ancienne passade de Jonathan Ainsley et ils ont été récemment en contact. Ecoute. Je ne pense pas qu'elle aurait aidé Mark à enlever Adèle, mais peut-être lui a-t-elle offert...

— ... l'hospitalité pour quelques jours... l'interrompit Jack, le sourire aux lèvres.

— Oui... C'est tout à fait possible.

— Crois-tu qu'elle risquerait sa place pour cela ? Si elle en veut à ta mère, irait-elle jusqu'à aider Mark ? Cela fait d'elle une complice. Elle pourrait même être poursuivie pour avoir participé à un kidnapping, à supposer que nous prévenions la police.

— Tout le monde ne connaît pas les lois comme toi, Jack. Sans doute n'imagine-t-elle même pas les conséquences de ses actes. Nous devons aussi penser à autre chose. Elle ne se prend pas pour rien et c'est encore une fort jolie femme... Peut-être croit-elle que Jonathan va lui revenir, finalement. Si c'est le cas, peu lui importe de perdre son job au magasin de Leeds.

— Tu marques un point, Linnet. D'ailleurs, accordons-lui le bénéfice du doute : Mark peut très bien avoir amené Adèle chez elle sans lui dire ce qui s'est passé.

Jack jeta un coup d'œil à sa montre et se leva.

— Il est temps d'appeler Mme Longden, beauté. Nous allons faire la pêche aux renseignements dans le Gloucestershire. Bien entendu, cette conversation reste entre nous, d'accord ?

— Absolument, répondit Linnet.

5

Dès l'instant où Jack entra dans la bibliothèque avec Linnet, il perçut la tension qui y régnait. Tessa était installée sur le canapé, comme pétrifiée, les traits tirés, les yeux emplis de douleur. India était près d'elle, très raide, le visage marqué par l'inquiétude et l'anxiété. Evan se tenait à une fenêtre et parlait, le téléphone portable collé à l'oreille. Assis côte à côte, Emsie et Desmond chuchotaient.

Linnet échangea un rapide coup d'œil avec Jack, puis elle gagna en hâte le second canapé, où elle fut immédiatement rejointe par Evan.

Jack alla jusqu'au bureau à grands pas, soudain conscient que six paires d'yeux ne perdaient pas un seul de ses gestes. Il faut que les choses progressent, pensa-t-il. Impossible d'atermoyer davantage ! Il est temps de prendre le taureau par les cornes.

Avant de recourir aux grands moyens, il épuiserait la piste de la mère de Mark. Il était d'ailleurs possible qu'elle ne fût qu'une spectatrice. Si c'était le cas, il allait devoir sérieusement mesurer ses propos. Il priait le ciel d'avoir eu raison en pensant qu'elle pourrait les aider à régler la situation.

A sa façon efficace et sans les bercer de discours, il leur dit :

— Je vais appeler la mère de Mark. Je brancherai le haut-parleur pour que tu puisses entendre ses réponses, mais je veux que tu gardes ton calme, Tessa. Cela vaut d'ailleurs pour tout le monde, bien entendu, précisa-t-il en balayant les autres du regard. Tessa, il est possible que tu doives parler à ta belle-mère. T'en sens-tu capable ?

La jeune femme hésita, puis elle hocha la tête.

— Je lui dirai quelques mots, bien sûr. Nous n'étions pas très proches, mais ainsi que je l'ai dit, c'est une femme honnête.

Il y eut un bref silence. Tessa fronça les sourcils et reprit :

— Mark est son fils unique et elle se rangera toujours de son côté, quel que soit l'enjeu, même s'il lui donne du fil à retordre. Mais si tu crois que c'est indispensable, je m'adresserai à elle.

Jack approuva du menton, puis il s'assit. Après avoir pris le récepteur, il brancha le haut-parleur et composa le numéro de Mme Longden.

Quelques instants plus tard, on décrocha :

— Camden Lodge. Allô ?

La voix distinguée se répercutait dans la pièce.

— Mme Hilary Longden ?

— Elle-même.

— Bonsoir, madame Longden. Jack Figg, à l'appareil. J'ai déjà cherché à vous joindre, mais vous n'étiez pas là. Mon nom ne vous dit rien, mais vous connaissez la personne qui m'emploie, Mme Paula O'Neill.

— Bien sûr ! C'est la mère de Tessa. Nous sommes-nous déjà rencontrés, monsieur Figg ?

Le ton, agréable, trahissait une légère curiosité.

— Brièvement, le jour du mariage de Tessa et de Mark. Mais pour aller droit au but, nous avons un problème, madame Longden. Je me trouve en ce moment à Penninstone Royal, avec Tessa. J'y suis parce que Adèle, votre petite-fille, a disparu vers onze heures ce matin et qu'on ne l'a toujours pas retrouvée.

— Mon Dieu ! Mais c'est affreux ! Tessa et Mark doivent être morts d'inquiétude. Mon Dieu, mon Dieu, pourquoi ne l'a-t-on pas récupérée ? Elle est forcément quelque part dans la propriété ! Oh, la pauvre chérie, elle doit être absolument terrorisée. Ce que vous m'apprenez est abominable. Puis-je parler à mon fils ? Ou à Tessa ?

Sa voix avait monté d'une octave et il était clair qu'elle était sincèrement affligée.

— Que puis-je faire pour aider, monsieur Figg ?

— Nous dire où est votre fils, madame Longden, répliqua Jack avec une détermination froide.

— Mark ? Il n'est pas avec Tessa ?

Elle était visiblement abasourdie.

— Non, et j'ai des raisons de croire que c'est lui qui a emmené Adèle sans en informer Tessa, annonça Jack. Cela s'appelle un enlèvement et je dois prendre certaines dispo...

— Mark n'aurait jamais enlevé Adèle ! trancha-t-elle, indignée et péremptoire. C'est ridicule ! Absurde ! C'est son père... Où voulez-vous en venir en suggérant une telle abomination, monsieur Figg ?

— C'est un kidnapping, madame Longden, un acte qui sera interprété comme tel par la police et les tribunaux. Les acteurs d'un tel forfait encourent de lourdes peines, vous le savez. Et je vais devoir prévenir la police d'ici quelques minutes. Je ne peux différer plus longtemps. Nous n'avons pas retrouvé Adèle dans la propriété, que nous avons pourtant fouillée de fond en comble, pas plus que nous n'avons localisé Mark. Lui aussi s'est évanoui dans la nature. Aussi n'ai-je pas d'autre choix que d'alerter les autorités et les médias. Ils peuvent nous aider en lançant des appels à la télévision et à la radio. Nous devons retrouver Adèle le plus vite possible. C'est impératif.

— Vous êtes sérieux, n'est-ce pas, monsieur Figg ? demanda Mme Longden, très secouée.

— Très sérieux, madame.

— M... m... mais je ne comprends pas, bégaya-t-elle, désarçonnée. Pourquoi Mark aurait-il emmené Adèle sans l'accord de Tessa ? Il y a quelque chose qui m'échappe.

Jack sentit que son interlocutrice ne mentait pas. Sa voix prit une intonation plus douce :

— A cause du divorce. La situation entre eux est très tendue. Il essaie d'utiliser Adèle pour faire pression sur Tessa.

— Du divorce ? Ils divorcent ? Je l'ignorais totalement ! C'est absurde ! Mark m'en aurait parlé. Mon fils me dit tout. C'est impossible !

— C'est la vérité, pourtant. Voulez-vous parler à votre belle-fille ?

— Ou... o... oui, s'il vous plaît, bégaya-t-elle encore.

— Un moment, je vous prie.

Jack fit signe à Tessa, qui fut près de lui en une seconde. Couvrant le micro d'une main, il la conseilla doucement :

— Fais attention à ce que tu dis. Nous avons besoin d'elle.

Tessa prit le récepteur et murmura :

— Bonjour, madame Longden.

Elle faisait tout son possible pour maîtriser ses émotions et s'exhorta au calme, bien qu'elle tremblât intérieurement.

— Jack a raison, continua-t-elle. Mark a bien enlevé Adèle. Il n'y a pas d'autre explication à sa disparition. Elle doit être bouleversée, la pauvre petite. Elle ne peut pas comprendre ce qui lui arrive.

— Oui, oui, bien sûr. Mais vous allez vraiment divorcer ?

— Oui. J'ai essayé de sauver notre mariage, mais nous ne nous entendons plus, Mark et moi. Nous sommes séparés depuis le mois de juin.

— Mark ne me l'a pas dit ! s'écria Mme Longden, des larmes dans la voix. Comment a-t-il pu faire une chose pareille ?

— Je ne sais pas, mais c'est ainsi. Et il faut que nous le retrouvions, ainsi qu'Adèle.

— J'ignore où il est, je vous le jure !

— Vous pensez que votre mari le sait ?

— Non, non, bien sûr que non ! Mark n'est plus un petit garçon, il ne nous met pas au courant de ses faits et gestes, vous le savez bien, Tessa.

Tessa regarda Jack et fit la grimace, avant de lui tendre le récepteur sans un mot.

— C'est Jack Figg, madame Longden. Puisque vous ignorez où peut se trouver Mark, je vais devoir appeler la police du Yorkshire. Je sais qu'il s'y trouvait, ces jours-ci, y compris la nuit dernière, et je suis quasiment certain qu'elle le pistera rapidement. C'est désolant que je doive recourir à une telle mesure. Cela entachera gravement sa réputation et il n'en sortira pas indemne. Eh bien, merci de nous avoir écoutés, madame Longden, et bonne nuit.

— Ne raccrochez pas, s'il vous plaît ! J'ignore où est Mark, je vous le jure, mais j'ai un numéro de téléphone portable, qu'il m'a laissé la semaine dernière. Je pense qu'il a dû en changer.

— Donnez-le-moi, je vous prie.

— Une minute ! Je vais le chercher. Je l'ai écrit sur un bout de papier, qui doit encore être sur le bureau.

Une seconde plus tard, elle dictait les chiffres à Jack et lui arrachait la promesse de la tenir en dehors de l'affaire.

Jack raccrocha et demanda à Tessa :

— Tu connais ces coordonnées ?

Il lui tendit le carnet sur lequel il les avait griffonnées, mais elle secoua la tête.

— Sa mère a raison, il a dû en changer.

Jack composait déjà le numéro. On décrocha aussitôt.

— Allo ?

— Mark ?

Il y eut une brève hésitation à l'autre bout du fil.

— Oui.

— Si vous raccrochez, j'appelle immédiatement la police du Yorkshire, qui rentrera en action, et je préviens les médias que vous avez enlevé Adèle.

— Quoi ? explosa Mark.

— Inutile de jouer à ce jeu avec moi, Mark. Nous savons qu'Adèle est avec vous. On vous a repérés.

— Qu'est-ce que c'est que cette histoire ?

— Je m'appelle Jack Figg, je travaille pour Paula O'Neill. Je me trouve à Penninstone, avec Tessa. Nous voulons que vous nous rendiez Adèle. Tout de suite.

— Elle n'est pas avec moi. J'ignore tout de cet enlèvement.

— Vous n'avez pas l'air trop inquiet, pour un père à qui l'on vient d'annoncer que sa fille a disparu. Ce qui signifie que vous savez où elle est. Elle est avec vous. Etes-vous au courant de ce que coûte un kidnapping, Mark ? Cela pourrait ruiner votre réputation et mettre un terme à votre carrière, vous ne croyez pas ?

— Mais de quoi parlez-vous ?

Tessa s'approcha de Jack. Braquant sur lui un regard dur, elle lui fit signe de lui donner le récepteur. Il le lui tendit aussitôt.

— C'est Tessa, Mark. S'il te plaît, ramène Adèle à la maison.

— Pourquoi m'accuse-t-on de cette façon ? demanda-t-il d'une voix vibrante de colère.

— Parce que tu l'as emmenée, ce matin. Nous le savons. Wiggs t'a vu. S'il te plaît, Mark, pour le bien de notre enfant, rends-la-moi.

— Je t'ai dit qu'elle n'était pas avec moi !

— Bien sûr que si. Inutile de me mentir, Mark.

Il y eut un silence et Tessa se demanda s'il avait raccroché, lorsqu'il parla de nouveau :

— Tu ne la récupéreras que si tu satisfais à mes exigences.

Visiblement, Adèle était avec lui. Submergée par le soulagement, Tessa répondit très vite :

— Tout ce que tu voudras.

— L'autorité parentale conjointe, pour commencer.

— Nos avocats en discuteront. Mais tu peux avoir la maison de Hampstead, les voitures, ou de l'argent. Comme tu voudras.

— L'autorité parentale conjointe, répéta-t-il d'une voix glaciale.

A cet instant, le téléphone portable de Jack se mit à sonner. Il s'approcha de la fenêtre pour parler. Tessa le suivit des yeux.

— Nos conseils régleront la question, dit-elle encore. Si ce n'est pas cela, tu auras certainement un droit de visite tout à fait acceptable, ajouta-t-elle contre son gré, après avoir pris une grande inspiration.

Soudain, Jack se hâta de la rejoindre, le sourire aux lèvres. Il lui prit le récepteur sans cérémonie et déclara :

— C'est encore Jack Figg, monsieur Longden. Je viens d'avoir la police au téléphone. Elle est en route pour vous arrêter. On vous a localisé à Ripon, à l'hôtel Spa. Vous êtes enregistré sous le nom de William Stone.

Jack se tut, car il avait entendu une exclamation réprimée à l'autre bout de la ligne.

— Si vous partez maintenant, reprit-il, vous serez à Penninstone Royal dans une demi-heure et nous négocierons. Ou alors, attendez que la police vous tombe dessus, d'ici une quinzaine de minutes. A vous de choisir, camarade.

— Je pars tout de suite, dit brusquement Mark d'une voix qui n'avait plus rien de menaçant.

— Avec Adèle !

— Oui, je la ramène, marmonna Mark avant de raccrocher.

Jack reposa le récepteur sur son socle et regarda Tessa, une lueur de triomphe dans ses yeux gris.

— C'était l'un de mes gars, il y a quelques instants. Lorsqu'il a découvert qu'un homme et une petite fille séjournaient au Spa, il a appelé l'un des contacts qu'il a là-bas. Le nom de William Stone ne lui disait rien, mais il a jugé préférable de m'en parler. J'ai aussitôt compris qu'il s'agissait de Mark.

Tessa tendit la main et toucha le bras de Jack.

— Dieu merci ! J'ai l'impression que je vais m'évanouir de soulagement à l'idée qu'elle rentre à la maison. Merci, Jack, merci beaucoup.

D'un mouvement impulsif, Jack s'approcha d'elle, l'attira contre lui et la serra très fort dans ses bras.

— Avant d'avoir eu le temps de dire ouf, ta fille te sera rendue. Maintenant, viens, nous avons pas mal de choses à faire avant leur arrivée.

Tessa hocha la tête, puis elle éclata en sanglots, hoquetant comme si son cœur allait se briser.

— C'est la joie, commenta Jack doucement. C'est une réaction normale. Tu as été sous tension toute la journée, poursuivit-il en la guidant jusqu'au canapé. India, assieds-toi près d'elle, elle ira bientôt mieux. Quant à vous, fit-il en désignant Desmond et Emsie, j'ai besoin que vous fassiez une ou deux choses pour moi.

Immédiatement, Desmond se leva et se précipita vers lui, Emsie sur les talons.

— Oui, Jack !

— En quoi as-tu besoin de nous ? demanda la jeune fille en s'approchant du bureau.

Son visage était impatient, ses yeux empreints de gravité.

— Desmond, va trouver Wiggs et dis-lui qu'Adèle sera là dans une demi-heure, environ. N'ajoute rien d'autre et ne fais pas allusion à Mark. Compris ?

Desmond hocha la tête et suggéra spontanément :

— Jack, quand tu parleras à maman, signale-lui qu'il faut renforcer le système de sécurité. On entre ici comme dans un moulin.

— J'en avais l'intention, Desmond. Je sais exactement comment le modifier. Toi, Emsie, va prévenir Margaret et Joe qu'Adèle revient, continua-t-il avec un sourire à l'adresse de son interlocutrice. S'il te plaît, demande à Margaret de nous apporter des boissons, avec des glaçons. J'ai besoin d'une vodka et je suis certain que tout le monde appréciera un remontant.

Quand les jeunes gens eurent quitté la pièce, Linnet s'approcha de Jack et l'embrassa.

— Merci, Jack, merci pour ce que tu as fait.

— Inutile de me remercier, beauté, répliqua-t-il en la fixant intensément. J'ai mis un peu la pression, mais j'ai pensé que c'était la bonne solution. Grâce à Dieu, ça a marché. Mark a eu peur. Il a été un peu dégrisé.

— Il était ivre ? demanda très vite Linnet, les sourcils dressés.

— C'est une façon de parler.

— Tu as vraiment prévenu la police, Jack, ou tu bluffais ?

— Je bluffais, beauté. Mais quand Pete, le gars qui vérifiait les registres des hôtels, m'a parlé d'un certain William Stone, je me suis rappelé que Mark utilisait ce pseudonyme pour désigner un client qui n'était autre que Jonathan Ainsley. C'est toi qui me l'avais dit.

— J'en suis bien contente !

Il sourit, retourna au bureau, s'assit et baissa les yeux vers le carnet où il avait inscrit une quantité pharamineuse de notes.

Un instant plus tard, Evan se tenait devant lui. Il leva vers elle des yeux interrogateurs.

— Merci d'avoir eu une influence aussi forte, Jack. Me permettez-vous de révéler à Robin que Jonathan se trouve à Hong Kong ? Il se demandait où était son fils. Il sera soulagé d'apprendre qu'il n'est pas dans la région.

— Faites-le, bien entendu, Evan. Vous pouvez utiliser ce téléphone.

Linnet et Evan retournèrent s'asseoir près de Tessa et d'India. Elles se mirent à bavarder doucement avec Tessa, l'assurant que tout allait bien se passer. Touchée par leur gentillesse, elle leur sourit et s'efforça de se maîtriser. Mais la tension l'écrasait et elle avait conscience que les événements de la journée modifieraient à jamais sa vie. Elle savait aussi que sa douleur ne s'atténuerait que lorsqu'elle tiendrait son enfant dans ses bras.

Gideon Harte était à la Yorkshire Consolidated Newspaper Company, au sud-est de Londres, non loin de la fameuse Fleet Street. De nombreux quotidiens nationaux l'avaient désertée pour s'installer ailleurs, tel le groupe de presse appartenant aux Harte.

Donnant sur la Tamise, le bureau de Gideon était spacieux, lumineux et aéré, avec de nombreuses fenêtres à double vitrage, ombragées par des stores métalliques. La décoration était discrète, avec des murs gris et blanc et beaucoup de livres posés sur des étagères laquées noires, au fond de la pièce. Sur la table, il n'y avait que quelques notes, un dictionnaire, un recueil de synonymes et un encrier de cristal, très ancien, posé sur un plateau d'argent.

Gideon repoussa sa chaise en arrière, posa les pieds sur le bureau et s'appuya au dossier en fixant l'horloge accrochée au mur, en face de lui. Dès qu'il fut sept heures moins le quart, il se redressa, reprit contact avec le sol et décrocha le téléphone. Il composa le numéro de l'hôtel Péninsule, à Berverly Hills, puis il attendit.

Quand la standardiste décrocha, il demanda :

— Pourrais-je parler à Toby Harte, je vous prie ?

Un instant plus tard, il reconnut la voix de son frère :

— Toby Harte.

— C'est moi, Gid. J'ai de bonnes nouvelles : Jack a retrouvé Mark, qui a admis avoir enlevé Adèle. Il est en route pour Penninstone et va rendre la petite à Tessa.

— Dieu soit loué ! Quel salaud ! Kidnapper sa propre fille ! Tout cela pour faire pression sur cette pauvre Tessa. On devrait... Bref, je ne trouve pas de supplice assez douloureux pour punir ce type !

Gideon se mit à rire.

— Pourquoi ne pas le cravacher, comme dans l'ancien temps ? Mieux encore, on pourrait le pendre ou l'écarteler.

Toby rit à son tour.

— Je lui flanquerais bien mon poing dans la figure. Je ne me détendrai que lorsque je saurai qu'Adèle est auprès de sa mère, à la maison. Je n'ai pas confiance dans cet escroc.

— Je suis d'accord avec toi. Mais je t'avais promis de t'appeler dès que j'aurais des nouvelles, quelles qu'elles soient, et je viens juste de parler à Jack. Evan m'a passé un coup de fil pour me faire part des derniers événements. Juste après, Jack a téléphoné. Il voulait discuter du système de sécurité. Pas seulement à Penninstone Royal, d'ailleurs, mais chez chacun d'entre nous. Je pense qu'il a raison. Nous devons nous protéger davantage.

— Exact. Et Jack est l'homme qu'il nous faut pour s'occuper de tout ça. A propos, Paula et Shane ont-ils été mis au courant ?

— Non ! Pas plus qu'on ne les a impliqués dans les démarches. Ne leur en parle pas, parce que tu sais que maman s'empresserait de tout raconter à Paula. Elles s'entendent comme larrons en foire.

— Ils sont tous pareils. Maman et papa. Shane et Paula. Sally et Anthony Standish, ainsi qu'Amanda. Sans compter Sarah, de retour au bercail. Ils ont grandi ensemble, tu le sais bien. Nous n'avons que trop entendu parler des étés qu'ils passaient en groupe.

— Ecoute ça ! Jack m'a dit qu'un de ses gars avait découvert qu'un homme se trouvait à l'hôtel Spa, à Ripon, avec une petite fille... Ton ancien terrain de chasse, si je m'en souviens bien. Quoi qu'il en soit, l'individu s'était inscrit sous le nom de William Stone. Cela n'évoquait rien pour le détective, mais dès que Jack l'a appris, il a su que ce devait être Mark. William Stone a été le pseudonyme de Jonathan Ainsley.

— Mais oui ! Tu as raison ! Tu crois que Jonathan est impliqué dans l'histoire ?

— Je n'en ai aucune idée. Mais cette éventualité a traversé l'esprit de Tessa et de Linnet. Jack l'a envisagé aussi, d'après Evan.

— Je vois. Il faudra sans doute mettre Paula au courant, tu sais. Un truc aussi énorme ne peut pas être gardé sous le boisseau.

— Ce serait impossible, de toute façon, parce que Tessa a promis la lune à Mark pour qu'il lui rende sa fille, et elle va bien devoir en discuter avec sa mère et Shane. Cela pourrait se chiffrer en millions, selon Linnet. Si j'ai bien compris, Mark réclame l'autorité parentale conjointe et Tessa s'efforce de l'acheter. Tout le monde a un prix, si l'on en croit notre arrière-grand-mère.

— Emma avait raison. Et Tessa ne supporterait pas une garde partagée. Par bonheur, Adrianna et moi n'avons pas d'enfants, ce qui facilite certainement les choses.

— Vous allez divorcer, finalement ?

— Oui, mais à l'amiable. C'est ce que nous voulons tous les deux, Gid. Elle a décidé qu'elle préférait vivre et travailler à Hollywood, moi je veux rester à Londres. J'y suis obligé, de toute façon, si l'on pense à mes responsabilités. Ce mariage a été une grave erreur, en toute franchise. Mais crois-le ou non, Adrianna se comporte tout à fait convenablement. Elle n'a rien d'une croqueuse de fortune et ne veut pas de pension alimentaire. Elle aimerait que je lui achète un pied-à-terre à Londres. Tu vois ce que je veux dire, pour avoir un point de chute de chaque côté de l'Atlantique. Je suis d'accord. Je pense même lui laisser notre appartement. Elle l'adore, alors que je ne l'ai jamais aimé.

— J'avais deviné que tu souhaitais divorcer, aussi je suis content pour toi, Toby. Je pense que papa partagera mon point de vue. Il espère que tu lui donneras des petits-enfants et il n'a jamais cru qu'Adrianna avait la fibre maternelle.

Toby se mit à rire.

— On ne peut pas mieux dire ! Notre cher père avait vu juste... Tu crois que je devrais téléphoner à Tessa ? demanda-t-il après une brève hésitation. Je me suis beaucoup inquiété pour elle et je veux qu'elle me sache à son côté, en cas de besoin.

— Je ne vois pas pourquoi tu ne le ferais pas, Toby. Vous avez toujours été très liés, tous les deux. Elle sait que tu l'assisteras, si elle fait appel à toi. Passe-lui un coup de fil, évidemment !

— Je ne voudrais pas tomber au moment précis du retour d'Adèle, de peur de la gêner. Je sais que Tessa a dû horriblement souffrir, jusqu'à ce qu'elle sache où se trouvait sa fille.

— Il te reste quelques minutes avant l'arrivée de Mark. Appelle-la tout de suite et embrasse-la pour moi.

— D'accord. Tout va bien entre Evan et toi ?

— Oui. C'est même de mieux en mieux. On en parlera plus tard, si tu veux.

— Bien sûr.

Après avoir raccroché, Gideon se tassa dans son fauteuil, posa de nouveau les pieds sur son bureau et ferma les paupières. Il se mit à penser à Evan Hughes. Ils filaient vraiment le parfait amour, tous les deux, bien qu'elle s'inquiétât constamment à cause de son père et de son arrivée imminente en Angleterre. Elle se soucie surtout de savoir ce qu'il pensera de moi et de Robin Ainsley, décida soudain Gideon.

Il souhaita alors qu'elle cessât de se battre contre des moulins à vent et d'inventer des obstacles qui n'existaient pas. Le problème résidait en elle. Elle avait besoin que tout le monde appréciât les gens qu'elle aimait, mais ce n'était pas ainsi que cela marchait.

Gideon voulait construire sa vie avec elle, demeurer à jamais à son côté. Dès le début de leur relation, il avait su qu'elle était la femme qu'il espérait. Mais il en était venu à penser qu'elle hésitait à s'engager envers lui à cause de son père, qui réagissait bizarrement dès qu'il s'agissait des Harte.

Gideon soupira. Il serait vraiment content quand ce monsieur serait arrivé de New York. La situation pourrait alors être clarifiée. Dans l'intervalle, il avait un quotidien à gérer. En l'absence de son père, il assumait la responsabilité du *Daily Gazette*. Il ouvrit les yeux, reposa ses pieds sur la moquette, puis il se leva, récupéra son téléphone portable sur la table et quitta son bureau pour se rendre à la rédaction, l'un des endroits où il avait toujours aimé se trouver.

Tessa avait peine à contenir son agitation ou à rester tranquille. Elle finit par se lever d'un bond et cria à Jack :

— Je ne tiens pas en place ! Je sors attendre Adèle sur le perron.

— Je comprends. Vas-y, Tessa. Mark devrait arriver d'une minute à l'autre. A ce propos, je préfère t'accompagner.

Joignant le geste à la parole, Jack s'approcha de la jeune femme, lui prit le bras et l'entraîna dans le hall.

A peine Tessa eut-elle fait quelques pas qu'elle s'arrêta et regarda Jack.

— Reggi ! Ce sera la première chose qu'Adèle demandera. Attends-moi une minute, Jack, pendant que je vais la chercher. Je l'ai laissée dans la bibliothèque.

Il hocha la tête et la suivit des yeux, tandis qu'elle retournait sur ses pas. Elle avait serré la poupée contre elle la moitié de la journée, répétant à qui voulait l'entendre qu'Adèle devait avoir le cœur brisé à l'idée qu'elle l'avait perdue. Jack soupira intérieurement. Quel gâchis ! Une séparation amère, qui ne pouvait que devenir de plus en plus âpre, à mesure que le temps passerait.

Quand Paula lui avait demandé d'enquêter sur Mark Longden, quelques semaines auparavant, il avait immédiatement compris que son gendre l'inquiétait. Paula n'était pas du genre à se mêler de la vie des autres ou à les épier. Bien au contraire, elle avait le plus grand respect pour l'intimité des gens. Dès qu'il avait commencé à creuser, Jack s'était réjoui qu'elle eût franchi le pas. Car il n'avait pas apprécié ce qu'il avait découvert sur Mark Longden.

Mark était dans les rets de Jonathan Ainsley, le cousin de Paula, son plus grand ennemi – et celui de la famille. Ainsley avait fait appel à Longden pour qu'il dessinât les plans de sa nouvelle maison, à Thirsk. Mark n'avait pas tardé à subir son influence désastreuse. Boisson, drogue et femmes, tels étaient les « avantages » que lui procurait Jonathan. Il s'y était adonné pour en devenir bientôt dépendant. Tout comme Jack, Paula avait été atterrée et elle s'était fait du souci pour Tessa, Mark ayant fait preuve de violence à son égard, par le passé. Bien qu'ils fussent déjà séparés, nul ne pouvait prédire ce qu'il était capable de lui infliger. Maintenant, on le savait. L'enlèvement d'Adèle était à la fois cruel et dangereux. « Il a voulu faire chanter Tessa et il y a réussi. Il veut de l'argent, beaucoup d'argent, et l'autorité parentale conjointe. Il ne l'obtiendra pas, étant donné les preuves que je peux fournir concernant sa vie privée. Mais Paula accédera à ses exigences financières, ne serait-ce que pour qu'il disparaisse. Bon débarras, en effet ! »

— Me voici ! s'exclama Tessa, qui arrivait en courant dans le hall, la poupée à la main. Tu n'imagines pas à quel point Adèle l'adore. Pour elle, il n'y a rien de plus précieux au monde. Tout comme elle est ce qu'il y a de plus précieux au monde pour moi, ajouta-t-elle doucement. Je ne sais pas comment te remercier de me l'avoir rendue, Jack. Elle est essentielle à ma vie.

— Je le sais, Tess. Et tu ne dois pas douter, de ton côté, que je t'aiderai toujours par n'importe quel moyen. Je t'ai connue quand tu avais l'âge d'Adèle. Elle ressemble trait pour trait à ce que tu étais à l'époque.

— Maman dit qu'elle est mon portrait craché.

Ils traversèrent l'entrée, puis Jack déverrouilla la porte et l'ouvrit. Ils sortirent et restèrent un instant sur la marche la plus haute. C'était une belle soirée d'août. Le ciel était d'un bleu pâle et étincelant, la lumière cristalline, l'atmosphère tiède. Pourtant, malgré la douceur, Tessa frissonnait en fixant l'allée. A ses traits tirés, Jack devina qu'elle était de nouveau sous tension. Elle s'était détendue l'espace d'un instant et aurait du mal à se maîtriser en attendant sa fille.

Entendant un crissement de pneus sur le gravier, ils échangèrent un regard. Quelques secondes plus tard, une Mercedes noire se présentait dans le tournant. Tessa esquissa un mouvement, mais Jack la retint.

— Je sais que tu es pressée de serrer Adèle dans tes bras, mais je te demande de patienter, Tessa. J'ai besoin de voir comment la petite se comportera lorsqu'il la fera descendre de voiture. Je dois savoir si elle est effrayée ou bouleversée et, plus important encore, si elle a peur de son père. Tous ces détails comptent, dans le cadre d'une procédure de divorce.

— Je comprends, marmonna Tessa.

Mais son agitation grandissait et elle se mit à trembler si fort qu'elle ne tenait plus très ferme sur ses jambes.

Le véhicule finit par s'arrêter près de la haie de troènes, là où l'on se garait d'habitude. Tessa aurait voulu qu'il stoppât devant la porte, tant elle était impatiente de retrouver son enfant.

Mark sortit de la Mercedes et jeta un coup d'œil à Tessa et à Jack. Il contourna ensuite la voiture et ouvrit la portière, avant de soulever Adèle dans ses bras. Pendant un instant, il sembla qu'il allait la porter en haut des marches, mais elle se débattit et il n'eut pas d'autre choix que de la poser à terre. Elle se mit à courir en direction de sa mère en criant :

— Maman ! Maman !

Elle se déplaçait aussi vite qu'elle le pouvait.

— J'ai perdu Reggi ! s'exclama-t-elle, avant d'éclater en sanglots.

Tessa se précipita à sa rencontre, effrayée à l'idée qu'elle trébuche et se fasse mal. En s'approchant, elle remarqua que sa chevelure blond cendré était emmêlée, son visage barbouillé de taches noires, et sa bouche entourée de ce qui ressemblait à de la confiture de framboise.

Elle lui tendit Reggi.

— Regarde, j'ai retrouvé Reggi, ma chérie.

L'enfant cessa immédiatement de pleurer.

— Oh, maman, c'est ma Reggi !

Levant vers sa mère son petit visage sillonné de larmes, elle lui sourit largement et agrippa la poupée.

Tessa, qui s'était agenouillée, lui essuyait les joues en souriant. Elle la prit dans ses bras et la serra très fort, emplie d'amour pour elle. Sa tendresse était teintée d'un immense soulagement ; Adèle était en sécurité, à la maison. Du coin de l'œil, elle vit Mark s'approcher d'elles. Immédiatement, elle se releva et grimpa une marche. Elle ne pouvait supporter la proximité de cet homme.

Il s'immobilisa, regarda Jack, puis demanda à Tessa :

— Nous allons avoir notre petite conversation ?

— Plus tard, s'il te plaît. Adèle doit être horriblement fatiguée et peut-être affamée. Tu l'as nourrie, aujourd'hui ?

— Evidemment, espèce de folle ! J'aime mon enfant, pourquoi l'aurais-je privée de nourriture ? cria Mark, rouge de colère.

Tessa le foudroya du regard, détestant chaque fibre de son être. Non seulement à cause de ce qu'il lui avait fait, mais en raison de l'enlèvement, qui aurait pu si facilement tourner mal et tous les briser.

— Du calme, Mark, dit doucement Jack.

S'interposant entre Tessa et son mari, il fit signe à la jeune femme de rentrer dans le vestibule.

— La colère ne vous mènera nulle part, continua-t-il. De toute façon, mieux vaut éviter de parler devant votre fille.

Il interrogea Tessa, qui se tenait derrière lui, par-dessus son épaule :

— Nous pourrions peut-être inviter Mark à entrer quelques instants ?

Emplie de colère, pressée de donner un bain à Adèle, elle acquiesça d'un signe de tête, puis elle tourna les talons et entra dans la maison.

Jack la rattrapa et suggéra :

— Pourquoi ne pas emmener Adèle dans la bibliothèque ? Les autres prendront soin d'elle pendant quelques minutes, c'est le laps de temps dont nous avons besoin, je peux te l'assurer. Fais-moi confiance.

— Très bien, Jack, mais j'espère que cela ne traînera pas.

Elle traversa le hall en hâte. Lorsqu'elle poussa la porte de la bibliothèque, chacun applaudit en riant, et se précipita autour d'elle et de l'enfant. La petite, se voyant ainsi acclamée et embrassée, rit à son tour de bonheur, les yeux étincelants.

Tessa s'apprêtait à quitter la pièce lorsque Elvira arriva en courant, très pâle, les yeux pleins d'appréhension.

— Elvira ! cria Tessa en la voyant. Vous venez d'arriver de Leeds ?

— Oui, madame Longden. Margaret et Joe m'ont raconté ce qui s'était passé, aujourd'hui. Oh, madame Longden, je suis désolée ! Je regrette d'avoir pris mon jour de congé, j'aurais dû être là…

Sa voix se brisa, elle sembla ne plus savoir que dire.

— Elvi, dit Adèle en lui souriant, j'ai perdu Reggi, mais maman l'a retrouvée.

Elle montra la poupée à la jeune fille.

— Je suis contente qu'elle aille bien, murmura Elvira.

Elle s'adressait à la petite fille, mais regardait Tessa.

— Occupez-vous d'elle un instant, je vous prie, Elvira, lui dit cette dernière. Je dois discuter avec M. Longden.

Elle tendit Adèle à la baby-sitter, puis se tourna vers les autres. Ses yeux se posèrent finalement sur Linnet.

— Je reviens tout de suite. Jack s'occupe de tout, dehors, et il sait ce qu'il fait.

— J'en suis sûre, approuva Linnet. Il est le meilleur.

De retour dans le hall, Tessa retrouva Jack et Mark, assis l'un en face de l'autre, près de la cheminée. Mark était en colère, mais Jack paraissait remarquablement calme, froid et détaché. Tessa se rappela certaines révélations qu'il avait faites à sa mère et réalisa soudain qu'il tenait toutes les cartes en main.

Refusant de s'asseoir, pour bien montrer qu'elle ne comptait pas s'attarder, elle resta debout près de la cheminée de pierre.

Jack la regarda, puis il lança d'une voix douce mais ferme :

— J'ai dit à Mark que nous serions heureux de réitérer les engagements que tu as pris tout à l'heure au téléphone. Apparemment, il souhaite les entendre encore.

— Tu peux avoir la maison de Hampstead, commença Tessa, bien qu'elle soit à moi, puisque maman me l'a donnée. Je te laisse les deux voitures qui se trouvent au garage, ainsi que tout ce que contient notre domicile, sauf quelques tableaux, des objets personnels et mes affaires, vêtements et ce genre de choses. Il y aura aussi un arrangement financier en ta faveur.

— Tu dois me rendre les bijoux que je t'ai donnés.

Elle songea qu'ils ne valaient rien, mais ne discuta pas.

— Très bien.

— Et je veux l'autorité parentale conjointe.

— C'est ce que je ne peux te promettre, dit Tessa d'une voix soudain tremblante, mais tu auras un droit de visite.

— Garde partagée, se fâcha-t-il.

— Non, Mark, je ne peux pas accepter ça après ce qui s'est passé aujourd'hui.

— Nous verrons bien ce que dira le juge, menaça-t-il.

Jack toussota.

— Si je puis me permettre, le jugement sera vraisemblablement favorable à Tessa.

— Certainement pas ! Un père a autant de droits qu'une mère, de nos jours, ne l'oubliez pas.

— Il se trouve que vous êtes un père problématique.

Furieux, Mark darda sur Jack un regard noir.

— Qu'est-ce que ça signifie ?

— Je ne souhaite pas entrer dans les détails maintenant, puisque votre avocat et celui de Tessa en discuteront dans peu de temps. Mais peut-être devrais-je ajouter que nous avons réuni pas mal d'informations sur votre vie privée, vos plaisirs, vos goûts, votre existence plutôt... décadente, si je puis m'exprimer ainsi. Dois-je en dire davantage ?

Jack lança un regard dur à Mark, puis il se leva et alla se poster près de Tessa.

Mark se leva d'un bond et cria :

— Cela ressemble à une saloperie de chantage !

— Appelez ça comme vous voulez, murmura Jack, mais je peux prouver que ce que je dis est vrai. Il se trouve que c'est justement le genre de preuves qui intéresseront un juge, vu que le bonheur d'un enfant est au centre du débat.

Mark foudroya Jack, puis Tessa, du regard.

— Vous entendrez parler de moi !

— Et vous de moi, camarade ! répliqua Jack. Et maintenant, étant donné les circonstances, je pense qu'il est temps pour vous de partir. Je vous raccompagne jusqu'à la porte.

6

Paula O'Neill se tenait devant l'une des fenêtres de la chambre à coucher, dans son appartement de la Cinquième Avenue. Elle contemplait Central Park. L'atmosphère était chaude, mais dépourvue d'humidité ; c'était vraiment une belle journée. Les cimes des arbres opposaient leur vert éclatant au bleu azuré du ciel et au-delà du feuillage, Manhattan se dessinait à l'horizon. Le soleil faisait étinceler des milliers de fenêtres, si bien que les gratte-ciel semblaient scintiller ou même miroiter dans le lointain.

Il n'existe aucun endroit semblable au monde, pensa Paula. Elle avait toujours aimé New York, depuis qu'elle y était venue pour la première fois, enfant, avec sa grand-mère. Emma était, elle aussi, une adoratrice de cette ville animée, électrique, excitante et tourbillonnante, où tout était possible. Emma le lui avait souvent répété : « Ce lieu n'a que le ciel pour limite, Paula. Ne l'oublie jamais. »

Se détournant de la baie, Paula traversa la chambre et gagna l'entrée. Ses talons claquèrent contre les dalles de marbre blanc et noir tandis qu'elle se dirigeait vers la bibliothèque, l'une de ses pièces préférées. C'était aussi celle que son grand-père avait aimée le plus, selon Emma. Elle lui avait un jour confié qu'il adorait les murs lambrissés, les livres à la reliure de cuir rouge, les objets anciens qu'elle avait choisis, les brocarts vieux rose qui garnissaient les fenêtres et recouvraient les canapés. « Il disait souvent que l'ambiance était masculine sans être étouffante ou lourde, racontait Emma. Il faut avouer qu'en général, il appréciait la façon dont je décorais nos résidences. »

Paul McGill avait acheté l'appartement dans les années trente. C'était un duplex spacieux et ravissant, conçu en 1931 par le célèbre architecte Rosario Candela. Après la mort prématurée de Paul, en 1939, Emma avait pensé le vendre. C'était la guerre et elle avait trop de sujets de préoccupation, sans compter le Blitz, pour se soucier du pied-à-terre de Manhattan. « Je suis contente de ne pas m'en être défaite, avait-elle avoué un jour à Paula. Ainsi, nous pouvons vivre confortablement et dans l'intimité, quand nous venons aux Etats-Unis, au lieu de séjourner à l'hôtel. »

Paula et son frère, Philip, avaient hérité conjointement du bien à la mort d'Emma, mais il était utilisé par d'autres membres de la famille lorsqu'ils se rendaient en Amérique, en particulier Emily et Winston Harte, les cousins de Paula, ainsi que la sœur d'Emily, Amanda Linde.

En s'asseyant derrière le bureau, Paula éprouva une brusque bouffée de respect et d'intimidation en pensant à sa grand-mère, et à sa remarquable réussite. Il y avait de quoi être admiratif, vraiment, devant ce que cette femme avait accompli dans sa vie – elle, une pauvre fille de Fairley, village ouvrier dans la lande du Yorkshire. Elle avait commencé à travailler à douze ans, comme servante à Fairley Hall.

Comment y est-elle parvenue ? se demanda Paula. Où a-t-elle puisé ce talent, ce goût infaillible, ce sens du style et des proportions, des couleurs et des tissus, cette intuition artistique ? Où a-t-elle pris son énergie, sa force et sa résistance ? Comment a-t-elle acquis cette volonté unique, ce caractère indomptable, ce désir de gravir les montagnes ? Qu'est-ce qui a fait d'elle une aussi grande dame, une brasseuse d'affaires prospère, puissante, invincible et absolument inimitable ?

Emma Harte avait créé, presque seule, un empire financier qui valait des milliards de livres, aujourd'hui. Elle avait légué à ses descendants un pouvoir immense, la richesse et les privilèges, sans compter ce groupe qui s'était étendu dans le monde entier.

Elle est sans égale, songea Paula. Elle secoua la tête avec une sorte d'émerveillement. Emma était unique, on avait brisé le moule. De nouveau, Paula se demanda comment sa grand-mère avait fait, comment elle avait pu recevoir des dons aussi extraordinaires...

Le téléphone sonna et Paula décrocha machinalement.

— Allo ?

— Maman, c'est moi, Linnet.

— Quelle bonne surprise, ma chérie ! Comment allez-vous tous ? Où en sont les projets de rénovation des magasins ? s'enquit-elle d'une voix vibrante de plaisir.

— Oh, très bien. Je suis ravie... Maman, écoute, reprit Linnet après une profonde inspiration. Il s'est passé quelque chose, mais tout va bien, maintenant, absolument tout, je t'assure. J'ai pensé qu'il valait mieux te mettre au courant. Et...

Paula devina aussitôt qu'un événement grave s'était produit.

— Qu'est-il arrivé, Linnet ? l'interrompit-elle.

Tout en parlant, elle se rappela brusquement le jour où elle avait appris le décès de son père et de son mari, emportés par une avalanche à Chamonix. Son cousin Winston Harte avait alors appelé Shane, dans le Connecticut, pour le lui annoncer. Elle éprouva une sensation de froid et se raidit, se demandant quelles nouvelles allaient lui tomber dessus.

— Tout va bien ! confirma Linnet.

Et elle lui raconta ce qui était arrivé dans la journée.

— Mon Dieu, non ! Pas Adèle ! Mais elle est bien à la maison ?

— Oui, elle est en sécurité à Penninstone Royal, avec Tessa. J'ai demandé à Jack d'intervenir, ajouta Linnet. Il est ici et souhaite te parler. Je te reprends dans un instant.

— Bonjour, Paula, dit Jack.

— Bonjour, Jack, je suis contente que vous soyez là...

Paula trouvait que son ton étranglé manquait de naturel.

— Tout le monde va bien, affirma Jack calmement.

Il avait toujours adoré Paula et certains membres de la famille pensaient qu'il en était secrètement amoureux depuis des années.

— Comme Linnet vient de vous le dire, continua-t-il, l'enfant n'a été victime d'aucune violence. Maintenant, Paula, je dois vous mettre en garde à propos du système de sécurité à Penninstone. C'est comme s'il n'y en avait pas. Vous ne disposez que de quelques alarmes contre les voleurs... C'est carrément dangereux.

— Shane me l'a fait remarquer, récemment. Je ne crois pas qu'aucun d'entre nous ait envisagé un événement tel qu'un... kidnapping. Vous pouvez vous en occuper, Jack ?

— Oui. Je vais tout de suite contacter les meilleurs spécialistes de la sécurité. Dès demain, en fait.

— Parfait. Merci pour tout ce que vous avez fait pour nous. Je vous en serai reconnaissante à jamais.

— Sachez que je serai toujours là pour vous.

— Pouvez-vous me passer Tessa, Jack ?

— Bien sûr. Elle est à côté de moi. A plus tard, Paula.

— Bonjour, maman... commença Tessa.

Sa voix s'étrangla et elle s'interrompit.

— Tessa chérie, je suis navrée de ce qui est arrivé. Tellement navrée ! Tu as dû vivre un enfer.

— Oui... Mais par bonheur, Adèle va bien et ne semble même pas choquée. La seule chose qui l'ait bouleversée, c'est qu'elle a cru avoir perdu sa poupée de chiffon. Elle dort, maintenant, et Elvira passera la nuit dans sa chambre. Maman, Mark a été ignoble. Il a agi ainsi pour pouvoir exercer une pression sur moi ; il voulait une arme qui lui permette de prendre l'avantage. Il n'avait pas le droit de se servir d'Adèle de cette façon. Oh ! Et il veut l'autorité parentale conjointe !

— Il ne l'aura jamais, Tessa, sois-en sûre. Quand Jack a enquêté sur lui, il a déterré pas mal d'informations louches et je suis certaine que le juge ne le considérera pas apte à jouer son rôle de père. Que lui as-tu promis, ma chérie, pour le convaincre de te ramener Adèle ?

— Uniquement ce dont nous avions déjà discuté. La maison de Hampstead, les voitures et un arrangement financier. J'ai été très prudente au sujet d'Adèle. Je lui ai dit que nos avocats en discuteraient.

— Parfait ! Laissons les hommes de loi s'en occuper, à partir de maintenant.

— C'est ce que j'ai l'intention de faire, maman, mais je devais lui offrir quelque chose pour qu'il me rende ma fille.

— Bien entendu et tu t'en es bien tirée. En revanche, nous devrons nous assurer que le prix à payer est bien calculé. Tu ne voudrais pas que Mark fasse peser une épée de Damoclès au-dessus de ta tête le reste de ta vie, je suppose.

— Est-ce que je peux rester à la maison ? Jack dit qu'elle est parfaitement sûre, que Mark ne viendra plus me harceler. Les grilles de la propriété ont été verrouillées pour la nuit. Je crois qu'il n'y a aucun danger.

— Poursuis ton séjour à Penninstone, ainsi que tu l'avais projeté. Jack est l'homme qu'il faut pour assurer la sécurité des lieux. Quant à Mark Longden, il regrette sans doute déjà son acte. Comment vont Emsie et Desmond ? Je suppose qu'ils étaient là, quand c'est arrivé ?

— Ils faisaient une promenade à cheval. Ils veulent te dire bonjour. Je te les passe, maman...

Après avoir raccroché, Paula resta assise un instant à son bureau, ressassant tout ce qu'elle venait d'apprendre. Elle avait aussi parlé à India et à Evan, et écouté leur opinion. De l'avis général, Jonathan Ainsley semblait impliqué d'une façon ou d'une autre dans l'enlèvement d'Adèle.

Jonathan Ainsley. Son cousin et pire ennemi, ainsi que celui du clan Harte, des O'Neill et des Kallinski, puisqu'ils étaient intimement liés entre eux.

Récemment, il s'était montré habile. Il avait attiré Mark Longden dans son orbite en l'engageant pour concevoir sa nouvelle résidence, dans le Yorkshire. Flatté, Mark avait gobé l'hameçon. Très vite, il avait été séduit par la vie sociale décadente de Jonathan et, inévitablement, avait subi son emprise. Jonathan n'avait pas eu à faire grand-chose pour blesser Paula... Il lui avait suffi de souffler quelques suggestions à l'oreille de Mark à propos de Tessa, et les dés avaient été jetés.

Elle ignorait comment négocier avec Jonathan, bien qu'elle crût possible de trouver finalement le moyen de le circonvenir. En revanche, elle savait comment maîtriser Mark et le réduire à l'impuissance, de sorte qu'il ne puisse plus atteindre sa fille et sa petite-fille. Et elle comptait commencer à réaliser son plan dès le lendemain.

Elle jeta un coup d'œil à la pendulette posée sur le bureau. Constatant qu'il était plus de cinq heures, elle se demanda ce que faisait Emily. Elle ne pouvait pas être encore au conseil d'administration de Harte ! Evidemment, elle était consciencieuse et...

— Désolée d'être en retard ! s'exclama celle-ci en entrant dans la bibliothèque, essoufflée, le visage coloré. Oh ! Comme il fait agréablement frais, ici ! Dehors, c'est la fournaise... Que t'arrive-t-il, Paula ? reprit-elle, les sourcils froncés. Tu as une mine épouvantable.

Paula se leva, contourna le bureau et déposa un baiser sur la joue d'Emily.

— Bonjour, Emily. Je viens de subir un choc, mais tout va bien. Je t'en parlerai. Veux-tu un thé glacé ?

Emily s'assit sur le canapé, sans quitter Paula des yeux.

— Pourquoi pas ? Cela me changera. Désires-tu que je demande à Alice d'en faire ?

— Non, merci. Je m'en charge. Winston compte-t-il rentrer ce soir de Toronto ? Je dois dire à Alice combien nous serons pour le dîner.

— Il n'y aura que toi et moi, ma chérie. Winston ne revient que demain. Et encore, ce n'est pas certain ! Et je suppose que Shane ne sera là que vendredi, comme prévu.

— En effet. Il prend l'avion du matin, à Nassau. Si je comprends bien, nous voilà célibataires...

Sur ces mots, Paula quitta la pièce et se rendit dans la cuisine. Elle parla à Alice et rejoignit sa cousine quelques minutes plus tard. S'asseyant sur une chaise, en face d'elle, elle expliqua :

— Il y a eu pas mal d'agitation à Penninstone Royal, aujourd'hui...

S'exprimant rapidement et avec son habituelle concision, elle exposa à Emily les événements de la journée.

— Quels effroyables moments a dû vivre cette pauvre Tessa !
s'exclama Emily. Grâce à Dieu, tout s'est bien terminé, mais
cela aurait pu mal tourner, tu sais. Paula... J'ai tendance à partager l'avis de Linnet et de Tessa, poursuivit-elle plus calmement en se penchant vers l'avant. Ce maudit Jonathan tire sans
doute les ficelles, dans cette histoire. Il est forcément impliqué,
d'une façon ou d'une autre.

— Je suis d'accord avec toi, mais je ne sais trop quoi faire,
en ce qui le concerne. En revanche, je crois avoir le moyen de
mettre Mark hors d'état de nuire. J'ai échafaudé un plan,
dans la dernière demi-heure, et je pense que ça va marcher. Je
l'appliquerai dès demain.

Le visage d'Emily s'éclaira.

— S'il te plaît, dis-m'en davantage ! supplia-t-elle.

Paula céda à sa requête.

Après qu'Emily eut regagné sa chambre pour se détendre
avant le dîner, Paula s'assit un instant à son bureau et récapi-
tula ses rendez-vous des jours à venir. A un moment, l'horloge de l'entrée sonna et elle sursauta, déconcentrée.
S'appuyant au dossier de sa chaise, elle pensa à Tessa, à sa
petite-fille et à ce qui s'était passé à Penninstone Royal. Grâce
à Dieu, elles étaient saines et sauves, toutes les deux. Elle
regretta que Shane ne fût pas auprès d'elle. Tournant la tête,
elle regarda sa photographie, posée sur une table ronde, puis
se leva pour s'en approcher.

Elle saisit le cadre argenté, le sourire aux lèvres. Le cliché
avait été pris bien des années auparavant, lorsque Shane avait
vingt-six ans. Une fois de plus, elle ne put s'empêcher de
constater qu'il était superbe, à l'époque. Non content d'être
beau, il possédait une sorte d'élégance nonchalante. Que disait
Emma, à son propos ? Qu'il avait tout d'un prince charmant.
Et c'était vrai. Paula n'avait jamais connu quelqu'un, homme
ou femme, qui eût autant de charme. Cheveux et yeux sombres... Il était irlandais jusqu'au bout des ongles. Elle se plaisait
souvent à lui répéter qu'il avait embrassé la pierre de Blarney,
censée accorder l'éloquence à ceux qui s'inclinaient devant elle.

« Je tiens mon bagout de mon grand-père, répliquait-il.

— Emma disait que Blackie l'avait embrassée trois fois ! »,
rétorquait-elle.

C'est étrange, la vie, pensa-t-elle, les yeux posés sur un instantané de Tessa et de Lorne, en compagnie de Shane. Il
avait récupéré les enfants tout petits et les avait élevés comme
s'ils étaient les siens. Elle connaissait l'affection de Lorne
pour Shane, mais s'était parfois interrogée sur les sentiments
de Tessa à son égard. « Elle l'aime », se dit-elle. Tout le
monde lui était attaché. Sa grand-mère, sa mère, Winston
Harte, son meilleur ami et partenaire à la boxe depuis qu'ils
étaient enfants. Et Emily, Sally, Anthony Standish... A dire
vrai, Shane était la personnalité la plus populaire des trois
clans. Partout ailleurs aussi !

Paula balaya les cadres du regard et faillit éclater de rire
lorsque son attention se fixa sur une photographie de groupe
du temps où ils étaient adolescents. Elle avait été prise en été
dans la maison d'Emma, le Nid de héron, située à Scarborough, près de la mer. Cette année-là, les garçons avaient
formé l'orchestre des Hérons. Shane était le leader du groupe.
Il jouait du piano et chantait. Alexandre, son bien-aimé
Sandy, aujourd'hui décédé, était aux percussions, Michael
Kalllinski à l'harmonica ; Jonathan Ainsley grattait du violon,
Philip soufflait dans sa flûte. Winston, enfin, se considérait
comme le membre le plus important de la formation. Après
avoir vu *La Femme aux chimères*, de Michael Curtiz, il s'iden-
tifiait au cornettiste Bix Beiderbecke et se croyait issu de la
cuisse de Jupiter. Ils s'étaient tous demandé où il avait appris
à jouer de la trompette. Emma avait eu un mince sourire. Il
n'avait jamais appris, avait-elle dit, et c'était bien là le problème. Comme ils s'amusaient, alors !

Aussi loin que Paula remontât dans ses souvenirs, Shane
avait fait partie de sa vie. Elle avait pris conscience de son
existence lorsqu'elle avait quatre ans, et lui huit. A partir
de là, elle s'était attachée à ses pas. Un après-midi d'été, il
lui avait confié qu'il avait eu une idée formidable. Elle
allait devenir la reine Boadicée et il serait son époux, son
seigneur. « Mais pour cela, il faut qu'on en ait l'air », avait-
il affirmé.

Elle avait levé vers lui ses yeux violets, pleins d'amour et de fierté, parce qu'elle était son amie.

« De quoi devra-t-on avoir l'air ? avait-elle demandé.

— Il faut qu'on se peigne en bleu », avait-il expliqué.

Ensuite, il était passé à l'action, après l'avoir déshabillée. Comme elle était pudique, elle avait tenu à garder sa culotte, ce dont Emma s'était félicitée ensuite. Au moins quelques-uns de ses pores avaient-ils continué de respirer, lui permettant de rester en vie. D'une façon ou d'une autre, Shane l'avait persuadée de le barbouiller à son tour, mais il l'avait payé cher quand Blackie, appelé par Emma, l'avait puni. « Tu n'es qu'un jeune chenapan », avait-il tonné aux oreilles de son petit-fils.

Ce souvenir emplit Paula d'aise. Le bain à la térébenthine que leur avaient administré Emma et Blackie leur avait véritablement arraché la peau.

Bleu, pensa-t-elle, revoyant les ravissantes billes que Shane avait réussi à perdre. Il lui en avait offert d'autres, mais elles n'étaient pas aussi jolies et elle avait été fâchée contre lui pendant un certain temps. Et puis un jour, lorsqu'ils étaient plus grands, il lui avait donné une petite boîte de cuir. Elle l'avait ouverte et la vue des boucles d'oreilles en saphir qui s'y trouvaient l'avait transportée.

Il s'était penché pour l'embrasser. « J'espère qu'elles te plaisent... avait-il dit. Je te les donne pour remplacer les billes que j'ai égarées, quand tu avais six ans. »

Et bien plus tard, elle l'avait épousé.

La vie est bizarre, songea-t-elle. Ils avaient grandi ensemble. Ils avaient été inséparables, même lorsqu'ils étaient adolescents, et puis il était parti en pension. Il était ensuite entré à l'université, et elle l'avait perdu de vue. Elle avait alors rencontré Jim Fairley, qui travaillait pour Emma, et était tombée amoureuse de lui. Du moins l'avait-elle cru. Elle s'était mariée avec lui, avait eu les jumeaux, Tessa et Lorne.

Shane s'était installé à New York pour diriger la chaîne des hôtels O'Neill de ce côté de l'Atlantique. Il ne s'était jamais marié. Un jour, alors que le couple Paula-Jim tournait au désastre, elle et Shane avaient soudain compris qu'ils étaient amoureux l'un de l'autre depuis toujours. Ils avaient découvert l'évidence dans l'écurie de Shane, à New Milord, une oasis de paix située dans le Connecticut. Ils s'étaient juré de rester ensemble. D'une façon ou d'une autre. Parce que tel était leur destin.

La vie jouait de drôles de tours. Jim Fairley et le père de Paula s'étaient tués au cours d'une randonnée à ski. Emily et Winston, qui n'étaient pas sortis, ce jour-là, avaient échappé de peu à la mort. C'était leur destin. Ainsi qu'Emma avait l'habitude de le dire : « On doit vivre jusqu'à ce que son heure soit venue. »

Pendant longtemps, Paula avait pleuré les disparus, elle avait même éprouvé une culpabilité dévastatrice. Elle avait alors éloigné Shane, jusqu'à ce qu'elle réalise à quel point elle l'aimait et avait besoin de lui. Il était toute sa vie. Et c'était toujours vrai.

La mère d'Evan, Marietta Hughes, était furieuse.

Une fois de plus, Owen avait fait preuve d'autoritarisme et elle se sentait des envies de meurtre. Mais ainsi que sa propre mère le lui avait souvent répété, aucun homme ne méritait qu'on prenne le risque de l'assassiner. Elle avait donc renoncé à cette solution radicale...

Pour se calmer, elle avait besoin de s'évader plusieurs heures. Elle avait donc pris son sac à main, ainsi que le cabas à provisions dissimulé derrière ses vêtements dans la penderie, puis avait quitté la chambre qu'ils occupaient à l'hôtel. Elle n'avait même pas dit au revoir à Owen. Ainsi, il se ferait du souci lorsqu'il constaterait sa disparition.

Elle pénétra dans la cabine d'ascenseur en priant le ciel de ne pas rencontrer George ou Arlette, les propriétaires de l'établissement. Surtout Arlette, qui l'invitait sans cesse à prendre le thé ou le café pour bavarder à propos d'Evan. Marietta savait que la Française adorait sa fille, qu'elle avait été bonne pour elle et ne pensait pas à mal. Mais elle se sentait mal à l'aise quand on la forçait à parler des membres de sa famille, surtout s'il s'agissait d'Evan, qu'elle aimait plus que tout au monde.

Par bonheur, elle n'eut à repousser aucune agression et sortit dans la rue saine et sauve. Elle resta un instant sur le trottoir, cherchant un taxi des yeux. La journée était belle, peut-être un peu trop humide, mais elle était soulagée qu'il ne plût pas. La veille, il était tombé des cordes.

Une voiture s'arrêta juste devant elle. Elle fit signe au chauffeur, lui donna l'adresse de sa banque, puis s'assit sur la banquette arrière. Elle était heureuse d'avoir pu s'échapper et se réjouissait que personne ne l'eût remarquée.

Elle posa son sac près d'elle, mais garda le cabas serré sur son cœur. Le paquet qui s'y trouvait était précieux... Même si, en découvrant son contenu, elle avait pensé que c'était de la dynamite... Elle devait le mettre en lieu sûr. Elle n'était pas certaine de pouvoir l'utiliser à son avantage, mais avait conscience de sa valeur réelle.

Elle songea soudain qu'elle avait été bien avisée en gardant un compte à la Barclays. Il n'y avait pas beaucoup d'argent dessus, puisqu'elle n'en déposait plus, mais on la connaissait et lorsqu'elle avait demandé à disposer d'un coffre, cela n'avait présenté aucune difficulté. Elle serait vraiment soulagée quand elle se serait débarrassée du colis. Ensuite, elle se rendrait chez Fortnum and Mason, prendrait un café et se promènerait un peu dans le magasin. Peut-être même s'achèterait-elle un chapeau, bien qu'elle n'eût pas vraiment l'occasion d'en porter. Mais elle avait toujours adoré les accessoires.

Normalement, elle serait allée chez Harte, sur Knightsbridge, mais elle craignait d'y rencontrer Evan. Owen et elle étaient censés se trouver dans le Connecticut, non à Londres, puisqu'ils ne devaient arriver que la semaine suivante...

Owen avait décidé de partir plus tôt que prévu. « Ainsi, nous aurons le temps de nous remettre du décalage horaire », avait-il expliqué. Elle savait que ce n'était qu'un prétexte. Il avait voulu prendre Evan par surprise. Elle n'avait pas apprécié ce stratagème mais s'était tue. Depuis longtemps, elle avait appris à ne pas discuter avec Owen et à garder son avis pour elle. Cela ne l'empêchait pas, pourtant, de tirer ses propres conclusions et elle jugeait l'attitude d'Owen vis-à-vis de leur fille incorrecte.

Il avait toujours cru qu'Evan lui appartenait. En tout cas, il se comportait comme tel. Au fil des ans, il s'était approprié Evan et l'avait exclue, elle. Elle avait perdu sa fille à cause de la possessivité de son mari – mais aussi, peut-être, de ses propres erreurs. Elle serra le cabas un peu plus fort. Ses doigts se refermèrent sur les anses et les tinrent si fort que ses articulations blanchirent. Elle se remémora le passé. Parfois, un acte infime avait des conséquences disproportionnées et terribles.

Le taxi s'arrêta. Elle en descendit très vite, paya la course et rentra dans la banque. Tout fut très facile... En quelques minutes, elle eut déposé le précieux paquet dans le coffre et rangé la clé dans son sac à main. Maintenant, rien ne pouvait plus lui arriver. Il ne pouvait être ni perdu ni volé.

Ce ne fut que bien plus tard, alors qu'elle sirotait un café chez Fortnum, qu'une pensée terrible s'imposa à elle. Que se passerait-il si elle tombait malade et mourait, ou bien si elle était tuée dans un accident, ou encore devenait sénile ? Qu'adviendrait-il du trophée déposé à la Barclays ? Elle seule savait qu'il était là. Elle devait en parler à quelqu'un. Mais à qui pouvait-elle se confier ?

Elle eut un sourire amer. Elle ne pouvait mettre personne dans le secret, parce qu'elle n'avait personne en qui avoir confiance. « J'ai besoin d'un notaire pour rédiger mon testament. Oui, voilà ce que je vais faire. » Elle avait quelques objets de valeur à léguer, en plus du paquet. Cela reviendrait à Evan.

Demain, elle mettrait son projet à exécution. Elle s'arrangerait pour trouver un notaire. C'était essentiel.

7

Tous les quatre, ils faisaient le tour de la propriété. Il y avait Jack Figg, Gideon Harte, Evan Hughes et Desmond O'Neill. Jack était dans son élément, puisqu'il discourait sur son sujet préféré, la sécurité. Il le faisait avec enthousiasme et son auditoire était captivé.

— Pendant des années il n'y a eu ici que des alarmes contre les cambrioleurs, parce que l'endroit fourmille de personnel, la plupart du temps : Wiggs et ses gars, les palefreniers, Joe et ses ouvriers. Mais c'est différent, à présent. Nous vivons une époque dangereuse, la situation n'est plus la même. L'Angleterre a changé, et pas dans le bon sens.

— C'est tout à fait vrai, dit Gideon. D'ailleurs, c'est la même chose à Allington Hall, où le système de surveillance n'est plus adapté. C'est le fait d'une négligence coupable, quand on y réfléchit... Nous avons des chevaux de grande valeur, par exemple.

— J'ai entendu oncle Winston en discuter avec papa il y a plusieurs semaines, intervint Desmond. Mais ils semblent très confiants, tous les deux.

— C'est vrai lorsqu'il s'agit de leur domicile, répliqua Gideon. Mais je sais que ton père ne badine pas avec la protection en ce qui concerne les hôtels O'Neill. Quant à papa, il estime que c'est une priorité au journal, à la télévision et dans nos stations de radio. Jack, je vous engage immédiatement, si vous acceptez de revoir le système de défense d'Allington Hall. J'aimerais que vous vérifiiez l'installation dans nos bureaux et nos studios. Je veux être sûr que nous sommes bien protégés.

— Je vous remercie de votre confiance, Gideon, répliqua Jack. J'engagerai les entreprises spécialistes de la question, si vous êtes d'accord. Bien entendu, je travaillerai avec elles et les superviserai.

Gideon hocha la tête.

— En tout cas, dit Evan en souriant à Jack, les magasins ne craignent rien de ce côté-là, puisque c'est vous qui vous en êtes occupé.

— Oui. Du temps où j'étais chef de la sécurité.

Le téléphone portable d'Evan se mit à sonner. Elle le sortit de sa poche et le porta à son oreille.

— Allô ?

— Bonjour, ma chérie, c'est moi, fit la voix d'Owen.

— Papa ! Bonjour ! Je suis vraiment contente de t'entendre.

Tout en parlant, elle sourit à Gideon, puis alla s'asseoir sur un muret de pierre. Elle regarda les trois hommes qui s'éloignaient en discutant avec animation.

— J'ai hâte que vous soyez là, maman et toi. Je meurs d'envie de vous voir.

— Eh bien... nous sommes déjà là, ma chérie, annonça Owen d'un ton léger.

La nouvelle la surprit mais ne la décontenança pas outre mesure.

— Quoi ! Mais vous ne m'avez pas prévenue que vous arriviez plus tôt, s'exclama-t-elle. Depuis quand êtes-vous à Londres, papa ?

— Nous avons atterri mercredi soir, il y a trois jours. J'ai décidé d'avancer notre départ, afin que nous nous remettions du décalage horaire avant de courir à droite et à gauche. Quoi qu'il en soit, nous aimerions te voir aujourd'hui, si c'est possible. Ta mère est tout excitée à l'idée de visiter ton nouvel appartement, et moi aussi. Nous avons pensé que nous pourrions te retrouver en fin de journée.

— Oh, papa ! J'en aurais été ravie, mais je ne suis pas à Londres. Je me trouve dans le Yorkshire.

— Oh ! Pour ton travail ?

— Non ! C'est samedi ! J'y passe le week-end et je dois y rester jusqu'à mercredi prochain, pour aider India au magasin de Leeds. Je ne vous verrai donc pas avant jeudi, à mon retour.

— Très bien, répondit Owen, déçu. C'est dommage, ma chérie. A jeudi, alors.

— Je suis vraiment navrée, papa. J'ignorais que vous alliez venir plus tôt et j'ai tout arrangé en fonction de la date d'origine. Je crains de ne pas pouvoir changer grand-chose...

La voix d'Evan mourut. Elle se demandait si elle parviendrait à modifier son emploi du temps, tout en étant convaincue du contraire ; du moins, ce ne serait pas facile.

— Ta mère souhaite te dire bonjour, Evan.

— Passe-la-moi, papa... Bonjour, maman, je suis heureuse de t'entendre. Comment vas-tu ?

— Très bien, ces temps-ci, Evan, répondit Marietta avec affection et chaleur. J'ai cru comprendre que tu n'étais pas à Londres ?

— Non, je suis dans le Yorkshire. Je ne vous attendais pas avant la semaine prochaine.

— Je sais, je sais. J'avais dit à ton père que tu serais certainement prise, mais ne t'inquiète pas pour nous. Nous te verrons dès ton retour.

— Bien entendu ! L'hôtel est sympathique et confortable, tu ne trouves pas ? Je suis certaine que George et Arlette sont aux petits soins pour vous.

— En effet ! Tu leur manques, bien sûr, depuis que tu as déménagé. Mais je ne t'en blâme pas. Tu dois être contente d'avoir ton coin à toi, n'est-ce pas ?

Evan se mit à rire.

— Exactement ! Oh, maman, j'ai hâte de retourner en ville, maintenant que je sais que vous y êtes, papa et toi !

Elle était sincère et se réjouissait que sa mère lui parût si normale. C'était le seul mot qui lui vînt à l'esprit. Normale et, oui, sereine. Véritablement. Elle qui était toujours si déprimée !

Elles bavardèrent encore quelques minutes et après avoir promis de rappeler le lendemain, Evan raccrocha. Ensuite, elle courut rejoindre Gideon et les autres, qu'elle voyait, au loin, se diriger vers les grilles de Penninstone Royal.

Elle se réjouissait de la présence de ses parents à Londres. Elle ne les avait pas vus depuis janvier et l'on était en août. Huit mois durant lesquels tant de choses étaient arrivées ! Sa vie avait changé à bien des égards. Et dans un sens, elle s'était transformée, elle aussi. Elle était différente, aujourd'hui. Elle avait hâte de les retrouver, mais en même temps éprouvait une légère appréhension. Robin et elle avaient décidé qu'il valait mieux ne pas parler de lui à son père, mais il y avait d'autres sujets qu'elle devrait aborder avec ce dernier.

Des sujets délicats...

Tessa se tenait derrière la fenêtre de sa chambre. Les yeux baissés vers l'allée, elle regardait Jack Figg. Il parlait à Gideon en faisant de grands gestes et lui expliquait visiblement quelque chose, ainsi qu'à Desmond, qui se trouvait avec eux.

Elle devina qu'il s'agissait du système de sécurité. Depuis l'enlèvement d'Adèle, Jack avait fait venir différents experts. Ensuite, une cohorte de techniciens avaient creusé la terre, posé des câbles, placé des caméras et des écrans de contrôle, installé tout un dispositif. Linnet disait qu'ils avaient été envahis par une armée et Tessa trouvait que cela y ressemblait beaucoup, en effet. Certains coins de la propriété avaient été détériorés, mais elle se souciait peu des dégâts que les travaux avaient occasionnés. On remettrait tout en état dès que les ouvriers partiraient, leur tâche accomplie. Wiggs leur avait dit, à Linnet et à elle, de ne pas s'inquiéter. Elle était bien résolue à suivre ce conseil. L'important était de faire de Penninstone une forteresse.

S'éloignant de la baie, elle traversa la chambre pour gagner le boudoir adjacent. En entrant, elle balaya l'espace du regard, séduite, comme toujours, par la décoration et l'intimité qui y régnait. Les murs avaient la teinte des primevères, des rideaux en toile de Jouy jaune et rouge garnissaient les ouvertures et le petit canapé à deux places, près de la cheminée, était recouvert d'un imprimé fleuri jonquille et blanc. Cet endroit ensoleillé et accueillant lui appartenait depuis l'enfance. Il était son havre de paix.

Elle s'arrêta devant le miroir victorien pendu au mur et se regarda fixement. Elle n'aima pas ce qu'elle voyait. Elle se sentait totalement épuisée et le paraissait. Son teint était d'une pâleur spectrale et des cernes sombres soulignaient ses yeux. Comme elle n'avait pas avalé grand-chose, ces derniers temps, son visage paraissait plus étroit, ses traits tendus par une angoisse persistante. Seule sa chevelure était aussi belle qu'à l'accoutumée.

Elle s'écarta du miroir en soupirant, puis s'installa au bureau plat, d'origine française, qui avait toujours été là, aussi loin qu'elle remontât dans sa mémoire. Près de la lampe ventrue en porcelaine jaune, il y avait une photographie d'Adèle, prise au début de l'été. Tendant la main, elle la frôla du bout de l'index. Submergée d'amour, elle prit conscience que sa fille comptait plus pour elle que n'importe qui au monde.

L'enlèvement dont Mark s'était rendu coupable l'avait changée à jamais. Elle l'avait compris pendant les quelques heures où Adèle avait disparu. Elle devrait examiner sa vie pour décider quels changements elle devait y apporter. Et il y en aurait. Elle n'avait pas l'intention de sacrifier le bien-être de son enfant à sa carrière. Soudain, la direction des magasins Harte présentait moins d'attrait. Peut-être ne serait-ce plus vrai lorsque la situation serait assainie et Mark neutralisé. Mais elle était certaine...

Quelqu'un frappa à la porte, arrachant Tessa à ses pensées.

— Entrez ! s'exclama-t-elle.

Le battant s'ouvrit et Elvira parut sur le seuil.

— Je peux vous dire quelques mots, madame Longden ?

— Bien sûr.

Remarquant que la baby-sitter était seule, Tessa s'enquit vivement :

— Où est Adèle ?

— Elle est avec Margaret dans la cuisine, madame Longden ; elle donne à goûter à ses poupées.

— Pardonnez-moi, Elvira, vous m'aviez dit que c'était ce que vous projetiez de faire. Je crois que je deviens paranoïaque, dit Tessa avec un sourire contraint.

— Pas du tout ! Et de toute façon, ce serait un peu normal, vous ne croyez pas ?

Elvira s'attardait devant le bureau, croisant et décroisant les mains, inquiète.

— Qu'est-ce qui ne va pas, Elvi ?

Espérant détendre la jeune femme, Tessa avait utilisé le diminutif familier.

— Madame Longden, je dois vous révéler une information... J'ai vu M. Longden, mercredi matin, juste après avoir quitté la propriété. Il était assis dans une voiture avec un autre homme et il... Eh bien, il m'a fait signe de m'arrêter. Je crois qu'il avait reconnu mon véhicule.

Les yeux de Tessa se plissèrent.

— Qui était le second passager, demanda-t-elle d'une voix pressante. Vous le connaissiez, Elvi ?

La baby-sitter secoua la tête.

— Non, madame Longden, je ne l'avais jamais vu auparavant. De toute façon, M. Longden m'a juste saluée, puisqu'il allait voir Adèle, a-t-il précisé. Ensuite, il m'a demandé si vous étiez à la maison ou bien au magasin de Harrogate. Je lui ai dit que vous travailliez dans la bibliothèque et qu'Adèle jouait sur la terrasse...

La voix d'Elvira se brisa. Elle tenta d'essuyer les larmes qui jaillissaient de ses yeux.

— Je regrette de m'être arrêtée. J'aurais dû continuer de rouler... Je me sens tellement responsable de ce qui est arrivé !

— Voyons, Elvira, il ne faut pas ! Ce n'est pas votre faute, répliqua doucement Tessa. Mais pourquoi ne m'en avoir pas parlé avant ? Après tout, vous êtes rentrée mercredi soir, juste au moment où M. Longden ramenait Adèle. C'était certainement l'occasion de dire quelque chose, non ?

— Vous avez raison, mais vous étiez épuisée. Moi-même, j'étais anéantie, complètement abasourdie, si vous voyez ce que je veux dire.

— On est samedi, aujourd'hui, Elvi.

— Je sais, mais jeudi et vendredi, vous étiez encore très soucieuse et occupée avec M. Figg. J'ai craint de vous déranger. Ensuite, je n'ai cessé de chercher le bon moment, mais je ne l'ai pas trouvé. D'ailleurs, pour être honnête, j'avais peur, parce que je me sentais coupable. Je croyais que vous seriez fâchée contre moi.

— Il n'y avait pas de raison. Et maintenant, Elvi, dites-moi si vous pensez que M. Longden vous attendait sur la route. Selon vous, savait-il que vous alliez sortir à peu près à cette heure-là ?

— Je l'ignore, madame Longden, mais je n'ai jamais changé mes habitudes, quand je quitte mon service. D'ordinaire, je pars vers dix heures, dix heures et demie. Et il sait que le mercredi est mon jour de congé depuis que j'ai commencé à travailler pour vous, quand Adèle était bébé.

Tessa inclina la tête.

— N'en parlons plus. Cependant, Elvira, si quoi que ce soit se produit, même un incident minime, qui vous semble bizarre, vous devez me le rapporter.

— Je le ferai, madame Longden, c'est promis. Je ferais mieux de retourner auprès d'Adèle, maintenant, conclut Elvira en tentant de sourire, sans succès.

Et elle se précipita hors de la pièce.

Restée seule, Tessa éprouva une étrange sensation de froid. De nouveau, elle avait peur. Mark avait visiblement prémédité son forfait dans les moindres détails... Il avait attendu Elvira sur la route, puis l'avait questionnée, avant de venir récupérer Adèle. Pendant ce temps, son complice, peu importait son identité, avait appelé d'un téléphone portable. Tessa frissonna et se mordit la lèvre inférieure, nouée.

Elle parvint à se calmer et se fit la promesse de circonvenir Mark Longden. Quoi que cela lui coûtât, elle le ferait. Elle déjouerait toutes ses ruses.

— Mes parents sont là, dit Evan en regardant Gideon.

Il eut d'abord l'air sincèrement étonné, puis fronça les sourcils.

— Je croyais qu'ils arrivaient la semaine prochaine ?

— C'était leur intention, mais mon père a changé d'avis. A l'entendre, il espérait qu'ils se remettraient du décalage horaire avant de me voir. Quoi qu'il en soit, ils sont à Londres. C'est lui qui m'a téléphoné, quand nous marchions avec Jack.

Evan et Gideon étaient assis à la table qui se trouvait sous le vieux chêne, en bas de la pelouse qui descendait en pente douce depuis la terrasse de Penninstone Royal. Gideon posa son verre de vin blanc et se pencha vers sa compagne.

— Quand ferai-je leur connaissance ? demanda-t-il. Tu comptes bien me présenter à eux, n'est-ce pas ? insista-t-il.

— Bien sûr, mais il vaudrait mieux que je les voie seule, jeudi, pour commencer. Cela fait huit mois que nous ne nous sommes pas retrouvés et nous avons énormément de choses à nous raconter.

Elle n'ajouta pas que ses parents pourraient ne pas apprécier la présence de Gideon, bien qu'elle le pensât.

— Je comprends... Tu sais quoi ? Je vous invite tous les trois à dîner ou à déjeuner dans un endroit vraiment sympa.

Gideon s'exprimait d'une voix ferme, qui excluait toute discussion. Il y avait quelque chose d'inflexible dans la façon dont il la regardait, avec intensité. Evan devina qu'il valait mieux accepter la proposition.

— C'est une très bonne idée, dit-elle doucement.

Ce manque visible d'enthousiasme blessa Gideon. Se sentant soudain maladroit, il prit la main d'Evan dans la sienne. Ses yeux verts plongèrent dans les siens.

— Je te l'ai déjà dit, mais je te le répète. Je suis amoureux de toi, Evan.

— Je le sais.

— Et toi ? Quels sont tes sentiments à mon égard ?

— Je suis amoureuse de toi, moi aussi, dit-elle avec tendresse.

Sentant qu'elle était sincère, il se détendit, sourit et pressa ses doigts.

— Je souhaite passer le reste de ma vie avec toi. Je veux t'épouser... Ça aussi, je te l'ai déjà dit, mais je te le demande de nouveau... Je t'en prie, Evan, sois ma femme.

Elle hésita une fraction de seconde, avant de répondre :

— Oui, Gideon, je me marierai avec toi.

— Annonçons-le à tes parents dès que possible. Ensuite, ce sera officiel et nous pourrons appeler les miens à New York. Fiançons-nous. J'ai un aveu à te faire... J'ai acheté la bague depuis des siècles...

Les yeux gris-bleu d'Evan étincelèrent elle se mit à rire.

— Vraiment ? Eh bien, tu étais sûr de toi, j'ai l'impression ! fit-elle, moqueuse.

— J'espérais ton consentement, mon amour. Je ne faisais que cela. En réalité, je ne peux pas te l'offrir tout de suite, parce que je l'ai laissée à Allington Hall. Mais je le regrette, car je te l'aurais passée au doigt sur-le-champ.

— Du moins est-elle dans le Yorkshire ! railla-t-elle. C'est bon de l'apprendre.

— Je te la donnerai ce soir. Pourrons-nous en parler à tes parents la semaine prochaine ? insista-t-il.

Evan inspira profondément.

— J'aimerais beaucoup, mais je m'inquiète toujours un peu à propos de Robin et de papa. Je n'ai pas encore pris de décision, à ce sujet.

Elle fronça les sourcils et secoua la tête, cherchant les mots les plus susceptibles d'exprimer ce qu'elle ressentait.

— Je suis ambivalente, expliqua-t-elle, et la perspective de révéler à papa que son père n'était pas son géniteur est...

— Ne mélangeons pas tout, s'exclama Gideon avec impatience. Nos fiançailles n'ont rien à voir avec Robin, ton père et Richard Hughes.

— Mais c'est le cas, pourtant, parce que mon père...

— Evan, s'il te plaît, n'évoque pas notre parenté. Ma grand-mère Elizabeth et ton grand-père Robin étaient frère et sœur, mais ce n'est pas un problème. Un arbre généalogique démontrerait que nous sommes cousins issus de germains. Et alors ? Dans ce pays, il n'est pas illégal d'épouser même son cousin germain, alors nous n'enfreindrons certainement pas la loi. Et je ne crois pas à ces vieilles fables selon lesquelles les enfants nés de tels mariages seraient tarés. Mes parents sont cousins, pourtant Toby, Natalie et moi nous portons parfaitement bien. Evidemment, tu ne connais pas Natalie, puisqu'elle vit en Australie. Mais tu peux me croire, ma sœur est en très bonne santé, et aussi saine que Toby et moi.

— Seigneur, ne te mets pas en colère contre moi, Gid ! Je t'aime et notre parenté n'a rien à voir avec tout cela. Je veux t'épouser. C'est juste que mon père semble nourrir une sorte de rancune contre les Harte. Je voudrais en connaître la raison, Gideon. Tu peux le comprendre ?

— Bien sûr. Je sais combien il est important pour toi que mes parents t'apprécient, et c'est le cas. Tu leur plais énormément. Pourtant, sache que s'ils ne t'aimaient pas, cela ne changerait rien. Ils ne peuvent vivre ma vie à ma place et je ne leur permettrais pas d'interférer quant au choix de ma femme. Ne ressens-tu pas la même chose ? s'enquit-il en fronçant les sourcils et en scrutant son visage. Tu as confiance en tes convictions, tes choix, non ?

— Bien sûr que oui. Je m'appartiens, mais je veux trouver l'origine de cette aversion pour les Harte, essaie de l'accepter. En fin de compte, quoi que mon père ou ma mère dise, cela ne modifiera pas ma décision. Je t'épouserai.

Quelques instants auparavant, il avait retiré sa main. Maintenant c'était elle qui tendait la sienne pour la prendre.

— Je crois savoir de quoi il s'agit, Gideon.

— Ah bon ? Alors, pour l'amour du ciel, dis-le-moi ! Ne me laisse pas dans l'incertitude.

— Je pense que les réticences de mon père tiennent au fait que nos origines sociales sont très différentes des vôtres. Il se réfère à l'argent, aux privilèges, à l'éducation, ce genre de choses. Ma famille n'était pas pauvre, mais elle n'était pas riche non plus. Nous avons toujours eu suffisamment de moyens pour le nécessaire. Nos revenus n'étaient pas extraordinaires, mais mes sœurs et moi n'avons jamais manqué de rien. Nous étions convenablement habillées, quoique sans luxe, partions en vacances chaque année et fréquentions de bonnes écoles. Mais dans l'esprit de mon père, notre monde n'a rien à voir avec le tien, Gideon. Il risque de redouter un clash entre nous, et que notre relation prenne fin et me laisse malheureuse. D'une certaine façon, il doit estimer que je ne suis pas assez bien pour toi, que mon pedigree est insuffisant.

Gideon, quoique abasourdi, parvint à articuler d'une voix très calme :

— On dirait que ton père est bourré de préjugés, Evan, et qu'il appartient à un autre siècle.

— Papa est très conservateur, c'est un fait. Têtu et dogmatique, aussi. Et oui, tu as raison, il est pétri de préjugés.

— Et ta mère ? Que pensera-t-elle de nos fiançailles ?

— Je ne sais pas trop… Si elle me voit heureuse, elle le sera aussi. A vrai dire, je ne la cerne pas bien. Toutes ces années de… maladie, de dépression, ont pesé lourdement sur notre relation, Gid. Nous avons raté beaucoup d'occasions, pendant que je grandissais, et je le regrette. J'aurais souhaité que nous soyons plus proches.

— Je comprends. Tu lui as parlé, ce matin ?

— Mon père me l'a passée et tu sais quoi ? Je l'ai trouvée différente. On aurait dit une personne normale. Je n'ai rien perçu de bizarre dans sa voix. L'idée m'a frappée qu'elle semblait vraiment bien. Je ne me rappelle pas avoir eu cette impression de toute ma vie. C'était un sentiment étrange. J'ai presque été prise au dépourvu.

Gideon trouva cette dernière assertion si triste qu'il ne parla pas pendant un instant, réfléchissant aux révélations d'Evan. Quel malheur pour sa mère d'avoir vécu ainsi les trois quarts de sa vie comme emprisonnée dans sa propre souffrance. Il en éprouva une brusque bouffée d'empathie et s'écria :

— Cela n'a pas dû être facile pour toi, quand tu étais enfant, Evan ! J'en suis vraiment navré.

Il y eut un silence. Evan regardait au loin. Elle s'attacha à Penninstone Royal, cette grande demeure, en se remémorant sa propre enfance, dans le Connecticut… Elle avait été morne à bien des égards, malgré la présence de son père et, bien sûr, de sa grand-mère, qui avait été son supporter inconditionnel. Son visage s'éclaira et elle lança :

— Il y avait Glynnis, ma grand-mère chérie. Elle était toujours là pour moi. C'est elle qui m'a vraiment élevée et elle était tout simplement merveilleuse.

— J'en suis certain. Elle était vraiment très belle, si l'on en croit la photo que tu m'as montrée ce matin, murmura Gideon.

Evan hocha la tête.

— Je n'arrive pas à croire que Robin l'a conservée durant toutes ces années.

— Il est clair qu'il éprouvait quelque chose de très fort pour cette femme, comme moi pour toi. Je voudrais qu'on rentre à Allington Hall. J'ai envie de te faire l'amour.

— Moi aussi, répliqua Evan en riant, mais c'est impossible.

— Hélas ! J'ai la désagréable impression que nous allons être coincés ici pour le déjeuner. Avec Tessa.

— Oui, mais tu oublies Jack Figg. Nous serons quatre.

— Oh ! Et où sont Linnet et India ?

— Linnet m'a dit qu'elle partait pour le magasin de Harrogate, puis qu'elle irait voir sir Ronald. Julian l'a amené en voiture depuis Londres, mais apparemment il ne va pas très bien. Julian se fait du souci pour son grand-père et Linnet compte déjeuner avec eux. Quant à India, elle a rendez-vous avec un ami.

— Heureusement que Jack est là, il est de bonne compagnie. Tessa n'est pas toujours facile. A propos, comment va-t-elle ? Elle a dû subir une terrible épreuve, mercredi.

— Elle a beaucoup souffert, ainsi que je te l'ai dit. A certains moments, j'ai cru qu'elle allait s'évanouir d'anxiété. Elle était hystérique. Hier, elle semblait un peu mieux, moins agitée. Elle passe sans cesse de l'inquiétude à la préoccupation. Linnet pense qu'elle a changé, en deux jours, mais je n'en suis pas si sûre.

— J'espère que c'est dans le bon sens...

Ils terminèrent leurs boissons en silence.

— Il faut y aller, dit soudain Gideon.

Ils se levèrent, prirent leurs verres vides et remontèrent doucement la pente. Il faisait très chaud. Le ciel, bleu et limpide, et le soleil étincelant unissaient leurs efforts pour créer une journée magnifique.

Gideon jeta un regard de côté à Evan. Comme elle paraissait jeune et fraîche dans sa robe d'été en coton qui dévoilait ses jolies épaules et son dos nu ! Pour tout maquillage, elle avait mis une touche de rouge sur ses lèvres. Il la sentit subitement vulnérable et tendre, et éprouva le besoin de la protéger, de la chérir. Plusieurs fois, elle avait exprimé la crainte d'avoir hérité de la maladie de sa mère, se demandant à voix haute si c'était génétique. Il n'avait aucune certitude à ce propos, mais il la connaissait depuis huit mois, aujourd'hui. Il était quasiment sûr que ce mal troublant ne lui avait pas été transmis et qu'elle n'y succomberait pas.

De son côté, Evan pensait à Marietta. Elle se demandait ce qui expliquait son changement... A quoi tenait donc ce qui lui était apparu comme de l'optimisme – elle ne trouvait pas d'autre mot ? Elle se concentra ensuite sur son père. Elle redoutait d'avoir à lui révéler qu'il était, pour une part, un Harte, tout comme elle, et qu'elle envisageait d'épouser un Harte. Le plus difficile m'attend, pensa-t-elle, je vais avoir des problèmes avec mon père, surtout à propos de Gideon.

Elle le regarda en coin et il lui sembla que son cœur fondait littéralement. Il était l'homme le plus aimable, le plus gentil qu'elle eût jamais rencontré. Il était en outre beau et charmant, avec ses cheveux d'un roux doré et ses yeux verts. Les traits caractéristiques d'Emma Harte, comme pour Linnet et le père de Gideon. Il était un vrai Harte et elle l'était à moitié... Et alors ? Elle l'aimait et avait bien l'intention de s'unir à lui, quoi que son père pût en dire. « J'aurai au moins pris une décision, en ce qui concerne Gideon. »

Et elle sourit intérieurement, ravie.

— Où étais-tu, Emma ? Papa t'a cherchée partout. C'est au sujet de la marque Lady Hamilton.

Tout en parlant, sir Ronald Kallinski ajusta ses lunettes et regarda le couple qui se tenait devant lui. Le soleil était derrière ses interlocuteurs et il ne les voyait pas nettement. Il battit plusieurs fois des paupières, se fixant d'abord sur la jeune femme, puis sur son compagnon.

— C'est toi, Michael ? Que fais-tu avec Emma ? Tu la retardes.

— Grand-père, c'est moi, Julian. Et c'est Linnet, ma fiancée. Tu la connais, grand-père, c'est la fille de Paula, l'arrière-petite-fille d'Emma. Nous sommes fiancés, tu t'en souviens ?

Le vieux monsieur, qui était assis sur le canapé, se redressa.

— Oui, dit-il.

Julian lui sourit.

— Tu as dû somnoler, grand-père, peut-être as-tu rêvé d'autrefois, hein ?

Sir Ronald cligna encore des yeux et observa les jeunes gens plus attentivement.

— Bien sûr que je te reconnais, Julian, et toi aussi, Linnet. Il est possible que j'aie rêvé tout éveillé du passé. Voilà ce qui arrive, quand on a dépassé quatre-vingt-dix ans. On vit dans le souvenir des jours perdus. Je suis l'un des derniers, tu le sais, avec Bryan O'Neill, le grand-père de Linnet, ainsi qu'Edwina, Robin et Elizabeth. Les autres sont partis, aujourd'hui. Oui, je fais partie des derniers.

— C'est vrai, mais tu es joliment en forme, affirma Julian d'un ton fort et rassurant.

Il fit signe à Linnet de s'asseoir près de son grand-père sur le canapé, puis il s'installa sur une chaise en face d'eux. Il s'inquiétait pour sir Ronald, dont il était très proche, et se préoccupait de son bien-être.

Sir Ronald se tourna vers sa voisine et dit avec un respect mêlé d'admiration :

— Mon Dieu, Linnet, tu pourrais être *elle*. Quand je te regarde, j'ai l'impression de voir un fantôme, une réincarnation. Tu es le portrait craché d'Emma, mon petit.

— Je le sais, oncle Ronnie, tout le monde me le dit, répondit-elle en souriant. Julian et moi sommes venus déjeuner avec vous et vous exposer nos projets, pour le mariage.

— J'y serai, bien que je sois un peu vacillant sur mes jambes ! annonça sir Ronald avec fermeté. Vous pouvez en être sûrs ! Je n'ai pas encore projeté de mourir, non, pas encore. Il me reste quelques dégâts à faire. Vous voir mariés sera la plus grande joie de ma vie, poursuivit-il en souriant. Emma avait toujours rêvé qu'un jour, les Kallinski et les Harte s'unissent.

— Et n'oubliez pas que je suis aussi une O'Neill, lui rappela Linnet. Les trois clans seront liés et la boucle bouclée, quand Julian et moi serons mari et femme.

Sir Ronald hocha la tête.

— C'est fantastique, ma chérie. La date est fixée, alors ? La dernière fois que je vous ai posé la question, ce n'était pas le cas. Vous le savez, maintenant ?

— Nous ne connaissons pas encore le jour exact, grand-père, répondit Julian, mais ce sera début décembre, sans doute le premier samedi du mois. Nous allons trancher dans les jours qui viennent.

— Et où se déroulera la cérémonie ? demanda sir Ronald, rayonnant de plaisir.

La visite de Linnet et de Julian lui réchauffait le cœur. Rien de tel que la présence de jeunes pour le rester soi-même.

— Maman voulait que ce soit dans la chapelle de Pennins-tone Royal, mais nous ne savons pas encore... Il y aura beaucoup d'invités, si bien que papa parle de la cathédrale de Ripon.

— Eh ! C'est un lieu magnifique, et très spacieux, en effet. Ton père y a chanté un chant traditionnel irlandais, « The Minstrel Boy », il y a très longtemps, bien avant ta naissance, Linnet.

— Oui, dit-elle doucement, le jour de l'enterrement d'Emma, n'est-ce pas ? Il m'en a parlé, une fois.

— C'est cela, oui. Où est ton père, Julian ? Je pensais qu'il venait, ce week-end.

— C'est toujours dans ses intentions. Il m'a demandé de te dire qu'il arriverait à temps pour dîner avec toi, grand-père. A présent, aimerais-tu déjeuner ? Quand nous sommes arrivés, Mary m'a dit que nous pourrions passer à table dès que nous le souhaiterions.

— Allons-y, alors. Il faut bien que je mange un peu, si je veux me maintenir en vie et danser le jour de votre mariage, qui est imminent. Je crois que vous allez devoir m'aider, tous les deux, murmura-t-il. Mes articulations sont douloureuses. Je crois que je vis à crédit, désormais. C'est ce que ton grand-père dit souvent et je crois que ce doit être vrai, gloussa-t-il, tourné vers Linnet.

8

— Ne bouge pas ! s'exclama Dusty sans lever la tête.

Ses yeux n'avaient pas quitté la toile, posée sur le chevalet.

— Encore quelques minutes et je t'accorde une pause.

— C'est parfait, je ne vais pas remuer le moindre muscle, répondit India. En fait, je me sens tout à fait bien.

— Brave fille ! commenta Dusty, concentré sur son travail. C'est bon ! s'exclama-t-il soudain. Ça y est ! Je l'ai eu. Tout ce dont j'avais besoin, c'était de ces dernières touches. Parfait, mon cœur, tu peux te lever et étirer tes membres ravissants. Je sais que tu dois avoir des crampes partout.

Dusty posa son pinceau et s'essuya les mains avec un chiffon, qu'il déposa sur la table avant de contourner le chevalet. Il s'approcha de la chaise sur laquelle India se reposait et, lui prenant les poignets, la releva.

— Tu es un merveilleux modèle, murmura-t-il en l'attirant dans ses bras. Sacrément merveilleux, même ! Tu n'as pas bougé un cil.

— J'ai fait de mon mieux pour rester parfaitement immobile, dit-elle en riant.

— Bon sang, que tu es appétissante, aujourd'hui !

Il se pencha pour frôler la bouche de la jeune femme de la sienne. Le contact se prolongeant, elle noua ses bras autour de son cou et se colla à lui. Elle avait envie de lui, pourtant ils avaient fait l'amour à peine deux heures auparavant. Il la dévorait de baisers tout en glissant ses mains le long de son dos jusqu'à ses fesses, pour la serrer plus fort contre lui.

Il caressa l'un de ses seins et taquina la pointe, visible sous le haut de mousseline noire qu'elle portait. Il souleva délicatement le tissu et, se penchant, prit le mamelon entre ses lèvres. Tout d'un coup, il se redressa, la regarda et déclara :

— Retournons au lit ! Je ne peux pas continuer ainsi, j'ai trop envie de toi.

— Oui. Mais à ce rythme, le portrait ne sera jamais terminé, ajouta-t-elle en plaisantant.

L'écartant légèrement de lui, il plongea son regard dans ses prunelles brillantes.

— Ce n'est que trop vrai, lady India. Mais mon corps exige de...

Elle l'interrompit d'un baiser puis, s'éloignant de nouveau de lui, dit doucement :

— J'ai toute la journée devant moi. Et la soirée, aussi. Je peux rester aussi longtemps que vous le souhaitez, monsieur Rhodes.

Son sourire était charmeur, ses yeux provocants. Il adorait la façon dont elle flirtait avec lui.

— C'est le week-end, expliqua-t-elle, et je suis libre comme l'air. Quoi que tu veuilles faire de moi, tu le peux... Me peindre, me nourrir, me parler et m'aimer, m'aimer, m'aimer, conclut-elle d'une voix moqueuse. Oui... Cela me convient tout à fait.

— Et c'est exactement ce que tu auras, *my lady*, dit Dusty en la serrant dans ses bras. Tu es la meilleure, India, vraiment la meilleure. Je ne peux pas t'expliquer quel délice c'est que de faire l'amour avec toi... Le plus proche de l'extase que j'aie jamais expérimenté... Je le pense vraiment, tu sais, ajouta-t-il très bas, devant son silence.

Les jambes d'India la soutenaient à peine.

— Oui, put-elle seulement articuler.

Ce qu'il venait de déclarer l'emplissait de bonheur, l'émouvait au plus profond d'elle-même. Elle souhaitait qu'il l'aimât comme elle l'aimait, de tout son cœur, son esprit et son âme.

Dusty la libéra et plongea de nouveau dans son regard.

— Très bien. Travaillons encore un peu et ensuite, nous ferons une pause délicieuse. Puis je te peindrai encore pendant une heure ou deux, après quoi nous dînerons. Je suis content que tu ne projettes pas de m'abandonner. C'est fantastique, de pouvoir passer le week-end ensemble.

— J'en suis heureuse, moi aussi.

Levant les bras au-dessus de sa tête, elle étira son corps souple et élancé. Elle était un peu contractée, après avoir posé dans la même position durant près de deux heures, pourtant le temps avait passé vite. Elle aimait être avec lui dans l'atelier et l'observer. Elle était tellement amoureuse qu'elle en perdait toute lucidité. Il était le seul homme qu'elle eût chéri à ce point et voulût pour toujours ; et cela aussi, c'était la vérité.

Dusty commença à se déplacer autour d'elle, s'étirant aussi, respirant profondément, se penchant pour toucher ses orteils.

— Je remercie Dieu pour l'air conditionné, dit-il entre deux exercices d'assouplissement. Si je ne l'avais pas fait installer, tu imagines comme l'atmosphère aurait été étouffante, par une journée pareille ? Tu te sens bien, India ? Tu ne veux pas un verre d'eau ?

— Non merci. Cette blouse de mousseline est aussi légère que l'air, ainsi que ce pantalon d'odalisque.

Elle se mit à rire et, baissant les yeux, regarda ses jambes avec une petite grimace.

— Tout ce qui me manque, ce sont des clochettes autour des chevilles et des orteils, et un tambourin. Je serais très exotique !

— Ne raille pas. Tu es sexy, dans cette tenue ! Waouh ! Elle ne laisse rien à l'imagination.

Il roula des yeux comiquement.

— Oh, Dusty, tu es impayable ! dit India en courant vers lui pour jeter ses bras autour de son cou. Je t'adore...

A cet instant, la porte s'ouvrit à la volée, faisant un tel fracas qu'ils tournèrent vivement la tête et poussèrent un cri à la vue de la jeune femme qui avait fait son apparition sur le seuil.

— Ecarte-toi de lui, espèce de traînée ! hurla-t-elle à India d'une voix stridente. Ecarte-toi de lui. Il m'appartient.

La furie se précipita dans l'atelier. En un éclair, elle saisit toute la scène... Le tee-shirt maculé de peinture de Dusty, la tenue vaporeuse d'India, le lit défait à l'extrémité de la pièce. Finalement, ses yeux se posèrent sur le portrait d'India.

Se ruant vers la table de travail de Dusty, elle saisit le premier couteau qu'elle vit, un grand canif destiné à découper les toiles, puis courut vers le tableau.

— Traînée ! Traînée ! hurlait-elle.

Dusty, sous le choc, fut incapable de bouger pendant deux secondes. Puis réalisant qu'elle allait réduire son travail en lambeaux, il écarta India d'une main, se lança vers le chevalet et se plaça devant l'œuvre pour la protéger.

Le coup l'atteignit dans la partie supérieure gauche de la poitrine. Immédiatement, le sang jaillit de la blessure, tachant le tee-shirt.

Effrayée, India se mit à crier.

L'hystérique leva le bras pour frapper de nouveau et hurla de plus belle. Mais voyant la marque rouge s'élargir sur le torse de Dusty, elle lâcha instantanément la lame, tourna les talons et s'enfuit en claquant la porte de l'atelier derrière elle.

Dusty fit quelques pas en direction de la table de travail, y prit un chiffon et le pressa contre la plaie, s'appuyant au rebord et jurant entre ses dents. Aussitôt, India courut vers lui, très pâle, les yeux écarquillés d'horreur.

— Mon Dieu, Dusty, ça a l'air sérieux !

Elle se rua dans la salle de bains, dont elle ressortit aussi vite, chargée de serviettes.

— C'est moche.

Retirant le linge ensanglanté, elle pressa le tissu éponge sur l'entaille, puis prit la main de Dusty et la posa dessus.

— Appuie bien fort, ordonna-t-elle. Nous devons contenir le saignement du mieux que nous pouvons.

— Je crois qu'elle a sectionné une artère, dit Dusty d'une voix étranglée. Ça fait bougrement mal ! souffla-t-il soudain, le visage crispé, la lèvre inférieure tordue.

Il s'assit lourdement sur la chaise la plus proche. Outre cette douleur atroce, ses jambes ne le portaient plus.

— Habille-toi, India. Dépêche-toi ! Transporte-moi à l'hôpital de Harrogate le plus vite possible. Il me faut un chirurgien, j'en suis certain. S'il te plaît ! Je perds beaucoup de sang. Je peux me vider, avec une artère sectionnée, et je ne vais sans doute pas tarder à être en état de choc.

Sa souffrance s'exprimait dans ses yeux et déformait ses traits.

— Une minute ! s'exclama la jeune femme.

Elle ôta en vitesse l'ensemble de mousseline noire, enfila son pantalon et son tee-shirt, saisit son sac à main et revint en courant vers lui. Le prenant sous le bras droit, elle l'aida à se lever.

— Allons-y. Je vais prendre quelques serviettes de plus. Où as-tu mis les clés ? Je dois verrouiller la porte.

— Sur la table, haleta-t-il.

— Ne t'évanouis pas, mon chéri, dit-elle d'une voix forte. Je te soutiens jusqu'à la voiture et ensuite, on va aux urgences.

— J'espère qu'on va y arriver... grogna-t-il.

A leur sortie de l'atelier, India fut éblouie par le soleil étincelant. Par bonheur, elle s'était garée derrière le bâtiment, au lieu de se mettre près des écuries. Soutenant Dusty du mieux qu'elle pouvait, elle l'installa bientôt dans l'Aston Martin. Elle sortit ensuite de son sac les deux serviettes propres, puis utilisa la ceinture de sécurité pour les maintenir sur celles en place.

Dès qu'elle eut terminé, elle observa Dusty. Ses yeux devenaient vitreux, son visage était blême et il transpirait abondamment. Elle disposait de peu de temps pour arriver aux urgences, avant qu'il ne tombât en état de choc. Il avait perdu énormément de sang. Elle claqua la portière et contourna la voiture en courant, puis se glissa derrière le volant et mit le contact.

— La porte de l'atelier, marmonna-t-il en tournant à demi la tête vers elle. Ferme-la.

— Je l'ai verrouillée à double tour, Dusty, ne t'inquiète pas.

Une seconde plus tard, elle démarrait, effectuait une marche arrière sur la route et faisait le tour de la maison pour gagner l'allée centrale.

— La ceinture de sécurité retient le pansement improvisé, mon chéri.

Il ne parut pas l'entendre. Ses paupières étaient fermées et sa main droite était toujours crispée sur le tampon rougi qui recouvrait sa plaie.

En parvenant aux grilles de Willow Hall, India ralentit. Elle décrocha son téléphone de voiture et composa le numéro de Linnet. Cette dernière décrocha très vite.

— Allo ?

— Linnet, c'est India. Ne dis rien et écoute-moi, s'il te plaît. J'ai de graves ennuis. Dusty a été poignardé. Sévèrement. Il semble qu'une artère ait été sectionnée. Il perd beaucoup de sang. En ce moment, je quitte Willow Hall et je devrais arriver à l'hôpital de Harrogate dans douze minutes, à moins que la circulation ne soit plus dense que d'habitude. Préviens les urgences de notre arrivée, de façon à ce que l'on soit prêt à nous accueillir.

— Mon Dieu ! C'est affreux ! J'appelle tout de suite, ensuite je me rends à l'hôpital. Je devrais y être dans cinq minutes. Je pars de chez oncle Ronnie.

— Merci, Linnet.

India raccrocha et jeta un coup d'œil à Dusty. Ses yeux étaient fermés et il semblait s'être affaissé sur son siège. Il paraissait complètement parti et le sang, qui avait traversé les serviettes, suintait à travers ses doigts et coulait le long de son bras.

India appuya sur l'accélérateur. Elle nota que ses mains tremblaient et dut inspirer plusieurs fois avant de parvenir à se calmer. Ce n'était pas le moment de perdre son sang-froid ou se laisse aller à la panique. Dusty n'allait pas tarder à être en état de choc, si ce n'était déjà le cas, et la rapidité était d'une extrême importance. Les doigts crispés sur le volant, elle s'engagea sur la route, en direction de Harrogate. Par bonheur, elle était déserte, à l'exception d'un camion et d'un cycliste. Sans se soucier des limitations de vitesse, elle poussa le moteur et se concentra sur la conduite.

Elle arriva à destination en exactement neuf minutes et ralentit pour franchir les grilles de l'enceinte. Trois infirmières et deux médecins étaient groupés devant l'entrée des urgences, agglutinés autour d'un brancard. Linnet se tenait à côté d'eux, pâle et l'air très anxieuse.

India s'arrêta, jaillit hors de la voiture, adressa un signe aux médecins et se rua vers la portière de Dusty. Avant qu'elle l'eût ouverte, ils se précipitaient vers elle avec le brancard, Linnet sur les talons.

India s'écarta, laissant aux urgentistes le soin de prendre la situation en main.

— Mon ami pense que le couteau a sectionné une artère, dit-elle à l'un d'eux.

Il la fixa, les sourcils froncés.

— Il est médecin ?

Elle secoua la tête.

— Il est peintre, et il a étudié l'anatomie aux Beaux-Arts.

— Je vois... Il a sans doute raison. Pour l'instant, il est en état de choc et a visiblement perdu beaucoup de sang. Essayez de ne pas vous inquiéter.

Sur ces mots, il rejoignit en courant le brancard, que le personnel du service poussait à toute vitesse dans le hall.

— Entrons et asseyons-nous, dit Linnet. Je leur ai fourni les informations que j'avais à ma disposition, mais ils vont vouloir te parler, India, c'est sûr.

— Je le sais... Sans doute ont-ils déjà prévenu la police.

— C'est la routine, je pense, quand un événement de cette sorte se produit, murmura Linnet en la regardant de plus près.

— Oui...

India fut alors prise de tremblements irrépressibles. Elle enfouit son visage dans ses mains.

— C'était affreux. J'ai eu tellement peur, Linny !

Linnet poussa la porte des urgences, guida India vers un siège, s'assit près d'elle et demanda d'une voix étouffée :

— Que s'est-il passé, au juste ? Qui a poignardé Dusty ?

— Une femme dont j'ignore tout. Evidemment, je n'ai pas pu questionner Dusty à son sujet. Sans doute la connaît-il. Elle a fait irruption dans l'atelier et est devenue enragée quand elle m'a vue.

India raconta ensuite à Linnet ce qui était arrivé moins d'une heure auparavant, ne s'arrêtant pas pour respirer jusqu'à ce qu'elle eût terminé son récit. Seulement alors, elle laissa échapper un long soupir.

— Mon Dieu, Linnet, j'espère qu'il va se remettre. Et s'il en mourait ? Je ne le supporterais pas !

India saisit le bras de Linnet, la fixa intensément et éclata en sanglots. Aussitôt, Linnet la prit par les épaules et l'attira contre elle, l'apaisant à mi-voix.

— Dusty va guérir, ma chérie. Il est jeune, fort, et ils font des miracles, de nos jours. La médecine moderne est stupéfiante.

— Mais il a perdu tellement de sang... Il giclait hors de lui. C'était effrayant à voir.

Elle s'interrompit, l'expression de son visage changea brusquement, puis elle s'exclama :

— Je pourrais lui donner mon sang, s'il a besoin d'une transfusion. Tu le ferais aussi, Linnet, s'il le fallait ?

Momentanément prise de court par cette requête, Linnet déclara presque aussitôt :

— Bien sûr que oui.

India se redressa et parut se détendre un peu. Adressant un petit sourire à Linnet, elle murmura très bas :

— Je l'aime, tu sais. Je n'ai jamais rien éprouvé de tel pour aucun homme. Il est le seul que j'aie jamais voulu épouser.

Cette déclaration n'étonna pas Linnet. Dès le début, elle avait su la nature exacte des sentiments d'India pour Dusty. Elle était tombée profondément amoureuse de l'artiste et Linnet s'en était réjouie pour elle. Le seul souci était qu'il avait une solide réputation de fêtard et de fauteur de troubles, mais India lui avait assuré qu'il adorait se faire passer pour ce qu'il n'était pas. D'un autre côté, une hystérique qui maniait le couteau, c'était une autre paire de manches. Cela évoquait des fréquentations dangereusement louches... Linnet en était troublée. Une femme évincée pouvait causer d'immenses problèmes.

Linnet s'apprêtait à parler, mais une voix s'éleva :

— Lady India, pouvez-vous venir et nous fournir quelques détails à propos de M. Rhodes, s'il vous plaît ?

India se leva aussitôt.

— Bien sûr.

Elle suivit son interlocutrice en blouse blanche, munie d'un bloc et d'un stylo. Un instant plus tard, deux officiers de police se présentèrent aux urgences et Linnet grommela intérieurement. A l'évidence, ils venaient interroger India au sujet de l'agression contre Dusty. Et si Dusty mourait, ce serait de meurtre qu'ils lui parleraient.

La femme en blanc se présenta : elle s'appelait Anita Giles et appartenait à l'administration de l'hôpital. Elle fit entrer India dans son bureau, qui donnait sur le hall du service. Dès qu'elles furent assises, elle expliqua :

— Et maintenant, lady India, si vous pouviez nous fournir les informations qui nous manquent, je vous en serais très reconnaissante. Votre cousine, Mlle O'Neill, m'a dit que le blessé s'appelle Russel Rhodes et qu'il a été poignardé. Je suppose qu'il s'agit de l'artiste bien connu. Je me trompe ?

— Non. C'est bien lui, madame. Son nom complet est Russel Cecil Rhodes et il habite à Willow Hall, dans Follifoot. Il a quarante-deux ans. C'est le genre de choses que vous voulez savoir ?

Mme Giles acquiesça du menton tout en remplissant un formulaire. Dès qu'elle eut reporté tous ces points importants, elle demanda :

— A votre connaissance, M. Rhodes a-t-il des soucis de santé ?

— Non. Du moins, je ne le crois pas. Pour autant que je le sache, il est en bonne forme. Il fait du sport, surveille son alimentation, boit très peu. Sa réputation est usurpée, je puis vous l'assurer, ajouta-t-elle en souriant, devant l'air étonné de Mme Giles. Disons qu'il la cultive, si vous voyez ce que je veux dire. Il va se remettre, n'est-ce pas ? s'enquit-elle en se penchant en avant, inquiète. Il disait qu'il avait une artère sectionnée et...

Impassible, la femme répliqua :

— Chacun, ici, fera tout son possible pour lui, lady India. Je suis certaine que vous comprendrez qu'il m'est impossible d'avancer un pronostic, étant donné les circonstances. Maintenant, pourriez-vous me dire exactement ce qui...

A cet instant, on frappa à la porte. Anita Giles s'interrompit au milieu de sa phrase et lança :

— Entrez.

Le battant s'ouvrit et deux policiers parurent sur le seuil du bureau.

— Bonjour, madame Giles, dit l'un d'eux.

L'autre se contenta de lui sourire.

— Bonjour, messieurs. Je vous présente lady India Standish, une amie de M. Russel Rhodes, qui est la victime de l'agression que nous vous avons signalée il y a quelques instants. C'est elle qui l'a amené à l'hôpital.

India se leva immédiatement et alla serrer la main des agents. Ils se présentèrent : Hobbs et Charlton.

— Auriez-vous l'amabilité de nous laisser seuls avec lady India ? demanda celui qui s'appelait Hobbs.

Il fixa Anita Giles en lui désignant la porte du menton.

— Oui, bien sûr. Je comprends que vous souhaitiez lui parler seuls à seule.

Souriant à India, elle se dépêcha de sortir de la pièce et referma la porte derrière elle.

— Je n'ai pas grand-chose à vous apprendre, dit India.

— Rapportez-nous simplement ce qui s'est passé, lady India, suggéra Charlton en lui faisant signe de s'asseoir.

— Merci, mais je préfère rester debout... M. Rhodes est un peintre célèbre, comme vous le savez certainement. Il vit à Willow Hall, dans Follifoot. Il y a installé son atelier. Il faisait mon portrait... pour mon père, le comte de Dunvale. Il y a quelque temps...

Une lueur d'intérêt s'alluma dans les yeux de Hobbs.

— Vous êtes une parente d'Emma Harte ! s'exclama-t-il.

— Oui. Je suis son arrière-petite-fille. Son autre arrière-petite-fille, Linnet O'Neill, m'attend dehors.

— Ma mère et ma grand-mère travaillaient au magasin Harte de Harrogate, expliqua Hobbs avec un sourire. Donc, reprit-il, M. Rhodes était en train de vous peindre, quand quelqu'un a fait irruption et l'a poignardé, c'est bien cela ?

— Non, pas du tout ! Nous nous détendions, parce que je posais depuis deux heures et que j'avais besoin de m'étirer. Dusty... c'est-à-dire M. Rhodes, se sentant un peu courbatu, lui aussi, a voulu exécuter quelques exercices d'assouplissement avant de se remettre au travail. Voilà à quoi nous nous livrions en bavardant quand la porte de l'atelier s'est brusquement ouverte sur cette jeune femme. Je ne connais pas son identité et j'ignore si M. Rhodes sait qui elle est.

— Si je comprends bien, elle est entrée à ce moment-là et l'a poignardé.

— Non ! Elle m'a vue et s'est mise à m'insulter. Apparemment, elle ne se maîtrisait plus. Ensuite, ses yeux sont tombés sur le tableau et là, elle est devenue enragée. Elle a couru vers la table de travail, a saisi un couteau, puis a foncé droit vers le chevalet en le brandissant.

— Elle s'en est prise au portrait avant d'agresser M. Rhodes ? demanda Hobbs en fronçant ses sourcils bruns.

— Non, non ! Cela ne s'est pas passé de cette façon ! Dusty et moi étions comme pétrifiés, en réalité. Soudain, il a réalisé qu'elle allait vers le tableau et a couru pour s'interposer. C'est ainsi qu'il a été blessé. Elle voulait détruire la toile, non agresser M. Rhodes. C'était un accident.

— Je vois, murmura Hobbs, pensif. Nous espérons pouvoir parler rapidement à M. Rhodes, une fois qu'il sera sorti de la salle d'opération, déclara-t-il après avoir jeté un coup d'œil à son collègue.

Serrant les poings, India enfonça ses ongles dans la paume de ses mains. Son anxiété ne cessait de croître.

— Les médecins vous ont-ils dit quelque chose ? M. Rhodes ne va pas mourir, n'est-ce pas ?

— Je n'en sais bigre rien, répliqua Hobbs en secouant la tête. J'espère que non. Le Dr Palmerton est un merveilleux chirurgien. Si quelqu'un peut remettre M. Rhodes sur pied, c'est bien lui. Je crois qu'il ne nous reste plus qu'à attendre.

9

— Où est ma belle jumelle ?

Recroquevillée dans la bergère de la bibliothèque, Tessa jeta le dossier comptable sur le sol en reconnaissant la voix de son frère et se précipita à sa rencontre.

Lorne Fairley se tenait sur le seuil de la pièce, appuyé au chambranle de la porte. Il avait bien l'air de l'acteur qu'il était, à la fois beau et nonchalant.

— Bonjour, ma petite chérie, fit-il de sa voix modulée de comédien.

— Oh, Lorne ! Grâce au ciel, tu es ici !

Elle se rua dans les bras tendus vers elle et il la serra très fort contre lui, heureux de la trouver parfaitement calme et maîtresse d'elle-même, après l'épreuve qu'elle avait subie.

Ils se tinrent longtemps embrassés, aussi proches l'un de l'autre, sur le plan affectif et émotionnel, qu'ils l'avaient toujours été. Ils avaient hérité des gènes de leur père, Jim Fairley, le premier époux de leur mère, et avaient la même taille, la même chevelure blonde, et les mêmes traits finement ciselés et purs. A les voir, on ne pouvait douter qu'ils étaient jumeaux.

Tessa, qui était née quelques minutes avant Lorne, considérait qu'elle était l'aînée et ne lui avait jamais permis de l'oublier. Lorne, qui était sincère, gentil, affectueux et facile à vivre, se contentait d'en rire. Depuis l'enfance, il la surnommait l'« Ancienne », ce qui irritait beaucoup Tessa.

— Je suis vraiment désolée que tu aies dû revenir de Turquie, mais…

134

— Mes vacances touchaient à leur fin, l'interrompit-il.

Il s'écarta légèrement, scruta son visage, puis déposa un baiser sur sa joue.

— A dire vrai, je m'ennuyais ferme. De toute façon, je ne t'aurais pas abandonnée dans le besoin ; nous nous sommes toujours porté mutuellement secours, non ? Je suppose que maman ne va pas arriver tout de suite ? poursuivit-il en la prenant par les épaules et en l'entraînant vers le canapé.

— Non, elle ne rentre pas. J'ai insisté pour qu'elle s'en tienne à ce qu'elle avait prévu de faire à New York, avec Shane.

— Je sais. J'ai eu Shane au téléphone. Il m'a dit qu'ils ne modifiaient pas leur emploi du temps, puisque vous aviez la situation bien en main, ici. Et comment va ma douce Adèle ?

A la pensée de sa fille, Tessa ne put réprimer un sourire.

— Bien, Lorne. Heureusement, les événements ne l'ont pas trop affectée. Elle a un heureux caractère !

— Et où se cache la petite môme ? Je veux la voir tout de suite.

— Elle fait la sieste, tu devras donc attendre un peu.

Ils s'assirent côte à côte sur l'un des canapés, puis Lorne fixa de nouveau attentivement sa sœur.

— Quelles sont les dernières nouvelles de ton affreux mari ?

— Il sera bientôt mon ex.

— Si vite ? s'étonna Lorne. Ne me dis pas qu'il est devenu conciliant.

— Pas du tout ! Il est très exigeant et arrogant. Bien entendu, la procédure devra suivre son cours, mais nos avocats discutent. Les siens sont plutôt contrariés par le fait qu'il ait enlevé Adèle. Ils n'apprécient guère qu'il se soit mis dans son tort.

— C'était un coup de bluff complètement ridicule. Comme tu le sais, je n'ai jamais beaucoup apprécié Mark. J'ai toujours vu en lui une baudruche sans consistance.

Elle se mit à rire.

— Tu me rappelles Jack Figg, quand tu utilises ce genre d'expressions désuètes. Il les a en permanence sur le bout de la langue.

— De qui crois-tu que je les tienne ? Le maître en personne me les a enseignées. Il est d'ailleurs le premier que j'ai rencontré en arrivant. Il s'est montré cordial et chaleureux, comme d'habitude, mais c'est un rude gaillard, Tess, et c'est tant mieux ! Il m'a dit qu'il était en train de transformer cet endroit en forteresse et si j'en crois le nombre impressionnant de types qui sont sous ses ordres, c'est le cas.

Tessa approuva du menton.

— Il m'a dit qu'il restait ici jusqu'à lundi ; ensuite, il retourne deux jours à Robin's Hood Bay et ne revient qu'en milieu de semaine prochaine. En tout cas, je me mets aux fourneaux, ce soir, car je veux que Margaret prenne une soirée de repos. Elle et Joe se sont fait un sang d'encre. Ces événements les ont beaucoup touchés.

— Je n'en suis pas surpris. A propos de Margaret, je suis allé lui demander à la cuisine de me faire un sandwich. Je suis venu tout droit de l'aéroport de Heathrow et j'ai très faim. Viens, allons voir ce qu'elle m'a préparé. Mais sache que je meurs d'impatience en pensant à tes spécialités gastronomiques.

Comme ils traversaient le hall ensemble, ils rencontrèrent Margaret, qui venait les chercher.

— Vous voici ! s'exclama-t-elle. J'ai servi le thé, avec un encas, dans le salon.

Sur ces mots, elle tourna les talons et regagna ses quartiers. Elle pensait à Lorne. Il avait toujours été son préféré et elle était heureuse qu'il fût de retour à la maison pour prendre soin de sa sœur, ne fût-ce que peu de temps. Elle souhaitait qu'il pût rester, tant elle avait d'affection pour lui ; comme s'il avait été son propre fils, d'une certaine façon. C'était le plus doux, le meilleur des hommes, et sa notoriété d'acteur ne l'avait pas le moins du monde changé. Il était resté le même que lorsqu'il était petit garçon et qu'elle le faisait sauter sur ses genoux.

Jusqu'à l'hiver précédent, la pièce avait été un bureau. Emma Harte y avait travaillé pendant des années, lorsqu'elle se trouvait à Penninstone Royal. Mais en décembre, Paula, estimant que cela constituait une perte d'espace, l'avait transformée en un lieu agréable destiné aux petits déjeuners ou aux collations informelles.

En y pénétrant, Lorne regarda autour de lui, s'émerveillant de la fraîcheur et du calme qui y régnaient en ce chaud samedi. Les murs étaient d'un vert pomme très doux. Des rideaux en soie à rayures vertes et blanches encadraient la ravissante fenêtre en saillie et les chaises qui entouraient la table ronde en noyer étaient recouvertes d'un tissu à carreaux dans les mêmes coloris.

— Maman a fait du beau travail, commenta le jeune homme tandis qu'ils s'asseyait. Je crois que je vais accepter son offre généreuse de revoir la décoration de mon appartement.

Baissant les yeux vers l'assiette de sandwichs, il secoua la tête en souriant.

— Margaret est merveilleuse ! Regarde ! Elle m'a confectionné ceux que je préférais quand j'étais petit !

— Elle t'a toujours gâté, répliqua Tessa en souriant.

Lorne ne répondit pas, prit un canapé à l'œuf et à la salade et se mit à le mâcher bruyamment. Il observa sa jumelle, qui versait le thé dans les tasses après y avoir ajouté une rondelle de citron. Le jeudi, au téléphone, elle lui avait paru bouleversée et terrifiée. Il se trouvait alors en Turquie, où il passait quelques jours avec des amis avant de commencer le tournage d'un nouveau film aux studios Shepperton, dans la banlieue de Londres.

Quand bien même aurait-il été au paradis, il serait parti, dès l'instant où il savait qu'elle avait besoin de lui. En réalité, il en avait assez et avait hâte de rentrer à Londres, ce qu'il avait fait sitôt après avoir raccroché. En raison des vacances, les avions étaient bondés, aussi n'avait-il pas pu avoir un vol direct. Il était passé par Paris, où il avait passé une nuit à l'hôtel O'Neill, avenue Montaigne. Il venait d'arriver à bon port.

Sa sœur et lui étaient extrêmement proches, et il aurait fait n'importe quoi pour elle. Pourtant, il connaissait parfaitement ses défauts... Il savait qu'elle luttait âprement contre Linnet pour obtenir les pleins pouvoirs chez Harte. Il trouvait sa jalousie absurde. Il y avait aussi son snobisme, la façon dont elle se glorifiait d'être une Fairley et se présentait toujours comme telle. Il estimait cela assez sot. Après tout, ils descendaient tout autant des Harte, des McGill et des Amory. En fait, ils devaient ce qu'ils possédaient à Emma Harte et Paul McGill.

Lorne souhaitait que Tessa pût voir les choses comme lui, mais apparemment elle n'y parvenait pas – peut-être ne le voulait-elle pas, il n'aurait su le dire. Elle était têtue et obstinée, mais il avait cessé depuis longtemps de lui faire la morale. C'était inutile, puisqu'il était convaincu qu'elle ne changerait jamais. Il avait compris qu'il était vain d'y consacrer du temps et de la salive en pure perte. Mais il avait continué à l'adorer, tout comme il l'acceptait telle qu'elle était depuis l'enfance et s'efforçait de ne pas porter de jugement sur elle. Il ne jugeait jamais personne, d'ailleurs. Il avait pour devise « vivre et laisser vivre ».

— Linnet a été formidable, Lorne. Je ne sais pas ce que j'aurais fait, sans elle.

Il fixa sa jumelle d'un air surpris :

— Tu changes brutalement de refrain, on dirait.

— Ne sois pas méchant.

— Je suis lucide, mon petit chou. Jusqu'à présent, tu n'as cessé de te plaindre d'elle. Je comprends que tu aspires à devenir le commandant suprême chez Harte, mais il y a sûrement de la place pour Linnet.

— Je sais, je sais, ne commence pas avec ça, Lorne. Je lui suis très reconnaissante d'avoir eu la présence d'esprit d'agir comme elle l'a fait. C'est elle qui a appelé Jack Figg, par exemple. Tu comprends, il n'y avait personne, ici, quand Mark a enlevé Adèle... Enfin, seulement Wiggs et les jardiniers.

— Et où étaient-ils tous passés, bon sang ! lança Lorne en élevant la voix. Cet endroit grouille de monde, habituellement. Cela a toujours été ainsi depuis notre enfance. C'est quand même bizarre qu'ils soient tous partis, ce matin-là, tu ne trouves pas ?

— Il n'y a rien de louche là-dedans, Lorne. Seulement un ensemble de coïncidences malencontreuses. Margaret faisait les courses, Joe était parti en voiture pour East Witton et Elvira avait son jour de congé...

Tessa s'interrompit et s'appuya au dossier de la chaise, évoquant son entretien avec Elvira, un peu plus tôt. D'une certaine façon, elle était encore contrariée que la baby-sitter eût mis tant de temps à lui parler de sa rencontre avec Mark.

— Qu'y a-t-il ? Quelque chose t'ennuie, Tessa ?

— Non... Elvira a fini par m'avouer que Mark l'attendait sur la route, non loin de Penninstone Royal.

— Comment savait-il qu'elle allait quitter la maison ?

— Parce que le mercredi a toujours été son jour de repos. Apparemment, il lui a fait signe de s'arrêter et elle a obtempéré. Ensuite, il lui a demandé où j'étais, où se trouvait Adèle, et il a prétendu qu'il se rendait chez nous.

Lorne hocha la tête, songeur.

— Et elle, elle a répondu à ses questions, c'est cela ? Tu penses qu'ils pourraient être de mèche, elle et lui ? Tu as confiance en elle ?

— Parfaitement. Et non, je ne pense pas qu'elle soit sa complice. C'est une jeune personne qui a des habitudes bien établies.

— Et Evan ? Où était-elle ? Tu m'as dit qu'elle se trouvait ici.

— Elle déjeunait avec oncle Robin, à Lackland Priory.

— Et Jonathan ? L'insaisissable, le lâche Jonathan ? Où est-il, le mystérieux Mouron rouge ? déclama Lorne d'une voix exagérément distinguée. Les Français le cherchent partout...

Tessa se mit à rire. Son frère avait toujours eu le don de la faire sourire et elle adorait le voir se livrer à son numéro d'acteur.

— Si l'on en croit Jack Figg, qui le fait pister par l'un de ses hommes, Jonathan est à Hong Kong, actuellement. Mais ainsi que Jack le souligne, nous vivons à l'ère de la communication et M. Ainsley peut diriger les opérations de n'importe où dans le monde.

Lorne acquiesça.

— Jonathan et Mark... Quelle paire ! C'est difficile à croire ! Mark est fou, Tessa, quand on y songe. Comment a-t-il pu se laisser duper ainsi par Jonathan ?

— Tu l'as dit toi-même, Lorne, Mark n'est qu'une baudruche sans consistance.

Lorne porta la tasse à ses lèvres et avala une gorgée de thé.

— Je ne voudrais pas être à la place d'Evan... Jonathan doit la haïr.

— C'est tout à fait vrai. Elle est très liée avec Gideon, tu sais. Il est bien possible qu'ils... s'aiment vraiment, conclut-elle en lançant un regard entendu à son frère.

— C'est aussi ce que j'ai pensé, le jour du soixantième anniversaire de Shane. Pas toi ?

Tessa se contenta d'incliner la tête. Elle éprouvait une curieuse sensation de mélancolie, de tristesse aussi, à l'évocation de ce moment. Elle était seule, ce soir-là, sans cavalier, puisqu'elle venait de quitter Mark. Elle se sentait vidée, gauche et un peu perdue. Toby Harte, son cousin, était venu à son secours et avait veillé sur elle, exactement comme il le faisait lorsqu'ils étaient enfants. Ils avaient toujours été très proches et Toby la comprenait vraiment. La vie était étrange... Lui-même était dans une situation affective assez catastrophique, puisqu'il divorçait d'avec Adrianna. Divorce. Tessa tourna le mot dans sa tête telle une perle de verre. Elle qui détestait l'échec avait raté son mariage. Mais elle réussirait en tant que mère, elle en était sûre ! Quel qu'en fût le prix, elle s'assurerait qu'Adèle eût une enfance heureuse et une belle vie. En tout cas, elle ne supporterait aucune interférence de la part de Mark Longden.

Elle avala une gorgée de thé et s'aperçut avec horreur que sa main tremblait. Posant aussitôt la tasse dans la soucoupe, elle se tourna vers la fenêtre et regarda dehors, submergée par les souvenirs de ses premières années de vie commune avec Mark. Ses yeux s'emplirent de larmes de façon inattendue. Elle s'efforça de les réprimer, mais sa gorge était tellement serrée qu'elle peina à déglutir en tentant de les chasser... Les pleurs jaillirent et coulèrent le long de ses joues. Elle tenta en vain de les masquer derrière l'une de ses mains.

Lorne remarqua immédiatement qu'elle était bouleversée, et en fut à la fois consterné et inquiet. Se levant d'un bond, il s'approcha d'elle, se pencha et passa un bras autour de ses épaules.

— Oh, mon petit chou !

Instinctivement, il avait retrouvé les mots tendres qu'il lui réservait quand ils étaient enfants.

— Ne pleure pas, Tess, il n'en vaut pas la peine. Personne, d'ailleurs, tu sais... Tu lui as donné ton cœur, Tess ? ajouta-t-il très bas.

S'essuyant le visage des deux mains, elle s'éclaircit la voix, puis regarda son frère droit dans les yeux.

— Je vais bien, retourne t'asseoir, Lorne chéri, et termine tes sandwichs. Et non, dit-elle avec un soupir, je ne lui ai pas donné mon cœur.

— Mais tu es amoureuse de lui, fit Lorne en s'asseyant de nouveau.

— Sans doute. Enfin... j'ai cru que je l'étais, mais ce n'était peut-être qu'une illusion.

— Peut-être. C'est ce qui m'est arrivé, à moi aussi.

— Oh ! Tu fais allusion à ta dernière petite amie ? C'était sérieux, pour toi ?

Il eut un sourire triste et désabusé, qui disparut presque tout de suite.

— Oui.

— Et alors ?

— Rien.

— Je suis désolée. J'avais compris que tu étais très accroché, mais pas que ce n'était pas réciproque.

— Moi non plus, du moins au début.

Il haussa les épaules, puis écarta les bras.

— « C'est la vie, chérie », déclama-t-il.

Il y eut un petit silence, mais il était dénué de gêne. Ils étaient aussi à l'aise l'un envers l'autre qu'ils l'avaient toujours été depuis leur enfance. Ils étaient sur la même longueur d'ondes et leurs pensées suivaient un cours identique.

— Je ne me remarierai jamais, dit soudain Tessa. Cela n'en vaut pas la peine.

— J'espère sincèrement que tu ne comptes pas demeurer célibataire le restant de tes jours. Ce n'est pas ce que tu veux dire ?

— Pourquoi pas ? Il y a des malheurs plus grands que celui-là.

Se penchant au-dessus de la table, Lorne s'exclama :

— Ecoute-moi, Tessa Fairley, je ne te permettrai pas de mener une existence morne et vide, dénuée d'amour. Tu dois faire preuve d'un peu de lucidité. J'admets que le mariage te paraisse terrifiant, après ta rupture avec Mark, mais tu peux toujours prendre un amant. Tu as besoin d'un homme. Quelqu'un d'aimant, d'amoureux, d'attentif, qui te traite comme tu le mérites. Si cela ne tenait qu'à moi, je te verrais très bien escortée par un chapelet de soupirants, conclut-il en plaisantant.

Tessa voulut bien en rire et réussit même à maîtriser son trouble.

— Cela vaut pour toi aussi. Oublie Mlle Delaney et trouve-toi une belle jeune fille. Peut-être rencontreras-tu quelqu'un de merveilleux, à Paris, quand tu y tourneras un film. Une belle *mademoiselle*.

Lorne fut soulagé de voir que l'humeur de sa sœur s'améliorait. Prenant sa main, il l'embrassa.

— Je t'aime mieux ainsi, ma chérie, semblable à toi-même.

— C'est un atelier magnifique, India ! s'exclama Linnet en regardant autour d'elle. Dusty a fait réaliser un incroyable ouvrage architectural, ici... Tu m'as dit qu'il a conçu les plans ?

— Exact.

India paraissait préoccupée. Elle balayait la pièce du regard, assimilant le moindre détail. Il y avait beaucoup d'éclaboussures de sang par terre, près du tableau. Elle se hâta de vérifier qu'il n'avait subi aucun dommage et constata avec soulagement qu'il n'avait pas été sali.

Ce fut alors qu'elle remarqua le canif sur le sol, là où la jeune femme l'avait laissé tomber.

— Regarde, Linnet ! Le couteau ! s'exclama-t-elle en le désignant du doigt. Je ne dois pas le ramasser ou le toucher. Les empreintes de cette femme sont sur le manche.

142

— Tu as raison. A ce propos, je voulais te dire quelque chose, India. J'ai trouvé que les policiers se montraient courtois, mais légèrement inquisiteurs à ton égard, pas toi ?

— Oui. L'agent Charlton semblait mettre mon histoire en doute, je l'admets. Mais pas Hobbs. Je sais que les proches d'une victime, surtout s'ils appartiennent au sexe opposé, sont souvent soupçonnés d'avoir commis le crime. Il est probable que je suis dans leur collimateur.

Linnet jeta un coup d'œil à l'horloge accrochée au mur.

— Ils ne vont pas tarder à arriver. Tu ne veux vraiment pas que j'appelle Jack Figg, au cas où ?

— Non. Honnêtement, tout va bien. Mes empreintes ne sont pas sur le couteau et je sais que lorsque Dusty reviendra à lui, il confirmera mon histoire. Tout simplement parce qu'elle est vraie. Et puis, Paddy Whitaker sera de retour vers quatre heures, environ. Peut-être pourra-t-il éclaircir les choses. C'est l'homme à tout faire dont je t'ai déjà parlé.

— N'est-ce pas une façon plus plébéienne, au goût de Dusty, de désigner le majordome ? demanda Linnet en haussant les sourcils.

India eut un petit sourire.

— C'est à peu près cela. Quoi qu'il en soit, Paddy devait se rendre à Manchester, ce matin, mais je l'ai entendu dire à Dusty qu'il reviendrait vers l'heure du thé.

— Et où as-tu dit qu'était la gouvernante ? demanda Linnet, qui errait dans l'atelier, dévorée par la curiosité.

— J'ai déjà dit que c'était son jour de congé, répondit India avec impatience. C'est même pour cette raison que nous étions pressés de nous retrouver ici ensemble. Seuls.

— Donc, tu penses que Paddy pourrait connaître l'identité de cette jeune femme ? C'est cela ?

— Oui, répliqua India sur un ton plus doux. Du moins, si elle appartient au passé de Dusty... ou à son présent. Mais elle peut aussi lui être totalement inconnue.

Linnet regarda sa cousine et secoua négativement la tête.

— C'est un peu tiré par les cheveux, ma chérie. Pourquoi une étrangère l'aurait-elle attaqué, ou plutôt s'en serait-elle prise au tableau ?

— Peut-être est-ce une groupie à l'esprit dérangé.

— Réfléchis, India ! Dusty n'est ni une vedette de cinéma ni une star du rock. Les fans des artistes ne sont pas des... obsédés, en général. Ils ne font pas irruption dans leur atelier pour les poignarder ou saccager leurs œuvres.

Linnet lança à sa cousine un coup d'œil bizarre, consternée.

— Elle pourrait quand même être une fan à l'esprit dérangé, ou une ancienne petite amie. Mais j'ai confiance en Dusty. Il m'en aurait parlé, s'il y avait eu quelqu'un d'important traînant encore dans sa vie. J'en suis sûre, Linnet, conclut India d'une voix plus aiguë.

— D'accord, d'accord, ne t'énerve pas. Je me fie à ton jugement, India. Si tu dis qu'il est régulier, je te crois, bien entendu. Je ferais sans doute mieux d'appeler Julian, il doit se demander ce qui se passe, poursuivit-elle en s'approchant de l'une des grandes fenêtres.

Tout en parlant, elle sortit son téléphone portable et composa le numéro de son fiancé.

India sourit à demi et acquiesça du menton, puis elle se planta devant le portrait et le contempla, la tête légèrement inclinée sur le côté. Ses pensées se tournèrent vers Dusty, dans son lit d'hôpital, criblé de tuyaux et de Dieu savait quoi d'autre. Il s'était précipité pour s'interposer entre la toile et le couteau, et voilà quel avait été le résultat. Il aurait pu mourir. Pourtant, la toile était inachevée. Il n'y travaillait que depuis trois jours et aurait pu tout recommencer depuis le début. Peut-être avait-il obéi à une impulsion, agi presque instinctivement. Grâce à Dieu, il allait guérir. Les médecins le lui avaient assuré, un peu plus tôt, juste avant qu'elle ne se rendît à l'atelier. Le « lieu du crime », ainsi que le nommaient les policiers. Mais ils n'y trouveraient rien de bien intéressant, hormis le couteau, abandonné sur le sol, là où l'inconnue l'avait laissé tomber.

India avait eu l'autorisation de voir Dusty, à l'unité de soins intensifs. Il était toujours sous l'effet de l'anesthésie. Elle était restée un moment près du lit, à contempler ses traits tirés, son visage privé de toute couleur, d'un blanc crayeux, comme vidé de ce qui faisait son essence. C'était sans doute le cas,

144

avait-elle pensé. Il avait perdu tellement de sang qu'on avait dû lui faire plusieurs transfusions. Par bonheur, on avait pu recoudre l'artère sectionnée. India s'était penchée au-dessus de Dusty et avait caressé doucement son visage du bout des doigts. Elle lui avait murmuré qu'elle l'aimait. Ensuite, l'infirmière avait passé la tête dans l'embrasure de la porte et lui avait fait comprendre qu'elle devait s'en aller.

Le soulagement d'India était immense et son anxiété avait commencé à se calmer. Dusty allait vivre. Après l'avoir vu, elle avait accepté de se rendre à Willow Hall et d'ouvrir l'atelier aux policiers.

Qui était la femme ?

La question restait en suspens. S'agissait-il d'une désaxée qui avait voulu lui faire du mal, d'une ancienne maîtresse ? Reviendrait-elle pour causer davantage de dégâts ?

10

Gideon s'attendait à ce que la porte de la cuisine fût verrouillée. Mais lorsqu'il tourna la poignée, elle s'ouvrit aussitôt. Il entra, pensant être accueilli chaleureusement par Margaret et Joe, qui s'y trouvaient d'ordinaire à cette heure, en train de boire une tasse de thé. A sa grande surprise, il n'y avait personne.

Il s'immobilisa pour regarder autour de lui et respirer les merveilleuses odeurs. L'atmosphère était chargée d'épices, qui rappelaient l'Afrique du Nord ; la viande et les légumes mijotaient à feu doux, dégageant des arômes propres à mettre l'eau à la bouche. Le repas du soir serait délicieux, car Tessa était le meilleur cordon-bleu qu'il connût.

Evan n'avait pas répondu à son coup de fil, pensa-t-il en traversant rapidement la pièce pour gagner le couloir de service.

Un escalier assez raide menait au premier étage, qui était le domaine de Paula. Gideon grimpa jusqu'au second, où se trouvaient la plupart des chambres. Pas de système de sécurité... N'importe qui pouvait entrer dans la maison, comme il venait de le faire, et arriver dans la partie centrale. Il allait falloir s'habituer à verrouiller les portes qui donnaient sur l'extérieur, ou l'on aurait affaire à Jack Figg. Gideon soupira en gravissant les marches autrefois utilisées par les domestiques, quand la demeure en regorgeait. Elles étaient escarpées.

Il songea aux jeunes servantes, qui montaient alors les plateaux de petit déjeuner. Dès le milieu de la matinée, elles devaient être épuisées... Le monde, à l'époque, était véritablement pétri d'injustices. D'une certaine façon, les choses avaient quand même évolué dans le bon sens.

Au second étage, des plaques de cuivre apposées sur les portes signalaient le nom des chambres : « Jaune », « Bleue », « Pourpre », « Or », et ainsi de suite. C'était Emma qui avait eu cette idée et il avait toujours trouvé cela charmant. Finalement, il arriva devant la chambre jaune et poussa le battant avant même d'y avoir été invité.

— Mon Dieu ! cria Evan. Tu m'as fait peur !

Elle le fixait, bouche bée, tout en s'agrippant à la serviette éponge qui dissimulait son corps nu.

— Pardonne-moi.

Il marcha vers elle d'un air très déterminé. Lorsqu'il s'arrêta, il lui prit la main et l'attira dans ses bras avec l'autorité d'un propriétaire. Tout en la serrant contre lui, il l'embrassa passionnément, puis il l'entraîna rapidement à travers la pièce.

Les yeux pleins d'incertitude, elle s'efforçait de garder le tissu autour d'elle.

— Que se passe-t-il ? demanda-t-elle en tentant de se libérer de son étreinte.

Il ne répondit pas immédiatement, mais continua de la pousser vers le lit.

— Assieds-toi et cesse de te débattre. Je ne vais pas te violer.

— Tu en es bien sûr ?

Elle s'installa docilement sur le lit, ainsi qu'il le lui suggérait, puis le regarda se déshabiller. Il s'approcha alors d'elle et elle songea qu'ils seraient en retard pour le dîner. Elle n'eut pas le temps de lui faire part de sa réflexion ni de protester, car en une seconde, il fut à côté d'elle. Lorsqu'il la reprit dans ses bras pour l'embrasser passionnément, elle lui rendit immédiatement ses baisers avec une ardeur égale à la sienne. Dès qu'ils se furent calmés, il s'appuya sur un coude et plongea dans ses yeux clairs.

— Je sais ce que tu vas dire, murmura-t-il. Que nous allons être en retard pour le dîner, et autres balivernes. Mais nous n'avons pas eu un seul tête-à-tête depuis une semaine. J'ai besoin d'être tout près de toi, d'avoir avec toi des relations... *très* intimes.

Posant la main sur la nuque de Gideon, Evan enfonça ses doigts dans son épaisse chevelure.

— Je sais, je sais, souffla-t-elle. Tu m'as manqué aussi. J'avais envie d'être avec toi, de faire l'amour avec toi.

Gideon la fixa et lui sourit. Soudain, comme s'il obéissait à une impulsion subite, il se libéra, jaillit hors du lit et s'approcha de ses vêtements, empilés sur une chaise. Une minute plus tard, il rejoignait la jeune femme et prenait sa main dans la sienne.

— Je te désirais tellement que je mourais d'impatience de me retrouver auprès de toi, mais nous avons toute la vie pour faire l'amour. En revanche, on ne se fiance qu'une fois. Du moins... je l'espère ! Voilà, c'est chose faite, Evan, et c'est tout ce qui m'importe, ajouta-t-il en glissant une bague de saphir à son doigt.

Evan s'assit sur le lit. Ses yeux allèrent de Gideon au présent passé à son annulaire gauche. Ils brillaient de surprise et de joie.

— C'est splendide ! s'écria-t-elle. Merci ! C'est vrai, nous sommes fiancés, désormais, conclut-elle en se penchant pour déposer un baiser sur ses lèvres. Que mon père soit content ou non... poursuivit-elle en riant. Je suis tout à fait d'accord !

Ravi qu'elle manifestât autant de bonheur, d'excitation et d'enthousiasme, il rit avec elle.

— Je suis heureux que la bague te plaise.

— Je l'adore ! Oh, Gid, tu m'as vraiment prise au dépourvu. Elle est ravissante et je suis folle de joie !

— Moi aussi... Et maintenant, nous allons sceller notre accord par un baiser, tu veux bien ?

Elle noua ses bras autour de son cou, l'attirant vers elle de sorte qu'il la couvrît de son corps. Ils s'embrassèrent avec passion, avant d'échanger des caresses de plus en plus poussées et de se laisser emporter par le désir. Evan sentit une soudaine chaleur se déverser dans ses veines. Elle s'agrippa à Gideon et encercla ses hanches de ses jambes. Il vint en elle et elle laissa échapper un cri, ainsi qu'elle le faisait toujours, comme s'il l'avait prise par surprise. Cette réaction le ravit et accentua son excitation. Ils firent l'amour à l'unisson, jusqu'à ce qu'ils atteignent le paroxysme du plaisir. Elle s'abandonna à lui et murmura son nom, alors qu'il lui répétait, encore et encore, combien il l'aimait.

Apaisés, ils prirent leur douche ensemble, enlacés, et laissèrent longuement l'eau ruisseler sur leurs corps nus. C'était comme s'ils n'avaient pu se résoudre à se séparer.

Ils s'y résignèrent, finalement. Evan retourna dans la chambre, sécha ses cheveux et les coiffa. Elle était encore enveloppée dans un drap de bain et rectifiait son maquillage quand Gideon la rejoignit et s'habilla rapidement. Assis sur une chaise, il la regarda faire, bénissant le ciel, qui lui avait permis de la rencontrer. Il avait trouvé l'amour de sa vie, en ce monde incertain, et mesurait sa chance. Il était tombé sur la femme idéale, celle qui lui correspondait exactement.

Après qu'Evan eut revêtu une jolie robe d'été en mousseline et enfilé une paire de sandales, elle pivota sur elle-même et lui fit face.

— Qu'y a-t-il ? Tu me fixes depuis un bon bout de temps.

— Je ne fais que t'admirer, ma chérie, murmura-t-il d'une voix langoureuse.

Elle s'approcha de lui, la main gauche tendue.

— Elle est superbe, Gideon ! C'est la plus belle bague de fiançailles que j'aie jamais vue.

— Je le pense aussi et tu vas la porter ce soir, n'est-ce pas ? En bas, je veux dire.

— Oui, si tu le souhaites... Ainsi, tout le monde saura...

Elle s'interrompit, attendant une réaction.

— Bien entendu, mais puisque c'est la vérité, pourquoi ne pas la clamer haut et fort ? Il s'agit de la famille, la tienne autant que la mienne. Et puis... Je ne veux pas que tu la retires, pas même en présence de tes parents, la semaine prochaine. D'accord ?

Les yeux verts de Gideon se plissèrent légèrement et il l'observa attentivement.

— Très bien, très bien, répondit-elle.

Elle était sincère, mais elle avait aussi détecté quelque chose, dans sa voix et dans ses yeux, signifiant qu'il ne tolérerait aucune discussion. Il avait raison. Puisqu'ils comptaient se marier, pourquoi le cacheraient-ils à qui que ce soit ? Son père ne s'en réjouirait pas, elle en était sûre, mais elle était libre de mener sa vie à sa guise. En revanche, elle savait qu'Emily et Winston, les parents de Gideon, seraient ravis, parce qu'ils lui avaient déjà dit qu'ils espéraient les voir bientôt unis.

Quelque chose lui vint brusquement à l'esprit et elle s'écria :

— Pourrions-nous rendre visite à Robin demain, Gid, pour lui annoncer la nouvelle ? Oh, faisons-le ! J'aimerais qu'il le sache.

— Pourquoi pas ? Il est un peu romantique, n'est-ce pas ? Il sera très content d'être mis au courant. Tu te rends compte, Evan ? Il a gardé cette photo de ta grand-mère toutes ces années !

Evan se mit à rire.

— Ce n'était pas une grand-mère ! Pas même en vieillissant. En plus, il y a plus de cinquante ans, c'était une créature de rêve.

— Je le sais bien, puisque j'ai vu le cliché. C'était une vraie beauté, tout comme toi. Ma belle future épouse.

Tessa s'affairait aux fourneaux, si concentrée qu'elle ne se retourna pas lorsque des pas retentirent sur les dalles de la cuisine.

— Où étais-tu ? dit-elle seulement. Je croyais que tu serais venu bavarder avec moi depuis longtemps, Lorne.

— Ce n'est pas Lorne, dit Jack Figg. Il m'envoie te demander si tu veux un apéritif.

Cette fois, elle pivota sur elle-même.

— Très volontiers, Jack.

— Lorne est en train d'ouvrir une bouteille de champagne. Cela te va, ou tu préfères autre chose ?

— J'en veux bien une coupe, merci.

— Je reviens tout de suite.

150

Il disparut aussitôt. De nouveau seule, Tessa retourna à ses casseroles. Elle remua doucement la viande, qui mijotait à feu très doux, souleva les couvercles, jeta un coup d'œil en dessous, hocha légèrement la tête. Un instant plus tard, Jack revint et lui tendit une flûte pleine.

— Merci.

Ils trinquèrent.

— A ta santé.

— A la tienne, dit-elle avant de boire une gorgée. C'est bon !

— Cela embaume, ici. Que nous prépares-tu pour le dîner ?

Tessa éteignit plusieurs brûleurs de la cuisinière, puis elle s'assit à la table de cuisine et sirota son champagne. Jack la suivit, mais resta debout, à la regarder.

— C'est un secret, peut-être ?

— Non, bien sûr que non ! En entrée, j'ai prévu des asperges blanches, cuites à la vapeur, avec une sauce hollandaise. En plat, un couscous. Je sais que cela peut paraître étrange, par une soirée aussi chaude, mais ça ne l'est pas. Après tout, c'est une spécialité marocaine et le Maroc est un pays chaud. La semoule est très légère, tu sais, et j'ai remplacé l'agneau par du veau, afin que ce soit moins gras. En fait, c'est une sorte de blanquette de veau à la marocaine, mais la sauce est brune, au lieu d'être blanche. Tu vas aimer ça, Jack.

— J'en suis sûr, répliqua-t-il en s'asseyant finalement à côté d'elle. En tout cas, les arômes sont fabuleux. Qu'est-ce que ça sent, exactement ?

— Diverses épices, que j'ai associées : safran des Indes, gingembre, cumin. Il y a aussi des oignons, que tu reconnais certainement à l'odeur, des légumes et du jus de viande. J'espère que tu as faim, parce que j'en ai préparé pour un régiment.

Jack se mit à rire.

— Le fait de m'asseoir ici a sûrement aiguisé mon appétit. J'en ai l'eau à la bouche. Pour parler franchement, je suis affamé.

— C'est presque terminé. Tout le monde est en bas ?

— Gideon et Evan n'ont pas encore fait leur apparition, pas plus qu'India, mais les autres sont dans le hall et dégustent des cocktails.

Tessa se releva.

— Je ferais bien de me remettre aux fourneaux.

Jack posa la main sur son bras.

— Accorde-moi deux minutes, Tessa. Reste assise. Cela ne risque pas de brûler ? Je ne voudrais pas gâcher un repas que tu as passé des heures à concocter.

Elle lui jeta un regard étrange et se rassit.

— Ne t'inquiète pas, surtout si tu es bref. Tu veux me parler d'Adèle, c'est cela ?

Ce fut au tour de Jack de la regarder bizarrement.

— Comment le sais-tu ? demanda-t-il, très étonné.

— Parce que tu n'as pas fait allusion à elle depuis jeudi. Tu ne m'as rien demandé à son sujet et cela m'a surprise. Tu vois, Jack, personne ne m'a posé aucune question sur ce qui s'est passé quand elle était avec Mark, et cela m'a frappée. Peut-être pas de la part de ma famille, mais de la tienne, oui.

— J'attendais que tu aies recouvré ton calme. Et puis, je savais que tu te confierais à moi, si quelque chose m'avait échappé. Pour être honnête, tu m'as paru à peu près d'aplomb. J'ai pensé que si Mark avait maltraité ou blessé Adèle d'une façon quelconque, tu te serais empressée de me le rapporter.

— C'est vrai, tu as raison. Selon Adèle, il ne s'est rien passé de particulier. Ils ont roulé un certain temps, puis il l'a emmenée déjeuner au Betty's Café, à Harrogate. Ensuite, ils sont allés à Ripon. Elle s'est ennuyée et a beaucoup pleuré, à cause de la perte de sa poupée. Dans l'après-midi, bien sûr, elle était fatiguée. Il a donc pris une chambre à l'hôtel Spa pour qu'elle fasse la sieste. Dieu sait ce qu'il cherchait en organisant toute cette mise en scène ! Sans doute à me bouleverser, à m'effrayer.

— C'est certain. Adèle a-t-elle évoqué l'autre homme qui se trouvait dans la voiture ? Elle n'a pas donné un nom ? Le connaissait-elle ?

— Non, et elle semble avoir une bonne mémoire, pour une petite fille. Elle a dit qu'il y avait un ami de papa, avec eux. Elle l'appelle « copain », ce qui ne veut rien dire.

— Que sous-entends-tu ?

152

— Lorsque je l'ai interrogée au sujet de ce dernier, elle m'a raconté que Mark le lui avait présenté ainsi : « C'est mon copain. » J'ignore absolument de qui il s'agit, Jack, à moins que ce ne soit l'un de ses acolytes de bureau.

Jack hocha la tête.

— C'est une hypothèse. Je vais m'en assurer dès lundi matin et vérifier si l'un des employés était absent, mercredi.

Se levant d'un bond, Tessa s'exclama :

— Il faut que je serve, Jack, sinon tout le monde va tomber d'inanition. C'est tout ce que tu voulais savoir ?

— Oui, Tessa. As-tu besoin d'un coup de main ?

— Oui. Dans quelques minutes, tu pourras porter les plats dans la salle à manger.

— Ravi de me rendre utile.

Il resta assis, sirotant son Dom Pérignon en la regardant s'affairer. Elle dressa les plats, qu'elle avait fait tiédir au four. Elle était souple, énergique, efficace, maîtresse d'elle-même. En la suivant des yeux, il pensa qu'elle n'avait jamais semblé en meilleure forme. D'ordinaire, elle était aussi pâle qu'un fantôme, mais ce soir, elle rayonnait. Son teint laiteux avait rosi, sans doute du fait de la chaleur de la cuisine. Par ailleurs, elle s'était occupée une bonne partie de la journée et il savait qu'elle était en bien meilleure forme lorsqu'elle travaillait dur. Elle ressemblait en cela à sa mère, qui ne réussissait jamais mieux ce qu'elle entreprenait que lorsqu'elle était sous pression. Elle s'effondrait quand elle n'avait rien à faire, devenait morose, léthargique et perdait son côté battant. Tessa et Linnet tenaient d'elle, mais Jack n'ignorait pas que c'était un trait de caractère qu'elles avaient hérité d'Emma Harte. A l'époque où il l'avait connue, elle était terrassée par l'inactivité et l'ennui. Mais dès lors qu'elle se démenait comme une galérienne, elle était au meilleur de sa forme et de ses capacités.

Il y avait autre chose... Tessa adorait cuisiner. Elle tirait une grande satisfaction de la préparation de petits plats pour les siens. A la connaissance de Jack, si l'on aimait son travail, on ne pouvait que le réussir. Et Tessa avait l'air de quelqu'un qui allait remporter un triomphe, ce soir, en dépit des soucis qui la taraudaient.

La voix de Tessa l'arracha à ses pensées.

— Jack, tu veux bien aller allumer les bougies sur la table de la salle à manger ? En même temps, pourras-tu vérifier les plaques chauffantes, sur le buffet ? Je les ai branchées il y a une demi-heure, environ. Elles devraient être chaudes.

Il se releva aussitôt et fit un salut militaire.

— Oui, mon général ! dit-il en quittant la pièce.

Tessa le suivit du regard. Il adorait sa mère et Linnet, qu'il avait toujours surnommée « Beauté », mais il l'aimait bien, aussi. En tout cas, il avait toujours été très gentil avec elle. Il restait une énigme, car il parlait peu de sa vie personnelle. Sa mère lui avait dit, un jour, qu'il avait été marié, des années auparavant, et qu'il avait vécu une tragédie. C'était tout ce qu'elle savait de lui. Parfois, il laissait échapper une information... Par exemple, qu'il faisait de la voile à Robin's Hood Bay, la petite ville pittoresque située au bord de la mer, dans le Yorkshire, où il habitait. Ou bien qu'il appréciait le théâtre et était un amateur de peinture, à ses moments perdus. Il était très attaché aux Harte, et elle se réjouissait qu'il fût intervenu immédiatement dans ses problèmes avec Mark, car sa présence était familière et rassurante. On pouvait lui faire confiance comme à un membre de la famille. Pourtant, il représentait vraiment un mystère, pour elle, songea-t-elle en remuant les légumes avec une cuillère.

Elle était en train de garnir un plat de couscous lorsqu'il reparut. Il l'observa avec intérêt, tandis que la semoule s'amassait au centre, formant une montagne.

— Qu'y a-t-il d'autre, ajouté aux grains ? demanda-t-il en se penchant pour mieux voir.

— Traditionnellement, on met des pois chiches et des raisins secs. Maintenant, je vais disposer les légumes tout autour.

Tout en parlant, elle avait commencé à déverser les carottes, les navets, les panais, les courgettes et les oignons. Se tournant vers lui, elle demanda :

— Peux-tu mettre ce monument dans le four, s'il te plaît, pour qu'il reste chaud ? Je finis de présenter la viande, je fais réchauffer la sauce hollandaise, et je suis prête.

— Bien sûr, Tessa. Toutes mes félicitations ; ce dîner m'a l'air fabuleux.

Il satisfit à sa requête, puis demanda :

— Comment vas-tu t'y prendre pour servir ?

— Quand nous aurons mangé les asperges, j'ai pensé que Desmond, Linnet, toi et moi pourrions faire le service, et tout poser sur les plaques, dans la salle à manger. Ce sera un genre de buffet. Chacun se servira.

— C'est la meilleure façon de procéder, répliqua Jack, et certainement la plus facile.

La chambre lui était inconnue.

N'ayant aucun point de repère, il se sentit complètement désorienté.

Il battit des paupières dans la pénombre et regarda autour de lui. Petit à petit, il identifia les formes et les objets qui se juxtaposaient... Une commode, une chaise, une horloge accrochée au mur et sur la droite, une fenêtre. Où pouvait-il bien être ?

Dusty Rhodes cligna encore des yeux et tenta d'ajuster sa vision. Cette fois, il se fit une meilleure idée du lieu où il se trouvait, une idée d'ensemble et non plus fragmentée. C'était une chambre d'hôpital. Et il était dans un lit d'hôpital, avec un cathéter au bras et un goutte-à-goutte au-dessus de la tête. Ou quelque chose... Mais que faisait-il là ?

L'espace de quelques instants, il ne se souvint de rien. Et puis, il eut un flash et se revit dans l'atelier, en train de se précipiter pour s'interposer entre le tableau et le couteau que quelqu'un brandissait.

Une fois encore, il éprouva une douleur aiguë, au moment où la lame pénétrait son corps. Une sensation foudroyante. Atroce. Du sang. Beaucoup de sang. Un jaillissement. Partout sur lui. Sa chemise en était couverte. Il y en avait le long de son bras, sur sa main. Sur le sol.

Elle l'avait conduit ici. A l'hôpital de Harrogate. Voilà où il était. Maintenant, il se rappelait tout ce qui s'était passé. *India*. Lady India Standish, la fille d'un comte, une lady. Un être merveilleux. Un ange. La meilleure fille au monde. Elle lui avait sauvé la vie, c'était incontestable. Elle avait conservé

155

son calme. Son image était imprimée dans son cerveau. Calme. Maîtresse d'elle-même. Pragmatique. Elle avait fait un tampon sur sa plaie avec des serviettes. Elle l'avait conduit ici. Elle avait roulé à tombeau ouvert. Il se rappelait s'être tassé dans son siège, tant elle allait vite. Elle l'avait amené aux urgences. Oui, c'était grâce à elle qu'il vivait encore et n'avait pas saigné à mort.

Elle était venue le voir il y avait peu de temps. Il était encore inconscient. Il avait ouvert les yeux une fois et l'avait vue, assise là, près du lit, lui tenant la main et murmurant des mots doux. Elle était d'une pâleur de spectre, avec ses cheveux blonds en désordre. Il avait tenté de lui parler, mais il était trop faible pour y parvenir. Ensuite, il avait de nouveau perdu conscience.

Il venait seulement de s'éveiller. Mais elle était partie. Etait-ce pour toujours ? Il la voulait dans sa vie. Accepterait-elle de rester ? Il ne pouvait répondre à la question.

Tout allait se savoir. Son histoire avec Melinda. Leur longue liaison. La presse apprendrait l'existence de son enfant. Atlanta. Une toute petite fille. Sa belle Atlanta. Il ne voulait pas que cela arrive, mais c'était inéluctable. Et la police allait être sur son dos. Les policiers ne l'avaient pas encore interrogé, parce qu'il n'était pas remis de l'anesthésie. Mais ils reviendraient demain pour lui poser leurs questions. Sûr ! Aussi sûr que Dieu avait créé le monde, ils seraient là demain. Avec leur calepin, sur lequel ils écriraient tout. Cela avait l'air très moche, mais il était certain que Melinda n'avait pas souhaité lui faire de mal. C'était un accident. Elle voulait juste abîmer le tableau, le massacrer. Elle avait été exaspérée, à la vue d'une autre femme dans l'atelier. Comment avait-elle réussi à sortir de l'établissement psychiatrique ? A entrer chez lui ? C'était sa faute. Il n'avait pas verrouillé la porte, ce matin-là.

Qu'allait-il dire à India ? La vérité, il n'y avait pas d'autre solution. En toute honnêteté. Mais comment la lui révéler ? Trouver le bon moment. Lui parler de Melinda. De sa maladie. De sa toxicomanie. Lui dévoiler l'existence de leur enfant. De sa petite fille. Atlanta. India. Il les aimait toutes les deux.

Mais qu'allait-il faire, en ce qui concernait Melinda ? Comment la guérir ? La remettre sur pied ? Et la faire sortir de sa vie ? Grâce à Dieu, il ne l'avait pas épousée. Pourtant, il était responsable d'elle. Aider Melinda, reprendre Atlanta, garder India...

Quand l'infirmière entra dans la chambre, un instant plus tard, elle constata que Russel Rhodes, le fameux peintre, dormait de nouveau profondément. Sachant qu'il avait été entre la vie et la mort, un peu plus tôt, c'était ce qui pouvait lui arriver de mieux, pensa-t-elle. A un moment, il aurait facilement pu passer de vie à trépas. Par bonheur, cela n'avait pas été le cas. Il avait eu de la chance. Tout le monde en avait besoin, dans l'existence. Elle referma doucement la porte et s'en fut vaquer à ses occupations.

11

Le bourdonnement de l'interphone fit sursauter Evan. Elle leva les yeux vers l'horloge, posée sur la cheminée. Il était exactement sept heures moins le quart et elle n'attendait pas ses parents avant sept heures. Mais elle savait que c'était eux. Quelques minutes auparavant, elle avait enfilé un pantalon noir. Elle glissa ses pieds dans des mules noires à hauts talons, boutonna rapidement son chemisier de coton blanc sans manches, puis courut vers la porte.

L'appareil bourdonnait de nouveau. Elle décrocha le récepteur mural blanc.

— Allô ?

— C'est nous, fit la voix désincarnée de son père, depuis la rue.

— Bonjour, papa. Je vous ouvre, il te suffit de pousser la porte. J'habite au troisième étage.

— A tout de suite.

Elle reposa le récepteur sur son support et retourna en courant dans sa chambre. Elle mit des perles à ses oreilles, pivota pour se précipiter en sens inverse, se ravisa, s'élança vers la coiffeuse pour prendre sa bague de fiançailles, qu'elle glissa à son doigt. Finalement, elle se hâta vers la porte d'entrée, l'ouvrit et se tint sur le seuil, attendant que ses parents sortent de l'ascenseur. Celui-ci se trouvait juste en face et, dès qu'elle les vit, elle se mit à sourire, ravie de les retrouver. Elle alla à leur rencontre et les embrassa, sa mère d'abord, puis son père.

Après avoir serré sa fille dans ses bras avec une émotion retenue, Owen Hughes l'écarta légèrement de lui pour scruter son visage, tout sourire.

— Je suis si content de te voir, Evan ! s'écria-t-il. C'est merveilleux !

Sa mère, qui souriait aussi, renchérit :

— Tu nous as manqué, ma chérie.

— Tout comme vous. C'est fantastique, de vous revoir tous les deux, après ces longs mois.

Les yeux de la jeune femme passèrent de sa mère à son père. Elle l'observa attentivement et, pendant une fraction de seconde, son estomac se noua. « Mon Dieu ! C'est le portrait craché de Robin Ainsley, en plus jeune ! J'avais toujours pensé qu'il ressemblait à Richard Hughes. C'est étrange, qu'il puisse avoir des traits communs avec ses "deux pères" : le biologique et l'adoptif. » Evidemment, Robin et Richard avaient *exactement* les mêmes caractéristiques : ils étaient grands, minces, sans une once de graisse, avec les yeux d'un bleu étincelant et les cheveux foncés. En fait, Robin n'était plus vraiment brun et Richard était passé au poivre et sel bien longtemps avant sa mort.

Apparemment, Glynnis était tombée deux fois amoureuse du même genre d'homme – ce qui était le cas de la plupart des femmes, comme l'avait compris Evan. En tout cas, ils se ressemblaient.

Prenant soudain conscience du silence un peu embarrassé qui s'installait entre ses parents et elle, elle dit très vite :

— Ne restez pas debout sur le palier... Entrez, entrez.

Sur ces mots, elle pivota sur elle-même et les introduisit dans l'appartement.

Dès qu'elle eut refermé la porte sur eux, ils examinèrent son intérieur avec attention.

— De ce côté, la salle de séjour, expliqua-t-elle. Il y a une petite cuisine attenante, c'est pour cette raison que la pièce est en L, avec un espace réservé aux repas. J'ai aussi une chambre à coucher et une salle de bains. Ce n'est pas très grand, je sais, mais je m'y plais beaucoup.

— Je m'imaginais que ce serait plus spacieux, en effet, murmura son père en continuant de regarder autour de lui. La façon dont tu en parlais...

Evan eut le sentiment que la remarque comportait une critique, aussi fut-elle aussitôt sur la défensive.

— C'est un appartement ravissant, papa !

— Oui, bien sûr...

Il fit quelques pas dans la pièce en hochant la tête. En silence, comme s'il était à court de mots, il s'approcha du canapé, près de la cheminée.

— Je trouve cet endroit sympathique, intervint sa mère avec chaleur. Très sympathique, vraiment. Confortable, accueillant. Exactement ce qu'il te fallait.

— C'est vrai, maman.

Evan était contente qu'elle se montrât si positive et s'exprimât avec autant de fermeté face à son père. Prenant affectueusement son bras, elle la guida jusqu'aux chaises qui se trouvaient en face du canapé et elles s'assirent l'une à côté de l'autre.

— Je ne voulais pas d'un grand appartement, papa, expliqua-t-elle. De toute façon, j'ai eu beaucoup de chance de trouver celui-ci. C'est une sous-location, il est meublé et en ce qui me concerne, parfait. Il ne nécessite pas beaucoup d'entretien. En outre, il est tout près du magasin, si bien que je m'y rends à pied chaque jour.

Une fois de plus, ce fut sa mère qui prit la parole :

— Je l'aime beaucoup, ma chérie, et je vois que tu as mis ta touche un peu partout. Beaucoup de plantes vertes et de fleurs, dont tu adores t'entourer. Des photographies de nous, tes livres préférés, les magazines de mode que tu apprécies, ainsi que des bibelots que je reconnais. Et je parie que c'est toi qui as choisi ces coussins. Tu as vraiment fait de ce lieu ton domaine. Je me trompe, Evan ? insista-t-elle doucement, sollicitant une réponse.

— Non, maman, et merci, dit la jeune femme en lui souriant. Je viens juste d'acheter ces coussins, tu as raison. Je voulais que l'endroit porte un peu ma marque. Tu comprends, la propriétaire avait enlevé les petits objets, si bien qu'il était impersonnel, presque froid. J'ai eu ce que j'appellerais un canevas neutre, sur lequel j'ai pu broder. De toute façon, je ne compte pas rester ici toute ma vie. Cette installation n'est que temporaire.

— Les meubles sont très beaux, remarqua son père, souhaitant visiblement faire amende honorable. Je vois là un bureau dix-huitième et je suis sûr que la bibliothèque date de la même époque.

Il se leva pour s'en approcher et l'examina d'un œil de connaisseur.

— Oui, c'est bien ce que je pensais. Miroir de style georgien, là encore, continua-t-il en se tournant vers le mur du fond. Ce sont des pièces de valeur. Qui est la propriétaire ?

Evan décida qu'un petit mensonge était préférable, si elle voulait prolonger un peu la trêve.

— Je ne la connais pas ; elle vit à l'étranger. Je me suis adressée à un agent immobilier.

— Je vois... Eh bien, oui, c'est très joli, murmura Owen, visiblement impressionné.

Comme il retournait s'asseoir sur le canapé, Evan se leva :

— Voulez-vous un apéritif ? Un jus de fruit ? Un whisky ? Une vodka ? Un verre de vin ? Je peux même vous proposer du champagne.

— Je vais prendre du vin blanc, Evan, merci, dit son père.

— Moi aussi, annonça Marietta d'une voix claire et légère.

Evan fut surprise, car sa mère ne buvait jamais d'alcool, mais elle n'en laissa rien paraître.

— Je reviens tout de suite.

Elle se hâta de gagner la cuisine, et dès qu'elle fut seule, retira sa bague et la glissa dans la poche de son pantalon, espérant que ses parents ne l'avaient pas remarquée. Tel qu'elle connaissait son père, il aurait certainement fait un commentaire et n'aurait pas pu s'empêcher de poser des questions insidieuses.

Tout en ouvrant la bouteille de sancerre, elle reconnut pour elle-même qu'elle avait peur d'aborder la question de ses fiançailles avec ses parents. Gideon serait furieux s'il savait qu'elle avait ôté la bague. Mais elle se sentait mieux à l'idée de garder la nouvelle pour elle, du moins pour le moment.

Elle disposa trois beaux verres de cristal sur un plateau et les remplit de vin blanc, réfléchissant aux changements survenus chez sa mère. Ils étaient saisissants.

Elle semblait transformée. Son esprit était plus vif, son maquillage bien appliqué, ses cheveux mieux coiffés, et elle était étonnamment bien habillée. Sa robe bleu marine, bien coupée et élégante, avait dû coûter cher. Il était clair que sa mère avait consacré à sa mise bien plus d'argent que d'ordinaire. Non, ce n'était pas sa façon habituelle de s'habiller, elle qui privilégiait les T-shirts et les pantalons, et qui paraissait souvent négligée et échevelée.

Par ailleurs, elle s'affirmait. Evan en était très surprise, car elle ne l'avait jamais vue tenir tête à son père. Certainement pas, en tout cas, comme elle venait de le faire, en négligeant ses commentaires au profit de ses propres opinions. Elle l'avait bien contré, lorsqu'il avait tenu des propos désobligeants sur l'appartement.

A cet instant, Evan prit conscience que sa mère semblait non seulement en meilleure santé, mais aussi plus indépendante, pleine d'allant, même. Elle qui avait toujours paru intimidée, malheureuse et déprimée avait subi un changement extraordinaire. Evan en ignorait la raison mais s'en réjouissait.

C'était ahurissant, pensa-t-elle, mais aussi troublant. Prenait-elle un nouveau médicament ? Ou s'agissait-il d'autre chose ?

Evan ouvrit le réfrigérateur et en sortit le hors-d'œuvre qu'elle avait préparé un peu plus tôt. Elle ôta le film de plastique en pensant à son père. Elle avait prévu qu'il remarquerait aussitôt le mobilier ancien qui garnissait l'appartement. Après tout, il était antiquaire, et expert en pièces de style georgien. Il faisait même des conférences sur le sujet.

L'ensemble appartenait à Emily Barkstone, la mère de Gideon. Elle possédait d'ailleurs les lieux qui, d'ordinaire, étaient occupés par sa fille, Natalie, la sœur de Gideon. Depuis que celle-ci était partie pour Sydney, où elle travaillait pour le groupe de presse des Harte, Gideon avait proposé à Evan d'investir la place, jusqu'à nouvel ordre.

162

Evan s'était fait du souci à l'idée de quitter le charmant petit hôtel où elle vivait depuis son arrivée à Londres. Mais Gideon souhaitait qu'elle eût un endroit bien à elle, où elle pût jouir d'un peu d'intimité. L'établissement appartenait à un grand ami d'Owen, George Thomas. Son épouse, Arlette, était une femme adorable et maternelle, qui avait beaucoup d'affection pour Evan mais manquait de discrétion. Aussi Gideon et Evan avaient-ils estimé qu'elle s'intéressait de bien trop près à leur relation. Evan avait constamment l'impression que ses allées et venues étaient épiées et rapportées à son père. Arlette n'y mettait certainement pas de malice, mais il était sans doute plus sage de déménager. Ainsi, elle échapperait à la curiosité de son hôtesse, et à ses perpétuelles questions à propos du magasin et des Harte.

Evan n'avait aucune raison de renseigner ses parents sur les motifs qui l'avaient incitée à quitter l'hôtel. Il leur suffisait de savoir qu'elle souhaitait être chez elle. De même, elle n'était nullement obligée de leur révéler l'identité de sa propriétaire. Elle était majeure et vaccinée. Plus exactement, elle avait vingt-sept ans et était indépendante sur le plan financier. Elle n'avait pas à justifier ses faits et gestes.

Se sentant rassurée d'avoir ôté sa bague de fiançailles, elle porta le plateau dans le salon et le posa sur la table basse, près du canapé.

Après avoir donné à ses parents un verre de vin blanc, elle repartit pour la cuisine.

— J'ai préparé des amuse-gueule, lança-t-elle par-dessus son épaule, je reviens tout de suite.

Elle reparut une minute plus tard, souriante, posa l'assiette sur la table, puis s'assit près de sa mère et tendit la main vers son verre.

— A votre santé, et bienvenue à Londres.

— A ta santé, répliquèrent en chœur ses parents en buvant une gorgée de vin.

— Servez-vous de sandwichs au saumon fumé et de petits friands, proposa-t-elle d'un ton affectueux. Je les ai faits moi-même.

Sa mère lui sourit.

— Tu as dû te donner du mal. Merci, ma chérie.

— Dis-nous quels sont tes plans, Evan, enchaîna son père. Nous sommes très curieux de savoir ce que tu comptes faire, cette année.

Evan le fixa avec surprise.

— Mais je discute avec toi toutes les semaines et tu connais parfaitement mes projets, papa. J'apprécie mon travail chez Harte et je compte y rester.

Elle faillit ajouter « ma vie entière », mais se tut et s'appuya au dossier de la chaise, sans quitter son père des yeux.

— Je sais, mais tu viens de dire que ton installation dans cet appartement n'était que temporaire...

Sa voix s'éteignit, il parut soudain troublé et incertain.

— En effet, mais je sous-entendais que je le quitterais lorsque j'en aurais trouvé un qui me plairait vraiment et que j'achèterais.

— C'est une bonne idée, dit Marietta. Ce sera un excellent investissement.

Owen lui lança un regard empreint de reproche, puis il poursuivit, sur un timbre bas et contenu :

— Tu comptes rester définitivement à Londres, Evan ?

— Oui.

— Mais quand tu es partie, en janvier, j'avais cru comprendre que ce n'était que pour un an. Tu prenais une sorte d'année sabbatique, comme moi, il y a bien longtemps.

— C'était peut-être mon intention à l'époque, papa, mais j'aime travailler au magasin. Il est immense... C'est probablement le plus grand au monde, grâce à Emma Harte et à ses héritiers. Je suis ravie d'être associée à cette aventure.

— J'espère qu'ils ne t'exploitent pas... J'ai l'impression que tu as maigri. Tu es très mince, Evan.

L'agacement monta en elle et plusieurs réparties un peu vives se pressèrent sur ses lèvres. Mais elle savait qu'il était plus sage de ne rien répondre, même si elle en voulait énormément à son père. L'expression inquiète de sa mère était une autre raison de tenir sa langue. Du moins devait-elle éviter de se montrer sarcastique.

164

— Papa, les Harte ne m'exploitent pas. En réalité, ils travaillent beaucoup plus dur que moi ou n'importe quel autre employé. Ce sont des gens merveilleux. Je ne comprends pas pourquoi tu les détestes à ce point.

Là, c'était sorti ! Elle n'avait pas voulu le dire, mais ne reviendrait pas en arrière, à présent.

— Je ne les déteste pas ! s'écria-t-il d'une voix plus forte. Je ne les connais pas. Comment peux-tu affirmer une chose pareille ? Tu as trop d'imagination.

— Non, papa. Tu as constamment fait des remarques désobligeantes à leur propos, ces huit derniers mois, depuis que j'ai été engagée. Et tu continues de porter des jugements bizarres sur Gideon Harte.

— C'est cela, hein ? C'est ton petit ami ? lança-t-il sur un ton soudain glacial.

— Papa, tes insinuations sont déplacées. J'ai maigri parce que je veux être élégante, porter de jolis vêtements dans lesquels je me sente à mon avantage. De toute façon, j'ai toujours été plutôt mince. Quant à Gideon, il est très sympathique et m'a témoigné geaucoup de gentillesse depuis que nous nous connaissons.

Sentant la querelle pointer, Marietta intervint :

— Je suis contente que tu aies un ami, Evan. De surcroît, quelqu'un de gentil et qui semble tenir à toi. J'espère que nous profiterons de notre séjour à Londres pour faire sa connaissance.

Evan sourit à sa mère. Elle lui était reconnaissante d'avoir si diplomatiquement apaisé le jeu.

— Bien sûr ! Je veux que papa et toi le rencontriez. Il souhaite vous inviter à déjeuner dimanche.

— Je ne crois pas que nous puissions accepter, trancha son père sur un ton assez péremptoire. J'ai promis à George et à Arlette que nous passerions la journée avec eux. Tu sais qu'ils ont de l'affection pour toi, Evan.

La jeune femme fut déçue, mais elle s'estimait satisfaite que sa mère eût désamorcé une situation dangereuse.

— Je comprends, murmura-t-elle. J'informerai Gideon de ce changement de programme. Je pense qu'il sera content de voir George et Arlette. Il les apprécie beaucoup.

— Oh, mais je crois qu'ils ne nous attendent que tous les trois.

Furieuse, Evan lança un regard noir à son père. Elle allait lui rappeler qu'ils étaient venus à Londres pour *la* voir, quand sa mère posa une main apaisante sur son bras.

— Ne t'énerve pas, ma chérie, dit-elle doucement. Owen, je pense que nous prierons George et Arlette de nous excuser, poursuivit-elle en se penchant en avant et en concentrant son attention sur son mari. Nous remettrons cela à plus tard, éventuellement. Mais là, nous irons au restaurant avec notre fille et son ami. Nous n'avons besoin de personne d'autre, si nous voulons faire la connaissance de Gideon Harte.

Owen la foudroya du regard.

— Je ne voudrais pas vexer George... commença-t-il.

Marietta ne lui laissa pas terminer sa phrase.

— Oh, cela ne le vexera pas, j'en suis certaine, assura-t-elle avec beaucoup de fermeté. De toute façon, je peux rencontrer Gideon seule, tu sais. Reste avec tes copains, si tu préfères.

Une fois de plus, Evan fut à la fois surprise et ravie. Son père ouvrit la bouche pour dire quelque chose, mais il la referma presque aussitôt. Il paraissait blessé, mais elle ne s'en souciait guère et applaudissait silencieusement sa mère. Dieu seul savait ce qui lui était arrivé, mais c'était une autre femme, merveilleuse.

Soudain, Marietta reprit, de sa nouvelle voix assurée :

— Maintenant, Evan, tu disais hier que tu avais réservé, pour ce soir... Alors... où allons-nous, ma chérie ?

— Chez Rules, maman. C'était l'établissement préféré de Glynnis. Grand-père et elle m'y ont souvent amenée, quand je les ai accompagnés à Londres. Papa et toi y êtes venus avec nous, une fois. J'ai pensé que ce serait agréable, de retourner dans un endroit où nous avons des souvenirs.

12

Gideon fixa l'une après l'autre India et Linnet, ses cousines préférées.

— Eh bien, mes oiseaux-tempête, on peut dire que vous avez mené une vie de bâton de chaise, cette semaine !

Linnet fronça les sourcils.

— Comment nous appelles-tu ? Des *oiseaux-tempête* ? A quoi fais-tu allusion ?

Elle jeta un coup d'œil interrogateur à India, qui secoua la tête.

— Ne me regarde pas comme ça ! J'ignore complètement ce qu'il veut dire. En revanche, je sais que ces volatiles s'appellent aussi pétrels ou oiseaux de saint Pierre. Ces beaux spécimens passent la majeure partie de leur vie au-dessus de la mer et suivent souvent les bateaux.

Julian Kallinski se mit à rire.

— Vous avez bien peu de mémoire, toutes les deux ! On dirait que tu as oublié ce que ta mère nous racontait à leur sujet, Linnet... La légende prétend que leur nom leur vient de Pierre. Ils rasent tant les flots pour trouver leur nourriture qu'ils semblent marcher sur l'eau, tel Pierre quand il a rejoint Jésus.

— Ah oui ! Je m'en souviens, maintenant ! murmura Linnet. Maman nous relatait cette histoire, c'est vrai. Nous étions très petits et nous trouvions au Nid de héron, à Scarborough, pour les vacances d'été. Il y avait de nombreux pétrels. Je me rappelle très vaguement ce que tu disais,

Gideon, à propos des filles Harte... Qu'elles étaient des oiseaux-tempête... Mais c'était il y a si longtemps !

— Il est vrai que tu es une aïeule, dit Julian en riant.

— Seule Tessa en est une ; Lorne l'a toujours appelée l'Ancienne, lui rappela India.

Gideon sourit.

— Tessa est un oiseau de saint Pierre, elle aussi, et je vous assure que c'est un compliment... Tu vois, je pensais que vous pouviez vous déplacer sur l'eau, à l'époque. Et je le crois toujours.

India lui rendit son sourire. Il était son cousin préféré depuis l'enfance. Chaque fois qu'elle avait besoin de lui, il était là, dévoué et fidèle.

— Merci, Gid, c'est une façon vraiment adorable de nous décrire. Dorénavant, c'est ainsi que nous nous désignerons ; ainsi, chacun saura de quoi nous sommes capables.

— Tessa a très bien surmonté son épreuve et toi, Linnet, tu as été fantastique. Quelle bonne idée tu as eue, de faire appel à Jack ! Quant à toi, India, je trouve remarquable la façon dont tu as maîtrisé la situation quand Dusty a été blessé.

Gideon s'appuya au dossier de la chaise, prit son verre et but une longue gorgée de vin.

Tous quatre prenaient l'apéritif avant le dîner. Ce repas hebdomadaire était une sorte de rituel, bien que parfois l'un ou l'autre manquât pour des raisons professionnelles. Ils aimaient être ensemble, même pas au grand complet, car ils tenaient beaucoup à l'amitié qui les liait.

Linnet commença à s'éventer d'une main.

— Il fait terriblement chaud ici, Julian. Tu es sûr que la climatisation fonctionne ?

— Je crois que oui, mais je vais vérifier, ma chérie.

Se levant d'un bond, il alla regarder le thermostat. Il se pencha, puis se redressa.

— Il marche, annonça-t-il en posant sur Linnet un regard bleu, sombre et amoureux. A propos du Nid de héron, je ne détesterais pas me trouver au bord de la mer, en ce moment. Oh, le temps d'un week-end, et pour le plaisir de sentir la brise salée.

India, qui paraissait pensive depuis un instant, s'exclama :

— Voilà l'endroit idéal pour la convalescence de Dusty ! Qu'en pensez-vous ? Seriez-vous d'accord pour que je l'y emmène ?

— Bien sûr, mais comment te débrouilleras-tu ? demanda Linnet. Il n'y aura personne pour t'aider, à cette époque de l'année. Mme Hodges se contente de veiller sur la maison et de faire le ménage.

— Je suis un oiseau de saint Pierre... répliqua India. Je devrais réussir à tenir une maison et à m'occuper d'un convalescent, tu ne crois pas ?

Linnet rit de bon cœur. Elle avait toujours apprécié l'humour d'India.

Gideon se redressa sur son siège et fixa sa cousine.

— Comment va Dusty ? demanda-t-il.

India laissa échapper un soupir et se mordit la lèvre inférieure, le regard soudain assombri.

— A vrai dire, c'était bien plus grave que lui et moi ne l'avions cru au départ, mais il va se remettre. L'artère brachiale, à la jonction de l'épaule et du bras, a été presque entièrement sectionnée. L'intervention chirurgicale était très délicate et il avait perdu énormément de sang. Il aurait pu en mourir.

— C'est grâce à toi qu'il s'en est sorti, remarqua Linnet. Si tu n'avais pas réagi immédiatement en le conduisant à l'hôpital de Harrogate, il serait mort.

India hocha la tête sans mot dire, incapable de supporter cette idée. Elle aimait tellement Dusty qu'elle ne pouvait envisager une telle éventualité.

Julian se pencha en avant et demanda :

— Tu as une idée sur l'identité de cette femme, India ?

Elle secoua la tête.

— Pas vraiment, mais il suffit de réfléchir un peu pour deviner que Dusty doit la connaître. Une étrangère n'aurait pu trouver son atelier, faire irruption sans crier gare, devenir enragée à ma vue, tenter de lacérer mon portrait et s'enfuir. Il serait ridicule de ma part d'imaginer que Dusty ignore qui elle est, tu ne crois pas ?

— Oui, admit Gideon.

Il avait appris certaines choses sur Russel Rhodes. Il avait mis deux de ses meilleurs journalistes sur l'affaire, la semaine précédente. Il n'avait pas l'intention de publier un article ou de communiquer ses informations à India. Mais il avait éprouvé le besoin d'en savoir davantage afin de protéger sa cousine, ainsi que toute la famille.

— Tu raisonnes bien, India, Russel la connaît. Je ne te mentirai pas. J'ai fait enquêter sur cette affaire, mais je ne compte rien publier dans nos journaux. J'espère que les quotidiens nationaux s'en abstiendront aussi.

India se redressa sur le canapé, les yeux braqués sur son cousin.

— Qui est-ce ? Qu'as-tu découvert ?

— Pas autant de choses que nous le souhaiterions, toi et moi. Elle a été sa petite amie un certain temps. Elle était mannequin et actrice. A ce que j'ai appris, elle se droguait ; elle est hospitalisée quelque part, en désintoxication.

India s'était assombrie et paraissait un peu triste.

— Je vois, murmura-t-elle.

Devinant aussitôt son état d'esprit, Gideon ajouta très vite :

— D'après mes sources, ils ont rompu depuis un bon bout de temps. Mais il semble qu'elle soit... eh bien, obsédée par lui.

— Comment s'appelle-t-elle ? demanda doucement India.

— Veux-tu vraiment le savoir ?... Très bien, je vois que oui ! Son nom est Melinda Caldwell.

— Je ne comprends pas pourquoi Dusty ne m'a pas parlé d'elle !

— Vu les circonstances, c'est compréhensible, mon chou, intervint Julian. Si elle le harcèle, il ne souhaitait certainement pas que tu l'apprennes et t'inquiètes. En outre, il est rare que les hommes évoquent leurs ex-petites amies auprès des nouvelles.

Julian se tourna vers Gideon, comme pour chercher un appui. India était leur préférée à tous.

— Julian a raison, renchérit Gideon, Dusty n'avait aucune raison de faire allusion à elle. Tu ne crois pas ?

— Non, sans doute, marmonna India.

Elle repoussa ses cheveux en arrière, dévoilant un visage très pâle.

— Tu n'as pas encore discuté de tout cela avec Dusty ? demanda Julian. J'imagine qu'il est suffisamment remis pour te parler.

— En fait, il n'est pas au meilleur de sa forme, expliqua India. Alors, j'ai évité de le soumettre à un interrogatoire, pour ne pas le bouleverser inutilement. J'ai décidé d'attendre qu'il soit sorti de l'hôpital.

— Quand pourra-t-il rentrer chez lui ? continua Julian.

— La semaine prochaine, lundi ou mardi. Voilà pourquoi j'ai pensé au Nid de héron. Si la chaleur se maintient, ce pourrait être sympa d'être au bord de la mer. D'un autre côté, peut-être serait-il plus sage de le ramener à Willow Hall. Il sera entouré de son personnel et l'hôpital n'est qu'à dix minutes, en cas d'urgence.

— Je suis contente que tu prennes cette décision, dit Linnet. Le Nid de héron aura probablement besoin d'un bon coup de ménage. Nous n'y sommes pas allés depuis des siècles.

Les yeux de Gideon étincelèrent.

— Nous avons tort ! s'exclama-t-il. J'aimerais y passer un week-end avec Evan. De fait, nous devrions nous y rassembler. Ce serait comme au bon vieux temps.

— Pourquoi pas ? murmura Linnet. A ce propos, je suis désolée qu'Evan ne soit pas avec nous, ce soir. Mais je suppose qu'elle se devait d'inviter ses parents au restaurant, ajouta-t-elle en se levant. Après tout, elle ne les a pas vus depuis huit mois.

— C'est exact, répliqua Gideon. Elle a retenu une table chez Rules. Apparemment, son grand-père avait l'habitude de l'y emmener lorsqu'elle venait à Londres avec lui, il y a quelques années.

— Et nous ? demanda India. Où allons-nous ?

— J'ai réservé au Ivy, parce que tu aimes cet endroit, répondit Gideon.

India soupira avant de se lever à son tour.

— Merci, Gid. C'est un vrai réconfort de vous retrouver tous les trois. Les derniers jours ont été affreux... Je les ai passés à m'inquiéter pour Dusty. Chaque fois que je repense à samedi, je me sens glacée.

— Je te comprends ! s'exclama Linnet. C'est l'histoire la plus bizarre que j'aie jamais entendue. C'est vraiment incroyable !

— C'était insensé, déclara India. Je n'arrive encore pas à y croire. C'était horrible.

Gideon prit le bras d'India et l'entraîna vers la porte.

— J'en suis sûr, mais oublions tout cela. Je pense que maintenant, la police sait de quoi il retourne exactement et qu'elle ne t'ennuiera plus, Dieu merci !

L'atmosphère s'était détendue dans le taxi qui conduisait Evan et ses parents à travers le parc, puis le Mall, avant de descendre le Strand jusqu'au Rules. Au moment de quitter l'appartement, Owen Hughes arborait une mine sombre et mécontente, et Evan avait craint qu'il ne ronchonne et ne discute toute la soirée. Mais au fil du trajet, il s'était décrispé et avait même amorcé une brève conversation.

Son humeur s'était encore améliorée lorsqu'ils avaient été reçus par le maître d'hôtel et conduits jusqu'à leur table. Rules était l'un des établissements londoniens préférés d'Evan. Elle le fréquentait assidûment et le personnel la connaissait bien, de sorte que l'accueil qu'on lui réservait était chaleureux et amical. En outre, on lui attribuait toujours la meilleure table.

Elle commanda une bouteille de pouilly-fuissé et ils en burent en étudiant le menu. Après avoir discuté des plats, en particulier de ceux qu'ils avaient appréciés par le passé, ils finirent par choisir la même chose : crabe, puis sole grillée, accompagnée de légumes de saison.

Ils attendirent d'être servis, évoquant le restaurant et les souvenirs attendris qu'il suscitait en eux, à propos de Glynnis et de Richard. Owen, qui avait été très proche de ses parents et était toujours resté en excellents termes avec eux, avait la voix qui vibrait d'affection en se remémorant les soirées passées au Rules en leur compagnie.

Ensuite, Evan parla de son travail chez Harte. Elle régala son père et sa mère de détails sur la routine quotidienne, leur raconta des histoires amusantes avec tant de plaisir et d'enthousiasme qu'ils ne pouvaient ignorer à quel point elle aimait ce qu'elle faisait. S'ils avaient craint que son séjour à Londres ne constituât pas une expérience heureuse, ils ne pouvaient plus en douter.

En dégustant la salade au crabe, Evan remarqua soudain :

— Papa, te rappelles-tu m'avoir dit que Glynnis avait peut-être connu Emma Harte pendant la Seconde Guerre mondiale, ici, à Londres ?

— Oui, Evan. Je t'en ai parlé juste avant ton départ.

— C'est tout ce que tu sais ? Que grand-mère a été en relation avec elle à cette époque ?

— Oui, dit-il très vite en la regardant avec étonnement. Pourquoi ?

— Parce que la belle Glynnis Jenkins, comme elle s'appelait alors, la jeune fille de Rhonda Valley, au pays de Galles, était employée chez Harte, comme moi aujourd'hui. Elle était la secrétaire d'Emma, papa, et très proche d'elle.

— Mon Dieu ! s'exclama son père, surpris. Je ne l'aurais jamais cru !

— Pourtant, c'est vrai, continua Evan. Et elle était très appréciée par la famille.

Comme son père ne répondait pas, elle se tourna vers sa mère. A son grand étonnement, elle vit que son visage était empreint d'une étrange expression. Tout d'abord, elle ne parvint pas à l'identifier, puis elle comprit en une fraction de seconde qu'il y avait du mépris dans ses yeux. Elle devina d'instinct que son père venait de lui mentir et que Marietta le savait. Elle toussota et changea de sujet.

— J'espère que tu viendras déjeuner avec moi au magasin, maman. En début de semaine, si tu peux. Je te le ferai visiter.

— Très volontiers, ma chérie.

— Disons mardi, alors, parce que je dois partir pour Leeds mercredi. Nous restaurons quelques établissements et je m'occupe de celui de Leeds, avec India.

— Qui est India ? demanda Marietta.

— C'est l'autre assistante de Linnet, et sa cousine. Lady India Standish. C'est une fille fantastique.

— Je suis bien contente que tu te sois fait des amies, murmura Marietta en souriant à sa fille. C'est un prénom inhabituel... India. J'avoue ne l'avoir jamais entendu auparavant, poursuivit-elle après une hésitation.

— C'est victorien, expliqua Owen avant qu'Evan eût répondu. Il est devenu populaire à partir du moment où l'Angleterre a colonisé les Indes et s'y est installée pendant plusieurs siècles. Au cours des années de leur souveraineté, les Anglais aimaient toutes sortes de choses originaires des Indes. Bien entendu, de nombreuses troupes y étaient basées, des régiments de cavalerie, par exemple. Quoi qu'il en soit, j'imagine qu'un jour quelqu'un a eu la brillante idée d'attribuer à une enfant le nom d'un pays. India a donc été un prénom très prisé au XIXe siècle, sous le règne de la reine Victoria. Il reste en vogue.

— Eh bien, papa, j'ignorais que tu étais aussi calé en histoire ! s'exclama Evan.

Elle se réjouissait qu'ils eussent changé de sujet. Si son père répugnait tant à admettre qu'il avait toujours su que Glynnis avait travaillé pour Emma Harte, il n'apprécierait certainement pas d'apprendre que son *vrai* père était Robin Ainsley, le préféré d'Emma. Pas question d'en parler ! se dit Evan. Puis elle leva les yeux et fit signe au serveur de débarrasser.

La conversation se poursuivit normalement. Ils parlèrent des sœurs adoptives d'Evan, Elayne et Angharad, et Marietta s'exprima avec une certaine fierté à leur sujet. Elles réussissaient leur vie professionnelle et privée, et toutes deux avaient un nouveau petit ami. Marietta se dit presque certaine qu'Angharad allait se ranger, maintenant qu'elle fréquentait ce garçon, avec qui sa relation semblait très solide.

Evan écoutait, hochait la tête et souriait. Elle parlait peu d'elle-même, ne voulant pas s'engager dans une discussion à propos de son avenir avec Gideon Harte. Il lui sembla que sa mère l'avait deviné, parce qu'elle changea de sujet et évoqua les quelques excursions qu'Owen et elle comptaient faire durant leur séjour en Angleterre. Quant à Owen, il se lança dans de grandes explications sur son projet de voyage en France, où il espérait trouver des objets anciens. Il finit par demander à Evan de les accompagner.

— C'est impossible, en ce moment, papa, répliqua-t-elle.

Elle lui exposa ensuite son programme de travail, avec la rénovation du magasin de Leeds. Owen accepta ses explications avec une certaine bonne grâce et Evan estima que son humeur s'était bien améliorée, depuis le début de la soirée. Il s'est calmé, songea-t-elle en l'observant.

Elle le trouva soudain très beau, avec sa veste grise, sa chemise bleue et sa cravate marine. « C'est le portrait tout craché de Robin au même âge... cinquante-sept ans. Il a hérité de son élégance et de son raffinement. Je voudrais pouvoir lui révéler la vérité... » Mais elle n'osa pas. Plus tard... mais pas ce soir. *Peut-être jamais.*

— Penses-tu qu'India nage dans des eaux dangereuses ?

Linnet leva les yeux vers Julian et laissa échapper un soupir, tout en posant sa tête sur le torse nu de son fiancé.

— Je ne crois pas, répondit-elle après avoir réfléchi un instant. De toute façon, même si c'était le cas, nous ne pourrions pas faire grand-chose. India a une forte personnalité.

— C'est vrai. Pourtant je m'inquiète pour elle, ma chérie. Russel Rhodes a une sacrée réputation.

Linnet s'écarta de lui et se redressa dans le lit pour le fixer avec intensité.

— Ne te fais pas de souci, murmura-t-elle. Il y a quelques semaines, India m'a dit qu'il l'aurait forgée de toutes pièces, au bénéfice de la presse et pour la publicité qu'il en retire. Cette image de rebelle est en grande partie usurpée. C'est beaucoup de bruit pour rien. En outre, il ne boit quasiment pas. Une vodka par-ci par-là, à ce qu'il paraît.

Julian fronça les sourcils.

— D'après Gideon, c'est un coureur de jupons.

— Mais India soutient qu'il n'y a plus de femmes dans sa vie depuis qu'ils se sont rencontrés, voilà quelques mois. Par ailleurs, il lui a confié qu'il était seul depuis un certain temps, bien avant d'avoir entamé cette liaison avec elle. Ecoute, un artiste qui peint avec cette précision doit avoir la main ferme chaque matin. Tu sais bien que ses tableaux sont superbes, insista Linnet.

— Ils sont magnifiques. Mais je parlais de sa renommée de dragueur, pas d'ivrogne.

— Je sais. Gideon ne semblait pas avoir beaucoup d'informations à ce sujet. Il n'a appris l'existence que de cette Melinda Caldwell.

— Il ne voulait sans doute pas parler d'autres filles en présence d'India.

— Il t'a dit autre chose ?

— Non. Quand vous êtes allées aux toilettes, India et toi, il a précisé que la police de Harrogate semblait avoir enterré l'incident.

Linnet parut très surprise.

— Ah bon ! C'est étrange. Pourquoi ferait-elle cela ?

— Parce que Dusty est la célébrité locale. A ce que j'ai cru comprendre, les autorités ont effacé l'ardoise et l'hôpital en a fait autant. Par conséquent, l'agression n'a jamais eu lieu. Et Gideon est presque certain que Dusty ne portera pas plainte contre la furie qui l'a agressé.

— India a bien insisté sur ce fait : c'était un accident.

— Sans doute. Et d'une certaine façon, cela me ramène à ce que je disais tout à l'heure. India nage-t-elle dans des eaux dangereuses, à cause de Melinda Caldwell ? Celle-ci est apparemment obsédée par Dusty, ce qui implique sans doute qu'elle est légèrement cinglée. Comment être sûr qu'elle ne va pas continuer à le harceler, le traquer, faire de sa vie un enfer – et de celle d'India, par la même occasion. Il y autre chose : leur relation est-elle sérieuse ?

— En ce qui concerne India, oui. Elle est très amoureuse de lui. En fait, je pense qu'elle voudrait officialiser la chose, mais il n'est pas prêt pour le mariage.

— Quel type doté d'un brin de bon sens tournerait le dos à India ? s'exclama Julian, énervé.

— Dusty Rhodes, le pauvre gars des faubourgs de Leeds.

Julian secoua la tête avec un étonnement mêlé d'incrédulité.

— Mais pourquoi ?

— Pourquoi ? répéta Linnet, avec une sorte de sourire. Parce qu'elle *est* India. Il n'apprécie pas sa famille, ce qui englobe chacun de nous. Il ne nous connaît pas, mais nous lui sommes antipathiques, du simple fait de notre position et de notre richesse. Pour ce qui concerne les parents d'India, c'est pire : Anthony a un titre. J'imagine qu'on pourrait appeler cela du snobisme à l'envers. D'ailleurs, Dusty appelle son majordome un homme à tout faire. C'est incroyable, mais...

— Oh, non ! J'ai rencontré des personnages comme Dusty. Mais j'ose espérer qu'il changera d'avis quand il fera notre connaissance. Nous ne sommes pas si affreux que cela !

— Je pense que *tu es* quelqu'un de merveilleux, Julian Kallinski, mon futur époux, la lumière de ma vie. Puisque, finalement, nous avons décidé de nous marier en décembre, je vais m'occuper des invitations dès cette semaine.

Julian s'épanouit.

— C'est parfait, déclara-t-il en effleurant de la main le visage de la jeune femme. Mon grand-père sera ravi.

Elle pencha la tête de côté.

— Le mien aussi. Les deux derniers jours ont été... infernaux, tu ne trouves pas ? Parfois, je me dis que nous sommes maudits.

— C'est absurde ! Les Harte constituent une grande famille, et il s'y passe toujours plus de choses que dans une petite... Mais je t'accorde que c'est déconcertant, quelquefois. Pourtant, j'affirme que les Harte ne sont pas maudits, pas plus que les O'Neill ou les Kallinski. Non, conclut-il en secouant la tête, je pense tout simplement que la vie réserve parfois de très mauvaises surprises.

— Disons alors que d'aucuns sont plus frappés par le sort que d'autres, trancha Linnet. Nous avons deux divorces en cours, dont l'un suprêmement déplaisant. Nous avons subi un enlèvement, qui a échoué, bien entendu. Néanmoins, cette épreuve a terrorisé Tessa et bouleversé sa vie. Quant à India, elle est impliquée dans une affaire d'agression et, parlons net, aurait pu être blessée...

— J'y pensais, quand j'ai parlé d'eaux dangereuses, l'interrompit Julian.

— Je le sais. Et cette Melinda Caldwell constitue un problème dans la vie de Dusty. Il va falloir qu'il le résolve, Julian, parce que India ne supportera pas d'être menée en bateau. Ce qui implique que son avenir avec lui est plus incertain encore que je ne l'imaginais.

— Je suis d'accord avec toi. Pour en revenir à Tessa, crois-tu qu'elle était sincère, lorsqu'elle a dit vouloir consacrer davantage de temps à Adèle ? Et que sa carrière passerait après sa fille ?

— Je n'en suis pas sûre, mais oui, je crois qu'elle le pensait vraiment... du moins sur l'instant. C'est difficile de savoir à quoi s'en tenir, avec elle, parce qu'elle change facilement d'avis. Mais je suis persuadée qu'elle a peur de Mark, ou plutôt de ce qu'il peut manigancer. Ses avocats l'ont rencontré, cette semaine, et ils ont passé avec lui une sorte d'accord financier. Mais elle ne se sent pas mieux pour autant, d'après ce qu'elle a dit à maman lors de leur dernière conversation téléphonique.

— Ta mère sait-elle que nous avons fixé la date de notre mariage ?

Linnet sourit.

— Oui, et elle s'en réjouit. Mais pour être honnête, je me demande si nous n'aurions pas dû l'avancer au mois de novembre.

Julian hocha la tête, saisissant immédiatement le sous-entendu.

— Parce que mon grand-père se fait vieux, c'est cela ? demanda-t-il en l'attirant dans ses bras.

— Oui, murmura-t-elle contre sa poitrine. Le mien aussi vieillit, bien qu'il ne paraisse pas son âge.

— Mais non ! Tout ira bien, Linnet. Nos aïeux ne mourront pas avant le moment fatidique. Tu sais qu'ils ont toujours attendu cet instant, parce qu'Emma souhaitait l'union des trois clans. Ils se contraindront à rester en vie jusqu'au jour des noces.

Linnet se mit à rire avec lui.

— C'est ce que maman dit toujours.

— Quand revient-elle de New York ?

— Son retour est prévu pour la première semaine de septembre. Papa doit se rendre aux Bahamas et revenir directement ici. Emily et Winston rentreront à Londres avec maman.

— Qu'a-t-elle dit, à propos de la réception ?

— Elle souhaite qu'elle ait lieu à Penninstone Royal. Elle ne changera pas d'avis à ce propos.

— Je suis content.

Julian serra plus fort la jeune femme dans ses bras et ils restèrent ainsi, étroitement enlacés. Ce fut Linnet qui rompit le silence :

— Deux bonnes choses sont arrivées pour compenser les mauvaises, cette semaine. Toi et moi avons décidé de la date de notre mariage, et Gideon et Evan se sont fiancés.

— C'est vrai ! Il va rencontrer ses parents, dimanche, et faire sa demande officielle. Après cela, il compte appeler Emily et Winston, à New York, pour les mettre au courant.

— Ils vont être au comble du bonheur. Ils adorent Evan.

Il y eut un bref silence, puis Linnet dit doucement :

— J'aimerais que nous ayons un bébé tout de suite, Julian. Je ne veux pas que nous tardions à fonder une famille. Es-tu d'accord ?

— Bien entendu. Je pense préférable d'avoir des enfants quand on est jeune.

— Surtout une femme qui travaille. Elle a moins de mal à gérer sa carrière et sa vie familiale si elle a moins de trente ans.

— Oh, tu peux tout mener de front, ma chérie, affirma Julian. Comme Gideon l'a dit, tu es un oiseau-tempête... Tu marches sur l'eau.

Elle répliqua d'une voix rieuse :

— Julian chéri, si l'on s'y mettait tout de suite ?

— A marcher sur l'eau ?

— Mais non, idiot ! Tu sais très bien ce que je veux dire... A faire des bébés.

— Très volontiers, souffla-t-il dans ses cheveux.

Puis il se pencha et l'embrassa passionnément.

13

Ce samedi matin-là, Evan était assise à son bureau du magasin Harte. Elle examinait les croquis qu'elle avait faits pour Linnet. Elle avait commencé à y travailler la semaine précédente, lorsqu'elle se trouvait à Leeds. Elle suggérait quelques changements. Elle était plutôt satisfaite des idées qu'elle avait eues et espérait que Linnet le serait aussi. Ses propositions étaient bonnes et ne nécessitaient qu'un investissement minime.

Quand Linnet lui avait confié la reprise en main de trois rayons, répartis sur deux étages, elle avait été à la fois flattée et excitée. Elle regarda encore ses dessins. Ils étaient un peu rudimentaires, mais aideraient certainement l'architecte à élaborer les plans, car les mesures et les détails étaient précis.

Elle se tourna vers son ordinateur, releva son courrier et reporta quelques notes, puis s'appuya au dossier de la chaise et avala une gorgée de café. Beaucoup de choses se pressaient dans son esprit, mais elle se concentra sur le dîner de la veille.

Il avait été réussi, malgré un début bizarre. Elle se focalisa sur son père. Il paraissait d'humeur maussade lorsqu'il était arrivé chez elle avec sa mère, pour l'apéritif. En revanche, celle-ci était en pleine forme, et son comportement et son allure avaient radicalement changé, dans le bon sens. Mais Owen était étrange, comme s'il se préparait au combat.

Peut-être était-il nerveux et se faisait-elle des idées. Peut-être s'inquiétait-il de la trouver différente, au bout de huit mois de séjour à Londres, ou était-il contrarié qu'elle ne fût plus celle qu'il avait quittée à New York.

D'une certaine façon, c'était vrai, même si la transformation n'était pas radicale et ne concernait ni son caractère ni sa personnalité. Il semblait à Evan qu'une fois que son père l'avait compris, il s'était détendu pour redevenir lui-même.

Elle avait toujours été proche de lui. Elle l'aimait ; plutôt, elle l'adorait. Ils avaient formé une belle équipe, tous les deux, lorsqu'elle était enfant. *Inséparables*, comme le disait Glynnis en plaisantant. Elle se moquait de la façon dont ils s'entendaient, tels deux vieux copains.

La veille, quelque chose s'était produit, qui l'avait déstabilisée. Pendant la nuit, elle n'avait cessé de se tourner et se retourner, incapable de trouver le sommeil. Elle pensait à son père. Qui était-il ? Certes toujours le même... Mais il lui avait menti, elle en était certaine. En un éclair, il n'avait plus été celui qu'elle connaissait et en qui elle avait une confiance aveugle.

A la fin, aux premières heures du matin, elle s'était convaincue que cela n'avait pas d'importance. Son amour pour lui n'était pas remis en cause. On aime les gens malgré leurs défauts et après tout, personne n'est parfait, l'erreur est humaine... Il avait commis un mensonge par omission et peut-être avait-il de bonnes raisons pour cela.

En réalité, Evan ne s'en serait pas doutée, si elle n'avait pas regardé sa mère à cet instant précis. Son visage lui avait révélé toute l'histoire. Exprimait-il le mépris ou le dégoût ? Quoi qu'il en fût, Evan avait compris que son père la trahissait.

On frappa. Avant qu'Evan ait répondu, la porte s'ouvrit à la volée. Linnet entra dans le bureau. Elle avait l'air très perturbée. Evan se redressa machinalement et se prépara à entendre de mauvaises nouvelles.

— Tu as une minute ? lui demanda Linnet.

— Bien sûr. Que se passe-t-il ? Tu parais bouleversée.

— Perplexe, plutôt, dit Linnet en s'asseyant lourdement sur une chaise, près d'Evan. Je viens d'avoir une conversation avec Tessa et je dois admettre qu'elle m'a prise par surprise. En fait, je suis abasourdie.

— De quoi s'agit-il ?

Se penchant en avant, Linnet annonça d'une voix étouffée :

— Elle m'a demandé de m'occuper d'Adèle pendant qu'elle accompagne Lorne à Paris.

Sur le coup, Evan elle-même fut étonnée.

— Mais pourquoi ne le ferait-elle pas ? s'exclama-t-elle pourtant. Elle se fie à toi. Le bien-être d'Adèle la préoccupe beaucoup, actuellement. Elle s'inquiète pour elle.

— Je le sais bien, mais d'un autre côté, j'ai été sidérée qu'elle ne l'ait pas confiée à notre grand-mère Daisy Richards. Elles sont très proches et Daisy veillerait bien mieux que moi sur la petite.

— Apparemment, Tessa estime que *tu* constitues le meilleur choix, en l'absence de ta mère. Je suis certaine qu'elle aurait demandé ce service à Paula, si elle avait été là.

Gonflant ses joues, Linnet exhala une bouffée d'air.

— Bon sang ! C'est une sacrée responsabilité que la garde d'une enfant qui n'est pas à toi. Surtout quand il s'agit d'Adèle, dans le contexte actuel. Remarque, Elvira sera là et ce n'est que le temps d'un week-end. Nous serons à Penninstone Royal. Tessa a beaucoup insisté sur ce point. D'ailleurs, je me demandais si tu accepterais de venir avec nous et de passer la fin de semaine dans le Yorkshire… Ce serait amusant, si nos petits amis nous accompagnaient. Dis oui, s'il te plaît.

— Oui, rétorqua Evan en riant. J'adore Penninstone, c'est l'un des endroits que je préfère. Et tu as raison, ce serait bien, si Gideon et Julian venaient avec nous.

— Merci beaucoup, Evan, je te revaudrai ça. De toute façon, avant de m'engager, j'ai suggéré à Tessa d'emmener Elvira et Adèle avec elle, à Paris, mais elle a écarté l'idée. Je ne l'en blâme pas. Je pense qu'il est préférable qu'Adèle reste en Angleterre, dans sa famille, tant que cet affreux divorce ne sera pas réglé et toutes les dispositions prises. Mieux vaut qu'elle n'aille pas à l'étranger. Je comprends que Tessa s'inquiète, à propos de Mark. Je n'ai pas confiance en lui, moi non plus.

— Moi-même, il m'inspire les pires soupçons, ainsi que son client et ami Jonathan Ainsley. Je pense que ce dernier est totalement pourri, si j'en crois ce que je sais de lui. Il a été ignoble, avec Robin.

— Jack Figg ne le perd pas de vue, ou plutôt, ses agents à Hong Kong ; il sait exactement où il se trouve. A ce propos, Tessa s'est convertie et a adopté la religion de Jack : sécurité maximale.

Evan éclata de rire.

— Tu dis ça d'une drôle de façon, Linnet ! Pour ma part, je trouve que Jack est un type fantastique.

— C'est vrai, et il a fait de Penninstone la demeure la plus sûre d'Angleterre. Tu veux parier ?

— Sûrement pas ! Je crois que tu as raison.

Linnet se leva et s'approcha de la fenêtre qui donnait sur Knightsbridge.

— Il y a une chose qui me trouble, déclara-t-elle sans se retourner. Je n'arrive pas à comprendre que Tessa me confie sa fille... Elle s'est toujours située dans la concurrence, vis-à-vis de moi. Elle se considère comme la dauphine, l'héritière de droit. Elle espérait même prendre la suite de maman dès maintenant. Bon sang ! Maman n'a pas l'intention de prendre sa retraite avant d'être vieille et décrépite. Je ne pense pas qu'elle le sera jamais, d'ailleurs. Enfin... J'imagine que les temps ont changé.

— Ou que Tessa a réfléchi, suggéra doucement Evan.

Linnet pivota sur elle-même et fixa Evan. Un éclair passa dans ses yeux verts.

— Il y a une part de vérité dans ce que tu dis. Je crois vraiment que cet enlèvement l'a effrayée. Elle a réalisé la force de son amour pour Adèle. Peut-être place-t-elle celle-ci au tout premier plan de ses préoccupations. Pour le moment, du moins.

— Je ne serais pas surprise qu'elle donne sa démission, et plus tôt que tu ne le penses.

— Je n'en suis pas si sûre, Evan. Tessa est bien trop ambitieuse. Elle veut diriger les magasins parce qu'elle est l'aînée et estime que c'est son droit. Mais elle entend le faire à sa façon, sans se soucier des principes appliqués par maman depuis trente ans. Tu sais quoi ? ajouta Linnet en riant. Elle souhaiterait que *je* parte, voilà la vérité.

— Je sais comment elle est, mais je trouve stupide d'envisager même la question, puisque rien ne se produira tant que Paula sera à la tête des établissements Harte.

— Je suis d'accord avec toi.

— Pourquoi Tessa part-elle pour Paris avec Lorne ? demanda Evan, emportée malgré elle par la curiosité.

— Il y tourne un film. Plus exactement, le tournage commence dans quelques jours. L'équipe s'installe en France pour à peu près six semaines. Ensuite, tous reviendront travailler aux studios Shepperton. Lorne a invité Tessa parce qu'il pense que cela lui fera du bien.

— C'est vraiment un chic type, lança Evan en baissant les yeux vers ses croquis. Tiens, j'étais en train de travailler là-dessus quand tu es entrée, et j'allais venir te voir. Cela concerne le magasin de Leeds.

Elle tendit les six dessins à Linnet, qui les examina rapidement, avant de les étudier plus attentivement.

— C'est très habile ! s'exclama-t-elle en levant les yeux vers son amie. Ta suggestion de transférer les deux rayons au même étage et de les faire communiquer est excellente.

— J'ai placé les accessoires dans les coins et les espaces plus réduits. De cette façon, la cliente n'a plus à naviguer pour trouver des chaussures ou un sac. Tout est réuni au même endroit.

— Je crois que cela fonctionnera parfaitement. Tu as fait du beau boulot.

Ravie de la réaction de Linnet, Evan expliqua :

— En fait, une grande partie de mon inspiration m'est venue de ce que ta mère a réalisé au cinquième étage, ici. Elle a regroupé la lingerie, les vêtements de nuit ou pour la maison, les tenues de travail ou de sport, la bonneterie.

— Je vois ce que tu veux dire. Quoi qu'il en soit, ton idée de décloisonner les rayons est très bonne. Montons jeter un coup d'œil, tu veux bien ?

L'une des choses qu'Evan préférait, dans son travail chez Harte, c'était le cadre lui-même. Souvent, elle arrivait de bonne heure, le matin, bien avant qu'on n'ouvrît les portes au public, pour se promener parmi les stands. Elle adorait cela, surtout si elle était seule – exception faite du personnel de nettoyage ou des lève-tôt dans son genre. Le magasin l'impressionnait et lui donnait un sentiment d'intense satisfaction.

Linnet éprouvant la même chose, elles confrontaient leurs observations. Maintenant, alors qu'elles traversaient la lingerie, Evan confia à son amie :

— Tous les niveaux, tous les rayons me plaisent, mais mon préféré est celui des produits de beauté. Et toi, Linnet ?

— Mes goûts sont identiques aux tiens, mais j'avoue être folle de l'alimentation. Tu sais, quand ma grand-mère... je devrais dire *notre* arrière-grand-mère... a fait ses débuts, elle tenait une petite boutique dans Upper Armley, aux environs de Leeds, et vendait les plats qu'elle préparait. Peut-être ai-je hérité d'elle cette inclination particulière.

— Effectivement, mais qui n'apprécierait pas notre « marché » ! Il est fantastique ! J'ai souvent aperçu Tessa en train de flâner par ici, pour faire ses courses. C'est un vrai cordon-bleu. Gideon estime qu'elle a raté sa vocation, qu'elle devrait être chef et cuisiner pour le plaisir de ses contemporains.

— Je parie qu'il a ajouté « comme Paula », parce que ma mère semble croire qu'elle doit nourrir les multitudes affamées.

— C'est vrai, il l'a dit.

— Gideon adore maman.

— Comme tout le monde ! Pour en revenir aux croquis, j'ai pris cet espace comme modèle, Linnet, mais au lieu de l'organiser en unités indépendantes, je l'ai pensé ouvert et décloisonné. De cette façon, la cliente aura le sentiment qu'elle n'est gênée par aucun obstacle, qu'elle a accès à tout. Mon Dieu, j'aperçois ma mère !

— Où ça ?

Linnet regarda autour d'elle, mais ne repéra aucune femme en âge d'être la mère d'Evan.

— Là... La personne arrêtée devant les négligés. La blonde.

— C'est ta mère ? Je n'y crois pas ! On dirait ta sœur.

— N'exagère pas, répliqua Evan en prenant le bras de Linnet et en l'entraînant jusqu'au stand. Bonjour, maman ! Cela fait drôle, de te voir ici !

Marietta Hughes pivota sur elle-même. Son visage s'éclaira à la vue de sa fille.

— Bonjour, ma chérie, je pensais t'appeler quand j'aurais terminé.

— Maman, j'aimerais te présenter Linnet O'Neill. Linnet, voici maman.

Les deux femmes se serrèrent la main en souriant.

— Vous paraissez bien jeune, pour être la patronne, remarqua Marietta.

Linnet se mit à rire.

— Beaucoup trop, en effet, et je ne le suis pas. C'est ma mère qui dirige Harte, madame Hughes.

— Je le sais. Je voulais dire que vous êtes la patronne d'Evan. C'est ainsi qu'elle parle de vous : « Linnet, ma patronne ».

— Je parie que tu étais en admiration devant ces ravissantes chemises de nuit, maman. Tu cherches quelque chose de spécial ? Est-ce pour Angharad, si tu penses qu'elle va bientôt se marier ?

Marietta adressa un sourire radieux à sa fille et secoua lentement la tête.

— Pour tout te dire, non. Je regardais pour moi.

Très surprise, Evan parvint pourtant à demeurer impassible.

— Oh ! Eh bien, il y a des articles ravissants, ici, maman. Linnet les a choisis. A ton avis, Linnet, lequel conviendrait le mieux ?

— Allons de l'autre côté de l'étage, madame Hughes. Je sais exactement quelle marque vous irait. Je crois que vous adorerez les modèles.

— Merci, Linnet. Appelez-moi Marietta, je vous en prie.

Linnet inclina la tête, puis elle prit le bras de Marietta et la mena à un étalage bien garni.

Evan les suivit. Aujourd'hui, sa mère portait une jupe de coton bleu pâle, une chemise assortie et des sandales à talons hauts bleues. Elle ne put s'empêcher de penser qu'elle avait

186

des jambes splendides, pourtant elle ne s'était jamais fait cette réflexion auparavant. Bien sûr que non ! Sa mère était le plus souvent en robe de chambre ou en pantalon.

Une fois de plus, d'innombrables questions se pressèrent dans son esprit. Quelle était l'origine de cet extraordinaire changement ? Rongée par la curiosité, elle décida d'éclaircir la chose le plus vite possible.

Assise à son bureau, Tessa fixait le mur sans le voir. A la perspective de son voyage à Paris, elle se sentait un peu partagée. Avait-elle fait une erreur en acceptant d'accompagner son jumeau ?

Elle s'inquiétait à l'idée de laisser Adèle seule avec Elvira, même si elle les savait à Penninstone Royal, transformé en forteresse grâce à Jack Figg. Lorsqu'elle avait fait part de ses préoccupations à Lorne, la veille, il lui avait suggéré de demander à Linnet si elle voulait bien passer le week-end à Penninstone, afin de veiller sur Adèle. « Elle ne te le refusera pas, Tess », avait-il affirmé. Lui rappelant combien Linnet aimait l'enfant, il avait conclu : « Vas-y, appelle Linny, tu verras qu'elle dira oui. »

Ce matin, Tessa avait donc abordé Linnet, dont la réaction l'avait heureusement surprise. Sa *demi*-sœur. Elle l'avait toujours considérée ainsi, tout comme elle pensait à Shane comme à son *beau*-père. Il l'était, mais l'avait traitée comme sa fille, et elle savait qu'il l'aimait. Mais ils étaient des O'Neill, et elle une Fairley. Néanmoins, Linnet s'était comportée en sœur quand Adèle avait été enlevée. Elle avait pris la situation en main et fait ce qu'il fallait. Grâce à elle, tout avait été réglé sans drame, et avec succès.

La sonnerie stridente du téléphone l'arracha à ses pensées.

— Allo ?

— C'est toi, Tessa ? demanda une voix féminine.

— Oui. Qui est à l'appareil ?

— C'est ta grand-tante Edwina, la comtesse douairière de Dunvale.

La vieille dame criait dans le combiné, tel un général anglais exhortant ses troupes au combat.

— Tu m'as oubliée, Tessa ? poursuivit-elle. J'en ai bien l'impression ! Je n'ai pas eu de tes nouvelles depuis fort longtemps.

— Pas du tout, tante Edwina. En fait, j'ai parlé de toi à India l'autre jour et nous...

— Comment va ma petite-fille ? Je me suis brusquement rendu compte qu'elle devenait bien insaisissable, ces temps-ci. Je n'ai pas eu non plus de ses nouvelles. Peu importe, vous êtes toutes les deux très jeunes et n'avez pas de temps à perdre avec une vieille dame comme moi, n'est-ce pas ?

— Ne dis pas cela, s'il te plaît !

Tessa se sentit aussitôt coupable de négligence, tout en se demandant pourquoi Edwina l'appelait. Elle devait avoir une bonne raison. Tessa pensa soudain à Dusty Rhodes et à l'agression dont il avait été victime. La vieille dame en avait-elle eu vent, et comment ? Rien de plus facile. Elle vivait près de Harrogate, aux environs de Knaresborough, et les nouvelles vont vite, surtout les mauvaises. L'oncle Robin habitait par là, lui aussi, et il parlait souvent avec Evan, qui le tenait certainement au courant de tout.

Elle toussota avant d'ajouter :

— India et moi envisagions d'organiser un dîner en ton honneur, tante Edwina. Et si je ne t'ai pas téléphoné, c'est parce que...

— ... Adèle a été enlevée, l'interrompit-elle. Je suis heureuse que Linnet ait réussi à contrecarrer le plan de ton affreux mari. Qu'est-ce que c'est que cette histoire de dîner ? Pourquoi India et toi donneriez-vous une réception pour une ancêtre comme moi ? Et qui viendrait, hein ? Réponds à cette question, Tessa Fairley.

— Ton fils et ta belle-fille, pour commencer...

— Bah ! Balivernes ! Tu les imagines, faisant tout ce chemin depuis l'Irlande ? Anthony ne s'éloigne jamais beaucoup de ces satanés marais.

— Ils *viendraient*, tante Edwina. Ainsi que tes petits-enfants, maman et Shane. Et moi. Sans oublier ton frère et ta sœur, Robin et Elizabeth ! Il y a aussi Emily et Winston. Toute la famille serait présente, j'en suis certaine.

— Et tu penses aussi qu'India amènerait son nouveau petit ami, l'artiste célèbre ?

— Tu n'auras qu'à le lui demander, murmura Tessa sur un ton léger.

Elle craignait de se laisser entraîner dans une discussion à propos de Dusty Rhodes, car elle ignorait ce que sa grand-tante savait exactement. Tout, probablement, pensa-t-elle en fronçant les sourcils.

— Je veux vous voir, India et toi. Le plus vite possible.

— Quelque chose ne va pas, tante Edwina ?

— Non. Enfin... pas que je sache. Mais j'ai quatre-vingt-quinze ans, tu sais. Rassure-toi, je suis en pleine forme, prête à affronter n'importe quoi ou n'importe qui. Revenons-en à ce qui me préoccupe. Quand peux-tu venir dans le Yorkshire ?

— Nous y serons toutes les deux la semaine prochaine. Nous sommes en train de rénover le magasin de Leeds, expliqua calmement Tessa, soudain inquiète.

— Eh bien, j'en profiterai pour vous avoir à dîner à Niddersley House. Sois gentille de prévenir India, je ne parviens pas à la joindre par téléphone. Demain, fais-moi savoir quel soir vous arrange.

— Très bien, tante Edwina. A propos de cette réception...

— Nous en discuterons la semaine prochaine.

— Je vais essayer de trouver India. Elle doit être quelque part dans le magasin.

— Demande-lui de m'appeler, s'il te plaît. Et merci, Tessa. Au revoir.

— Au revoir, tante Edwina. Je dis à India de te passer un coup de fil, et à très bientôt.

Lorsqu'elle eut raccroché, Tessa s'appuya au dossier de la chaise, se demandant de quoi il retournait, exactement. Edwina savait-elle que Dusty avait été poignardé ? Comment aurait-elle été au courant ? Robin aurait pu le lui dire.

Mon Dieu ! pensa Tessa. C'est la plus âgée du lot, la première-née d'Emma. Cette dernière n'avait que seize ans, lorsqu'elle l'avait eue hors mariage. Elle était la seule fille d'Edwin Fairley. Et une vraie Fairley, bien qu'elle fût illégitime.

Elle était aussi la tante du père de Tessa, Jim Fairley, petit-fils d'Edwin. Que l'arbre généalogique était compliqué, dans cette famille !

Ouvrant son agenda, Tessa feuilleta les pages des jours suivants, cherchant le soir le plus propice à cette visite à la vieille dame. Ses yeux tombèrent sur le jeudi 30 août 2001, date à laquelle elle s'envolait pour Paris avec Lorne. Quant à sa mère, elle revenait de New York le 6 septembre. « Eh bien, nous irons chez tante Edwina lundi ou mardi, puisque je dois repartir pour Londres mercredi après-midi. »

Elle referma son calepin, se leva, prit son téléphone portable et le glissa dans la poche de sa veste, avant de sortir de son bureau pour entrer dans le magasin. Elle devait trouver India et lui transmettre les volontés de sa grand-mère.

14

— Je suis contente que nous nous soyons retrouvées de cette façon, dit Marietta Hughes en souriant à sa fille.

Elles déjeunaient ensemble au Birdcage, l'un des restaurants du magasin. Elles bavardaient sans contrainte, buvant un verre d'eau en attendant les plats. Elles étaient parfaitement détendues.

— Moi aussi, maman, répondit Evan. Le samedi est toujours un bon jour, pour moi. D'ordinaire, j'en profite pour régler tout ce qui est administratif. En semaine, je suis vraiment bousculée.

— Je comptais t'appeler après m'être promenée dans les rayons, mais j'avoue avoir été séduite par ces magnifiques chemises de nuit, expliqua Marietta avec un rire de jeune fille. Tu imagines ça, à mon âge !

Evan hocha à peine la tête. Elle ne quittait pas sa mère des yeux, songeant que ce que Linett avait dit, une heure auparavant, était parfaitement vrai. Marietta ne semblait pas assez âgée pour être sa mère. Elle avait quarante-neuf ans, pourtant elle faisait beaucoup plus jeune. Etait-ce dû au fait qu'elle ne souffrait apparemment plus de dépression ? Etait-elle plus heureuse ? Ou y avait-il autre chose ? Une intervention esthétique, peut-être ? Non, Owen Hughes n'avait pas assez d'argent pour la lui offrir. A moins que... Oui, il en avait davantage, maintenant que Glynnis lui avait laissé un petits legs.

— Tu me fixes bizarrement, Evan. J'ai une tache sur le nez ? Ou tu n'aimes pas la façon dont je suis habillée ?

Evan battit des paupières et s'exclama :

— Ne sois pas bête, maman ! Non, tu n'as pas de tache sur le nez ! A vrai dire, je me disais justement que tu paraissais en pleine forme. Comme hier, d'ailleurs. Si tu veux tout savoir, c'est pour cela que je te regarde. C'est fantastique, comme tu as changé. On dirait une autre femme, je n'arrive pas à y croire.

— Bien sûr que si, puisque tu le vois. Et voir, c'est croire, n'est-ce pas, Evan Hughes ? Te rappelles-tu quand je t'ai dit cela ?

Sa voix mourut devant l'expression troublée d'Evan.

Puis la jeune femme s'écria :

— Je m'en souviens, bien entendu ! Je doutais de l'existence du père Noël et tu as affirmé : « Voir, c'est croire. » Grand-mère et toi m'avez alors emmenée dans un grand magasin pour que je le rencontre.

Heureuse que la mémoire fût revenue à sa fille, Marietta sourit. Elle avala une gorgée d'eau et remarqua :

— Tu étais une enfant ravissante.

Evan se pencha par-dessus la table et murmura sur le ton de la confidence :

— Allez, maman, dis-moi ce qui s'est passé. Tu prends un nouveau médicament, c'est ça ? suggéra-t-elle. C'est ce qui a changé ta vie ?

Marietta se taisait. Au bout d'un instant, Evan se redressa et attendit. Comme le silence s'éternisait, elle se demanda si sa mère lui en voulait de sa curiosité. Tendant le bras, elle lui prit la main et la pressa légèrement.

— Pardonne-moi, je ne devrais pas être aussi indiscrète. Mais je suis vraiment contente que tu sois si bien, que tu paraisses en meilleure forme.

— Je vais mieux, en effet, et tu n'es pas indiscrète. Je veux me confier à toi, Evan, mais je ne sais par où commencer.

— Par le commencement. Et ne te presse pas. J'ai quasiment terminé ma journée. Naturellement, je suis tout ouïe.

— Le début, oui... C'était en février dernier, juste après ton départ. Je ne sais pas si tu te souviens de tante Dottie, la sœur de ma mère, qui vivait à Los Angeles, pas très loin de chez elle. Elles étaient très proches, jusqu'à la mort de maman.

— Je me la rappelle vaguement. Tu me parlais d'elle, quelquefois. Elle avait joué dans des films, dans les années quarante.

Marietta parut surprise.

— C'est exact. Je n'arrive pas à croire que tu t'en souviennes. Tu ne l'as vue que deux fois, lorsqu'elle est venue dans l'Est avec son mari, en voyage d'affaires. Tu étais très petite, à l'époque. J'étais sa seule nièce et elle faisait d'ordinaire tout son possible pour me voir. Elle avait épousé Howard Kempson, qui a été directeur de la publicité d'Ardent Pictures jusqu'à sa mort, il y a environ dix ans.

— Je m'en souviens aussi. Tu étais bouleversée et c'est sans doute pourquoi l'événement s'est gravé dans ma mémoire. Tu m'avais raconté des anecdotes à propos du parcours d'actrice de ta tante et de sa rencontre avec Howard.

Marietta se mit à rire.

— Sa carrière a été courte et la famille aimait plaisanter à ce sujet.

La serveuse arriva avec deux salades de tomates, remplit leurs verres de thé glacé et s'éloigna.

Evan attaqua son assiette, puis pressa sa mère :

— Alors ! Continue ton histoire !

— En février, tante Dottie est venue à New York pour fêter le cinquantième anniversaire de mariage d'une de ses vieilles amies, du temps où elle était à Hollywood. Nous y sommes allées ensemble. Elle était contente, parce que je me sentais relativement bien, mais elle pensait que je devrais me porter mieux encore. Elle m'a parlé du Dr Anna Marcello et a insisté pour que je prenne rendez-vous avec elle. Je n'oublierai jamais ce qu'elle m'a dit en partant, murmura Marietta en se penchant vers sa fille : « Lève-toi, avance et fais ta vie avant qu'il ne soit trop tard, Marietta. » Je crois que ses paroles m'ont... galvanisée.

— Parfois, nous avons besoin qu'un proche nous bouscule un peu.

— Je suis allée voir le Dr Marcello, qui m'a prise en main. Elle m'a ordonné un nouveau médicament et m'a remise sur pied. Mais il n'y a pas que cela qui m'a aidée à redémarrer.

— Raconte, la pressa Evan, très attentive.

— Peu de temps après sa visite, tante Dottie est morte. Elle avait environ quatre-vingts ans, mais m'avait paru en pleine forme. Elle était de retour sur la côte Ouest depuis une semaine, environ, quand elle a fait un infarctus. Pour aller droit au but, comme elle l'aurait dit, elle m'a tout laissé. Son appartement à Brentwood, des actions et ses bijoux. La plupart sont fantaisie, mais quelques-uns sont très beaux et ont de la valeur. De toute façon, ainsi qu'elle l'a précisé dans son testament, j'étais sa légataire universelle.

— Te voilà une héritière, maman, et de façon vraiment inattendue.

— Ce n'était pas une fortune, répliqua Marietta en riant, loin de là.

— Qu'a dit papa ?

— Pas grand-chose.

— Il n'était pas content ? s'enquit Evan avec étonnement.

— Pas vraiment.

— Mais pourquoi ?

— Parce qu'en me laissant ce qu'elle possédait, tante Dottie avait modifié mes conditions de vie. Elle m'avait rendue indépendante.

Evan fixait sa mère avec ahurissement.

— Cela déplaisait à papa ? Parce que tu n'avais plus besoin de lui, désormais ? Enfin, sur le plan financier... C'est cela ?

— Oui.

— Mais c'est affreux ! Quand vous vous êtes mariés, tu avais vingt et un ans, maman ! Il n'a tout de même pas cru que tu allais t'éloigner de lui *maintenant*, sous prétexte que ta tante t'avait légué de l'argent !

— J'ignore ce qu'il a pensé alors, ou pense aujourd'hui, Evan. Ton père ne m'en a jamais parlé. Tu sais, j'ai écouté le conseil de tante Dottie et j'ai consulté le Dr Marcello. Je suis contente de l'avoir fait. Dès que j'ai eu touché cet héritage, j'ai décidé de prendre ma vie en main – et aussi de le gérer moi-même.

— C'était ce qu'elle voulait, non ?

— Exactement. J'ai contacté un agent immobilier de la côte Ouest et mis l'appartement de Brentwood en location. Il m'a trouvé un client dans la semaine qui a suivi et maintenant, j'ai une source de revenus régulière. J'ai gardé les actions et transféré sur un compte, dans une banque de Manhattan, l'argent que ma tante avait sur le sien.

— Je suis fière de toi, maman ! Toutes mes félicitations !

— Merci. Venant de toi, le compliment m'honore.

— C'est sincère, maman.

— Encore une chose, à ce propos… L'argent ne m'est pas monté à la tête, tu sais. J'ai acheté une ou deux choses. C'est agréable, de porter de jolis vêtements, pour changer.

Marietta semblait si mélancolique qu'Evan leva les yeux pour la regarder plus attentivement. Sa mère n'avait-elle rien eu de joli à se mettre, auparavant ? Pas vraiment, aussi loin qu'elle pût se le rappeler. Etait-ce la faute de son père ? Peut-être n'avait-il pas eu les moyens de faire face à de telles dépenses. Ne le blâme pas, se dit-elle, maman était vraiment *malade*, toujours si triste, cafardeuse, déprimée. Papa a agi au mieux, j'en suis certaine, mais il était certainement découragé.

Evan se concentra quelques instants sur sa salade, mais elle contemplait davantage son assiette qu'elle ne mangeait. Tout d'un coup, elle n'avait plus faim. Elle finit par déposer sa fourchette sur la table et par se redresser sur sa chaise.

Le silence régnait, entre elle et sa mère, mais il était détendu et l'affection qui les liait était tangible. Evan se demanda si elle n'avait pas été injuste envers Marietta pendant toutes ces années. Elle la blâmait sans cesse, portait son père aux nues. Peut-être sa mère aurait-elle eu besoin d'être un peu appréciée, elle aussi, de recevoir des louanges. Et de l'amour… La culpabilité lui serra la gorge.

La serveuse arriva, débarrassa la table, leur annonça qu'elle allait revenir avec les friands au crabe, puis s'éloigna.

Les yeux posés sur le visage de sa mère, Evan déclara tranquillement :

— Je veux te dire quelque chose, maman. Tu étais vraiment ravissante, hier, comme aujourd'hui, d'ailleurs. Papa doit être content que tu ailles mieux, à tous égards, et que tu sois si belle.

— Je ne sais pas... Je l'espère, ma chérie, mais il n'y prête pas grande attention.

Evan secoua la tête.

— Je ne parviens pas à le comprendre, marmonna-t-elle.

Soudain, elle semblait très contrariée par le comportement de son père.

Moi, si ! songea Marietta.

— L'argent n'est pas très important, ainsi que je te le disais, murmura-t-elle. Je ne compte pas me précipiter dans les magasins pour dépenser à tour de bras. Mais j'aime le sentiment d'indépendance qu'il me donne, j'apprécie de me dire que si je le voulais, je pourrais subvenir seule à mes besoins.

L'espace de quelques instants, Evan ne sut que répondre. Elle comprenait sa mère. En revanche, la réaction de son père lui échappait. Etait-il jaloux ? Se sentait-il menacé ? Pensait-il vraiment que sa femme pourrait le quitter ? Pourquoi l'aurait-elle fait ? Evan prit soudain conscience qu'elle ne savait pas grand-chose de leur union. Après tout, elle avait quitté la maison neuf ans auparavant, pour aller vivre avec Glynnis et Richard, à Manhattan. Le mariage de ses parents se résumait-il à un échec ? Sa mère avait-elle été malade trop longtemps ? Son père lui en voulait-il, pour toutes ces années perdues ? Il avait pourtant réussi sa carrière d'antiquaire, et il aimait sa maison, une charmante vieille ferme du Connecticut.

Je suis complètement hors-jeu, pensa-t-elle. Est-ce que je connais encore mes parents ?

— Ne sois pas trop sévère vis-à-vis de ton père, lui dit Marietta.

S'arrachant à ses réflexions, Evan répliqua :

— Je ne porte aucun jugement sur lui. Mais je voudrais quand même te demander quelque chose. Hier soir, tu as eu une étrange expression, quand papa a dit qu'il ignorait que sa mère avait travaillé chez Harte. Ton visage exprimait le mépris, maman, n'est-ce pas ? lança-t-elle après avoir inspiré profondément.

— Pas du mépris, Evan chérie, de la consternation.

— Il mentait, non ?

Marietta ne put se résoudre à répondre et hocha simplement la tête.

— Mais *pourquoi,* maman ? En quoi est-ce important, qu'elle ait été employée chez Harte ? Et pourquoi papa déteste-t-il cette famille ?

— Tu m'as posé trois questions en une, et je te répondrai en trois mots... Je l'ignore.

— Si papa savait que Glynnis avait été la secrétaire d'Emma Harte et s'il haïssait tant ces gens, pourquoi m'a-t-il laissée partir pour Londres, en janvier ?

— Il ne connaissait pas, alors, la vérité. Il se rappelait juste que sa mère avait rencontré Emma pendant la guerre et qu'elles étaient restées en contact ensuite.

— Il a tout découvert après la mort de grand-mère, en novembre dernier, c'est cela ?

Marietta hocha la tête.

— A-t-il trouvé des papiers lui ayant appartenu ?

— Une lettre de références, qu'Emma avait rédigée pour Glynnis très longtemps auparavant, dans laquelle elle faisait son éloge.

— C'est tout ?

— Oui.

— Cela n'explique toujours pas son attitude envers moi.

— Non, à moins...

— A moins que quoi ?

— A moins qu'il ne soit terriblement contrarié, Evan. Dès l'instant où tu es entrée dans ce magasin, tu t'en es entichée, ainsi que de Linnet O'Neill, de Paula O'Neill et d'India Standish. Sans oublier Gideon Harte. Peut-être ton père se sent-il abandonné, Evan. Menacé par eux. L'idée de te perdre l'effraie. Peut-être pense-t-il que tu ne reviendras jamais à la maison.

— Oh, maman ! dit doucement Evan.

— Je sais que tu n'y vivras plus, en tout cas. Tu vas rester en Angleterre. Tu vois, les femmes sont intuitives et bien plus pragmatiques que les hommes ; elles perçoivent les choses différemment, comme elles sont, pas comme elles voudraient qu'elles soient. Je sais que tu es très amoureuse de Gideon, continua-t-elle, et je m'en réjouis pour toi, ma chérie. Tu as ma bénédiction.

— Mais pas celle de papa, c'est cela ?

— Non, pas du tout. Il ne veut pas te perdre. Voyons les choses en face : tu étais sa... préférée.

Evan changea de sujet.

— Pourquoi avez-vous adopté Elayne et Angharad, papa et toi ?

— Je ne pouvais plus avoir d'enfants.

— Mais tu étais maniaco-dépressive, tu avais déjà du mal à t'occuper de *moi*. Pourquoi avoir eu deux autres filles ?

— Ton père souhaitait fonder une grande famille, Evan.

Evan prit de nouveau la main de sa mère et la serra très fort en scrutant attentivement son visage. Elle admirait sa sérénité, son ovale parfait, son large front ; sa mère n'avait aucune ride. Ses yeux turquoise, extraordinaires, étincelaient. Ses cheveux blonds formaient un halo autour de sa figure. Evan réalisa qu'elle avait toujours été ainsi, calme, d'une beauté parfaite, douce.

— C'était *toi*, maman, articula-t-elle lentement. Toi, qui désirais un autre enfant... Parce qu'il m'avait éloignée de toi. Il voulait que je ne sois qu'à lui. Il t'a exclue.

Marietta battit des paupières et se détourna, réprimant ses larmes.

— Je t'aime, maman. Je t'ai toujours aimée, souffla Evan.

— Moi aussi, répondit sa mère.

Les larmes jaillirent de ses yeux.

L'arrivée de la serveuse interrompit la conversation. Une fois qu'elles furent de nouveau seules, elles avaient recouvré leur sang-froid.

— Je ne voulais pas te bouleverser, dit Evan.

— Je le sais. Après le déjeuner, j'aimerais que nous allions quelques instants dans ton bureau. Je dois t'expliquer quelque chose.

Evan se contenta d'acquiescer d'un signe de tête.

— Je veux te parler de ta grand-mère, déclara Marietta une heure plus tard, lorsqu'elles se furent installées dans le bureau d'Evan.

— Vas-y. Cela éclaircira-t-il les choses ?

— Je l'espère, ma chérie. L'été dernier, avant qu'elle ne tombe vraiment malade, Glynnis m'a demandé de venir déjeuner avec elle, à New York. Cela me faisait plaisir, parce que je savais qu'elle s'inquiétait pour moi, et que je l'aimais. En fait, je croyais qu'elle me parlerait de ma santé, ou de la sienne.

Marietta se tut un instant. Devait-elle poursuivre ? N'allait-elle pas ouvrir la boîte de Pandore et libérer de terribles secrets ?

Sans quitter sa mère des yeux, Evan toussota plusieurs fois, puis elle la pressa :

— Pourquoi grand-mère désirait-elle te voir, alors ? Elle se tracassait pour toi ? reprit-elle, tentant de lui arracher des aveux.

— Oui. Ce jour-là, pourtant, ce n'est pas de moi ou d'elle qu'elle souhaitait discuter. En fait, c'est *toi* qui la préoccupais.

La révélation prit Evan au dépourvu et elle braqua sur sa mère un regard intense.

— Vraiment ?

— Oui. Glynnis pensait que tu étais dans une impasse, que tu n'allais nulle part. Voilà pourquoi elle m'a dit que tu devais te rendre à Londres. Elle comptait te donner de l'argent et t'y expédier. Comme je discutais et lui demandais ce que tu y ferais, elle m'a expliqué qu'elle avait été proche d'Emma Harte, autrefois, et qu'elle connaissait le magasin pour y avoir travaillé pendant la Seconde Guerre mondiale. Elle prétendait que Harte, sur Knightsbridge, constituait l'endroit idéal pour toi.

— Mon Dieu, maman ! Elle avait tout prévu, alors ? Savait-elle qu'Emma Harte était morte ?

— Je suis presque certaine que oui, Evan, mais elle n'y a pas fait allusion. Elle s'est contentée de déclarer qu'elle souhaitait t'introduire dans la famille Harte, ou dans son orbite, parce que c'était ta place. Quand je lui ai demandé ce que cela signifiait, elle s'est tue un long moment, comme retirée en elle-même. Puis elle a encore parlé des Harte, affirmant qu'elle avait une longue histoire en commun avec eux et que je devais lui faire confiance. Comme je m'insurgeais à l'idée que tu quittes New York, elle a dit que les enfants nous étaient prêtés pour un certain laps de temps et qu'ils devaient s'en aller, un jour, pour faire leur vie. « Laissez-la partir, m'a-t-elle répété. Envoyez-la à Londres. Elle est irrésistible. » Ce sont ses mots exacts.

— Elle sous-entendait que les Harte me trouveraient irrésistible ?

— Je pense.

— Qu'a dit papa ?

— Je ne lui ai jamais rapporté cette conversation, parce que je l'avais promis à ta grand-mère. Elle me l'avait fait jurer.

Evan s'appuya au dossier de la chaise, fixant sa mère, assise de l'autre côté du bureau. De quoi était-elle au courant ? Connaissait-elle la liaison que Glynnis et Robin avaient entretenue pendant la guerre ? Elle s'abstint de toute remarque. Mieux valait attendre d'en savoir davantage avant de livrer des secrets sur la filiation de son père. Elle hésitait encore à lui révéler la vérité.

Un petit sourire aux lèvres, elle déclara donc tranquillement :

— Si je comprends bien, grand-mère n'en a fait qu'à sa tête, tu ne crois pas ?

— C'est vrai, et jusque sur son lit de mort, murmura Marietta. Lorsqu'elle t'a dit d'aller à Londres, à la rencontre de ton avenir, elle a agi en connaissance de cause.

— J'en suis persuadée, moi aussi. Elle était convaincue que je lui obéirais, que je ne résisterais pas à l'envie de partir.

— Je sais que tu n'éprouves aucun regret, dit Marietta en scrutant le visage de sa fille.

— Tu as raison, maman. Grand-mère t'a-t-elle raconté autre chose, à propos des Harte ? Si elle connaissait toute la famille, par exemple ?

— Non.

Marietta eut honte de mentir à sa fille. Mais elle n'avait pas le choix, du moins pour le moment. Peut-être, plus tard, lui dévoilerait-elle la vérité.

Evan la fixait.

— Tu parais soucieuse, maman ! Tu me caches quelque chose ?

— Non, bien sûr que non !

— Tu peux m'avouer ce que tu as sur le cœur, tu sais ! Je ne le répéterai pas à papa !

— Soit ! Ne lui raconte surtout pas ce que je t'ai révélé, Evan ! Je ne lui en ai jamais parlé, pas même après la mort de Glynnis et ton départ pour Londres. J'ai fait un serment à sa mère et tu dois me promettre... me jurer... que tu n'en diras rien à personne.

— Je te le jure. Jamais je ne rapporterai à papa ta conversation avec Glynnis. Sur mon honneur.

Marietta se détendit. Elle sourit à sa fille et déclara très bas :

— Merci pour aujourd'hui, ma chérie, j'ai adoré passer ces instants avec toi... Ce partage... Et je suis navrée...

— De quoi ?

— D'avoir été absente de ta vie, dans ton enfance. Nous avons raté tant de choses, toi et moi...

— Tu étais malade, mais il y a eu des moments où tu étais là, pour moi... Je me les rappelle tous, maman.

— J'en suis heureuse. Demain, ton père et moi nous rendrons à l'invitation de Gideon, finalement. Je crois qu'il a hâte de faire sa connaissance...

— George ne vous en a pas voulu, de remettre à plus tard votre déjeuner avec Arlette et lui ?

— Bien sûr que non ! C'était un projet que ton père avait en tête. A ce propos, où nous retrouverons-nous et à quelle heure ?

— Au grill du Dorchester, à une heure et quart.

Evan était à la fois heureuse et soulagée, à l'idée que ses parents allaient rencontrer l'homme qu'elle aimait et avait promis d'épouser.

Il était deux heures et demie quand India se présenta dans le bureau de Tessa, au magasin.

— Je suis désolée que tu n'aies pas réussi à me joindre ! s'exclama-t-elle. J'ai eu ton message, au sujet de grand-mère. Elle va bien ?

— Oui. En fait, comme toujours, elle s'exprime à la façon d'un général anglais, qui haranguerait ses troupes avant la bataille. Grand-tante Edwina doit avoir été coulée en fonte.

India éclata de rire.

— Je suis d'accord avec toi. T'a-t-elle dit ce qu'elle voulait ?

— Oui, elle attend que tu lui téléphones. Mais elle nous invite aussi à dîner toutes les deux à Niddersley House, la semaine prochaine. J'ai promis que nous viendrions, mais ce sera forcément lundi ou mardi. Je pars pour Paris le lendemain, avec Lorne.

— Cela te fera du bien, approuva India. Mais je me demande la raison de cette invitation. A-t-elle donné un indice ?

— Pas le moindre, mais elle semblait déterminée, d'humeur bagarreuse et en même temps, sympathique. J'ai souvent pensé qu'elle était plutôt... cool, pour une très vieille dame.

— Elle ne paraît pas son âge, en effet, et sur aucun plan. « A droite et à gauche tu vaqueras, et plus jeune tu sembleras. »

Tessa sourit.

— Je l'appellerai demain, pour fixer le jour de notre venue.

— Si cela ne t'ennuie pas, je préférerais lundi. Mardi, j'espère ramener Dusty à Willow Hall et passer la soirée avec lui. Par bonheur, il va vraiment mieux et l'hôpital est d'accord pour le laisser sortir.

— Je suis ravie de l'apprendre et je suis d'accord pour lundi. Quand pars-tu pour le Yorkshire ? Demain après-midi ?

— Oui, et toi ?

— C'est la même chose. J'emmène Adèle et Elvira avec moi. Je veux les installer à Penninstone avant mon départ, mercredi. Linnet arrive mercredi soir pour prendre le relais et veiller à tout.

— Je comprends, murmura India.

Elle se laissa tomber sur une chaise. Elle était convaincue qu'il n'y avait pas de souci à se faire, puisque Jack Figg avait transformé la maison et le parc en véritable Fort Knox.

202

— Elles y seront parfaitement en sécurité, assura-t-elle, tu peux en être certaine. Pas de nouvelles de l'affreux Mark ?

Tessa frissonna involontairement.

— Non, grâce à Dieu. Nos avocats sont en négociation, mais je trouve que cela n'avance pas vite. Maman dit qu'elle compte mettre le feu aux poudres dès son retour de Londres.

— Connaissant tante Paula, je suis sûre qu'elle le fera.

India se leva et s'approcha du bureau de Tessa.

— Cela ne t'ennuie pas, si j'appelle ma grand-mère d'ici ? Du même coup, tu pourras la prévenir que nous venons lundi.

— Je t'en prie, répliqua Tessa en désignant le téléphone.

India composa le numéro, puis attendit un instant qu'on décroche.

— Puis-je parler à la comtesse douairière, je vous prie ?

— C'est elle-même, India chérie.

— Bonjour, grand-mère. Je suis avec Tessa, elle me dit que tu as essayé de me contacter.

— Exact. Je voulais te parler de ton petit ami. Comment va-t-il ? Est-il sorti de l'hôpital ?

India posa sur Tessa des yeux écarquillés par l'étonnement.

— Il va mieux, grand-mère. Il rentre chez lui mardi.

— J'en suis ravie. Tu devrais l'amener à Niddersley, lorsqu'il sera sur pied. J'aimerais faire sa connaissance. Es-tu d'accord ?

— Oui, c'est très bien.

— Il possède un immense talent. Je rectifie ma formulation : cet homme est un génie.

— Oh, c'est tout à fait vrai ! s'exclama India.

Elle était soulagée que sa grand-mère appréciât Dusty et ne nourrît aucun préjugé contre lui.

— Tessa veut te parler, reprit-elle.

— Vous avez fixé une date, c'est cela ?

— Oui, grand-mère.

— Quand ? aboya Edwina.

— Lundi soir, si cela te convient.

— Naturellement. Je ne mène pas la vie sociale d'une débutante qui se présente dans le monde, India. Oh, pendant que

203

j'y pense, qu'est-ce que c'est que cette histoire absurde, à propos d'un dîner que Tessa et toi organiseriez en mon honneur ?

— Elle t'en a parlé ? Nous pensions que cela pourrait être sympathique de... te *rendre hommage*, en tant que membre le plus âgé de la famille Harte.

— Evite de me le rappeler ! s'exclama Edwina, puis elle gloussa. Puisque vous êtes toutes les deux des Fairley, comme moi, je considérerai la question. Tu penses pouvoir arracher ton père à ses marais d'Irlande ? Il viendra ?

— J'en suis certaine, grand-mère.

— On en discutera lundi. Sept heures tapantes, India. Au revoir.

— Au revoir, grand-mère.

Edwina avait déjà raccroché. India fixa Tessa et déclara, troublée :

— Elle est au courant, au sujet de Dusty... Qui a bien pu lui en parler ?

— Ce n'est pas toi ? demanda Tessa.

— Non. Je ne m'étais confiée à personne, à part Linnet. Je m'étais, d'ailleurs, contentée de lui avouer que j'avais une relation avec quelqu'un. C'est l'agression qui a fait éclater la vérité au grand jour.

— Tu tiens la réponse à ta question, India.

— L'oncle Robin a dû annoncer la nouvelle à grand-mère, remarqua India. Evan bavarde avec lui presque chaque jour.

— Cela t'ennuie, que tante Edwina sache ? Quelle a été sa réaction ?

— Elle dit qu'il est génial... Elle veut faire sa connaissance... marmonna India en retournant s'asseoir. L'ennui, c'est qu'il refusera, conclut-elle en s'adossant aux coussins.

— Pourquoi ?

— Parce qu'il nous prend pour des prétentieux, des snobs, ce genre de choses... Tout cela parce que papa a un titre.

— Je suis sûre qu'il acceptera l'invitation, si tu dépeins tante Edwina telle qu'elle est, c'est-à-dire excentrique, assura Tessa en éteignant son ordinateur. On se revoit à Niddersley House lundi ? Je rentre à la maison m'occuper d'Adèle.

Tessa prit son sac à main et India se leva d'un bond.

— Je m'en vais, moi aussi. Veux-tu que je te dépose ?

— Je comptais marcher, mais j'accepte volontiers ton offre, India. Merci.

Quelques minutes plus tard, les deux cousines se dirigeaient vers le parking, situé non loin du magasin. En y pénétrant, Tessa déclara :

— Je suis surprise que tu te gares encore ici, après ce qui est arrivé à Evan. Elle s'est fait agresser, n'oublie pas !

— En été, il n'y a pas de problème, assura India. Il fait encore jour, en fin d'après-midi. Mais en hiver, je devrai trouver une autre solution. J'utiliserai sans doute une voiture de fonction, avec un chauffeur, comme toi.

Elles arrivèrent devant l'Aston Martin.

— Ce serait plus sage de ta part, remarqua Tessa. Londres est devenu dangereux, ces temps-ci... Même en plein jour.

Pendant le trajet en direction de Belgrave Square, India parla quelques minutes de Dusty et du portrait qu'il faisait d'elle.

— Combien de temps comptes-tu habiter chez ta mère, Tessa ? demanda-t-elle à brûle-pourpoint.

Tessa lui jeta un rapide coup d'œil de côté.

— Jusqu'à mon divorce, quand tout sera réglé avec Mark. Ensuite, je trouverai un appartement. Je ne veux plus vivre dans la maison de Hampstead, même si elle m'appartient. Je ne peux pas supporter cet endroit. Mark en a fait quelque chose de laid, de froid et de sombre. S'il la veut, je la lui laisse.

— Je sais qu'il réclame beaucoup.

— C'est vrai. Maman semble avoir une sorte de botte secrète, mais je n'en saurai pas davantage jusqu'à ce qu'elle revienne, début septembre. En attendant, la maison de Belgrave est plutôt spacieuse. Et il y a le rez-de-chaussée, qui était le repaire de Paul McGill. J'y trouve toute l'intimité dont j'ai besoin.

Elles parvinrent à destination et India demanda :

— M'invites-tu à entrer quelques minutes ? J'aimerais embrasser Adèle.

— Bien sûr. Oh, mon Dieu ! Mark est sur le perron et il sonne à la porte ! Que veut-il ?

— Pas de panique, dit fermement India. Nous saurons gérer la situation.

Une minute plus tard, elle garait l'Aston Martin, coupait le moteur et serrait le frein à main.

— Reste calme, murmura-t-elle à Tessa en sortant de la voiture.

— Je suis calme.

Tessa glissa à son tour de son siège et se précipita vers la maison en s'exclamant :

— Mark ! Que veux-tu ?

Au son de sa voix, il pivota sur lui-même.

— Voir ma fille, voilà tout. Tu m'en empêches et ce n'est pas juste, dit-il d'une voix belliqueuse, le visage rougissant de colère.

— Tu sais que tu es censé prendre rendez-vous, tu ne peux pas débarquer de cette façon, cria Tessa en s'arrêtant au bas des marches.

Levant les yeux vers lui, elle s'efforça de masquer son énervement.

— Eh bien je suis là quand même, madame Longden. J'ai le droit de voir Adèle. C'est ma fille. Je l'aime et elle m'aime.

— Tu as perdu ce droit le jour où tu l'as enlevée, dit Tessa.

— Je l'ai juste emmenée se promener et déjeuner avec moi. Je te l'ai ramenée saine et sauve, et je ne lui ferai jamais de mal, quoi que tu puisses en penser. Je l'ai dit à tes avocats. Tu m'as honteusement calomnié.

— Tu ne la verras pas tant que nous n'aurons pas un accord en béton armé, déclara froidement Tessa en le foudroyant du regard. C'est toi qui fais traîner les choses.

— Espèce de garce, je...

A cet instant, la porte s'ouvrit et Harriet, la gouvernante, parut sur le seuil de la maison.

— Oh, c'est vous, mademoiselle Tessa !

Puis elle attendit les instructions. Comme tous les domestiques, elle connaissait la situation.

India se hâta de rejoindre sa cousine et lui prit le bras.

— Je pense qu'il vaudrait mieux le laisser entrer et l'inviter à prendre le thé, suggéra-t-elle. Vous ne pouvez pas rester ici à vous insulter ; par ailleurs, cela sera plus facile par la suite, si tu te montres conciliante.

Tessa gravit les marches avec India.

— Entre, Mark, fit-elle d'une voix étouffée. Nous allons goûter avec Adèle.

Harriet hésita une fraction de seconde, puis elle ouvrit tout grand la porte.

— Tout va bien, murmura Tessa. Il n'y a pas de problème, Harriet. Ben est là ?

Soulagée que son mari fût dans la maison et en train de regarder la télévision, Harriet répondit sur le même ton :

— Oui, grâce à Dieu.

A peine furent-ils dans le hall que Tessa se tourna vers Mark et lui dit d'une voix glaciale :

— Juste pour cette fois, je veux bien oublier les termes du contrat que tu as accepté la semaine dernière. Mais il est valable jusqu'à ce que nous ayons trouvé un accord. Tu as compris ?

Il hocha la tête et la suivit à l'étage, jusque dans la salle de jeu, où les divers membres de la famille s'étaient ébattus lorsqu'ils étaient petits. Aujourd'hui, c'était la pièce préférée d'Adèle, son havre de paix.

Dès qu'elle aperçut son père, elle lui fit un signe de la main et lui sourit, mais c'est vers sa mère qu'elle courut en criant :

— Maman, maman ! Je suis contente que tu sois rentrée.

Tessa se pencha pour la prendre dans ses bras et l'embrasser. Puis elle se redressa.

— Papa est là, ainsi que tante India. Nous allons prendre le thé avec toi, Elvira et tes poupées.

— C'est super, maman ! Reggi vient juste de mettre la bouilloire sur le feu.

Comme d'habitude, l'imagination d'Adèle prenait le relais.

— Eh bien, murmura affectueusement sa mère, installons-nous et attendons qu'Harriet nous apporte le thé.

Une heure et demie plus tard, Tessa raccompagna Mark au bas de l'escalier, jusque dans le hall dallé de marbre.

— Merci, dit-il doucement.

Sans lui donner le temps de réagir, il l'attira dans ses bras et se mit à couvrir son visage de baisers, tout en enfonçant ses doigts dans sa chevelure blond cendré. Elle se débattit et parvint à le repousser.

— Ne fais plus jamais ça ! cria-t-elle. *Jamais*, tu m'entends ?

— Pardonne-moi, je ne voulais pas me montrer brutal.

— Contente-toi de ne pas me toucher, dit-elle d'une voix aiguë.

— Tessa, je suis désolé. Je t'ai surprise, mais je ne sais pas moi-même ce qui m'est arrivé. Ecoute, je t'aime. Recommençons. Donne-moi une nouvelle chance et oublions ce divorce. Reformons une famille, tous les trois.

Tessa se tenait au milieu du hall, furieuse et en croyant à peine ses oreilles. Quel culot ! Il était ridicule ! Soudain, quelque chose en elle se rompit et elle cria :

— Recommencer ! Tu dois avoir perdu la raison ! Après tout ce que tu m'as fait... Tu m'as humiliée, maltraitée physiquement et mentalement, tu as enlevé Adèle. Tu es fou, si tu crois que je pourrais y songer un seul instant !

— Tessa, je t'en prie ! Tu exagères, comme toujours.

— Va-t'en, s'il te plaît, ordonna-t-elle plus froidement que jamais. Va-t'en, Mark. *Maintenant.*

Elle marcha vers la porte et l'ouvrit.

Il lui lança un regard mauvais et partit sans ajouter un mot. Un pli abject et laid marquait sa bouche, et ses yeux étaient emplis de fureur.

Tessa claqua le battant derrière lui et poussa le verrou, puis elle se détourna et grimpa l'escalier quatre à quatre. Elle tremblait et rageait intérieurement, mais elle parvint à arborer une expression impassible en réintégrant la salle de jeu.

Dès qu'elle la vit, India accourut vers elle.

— Que s'est-il passé ?

Tessa regarda ailleurs.

— Mark a suggéré que nous pourrions nous remettre ensemble. Quel culot !

15

Gideon Harte se tenait dans le hall de l'hôtel Dorchester, où il attendait Evan. Il jeta un coup d'œil à l'horloge, au-dessus de la porte à tambour, et constata qu'il était une heure moins dix. Evan était ponctuelle et allait arriver d'une minute à l'autre. C'était l'un de leurs points communs et l'une des qualités de la jeune femme qu'il appréciait.

Il aurait préféré déjeuner en tête-à-tête avec elle. La perspective de rencontrer ses parents avait perdu tout attrait, subitement, peut-être parce que l'événement avait pris des proportions insensées. En réalité, il aurait souhaité qu'ils ne viennent pas à Londres. Leur présence rendait Evan nerveuse et distraite. Elle n'était plus elle-même depuis leur arrivée, et se torturait à propos de la filiation de son père.

Au début, Gideon était resté neutre sur le sujet. Puis peu à peu, il avait réalisé qu'il importait qu'Owen Hughes sût que le sang des Harte coulait dans ses veines et dans celles de sa fille.

L'arrivée d'Evan, tout sourire, dissipa ces pensées. Elle portait une robe de coton bleu pâle assez évasée et il la trouva plus jolie que jamais. Elle avait des sandales assorties, à très hauts talons, qui la faisaient paraître très élancée. Des perles d'un bleu fumé ornaient son cou et ses oreilles, rehaussant la couleur de ses yeux immenses.

— Je ne suis pas en retard, au moins ? s'inquiéta-t-elle.

Il secoua la tête.

— Tu es en avance. Mais où sont tes parents ?

— Je leur ai dit d'arriver à une heure et quart, parce que j'avais envie d'être un peu seule avec toi. Je ne t'ai pas vu depuis jeudi soir et tu m'as manqué.

— Toi aussi, murmura-t-il en lui prenant le bras. Viens, asseyons-nous sur ce canapé, tu veux bien ?

— J'ai dit à maman que nous serions au gril, alors autant y aller tout de suite.

Lorsqu'ils furent assis à la table favorite de Gideon, dans un coin de la salle, il commanda une bouteille de Veuve Clicquot, puis la regarda tendrement.

— Tu es ravissante, Evan... Tu ne portes pas ta bague, remarqua-t-il en fixant sa main gauche, le visage soudain sombre.

Elle s'empourpra.

— Evan, reprit-il, tu n'as rien dit à tes parents, c'est cela ?

— Ne sois pas fâché contre moi, Gideon, mais je n'ai pas osé leur en parler, vendredi. Je ne les avais pas vus depuis des mois et papa était vraiment d'une humeur bizarre. Je ne voulais pas leur annoncer nos fiançailles tout à trac. Je souhaitais qu'ils t'aient d'abord rencontré.

— Oh ! Et ce qu'ils penseront de moi fera-t-il une différence, pour toi ? S'ils n'approuvent pas ton choix, changeras-tu d'avis ?

— Ne sois pas bête ! Bien sûr que non, voyons ! sussura-t-elle en se rapprochant de lui. Tu sais que je t'aime et que je veux passer le reste de ma vie avec toi. Mais mon père s'est toujours montré... un peu possessif, envers moi. Il va devoir admettre que je ne rentrerai plus à la maison, que je vais vivre à Londres. Il va bien falloir qu'il s'y fasse.

Les yeux verts de Gideon avaient pris une teinte plus foncée.

— En effet !

— S'il te plaît, Gideon, tâche de voir les choses de mon point de vue. Je t'en prie, mon chéri !

Il soupira.

— Je te comprends, évidemment... enfin, en partie. Et au sujet de Robin, tu lui as dit la vérité ? Lui as-tu appris qu'il fait partie de cette famille qu'il déteste, les Harte ?

Elle se mordit la lèvre inférieure.

— Non. J'ai pensé qu'il valait mieux, qu'il était plus gentil de ma part, de ne pas aborder cette question d'entrée de jeu. J'ai déjeuné avec maman, hier. Elle s'attend à ce que je t'épouse, Gid, et nous donne sa bénédiction.

— C'est bon à savoir, marmonna Gideon, dont la tension au niveau des épaules se relâcha. Evan, je veux simplement que tes parents apprennent nos fiançailles pour pouvoir mettre les miens au courant. Après tout, nos cousins sont dans le secret, qui n'en est déjà plus un.

Evan était trop proche de lui pour ne pas deviner son état d'esprit et regretta qu'il s'exprimât aussi durement.

— Je te promets de le leur dire bientôt, et aussi de parler à mon père, au sujet de Robin...

L'arrivée du serveur, qui apportait le champagne, interrompit la conversation. Quand les flûtes eurent été remplies et qu'Evan eut bu une gorgée, elle remarqua :

— J'espère qu'il comprendra, pour Glynnis et Robin... Qu'il ne sera pas bouleversé.

— Ce sera sûrement un choc, pour lui, murmura Gideon un peu à contrecœur.

Puis il parla du journal et de ses projets pour les prochains mois.

Gideon était surpris. Owen et Marietta Hughes étaient très agréables et certes, le père d'Evan n'était pas le personnage bourru qu'elle avait décrit.

Gideon avait eu du mal à réprimer sa surprise, lorsqu'ils s'étaient approchés de la table et qu'Evan avait procédé aux présentations. Owen Hughes était le portrait tout craché du grand-oncle de Gideon, Robin Ainsley. Il possédait le même nez aquilin et une chevelure identique. Une telle ressemblance était véritablement étonnante. Elle était encore plus prononcée chez lui que chez Evan. Il n'y avait aucun doute qu'Owen fût un Harte. Il était grand, élancé, de belle prestance. Il fallut un moment à Gideon pour comprendre qu'il rappelait aussi énormément son propre grand-père, Winston Harte premier, le frère d'Emma.

La mère d'Evan n'était pas moins surprenante. C'était une jolie femme, d'allure très douce, qui faisait plus jeune que son âge. Elle ne paraissait absolument pas dépressive. En fait, elle était souriante et d'excellente humeur. Sans doute les effets du médicament, pensa Gideon.

Après que le serveur les eut de nouveau servis et qu'ils eurent trinqué à la santé les uns des autres, ils discutèrent à bâtons rompus. La conversation sembla soudain mortelle à Gideon, qui changea de sujet :

— J'avais d'abord espéré vous inviter à l'auberge du Waterside, à Bray. Malheureusement, je travaille, aujourd'hui, si bien que je dois retourner assez tôt au journal, et le trajet en voiture est assez long. Une autre fois, peut-être... Je sais que vous aimez l'eau et la navigation à voile, monsieur Hughes.

— En effet, répondit Owen. Cela aurait été très agréable, par une chaude journée comme celle-ci. D'un autre côté, j'ai toujours adoré venir au gril du Dorchester. Ma mère m'y amenait, quand j'étais petit.

— Vraiment ! s'exclama Gideon.

Il jeta un coup d'œil significatif en direction d'Evan, qui l'ignora. En fait, elle était très surprise. Elle ne savait pas que son père était venu à Londres, enfant. Combien de choses ignorait-elle ? pensa-t-elle.

— Je suis venue plusieurs fois à Londres avec elle, dans les années cinquante, expliquait Owen.

Evan tendit l'oreille. Sa mère, qui la fixait intensément, lui adressa un regard entendu. L'ignorant, Evan lança :

— J'ai dit à Gideon que tu projetais de faire un voyage en France, papa, et il se demandait si tu comptais aller dans le Sud ?

— Probablement. J'aimerais faire visiter Monte-Carlo à ta mère, elle ne connaît pas.

— On a beaucoup construit, ces derniers temps, remarqua Gideon. Plus exactement, on a bétonné partout. Mais si vous y séjournez, Evan et moi pourrions vous y rejoindre un jour ou deux.

— Ce serait sympathique, répondit Owen.

Il avait parlé si bas qu'on l'entendit à peine. Il était clair que cette proposition l'avait pris au dépourvu.

— Ce serait absolument charmant! s'exclama Marietta avec un large sourire. Nous n'avons pas passé de vacances ensemble depuis des années, n'est-ce pas, Evan?

— C'est vrai.

— Je croyais que tu ne pouvais pas quitter ton travail? insinua son père.

— Cela m'est impossible dans la période où vous comptez vous rendre à Paris, faire du tourisme et visiter la Normandie. En revanche, je pense arriver à prendre un week-end prolongé un peu plus tard.

— Voilà une bonne idée, en ce cas, fit son père assez sèchement.

— Si nous commandions? suggéra Gideon. Je ne vous presse pas, mais le dimanche, j'apprécie de déjeuner tranquillement. Pas vous, madame Hughes?

— Moi aussi, Gideon, et appelez-moi Marietta.

— C'est entendu. Merci beaucoup.

— Evan m'a dit que ce restaurant est l'un de vos favoris, Gideon, dit Marietta. Que nous recommandez-vous?

Elle était tournée vers lui. Il lui plaisait beaucoup. Elle appréciait son apparence soignée, sa franchise, sa droiture. Elle priait le ciel pour qu'Owen ne gâchât pas cette première entrevue en se montrant grognon et maussade vis-à-vis d'Evan. Elle avait deviné que les deux jeunes gens formaient un couple et que leur relation était extrêmement sérieuse. Mais Owen l'avait-il compris? Elle n'en était pas sûre.

Gideon examina le menu, puis il leva les yeux et sourit à Marietta.

— J'ai tendance à choisir toujours les mêmes plats, expliqua-t-il. Je commence, en général, par du saumon fumé ou des crevettes au beurre. Puis je choisis ce qu'il y a sur le chariot, des côtelettes d'agneau ou une tranche de rôti de bœuf.

— Et pour finir, un pudding du Yorkshire, intervint Evan. Pourtant, Gideon prétend qu'il n'y a qu'un seul endroit où il soit convenable : dans le Yorkshire.

Gideon se mit à rire.

— Ce sont des préjugés, j'en ai peur, puisque j'y suis né et y ai grandi. Ils font aussi de très bons beignets, ici. Ils sont vraiment excellents.

— Je pense que je vais prendre du rôti, dit Evan. Et toi, maman ? Et toi, papa ?

— La même chose, répondit sa mère.

Owen hocha la tête.

— Pour moi aussi. Et je commencerai par les crevettes au beurre de la baie de Morecambe. Tu ne veux pas y goûter, chérie ? ajouta-t-il à l'adresse de sa femme.

— Merci, Owen, mais je préfère les asperges froides à la vinaigrette.

Dès que la commande fut passée, Gideon déclara :

— A propos du pudding du Yorkshire, j'espère que vous viendrez voir mes parents, à Allington Hall, ou peut-être resterez-vous chez ma tante Paula et mon oncle Shane, à Penninstone Royal. Je sais qu'ils seront ravis de vous accueillir. C'est une très belle région, enchaîna-t-il, surtout les vallons parmi lesquels nous vivons tous. Connaissez-vous le Yorkshire ?

— Oui, répondit Owen.

Il n'avait pas réfléchi en répondant et se surprit lui-même. Pour se sortir d'embarras et couper court à toute discussion à ce propos, il ajouta très vite :

— J'ai fait beaucoup de tourisme avec ma mère, dans mon enfance. Elle voulait que je connaisse son pays. Elle m'a emmené en Ecosse et dans le pays de Galles. Elle était galloise, vous savez.

— On me l'a dit, murmura Gideon.

Il jeta un coup d'œil entendu à Evan, qui évita de le regarder, tant elle craignait d'éclater de rire.

— Tu es vraiment très secret, papa, se contenta-t-elle de remarquer. Tu ne m'avais jamais dit que tu avais parcouru la Grande-Bretagne en long et en large. Tu le savais, maman ?

— Non, répliqua Marietta avec sincérité.

— Vous aimerez Penninstone Royal, reprit Gideon.

Il était décidé à prendre Owen en défaut, s'il le pouvait. A lui faire lâcher quelque chose sur les Harte.

— C'est une vieille maison merveilleuse, continua-t-il, l'un des grands manoirs d'Angleterre. Vous apprécierez particulièrement l'ameublement, je pense. Mon arrière-grand-mère Emma Harte était experte en meubles de style georgien et les collectionnait. Evan m'a dit que vous étiez, vous-même, un spécialiste de la période.

— Du moins, on me considère comme tel, dit Owen.

Il craignait, en en disant trop, de laisser échapper un mot de travers.

Pendant qu'ils mangeaient l'entrée, et tout en coupant un morceau de saumon fumé, Evan relança l'invitation.

— Ce serait vraiment bien, si vous pouviez visiter le Yorkshire, dit-elle. Nous y passerions un week-end ensemble.

— Je ne suis pas certain que nous le fassions, murmura très bas Owen.

Marietta adressa un sourire radieux aux deux jeunes gens, assis en face d'elle.

— C'est une très bonne idée ! s'exclama-t-elle. Et tu sais, Owen, tu trouveras peut-être quelques affaires, là-bas, dans les magasins d'antiquités. J'ai entendu dire qu'ils étaient fort bien garnis. Tu pourrais y dénicher des pièces d'époque georgienne.

— Surtout à Harrogate ! intervint Evan. Penses-y, papa.

— D'accord, marmonna-t-il.

Puis il se concentra sur son assiette.

Ils en étaient à la moitié de l'entrée, quand Gideon suggéra :

— Maintenant qu'on va nous servir la viande, que diriez-vous d'une bonne bouteille de vin ?

De nouveau, ce fut Marietta qui répondit. Elle trouvait Gideon sympathique et souhaitait le mettre à l'aise.

— Très volontiers, merci.

Gideon fit signe au sommelier et après avoir étudié la carte, se fixa finalement sur un château Duhart-Milon, l'un des préférés de son père.

— Papa l'apprécie beaucoup, expliqua-t-il à Owen, et je suis certain qu'il vous plaira, monsieur Hughes. Il vient du domaine du baron de Rothschild, et il est excellent.

Owen hocha à peine la tête. Il avait l'affreuse impression que Gideon, avec son allure, son magnétisme, son assurance et son charme, avait conquis le cœur de sa fille. Il était triste de la perdre et, bizarrement, en voulait à son interlocuteur d'être ce qu'il était : un Harte, et des meilleurs. Perdu dans ses pensées moroses, il prêta peu attention à la conversation, qui allait pourtant bon train.

Ce fut vers la fin du repas que Gideon leva soudain son verre et, regardant Owen et Marietta, déclara lentement :

— Je voudrais que nous portions un toast à la santé d'Evan.

Les trois autres parurent surpris, surtout Evan, mais ils prirent leur verre et se tournèrent vers Gideon.

— A toi, Evan, dit-il d'une voix tendre, la femme la plus extraordinaire que j'aie jamais rencontrée et ma future épouse.

Il y eut un silence abasourdi.

Gideon, tout à fait conscient qu'il venait de lâcher une bombe, jeta un coup d'œil en direction d'Owen et de Marietta, puis poursuivit :

— L'une des raisons pour lesquelles je voulais déjeuner avec vous, aujourd'hui, était parce que je souhaitais vous annoncer nos fiançailles, à Evan et à moi. J'espère avoir votre approbation.

Owen, totalement assommé, lança un regard furieux à sa fille, puis toussota.

— Vous l'avez, bien entendu, si c'est ce qu'Evan souhaite, fit-il sèchement.

Il scrutait le visage d'Evan avec intensité et Gideon en fit autant. Elle était pâle, mais en dehors de cela, son expression était indéchiffrable.

Consciente du malaise énorme qui régnait entre son mari et sa fille, Marietta intervint de nouveau :

— Félicitations à tous les deux. Vous avez notre bénédiction. Nous sommes ravis.

Négligeant la colère larvée d'Owen, sa contrariété et son air sombre, elle demanda :

— Quand vos fiançailles seront-elles officielles ?

— Eh bien, elles le sont à partir de maintenant, Marietta, répliqua Owen.

— Quel dommage que tu ne portes pas ta bague, ma chérie ! ajouta Gideon sur un ton léger, tourné vers Evan.

Elle déglutit péniblement et, sachant qu'il était inutile de chercher à lutter, murmura :

— Oh, mais je l'ai sur moi, Gideon.

Et elle se mit à fouiller dans son sac. Un instant plus tard, le saphir scintillait à son annulaire. Très impressionnée par la taille de la pierre et des diamants autour, sa mère l'admira.

— Elle est très belle, Evan. Tu as de la chance.

C'est fait, pensa Gideon avec satisfaction. Et dans le meilleur style Harte !

Gideon s'apprêtait à quitter son bureau pour se rendre à la dernière réunion de rédaction de l'après-midi, quand son téléphone portable sonna. Prenant conscience qu'il avait oublié de le remettre dans sa poche, il se précipita vers sa table de travail et le saisit.

— Allo ?

— C'est moi, fit la voix d'Evan.

— Bonjour, ma douce. Je n'ai pas le temps de bavarder. Je suis en retard pour ma réunion de rédaction. La circulation était dense, quand j'ai quitté le restaurant. C'est important ?

— Je crois que oui. Gideon, comment as-tu pu faire cela ?

Il savait parfaitement à quoi elle pensait et la sentait furieuse, pourtant il demanda doucement :

— Comment j'ai pu faire quoi ?

— Leur annoncer comme ça, tout de go, que nous étions fiancés. Je suis absolument abasourdie par ta façon de procéder.

— Tu ne devrais pas. Ta mère est ravie et ton père n'avait pas l'air si mécontent que cela. De toute façon, sois...

— Il a été aussi bouleversé que moi. Il m'a accusée d'avoir été sournoise, parce que je ne lui en avais pas parlé auparavant. L'après-midi a été gâché et il est parti fâché.

— Vraiment. Quel changement d'humeur inopiné ! Il s'est montré très cordial avec moi, quand nous nous sommes quittés.

— Tu t'es mal comporté à mon égard. Tu ne m'avais pas fait la moindre allusion à quoi que ce soit avant le déjeuner.

— Je n'ai rien forcé, Evan, j'ai simplement dit la vérité, fit-il sèchement. Je pense que tu dois avancer, ma chérie, ajouta-t-il d'une voix plus douce, et négliger la rancune que peut nourrir ton père. Ecoute, dans quelques jours, il te faudra lui dire que Robin Ainsley est son père, éclaircir les choses une bonne fois pour toutes. Efface l'ardoise ; s'il n'y a plus de secrets, tout ira pour le mieux.

— Je ne peux pas lui parler de Robin maintenant ! cria Evan d'une voix stridente. Ce sera trop, pour lui !

— J'en doute, rétorqua froidement Gideon. Je dois te quitter, à présent. Les autres m'attendent pour commencer. A plus tard, ma chérie.

Il raccrocha et glissa le téléphone dans sa poche, se demandant comment une fille aussi brillante et intelligente qu'Evan pouvait faire tant de manières et se montrer si timorée, dès qu'il s'agissait de son père. Il ne put s'empêcher de souhaiter qu'elle se comportât en véritable Harte. Il la voulait courageuse et forte, comme ses cousines. Mais elle n'avait pas été élevée comme elles, alors...

Cette pensée inattendue et troublante ne le gêna pas sur le moment. Mais plus tard, ce soir-là, elle le ferait longuement réfléchir à sa relation avec Evan Hughes.

Tessa se tenait dans l'entrée de Niddersley Hall et regardait sa grand-tante Edwina descendre lentement l'escalier. Elle portait une robe de soie pourpre, sa couleur préférée, à la fois royale et majestueuse. Elle était d'ailleurs les deux, pensa Tessa. Ses cheveux argentés étaient relevés d'une façon élégante, et comme d'habitude, elle était parfaitement maquillée et apprêtée. Elle paraissait vingt ans de moins que son âge.

— Te voilà, Tessa ! s'écria-t-elle en glissant dignement vers sa petite-nièce, qui venait à sa rencontre. Tu sembles en meilleure forme que je ne m'y attendais, après l'épreuve que tu viens de vivre.

— Merci, tante Edwina. Pour ta part, tu es superbe !

Après avoir embrassé la vieille dame sur la joue, Tessa recula pour la regarder.

— Ces perles sont-elles vraies ? ne put-elle s'empêcher de demander.

— Ma chère enfant, le monde entier sait que je ne porte jamais rien d'artificiel. Bien entendu, elles sont vraies, je les ai achetées il y a quelques semaines. Des spécimens des mers du Sud, parfaitement assortis. J'ai eu envie de me faire plaisir, vois-tu.

Tessa et Edwina entrèrent dans le salon. C'était une pièce relativement petite mais élégante, avec une belle cheminée et plusieurs hautes fenêtres, qui donnaient sur le jardin.

Tessa désigna quelques fauteuils, disposés près de l'une d'elles.

— Pouvons-nous nous asseoir là ?

La journée avait été chaude et bien que le soleil fût couché, la soirée était très douce, et la jeune femme préférait se tenir dans un endroit frais.

— Certainement, répliqua sa grand-tante. J'ai dit à Frome de nous apporter du champagne, à moins que tu ne préfères autre chose.

— C'est parfait, merci, répliqua Tessa en s'installant en face d'Edwina. India ne va pas tarder. Pour ma part, j'arrive du magasin de Harrogate, mais elle se trouvait à Leeds.

— Oui. Elle m'a téléphoné pour me dire qu'elle serait un peu en retard, mais ce n'est pas grave, ma chère petite, nous aurons une conversation en l'attendant. Ah, vous voilà, Frome !

Le majordome venait d'entrer, portant un plateau sur lequel trônait un seau à glace, contenant une bouteille de champagne.

— Nous en prendrons toutes les deux, Frome.

— Très bien, madame.

Une minute plus tard, il apportait deux flûtes de cristal. Elles en prirent chacune une et le remercièrent.

Edwina leva la sienne en souriant à Tessa.

— A ta santé, Tessa, et à ton brillant avenir.

Tessa l'imita, tout sourire.

— Au tien aussi, tante Edwina.

La vieille dame éclata de rire.

— Bien dit, petite Tessa, bien dit. Je te remercie. Je n'ai nulle intention de quitter ce monde, pour l'instant.

— C'est évident ! Quand tu t'achètes un collier de perles comme celui-ci, tu projettes de le porter. Je trouve fantastique que tu te fasses des cadeaux, cela démontre de ta part un état d'esprit extrêmement positif.

— Sans doute...

Après avoir avalé une gorgée de nectar, Edwina se cala contre les coussins brodés, puis reprit :

— Et maintenant, dis-moi où nous en sommes avec ton fou de mari. Il a baissé de plusieurs crans dans mon estime.

— Il n'est pas facile, tante Edwina. Et je suis d'accord avec toi, il est cinglé, d'ailleurs...

— Il doit l'être, pour traiter de façon aussi minable une fille merveilleuse comme toi. Je suis atterrée par son comportement et ravie de la démarche que tu as faite en demandant le divorce, articula Edwina avec force.

— Il sera bientôt mon ex-mari.

— Débarrasse-toi de lui, quel qu'en soit le prix. Il t'a déjà causé bien trop de souffrance. Je suis pour le divorce, tu sais. Il est ridicule qu'un couple reste uni si chacun rend l'autre malheureux. A ce que j'ai appris, Mark est très gourmand.

— Oui. Maman veut faire en sorte que les choses aillent plus vite, une fois qu'elle sera rentrée de New York, la semaine prochaine.

— Très bien. Comme je te le disais, paie-le, et qu'il s'en aille.

Edwina but un trait de champagne, puis continua :

— Tessa, tout le monde a un prix, mais il ne s'agit pas toujours d'argent...

— Comme ta mère aimait à le répéter, l'interrompit Tessa. Je sais que c'était aussi le credo d'Emma.

— Je suis contente de te l'entendre dire. Elle était la plus remarquable des femmes, une légende de son vivant. Si tu suis ses préceptes, tu ne peux pas te tromper. D'autres considérations peuvent entrer en jeu, mais tous les chemins mènent à Rome.

— Ce qui intéresse Mark, tante Edwina, c'est l'argent.

— Et quelques petites choses comme le vin, les femmes et la musique, pour parler en termes choisis.

— C'est vrai, mais cela m'est égal, désormais. Je veux seulement qu'il sorte de ma vie.

— Ce n'était pas très malin de sa part, de kidnapper Adèle. Il ne pouvait que s'attirer des ennuis.

— Il est certain que cela lui a plutôt nui auprès des avocats... les miens et les siens.

— J'en suis certaine, en effet.

Il y eut un silence, durant lequel Edwina observa sa petite-nièce attentivement.

— J'espère qu'il ne t'a pas effrayée au point que tu renonces à avoir une relation avec un homme, Tessa, fit-elle sur un ton bienveillant. Tu es une jeune femme superbe et tu dois très vite surmonter l'épreuve, la laisser derrière toi. Tu dois aussi réprimer ta peur que Mark ne s'en prenne de nouveau à Adèle, pour aller de l'avant.

— Comment sais-tu que c'est ce qui m'effraie ? demanda Tessa.

A son tour, elle scruta le visage de la vieille dame, s'émerveillant de la forme extraordinaire dans laquelle elle était. C'était une belle femme, en pleine possession de ses facultés.

— Parce que n'importe quelle mère réagirait ainsi, si elle devait affronter un fou comme Mark Longden. Mais je doute qu'il recommence, quand Paula se sera occupée de lui.

— J'espère que tu as raison.

A cet instant, India débaula dans le salon, un peu rouge et légèrement hors d'haleine.

— Pardonne-moi, grand-mère, mais la circulation était très dense, depuis Leeds.

— Nous n'allons nulle part, murmura Edwina en tendant sa joue à sa petite-fille. Détends-toi, India chérie, et sers-toi de champagne, cela ira plus vite que d'appeler Frome. Il se fait un peu vieux.

India fut prise de fou rire.

— Grand-mère ! S'il a cinquante ans, c'est le bout du monde ! Il est beaucoup plus jeune que toi.

— Peut-être, mais il lambine. Je suis plus alerte que lui, plus rapide en tout cas. Tu veux peut-être autre chose que cela ?

— Ce sera parfait, grand-mère, merci.

India se dirigea vers le buffet, sur lequel était posé le plateau, et se servit en riant encore. Son aïeule était insensée : elle avait son franc-parler, elle pouvait être brutale, voire rude parfois ; c'était un vrai personnage et une excentrique. Elle était unique en son genre et India l'adorait. Son père avait toujours dit de sa mère qu'on avait jeté le moule dans lequel elle avait été fabriquée.

India revint s'asseoir près de Tessa, leva sa flûte et lança :

— A votre santé.

Elle but une gorgée, puis se pencha en avant et dit à sa grand-mère :

— Qui t'a parlé de Russel Rhodes, de notre liaison et de l'agression dont il a été victime ?

— Je connais quelqu'un qui travaille à l'hôpital de Harrogate, India, mais j'ai promis de garder son identité secrète.

Complètement abasourdie, India s'écria :

— Alors, il ne s'agissait pas d'un membre de notre famille ?

— Pas du tout. Je n'ai aucune nouvelle de Robin et d'Elizabeth depuis des semaines et vous les jeunes, vous ne vous préoccupez pas beaucoup de moi, ces temps-ci.

— Oh, grand-mère, ne dis pas ça ! Je me sens terriblement coupable !

— Tu ne devrais pas, parce que je ne m'en soucie guère, sauf lorsqu'il s'agit de Tessa et de toi, India. Vous deux êtes mes favorites, des Fairley pour une part, et j'ai vraiment besoin de savoir comment vous allez. Je me sens exclue de vos vies.

India jeta un coup d'œil à Tessa, qui devait éprouver la même chose qu'elle. Mais avant qu'elle n'eût dit un mot, Edwina enchaîna :

— Je sais que ton ami est en convalescence et qu'il doit rentrer à Willow Hall demain. Peut-être un peu plus tard dans la semaine, s'il le veut bien, tu l'amèneras ici, pour me le présenter. Pour le déjeuner, le thé ou le dîner, ce qui te conviendra le mieux, ma chérie.

— J'essaierai de venir dîner avec lui, grand-mère, mais il n'est pas facile à convaincre.

— Fais de ton mieux. Je fanfaronne et me vante de ne pas quitter ce monde pour l'instant, mais on ne sait jamais ce qui peut arriver. La vie a la curieuse habitude de venir vous heurter de plein fouet quand vous vous y attendez le moins.

— Ne dis pas cela ! cria India. Tu es encore là pour long-temps !

— Espérons-le. Dis-moi, aimes-tu suffisamment ce garçon pour souhaiter passer le reste de ta vie auprès de lui ?

India hocha la tête et ouvrit la bouche pour dire quelque chose, mais elle changea d'avis et resta sur sa chaise, immo-bile, fixant Edwina.

— Si tu le veux, c'est à toi de faire en sorte de l'avoir ! Ainsi vont les choses ! La plupart des hommes ne parviennent pas à savoir ce qu'ils souhaitent, quand il s'agit de s'engager envers une femme. De toute façon, ma chérie, si tu l'aimes, je fais confiance à ton jugement. Puisque tu l'as élu, ce doit être quelqu'un de bien, qui vaut le coup.

— Oui... Je crois.

— Parfait. Et maintenant, si je vous ai invitées à dîner, toutes les deux, c'est que je voulais vous faire un cadeau. Suivez-moi, jeunes filles, continua Edwina en s'arrachant à son fauteuil.

Elle se dirigea avec détermination vers l'entrée, la traversa et entra dans la bibliothèque. Quelque peu étonnées, Tessa et India la suivirent, non sans échanger des regards surpris.

Prenant une clé dans sa poche, Edwina s'assit devant un bureau dix-huitième, près de la fenêtre, et l'ouvrit.

— Ne restez pas plantées là, comme deux bécasses, ordonna-t-elle sèchement. Installez-vous sur le sofa.

Elles obtempérèrent sans un mot, sachant qu'il était plus sage qu'elles se taisent et laissent le champ libre à la comtesse douairière de Dunvale, qui était visiblement dans une forme éblouissante.

Un instant plus tard, après avoir extirpé des choses variées d'un tiroir, Edwina fit un signe aux jeunes femmes.

— Venez m'aider à porter tout ceci sur la table basse.

Sur ces mots, elle se leva et prit l'un des objets. India et Tessa lui prêtèrent main-forte, puis elles s'assirent toutes les trois. Edwina se doutait que sa petite-fille et sa petite-nièce brûlaient de curiosité, et elle sourit en elle-même en pensant au choc qu'elle allait leur asséner. Un coup plutôt sympathique, estima-t-elle. Elle prendrait grand plaisir à vivre les minutes suivantes. En fait, elle n'avait rien connu de semblable depuis longtemps.

Lorsqu'elle avait eu connaissance de l'enlèvement d'Adèle, elle avait été à la fois choquée et décontenancée, d'autant que peu de temps après, elle avait appris l'agression dont avait été victime Russel Rhodes, qui se trouvait être son peintre contemporain préféré.

Ces ravissantes filles avaient subi des coups durs, ces derniers temps, à son grand regret. Elle les aimait profondément et éprouvait l'intense désir de les protéger. Maintenant, elle voulait leur prouver son affection de façon concrète.

Se dressant un peu sur son siège, elle fit glisser ses mains sur ses genoux pour lisser la soie de sa robe, puis fixa Tessa.

— Tu es un peu plus âgée qu'India, dit-elle lentement, aussi m'adresserai-je à toi en premier. Ton arrière-grand-mère Emma Harte était une femme extraordinaire. Tout ce que tu possèdes au monde, tu le dois à son intelligence de femme d'affaires et de chef d'entreprise, à sa ténacité, à sa résistance, à son travail acharné et à l'entêtement qu'elle a mis à réussir. Sans oublier sa prévoyance, bien entendu. Ne perds jamais cela de vue, Tessa. Laisse-moi te conter une anecdote... Il y a longtemps, très longtemps, ma mère m'a fait un cadeau. Elle savait qu'il aurait beaucoup de sens, à mes yeux, parce que je me considérais comme une Fairley à part entière, et non le fruit d'une union illégitime, ce que j'étais, en réalité. J'étais aussi une Harte, mais à l'époque, par snobisme, j'aimais voir en moi une aristocrate. Comme si ces choses avaient la moindre importance, à long terme !

Edwina jeta un coup d'œil aux objets étalés sur la table basse. Semblant évoquer de lointains souvenirs, elle laissa échapper un long soupir, puis continua doucement :

— Ma mère m'a fait ce présent pour Noël. Il avait autrefois appartenu à ma grand-mère Adèle Fairley.

Elle saisit une boîte de cuir noir très éculée, de forme arrondie, l'ouvrit et la reposa sur la table.

India et Tessa laissèrent échapper un cri, puis se penchèrent en avant pour mieux voir.

A l'intérieur de l'écrin, sur du velours noir, reposait le plus beau collier de diamants qu'elles aient jamais vu. Les milliers de pierres qui le composaient étincelaient à la lumière et l'on eût dit un bavoir de dentelle brillant de mille feux. Il était magnifique.

Les deux cousines regardèrent Edwina, qui les observait d'un air pensif.

— Il est merveilleux, grand-mère, dit India, mais comment Emma a-t-elle fait pour l'avoir, s'il appartenait à Adèle Fairley ?

— Bien des années avant de me l'offrir, ma mère l'avait acheté lors de la vente aux enchères des bijoux d'Adèle, à Londres. En fait, elle a acquis toute sa collection.

— Mais pourquoi était-elle mise aux enchères ? s'étonna India.

— Parce que Gerald Fairley avait besoin d'argent, pour maintenir son commerce à flot, et il avait hérité ce trésor de son père.

— Il a donc tout mis en vente et Emma a récupéré l'ensemble, murmura Tessa.

— Oui. Je pense qu'elle seule pouvait y voir l'ironie du sort. Ce collier était le préféré d'Adèle, et quand Emma servait à Fairley Hall, elle le fixait souvent au cou de sa maîtresse. Des années plus tard, elle en devenait la propriétaire. Quel retournement du sort, n'est-ce pas ?

— Certes, dit India. Emma aimait-elle le porter, elle aussi ?

— Oh, elle ne l'a jamais mis, pas plus qu'aucune femme après Adèle, jusqu'à ce qu'elle me le donne. Je l'ai sorti quelquefois. A présent, Tessa, je te l'offre.

— Oh, tante Edwina, je ne peux pas accepter ! Il doit aller à India, puisqu'elle est ta petite-fille ! Je te remercie, mais...

— Mais c'est non ?

— Absolument.

— Tu as tort, Tessa ! s'exclama India. Grand-mère a le droit d'agir comme elle l'entend. Tu dois agir comme tu l'entends, répéta-t-elle avec sincérité en s'adressant à Edwina.

— Il existe une autre raison, pour laquelle Tessa doit l'avoir, répliqua Edwina en fixant India, puis Tessa. Jim Fairley était un enfant *légitime*, le petit-fils d'Edwin, et il était ton père, Tessa. C'est pourquoi je pense vraiment que ce collier te revient… En outre, ta mère était très proche d'Emma, qui aurait pu lui offrir ce bijou, plutôt qu'à moi.

— Mais je…

Edwina leva la main.

— Ne discute pas avec moi, s'il te plaît, Tessa chérie. Je te fais ce cadeau parce que tu es une vraie Fairley par ton père. Mais tu ne dois pas oublier que tu es aussi une Harte, Tessa. Jamais. Cela a été mon cas, autrefois, et j'ai passé ma vie à le regretter. Je t'aime.

— Merci, dit Tessa d'une voix tremblante.

Ses yeux s'emplirent de larmes. Elle voulut déglutir, mais sa gorge était trop serrée et douloureuse. Elle essuya ses larmes d'un doigt, se sentant soudain très émotive.

— Et maintenant, à toi, ma beauté, reprit Edwina en regardant sa petite-fille. Les autres bijoux qui se trouvent dans ces vieilles boîtes appartenaient à Adèle, eux aussi ; c'est la fameuse collection. Emma me l'a léguée par testament. Tu peux choisir ce que tu veux, India, mais je crois que tu devrais aimer ceci.

Se penchant au-dessus de la table basse, Edwina prit un écrin de cuir rouge et l'ouvrit.

De nouveau, India et Tessa poussèrent des exclamations de surprise. Elles se regardèrent, puis se tournèrent vers la vieille dame.

— C'est pour moi, grand-mère ? souffla India, les yeux élargis par l'étonnement.

— Si tu veux, ma chérie.

India se tut. Elle s'inclina à son tour et prit le ras-du-cou. Il était tout en perles et très large, dans le style des rois Edouard. Au centre, il y avait un énorme saphir entouré par cinq rangs de gros diamants roses. La pièce centrale était de forme ovale. Il était somptueux.

— J'ai pensé qu'il t'irait bien, India, car tu as un long cou de cygne. Ce coffret, là, contient les boucles d'oreilles assorties. A ce propos, Tessa, fouille donc dans ces boîtes pour trouver celles qui vont avec ton bijou.

Sur ces mots, Edwina se cala dans son fauteuil, souriante.

India était sous le choc.

— C'est vraiment pour moi, grand-mère ? demanda-t-elle d'une voix légèrement tremblante.

— Oui, ma chérie, parce que je t'aime tendrement. Toi aussi, tu es une Fairley, par moi, et tu dois recevoir quelque chose qui ait appartenu à ton arrière-arrière-grand-mère.

— Merci, merci beaucoup, dit India.

Elle rangea le collier et alla embrasser sa grand-mère, les yeux humides d'émotion. Tessa l'imita. Edwina se mit à rire, ravie de leur surprise, de leur plaisir et de leur reconnaissance.

— Il y a un miroir, par là. Pourquoi ne pas les porter, jeunes filles ?

India, qui avait une robe noire légèrement décolletée, s'émerveilla de l'effet rendu par le ras-du-cou. Se tourna vers sa grand-mère :

— C'est magnifique, tu ne trouves pas ?

— Il te va parfaitement bien, India. Je ne me suis pas trompée en le choisissant pour toi. Viens ici, que je te voie bien.

India rejoignit Edwina et se tint devant elle. Cette dernière hocha la tête avec satisfaction.

— Il est absolument parfait sur toi, ma chérie.

— Grand-mère, c'est vraiment très généreux de ta part.

— J'ai du mal avec mon collier, dit Tessa. Il ne semble pas tomber correctement.

India se porta à son secours. La robe blanche de Tessa avait une fermeture éclair dans le dos. Elle l'ouvrit.

— Fais glisser ta tenue sur tes épaules, suggéra-t-elle, la parure se placera comme il faut.

Tessa suivit son conseil, puis toutes deux revinrent vers Edwina.

— Qu'en penses-tu, tante Edwina ?

Edwina hocha la tête et, de façon inattendue, ses yeux se voilèrent de larmes.

— Voilà que vous ressemblez soudain à des créatures éthérées venues d'une époque lointaine. Savez-vous que vous me rappelez plus que jamais Adèle ? Vos cheveux blonds, vos yeux gris...

Edwina fouilla dans sa poche, en sortit un mouchoir et se moucha. Recouvrant rapidement ses esprits, elle déclara, très pragmatique :

— Ces bijoux constituent l'héritage que je vous lègue. Le reste de la collection d'Adèle ira à ta mère, India, et à Paula. Allons souper, à présent, fit-elle en se levant. Je suis vraiment affamée.

— Allons-y, grand-mère, renchérit India, mais tu devrais peut-être d'abord tout ranger, tu ne crois pas ?

— Bonne idée, dit Tessa.

Elle retira son collier, le remit dans l'écrin, puis rajusta sa robe. Elle lança un regard entendu à India et se tourna vers la vieille dame.

— Tu n'as aucun système de sécurité, tante Edwina ?

— Tu ne penses tout de même pas que je garde ce trésor ici, petite sotte ? Jack Figg m'étriperait, si je le faisais.

Tessa et India éclatèrent de rire en même temps.

— Qui te l'a envoyé ?

— Gideon Harte, évidemment ! Jack a fait un petit contrôle et il a été ravi de constater que j'avais trois coffres-forts. Un pour les documents, un pour les bijoux, un pour l'argenterie. Il était impressionné.

— Je m'en doute ! dit Tessa.

— Oh, grand-mère, tu es vraiment unique !

Et sur ces entrefaites, India porta les coffrets vers le bureau, aidée de Tessa. Edwina les suivit des yeux, le visage illuminé de plaisir.

16

Les tableaux accrochés aux murs du salon, à Willow Hall, représentaient de beaux paysages. Dusty les avait peints au début de sa carrière.

India se tint plusieurs minutes devant chacun d'eux, l'examinant avec attention avant de passer au suivant. Il y en avait quatre : deux sur le panneau entre les portes-fenêtres ouvrant sur la terrasse, un sur celui de droite, et le dernier sur celui de gauche.

Elle aimait ces compositions à la végétation luxuriante et vert sombre, au ciel bleu pâle et lumineux. Cela lui rappelait un Turner conservé à Penninstone Royal. Elle savait qu'il était difficile de saisir la lumière sur une toile, et Dusty y parvenait brillamment. Il lui avait dit, une fois, que son style était dur à maîtriser : « Peindre les paysages et les gens tels qu'ils sont n'est pas chose aisée. »

Elle avait hoché la tête en signe de compréhension. Elle avait voulu lui avouer que ses œuvres lui évoquaient celles de Constable, mais n'avait pas osé, de crainte qu'il ne s'imagine qu'elle l'accusait de plagiat... Il était si susceptible, quelquefois !

Au-dessus de la belle cheminée de marbre blanc, trônait un cinquième tableau. C'était le portrait d'une femme habillée dans le style georgien. On aurait pu croire qu'il avait été exécuté au XVIIIe siècle, mais la signature de Dusty, dans le coin en bas à droite, prouvait qu'il n'en était rien. Il faisait penser à celui, fameux, de lady Hamilton, par George Romney, qui se trouvait à la Frick Collection, à New York. Emily Hart, de son nom de jeune fille, avait plus tard adopté celui d'Emma Hart. Du fait de cette étrange coïncidence, lady Hamilton, la maîtresse de lord Nelson, avait toujours suscité l'intérêt d'India.

Elle traversa la pièce et alla s'asseoir sur le sofa, en face de la cheminée, pour contempler le modèle. Mais ses pensées la ramenèrent à Dusty. Elle était allée le chercher à l'hôpital le matin, et l'avait ramené chez lui. Après un déjeuner léger, préparé par Angelina, la gouvernante, il s'était rendu dans son atelier. « Pour refaire connaissance avec lui, avait-il précisé, et bannir les fantômes. »

Il n'avait pas eu à lui signifier qu'il souhaitait y aller seul, elle l'avait compris. Cette façon de connaître intuitivement l'humeur de l'autre, de le comprendre, de le soutenir ou de lui manifester sa sympathie faisait partie de ses grandes qualités. C'était aussi l'une des raisons pour lesquelles tout le monde l'aimait.

Entendant des pas sur les dalles de marbre du hall, elle se tourna vers les portes en noyer, qui étaient ouvertes. Son visage s'éclaira à la pensée que c'était Dusty, mais à la vue de Paddy Whitaker, elle cessa de sourire.

Scrupuleusement poli, comme toujours, il demanda depuis le seuil de la pièce :

— Je ne vous dérange pas, lady India ?

— Non, Paddy. J'admirais ce portrait.

— Il est fort beau, en effet, dit-il en entrant dans la pièce. M. Rhodes demande que vous le rejoigniez. Il vient de m'appeler par l'interphone du cellier.

— J'y vais, bien sûr !

India se leva d'un bond et contourna le sofa pour gagner la porte à double battant.

— Je saisis l'occasion pour vous remercier de m'avoir mis en contact avec Jack Figg, reprit Paddy. Il est venu visiter la maison, puis a envoyé une équipe de spécialistes, des types remarquables. Vous savez, j'ai longtemps harcelé M. Rhodes pour qu'il renforce la sécurité, ici. N'importe qui peut entrer et se promener partout. Ou du moins, le pouvait. La situation est déjà meilleure. Vous avez sauvé M. Rhodes, lady India, poursuivit Paddy en la regardant droit dans les yeux, et nous vous en sommes vraiment très reconnaissants.

Lorsque India entra dans le studio, Dusty se tenait près du chevalet. Il vint vers elle en lui tendant les bras, un grand sourire aux lèvres.

— Tout va très bien, India. Parfaitement bien. Pas de fantômes ou d'ondes négatives.

Elle lui prit les mains et il l'attira contre lui.

— Merci, lui murmura-t-il à l'oreille. Tu as dû vivre des moments difficiles, ajouta-t-il doucement en la regardant en face, j'en suis désolé.

— Tu n'as pas de regret à avoir, Dusty. C'est arrivé, mais grâce à Dieu, tu vas bien. Tu *vas* bien, n'est-ce pas ?

— Oui. Et... toi ?

— Je suis en forme, si tu l'es.

— Je craignais de me sentir mal à l'aise, ici, mais ce n'est pas le cas. Je peux donc me remettre au travail demain, et j'en suis fort heureux, ma douce.

— En es-tu bien certain ?

— Oui. De toute façon, je peins de la main droite...

India hocha la tête avant de traverser l'atelier, pour s'installer dans l'un des fauteuils. Dusty prit place près d'elle et étendit les jambes. Il y eut un bref silence, qu'il rompit :

— Je n'ai pas eu le cœur de revenir sur cette agression, jusqu'à présent, même si je devine que tu es pressée d'en discuter.

— Oui, j'ai besoin d'en parler, Dusty.

— Le jour où c'est arrivé, c'était impossible. Ensuite, je n'étais pas dans un état d'esprit qui me permettait de m'expliquer, mais maintenant, ça va. Je veux qu'une chose soit bien claire, India, je connais la femme qui m'a blessé. Nous avons eu une liaison, il y a quelques années, mais pas pendant très longtemps. Nous avons rompu il y a environ un an et demi. Elle est toxicomane, autodestructrice, et pour parler franchement, malgré tous les efforts que j'ai faits pour l'aider à s'en sortir, n'a pas réussi à se passer de l'héroïne. Il y a six mois, sa mère m'a appelé. Melinda, c'est son nom, allait vraiment mal et avait besoin d'être traitée. J'ai fait de mon mieux pour trouver le meilleur établissement et par bonheur, elle a accepté de suivre une cure de désintoxication. Je pensais que tout allait bien, jusqu'à ce qu'elle fasse irruption ici et devienne folle de rage à ta vue.

— Elle doit être encore amoureuse de toi, suggéra India, ses yeux dans ceux de Dusty.

— Je n'en sais rien, c'est possible. Et j'ignorerai toujours comment elle est sortie de clinique, dit-il avec un léger embarras.

— Elle y est retournée ?

— Oui. Sa mère est une brave femme. Elle l'a retrouvée et convaincue de se remettre entre les mains du Dr Jeffers.

— Peut-elle guérir, Dusty ?

— Si elle le désire vraiment et si elle collabore avec les médecins. Je l'espère, dans son propre intérêt.

— Eh bien... moi aussi, conclut India. As-tu porté plainte ? s'enquit-elle après s'être éclairci la gorge.

— Comment le pourrais-je, India ? Elle n'avait pas toute sa tête, ce jour-là. Je reste convaincu qu'elle avait absorbé des drogues et voulait juste détruire le tableau, non me faire du mal.

Il observa la jeune femme avec inquiétude, mais se contraignit au calme, conscient de son expression soucieuse et de sa lassitude, lorsqu'elle parlait. Envisageait-elle de rompre avec lui ? Il voulait qu'elle fît partie de sa vie, qu'elle restât auprès de lui. Il s'en était rendu compte à l'hôpital et avait réalisé qu'elle tenait une place immense dans son existence. Il se pencha vers elle et lui pressa doucement la main.

— Cela n'aurait pas été une bonne idée que je la poursuive en justice, ma chérie.

— Je sais, tout comme je sais qu'il s'agissait d'un accident. Crois-tu qu'elle risque de te harceler et de faire de ta vie un cauchemar ?

— Et de la tienne aussi, par la même occasion ? C'est cela ?

— Oui. Je me fais du souci pour nous deux, Dusty.

— Elle va rester en clinique un bon bout de temps. Et puis, grâce à ton ami Jack Figg, personne ne peut plus entrer dans la propriété sans être repéré. Le système de surveillance est en place.

India se mit à rire.

— Pauvre Jack ! Il s'est occupé de Linnet et depuis, il est devenu l'expert en sécurité de toute la famille. Et de toi, maintenant ! Il doit nous maudire.

Dès que Dusty entendit le rire de sa compagne, il se sentit soudain plus léger. Tout irait bien, entre elle et lui, il en était certain.

Dans l'espoir de lui faire plaisir, il demanda :

— Que m'as-tu dit, exactement ? Tu as bien fait allusion à un dîner chez ta grand-mère ?

— Tu serais d'accord pour aller chez elle ? s'exclama India.

— Elle a l'air d'une sacrée bonne femme. Exactement mon type, tu ne crois pas ?

— Si. Et elle va être ravie. Dès que tu te sentiras assez bien pour cela, elle aimerait nous avoir à dîner. Elle n'habite pas très loin d'ici, entre Harrogate et Knaresborough. Je peux lui dire que c'est entendu ? Le week-end prochain, par exemple ?

— Parfait, répondit-il avec un sourire. Viens, retournons à la maison.

Ils quittèrent l'atelier main dans la main et gagnèrent la terrasse située à l'arrière de la bâtisse. India pensait à la satisfaction d'Edwina lorsqu'elle ferait la connaissance de Dusty.

Lui se disait qu'il avait été bien lâche de ne pas dire à India qu'il avait eu un enfant avec Melinda. Il priait le ciel que la presse ne le découvrît pas et que l'histoire ne fît pas la première page des journaux. Croise les doigts, pensa-t-il. *Croise les doigts.*

— J'adore cette suite, déclara Lorne de sa voix mélodieuse.

Il fit quelques pas dans le spacieux salon et ouvrit une porte.

— Tessa, regarde, il y a une autre chambre. Eh bien, mon chou, ça c'est du luxe ! Quand j'ai appelé Shane à New York, l'autre jour, ajouta-t-il en se tournant vers sa jumelle, il m'a promis que nous aurions une suite pour nous deux. Il nous a gâtés !

Tessa regarda autour d'elle, admirant le salon bien meublé. Lorne et elle résidaient à l'hôtel O'Neill de Paris.

— En effet. Et quelle belle vue nous avons sur la tour Eiffel ! Je suis contente d'être venue avec toi, Lorne, poursuivit-elle en se jetant dans les bras de son frère. Merci de m'avoir emmenée. J'ai été au plus bas et ce voyage ne peut me faire que du bien, comme tu me l'as dit toi-même.

— A condition que tu te détendes et que tu ne t'inquiètes pas à propos d'Adèle. Elle est en sécurité, avec Elvira et Linnet, à Penninstone Royal. Evan y est aussi, d'ailleurs.

— Oui, elle travaille au magasin de Leeds, avec India, mais je suppose qu'India vit chez Dusty, en ce moment, pas à Penninstone Royal. Gideon et Julian devraient passer le week-end sur place, ils arrivent demain soir, d'après ce que m'a dit Linnet. Aussi suis-je assez tranquille, je t'assure. Et maintenant, quelle chambre choisis-tu ?

Lorne jeta un coup d'œil par-dessus son épaule, pour regarder la pièce dont il venait d'ouvrir la porte.

— Je pense que celle-ci est plus féminine et plus vaste. Prends-la, Tessa, je m'installerai dans la petite, de l'autre côté du salon.

On frappa et Lorne alla ouvrir au chasseur, qui montait les bagages. Il lui indiqua où les déposer et lui donna un pourboire.

Lorsqu'ils furent de nouveau seuls, il dit à sa sœur :

— A présent, Tessa chérie, je veux que tu te fasses belle. Une soirée très particulière nous attend.

— Ah bon ? Où allons-nous ? Tu ne m'as parlé de rien, dans l'avion.

— J'ai préféré te faire la surprise. Nous nous rendons à une réception organisée en l'honneur d'un écrivain. C'est à la fois un cocktail et l'occasion pour lui de dédicacer ses livres. Ensuite, il nous invite à dîner.

— Qui est-ce ? Te connaissant, mon cher frère, je parierais qu'il s'agit d'une très belle femme, bien que tu parles d'*un* écrivain.

Lorne secoua la tête, les yeux brillants de malice.

— Tu n'y es pas du tout. C'est Jean-Claude Deléon.

Les sourcils froncés, Tessa fixa un instant son frère.

— Tu prononces ce nom comme si j'étais censée le connaître... C'est le cas ?

— Tu l'as rencontré une fois, à l'une de mes premières, mais je ne sais pas s'il t'a remarquée, ce jour-là. Mais toi, il devrait te dire quelque chose, Tessa, puisque c'est l'un des intellectuels français les plus connus, après Bernard-Henri Lévy.

— Je n'ai jamais entendu parler de celui-là non plus. Qui est-ce ?

— Oh, Tess, quel cancre tu fais ! Lévy est une figure de la scène parisienne.

— Je ne pense pas avoir envie d'assister à cette réception. Ce n'est pas ma tasse de thé.

— Ce le sera, je t'assure. De toute façon, elle se tient de sept à neuf. Nous arriverons vers huit heures et quart, de façon à n'y rester que trois quarts d'heure, ensuite nous dînerons avec lui et un petit groupe d'amis.

— Même quarante-cinq minutes, cela me semble trop long. Je ne peux pas venir dix minutes avant la fin ?

— Non, tu ne peux pas ! répliqua sèchement Lorne. Il est temps que tu te distraies un peu. Nous sommes à Paris et tu étais d'accord pour faire tout ce que je voudrais, avant de quitter Londres. Nous serons à huit heures et quart à ce cocktail.

— Très bien, très bien, ne monte pas sur tes grands chevaux ! s'exclama Tessa en jetant un coup d'œil à sa montre. Il est six heures et demie, ce qui fait une heure de moins en Angleterre ; je vais téléphoner à Adèle et Elvira avant de me préparer.

— Je veux que tu sois splendide et glamour ! ordonna Lorne.

Puis il se dépêcha de disparaître dans sa propre salle de bains pour s'apprêter.

Une heure plus tard, Tessa se regardait dans le miroir. Pivotant lentement sur elle-même, elle se demanda si elle avait choisi la tenue adéquate. Peut-être aurait-elle dû porter quelque chose d'un peu plus habillé. Lorne lui avait dit que Jean-Claude Deléon était connu dans le monde entier, et très prisé dans les cercles de la littérature, du théâtre et de la bonne société. C'est pourquoi il y aurait parmi ses invités une multitude d'écrivains, de personnalités et d'acteurs. Cette tenue était pour le moins très simple.

Pourtant, son reflet lui disait aussi qu'elle était belle et la constatation la réjouit. Elle ne s'était pas sentie si bien depuis longtemps, accablée qu'elle était par son divorce et le sentiment d'échec qu'il impliquait. Et puis, il y avait eu la terrible épreuve de l'enlèvement d'Adèle.

L'une des raisons pour lesquelles elle avait choisi de s'habiller ainsi était la température. Il faisait aussi chaud à Paris qu'à Londres. Lorsqu'elle avait examiné les vêtements qu'elle avait emportés, elle s'était arrêtée sur cette jupe de voile blanc au haut assorti. La matière était transparente et légère comme l'air. La jupe, qui tombait juste au-dessus des chevilles, était relativement moulante et ornée de bandes de dentelle transversales cousues à intervalles réguliers depuis les hanches et la dernière soulignait l'ourlet. Le haut, sans manches, avait une échancrure drapée très flatteuse. Une ceinture de cuir blanc serrait sa taille et ses pieds étaient glissés dans des sandales à hauts talons. Pour tout bijou, elle portait une montre et de longues boucles d'oreilles en perles.

S'inspectant une ultime fois, elle hocha la tête et décida qu'elle avait fait de son mieux, puis retourna dans la chambre. Après avoir pris son petit sac de cuir blanc, elle ouvrit la porte du salon et y entra.

Lorne était en train de téléphoner. Il jeta un coup d'œil dans sa direction.

— Je dois y aller, Phil, ma cavalière est arrivée. A demain, murmura-t-il avant de raccrocher.

S'approchant de sa sœur à grandes enjambées, il émit un long sifflement et s'exclama :

— Quelle fierté de t'avoir à mon bras ! Tu es absolument renversante.

Tessa se mit à rire.

— Tu n'es pas mal non plus, Lorne Fairley. C'est une chance que tu sois en noir. Nous formons un beau couple, tu ne trouves pas ?

— Je suis bien d'accord. Grâce à Dieu, je n'ai pas mis mon costume blanc, sinon nous aurions fait un affreux numéro de jumeaux !

— Jamais ! répliqua-t-elle. Nous ne serions jamais affreux, Lorne. Je peux l'être, mais pas toi, mon cœur.

— Tu as des préjugés parce que tu es la sœur d'un acteur célèbre, dit-il en riant, avec la dérision dont il faisait preuve en parlant de lui-même. Partons ! Je ne veux pas arriver plus tard que huit heures et quart.

— Mais il est encore tôt ! A peine huit heures moins le quart.

— Peut-être, mais la circulation est pire qu'à Londres, trancha-t-il. Et nous nous rendons faubourg Saint-Germain.

— En ce cas, allons-y, lambin, répliqua Tessa en se hâtant vers la porte. Je suppose que tu t'es arrangé pour avoir une voiture ?

— Evidemment, petit sotte ! s'exclama-t-il en la prenant par le bras. Je suis parfaitement organisé. Comme tous les Harte, j'ai subi un entraînement intensif.

Levant les yeux vers lui, elle se mit à rire. Pour la première fois depuis très longtemps, elle se sentait heureuse d'être avec quelqu'un qui se préoccupait d'elle et l'aimait. Elle se réjouissait, en outre, d'être à Paris, ville pour laquelle elle avait un faible. Leur mère les y avait emmenés lorsqu'ils étaient très jeunes et depuis, ils y étaient revenus chaque fois qu'ils partaient pour la villa Faviola, dans le Sud, où ils se rendaient plusieurs fois par an. Dans l'ascenseur, Tessa éprouva brusquement une sorte de plaisir anticipé et se demanda pourquoi.

Lorsqu'ils furent installés dans la voiture et que le chauffeur eut démarré, Tessa déclara :

— J'aime le septième arrondissement, en fait j'ai souvent pensé que j'adorerais y avoir un appartement. A vrai dire, je serais bien n'importe où sur la rive gauche. Je me suis toujours sentie chez moi, ici.

L'air très surpris, Lorne s'écria :

— Les prix y sont extrêmement élevés, mais les surfaces magnifiques.

— Je me contenterais d'une mansarde pour mon enfant et moi. Cela me permettrait une escapade de temps à autre.

— Eh bien... pourquoi pas ? murmura Lorne, se demandant si sa sœur parlait sérieusement. Ce coin me plaît aussi, précisa-t-il, parce que la population y est très mêlée ; gens classiques, étudiants, artistes et écrivains s'y côtoient. Et hormis les sites historiques connus, comme le tombeau de Napoléon, l'Académie française ou le musée Rodin, il existe deux établissements célèbres : les Deux Magots et le Flore. Je les adore.

— Je sais. Et que dire des boutiques d'antiquités et des galeries d'art ? C'est l'endroit rêvé pour posséder un pied-à-terre... C'est charmant.

Lorne décida d'entrer dans son jeu, ignorant si elle rêvait tout éveillée.

— Si tu le penses vraiment, nous pourrions nous mettre en quête d'un agent immobilier. Cela me plairait beaucoup.

— Oui, murmura Tessa. Ça pourrait être drôle, comme aventure. Quand commences-tu à travailler ?

— Le tournage démarre lundi, mais je ne suis attendu que mercredi. Pourquoi ?

— Pour rien. Tu ne l'avais pas précisé et j'avais envie de le savoir. Parle-moi de Jean-Claude Deléon, Lorne.

— Je l'ai déjà fait.

— Non. Tu t'es contenté de me raconter que c'est une célébrité, un intellectuel et l'un de tes amis. Dis-m'en un peu plus à son sujet, que je n'aie pas l'air d'une idiote quand je ferai sa connaissance.

— Voyons voir... Il est journaliste et écrivain. Il donne aussi des conférences. Il passe pour l'un des grands esprits de l'époque. C'est un philosophe. Il est génial, charmant, et c'est un bon copain. Il va te plaire et je parierais que tu ne vas pas t'ennuyer, ce soir.

— Comment as-tu fait sa connaissance ?

— Je l'ai rencontré dans le sud de la France, il y a quelques années, quand je me trouvais à la villa Faviola avec Gideon,

Toby, oncle Winston et Shane. Si tu t'en souviens, nous passions là-bas un week-end entre hommes. Jean-Claude nous a rendu visite avec un ami de Toby et nous nous sommes très bien entendus. Nous avons passé pas mal de temps à discuter de cinéma et de théâtre. Ensuite, chaque fois qu'il se trouvait à Londres, il m'appelait et nous nous voyions si nous le pouvions.

— Y a-t-il une Mme Deléon ?

— Non. A ma connaissance, il n'y en a jamais eu. Il a une réputation... comment dire... d'homme à femmes.

— Oh ! Il est jeune, alors ? demanda Tessa.

— Quarante-neuf ans, peut-être cinquante, je n'en sais rien.

— Et où allons-nous dîner ?

— Je n'en ai aucune idée, ma chérie. Il m'a simplement dit : « Amenez votre sœur à la réception, ensuite, nous dînerons avec quelques amis. » Il ne nous reste plus qu'à attendre, pour en apprendre davantage.

17

Il la vit à la seconde même où elle entra. Une apparition blanche, éthérée, presque irréelle. Il bougea légèrement la tête pour mieux la saisir et sut aussitôt qui elle était : Tessa Fairley, la jumelle de Lorne. Ce dernier la tenait par le bras et lui frayait un chemin parmi la foule massée près de la porte. Il se dirigeait vers lui, il la lui amenait.

Il était assis derrière un bureau, à l'extrémité du vestibule, dans l'un des hôtels particuliers du faubourg Saint-Germain, en train de dédicacer son dernier ouvrage. Il resta pétrifié, attendant la femme en blanc, la plus belle qu'il eût jamais vue et dont la splendeur lui coupait le souffle.

Comme elle approchait, leurs yeux se rencontrèrent. Elle remarqua son regard intense et battit des paupières. Durant une fraction de seconde, elle parut reculer, puis reprit sa marche dans sa direction.

Autour de lui, le bruit des bavardages s'atténua pour ne plus former qu'un lointain bourdonnement. Personne ne l'intéressa plus en dehors de cette fille. Car c'était ainsi qu'elle lui apparaissait maintenant, très jeune, très fraîche, très innocente, même un peu céleste.

Soudain, il fut debout. Contournant le bureau, il attendit qu'elle vînt vers lui.

— Bonsoir, Jean-Claude, dit Lorne lorsqu'ils s'arrêtèrent devant lui.

— Ah, Lorne, quel plaisir de vous voir.

Les deux hommes se saluèrent.

240

— Je vous présente ma sœur, Tessa.

Tout en parlant, il la poussa légèrement vers Jean-Claude.

— Enchanté. Je suis heureux que vous ayez pu venir.

Sa voix lui parut rébarbative, presque rauque.

— Je suis ravie de faire votre connaissance, monsieur Deléon, répondit Tessa d'un ton léger en lui tendant la main.

Il la prit dans la sienne et la pressa.

Elle lui sourit. Ce sourire, ces yeux gris argenté, ces cheveux pâles et soyeux étaient époustouflants. De nouveau, Jean-Claude capta le regard de Tessa. Ils se tenaient l'un près de l'autre, visiblement fascinés.

L'espace d'un instant, il oublia où il se trouvait. Elle semblait tout droit sortie d'un rêve... Il y avait un mystère, en lui, qu'il n'avait jamais été capable d'élucider. Et voici qu'en elle se trouvaient toutes les réponses aux innombrables questions qui se pressaient dans son esprit et dans son cœur.

— Je crois que je vais devoir interrompre cet interlude, dit Lorne avec un petit rire gêné. On vous regarde.

Jean-Claude battit des paupières et murmura :

— Pardonnez-moi, je dois poursuivre la séance de dédicace.

Il lâcha à regret la main de Tessa et retourna s'installer derrière le bureau.

— Je vais dédicacer un livre à chacun de vous, mon ami, dit-il à Lorne.

Tout en parlant, il apposa sa signature sur un exemplaire, qu'il poussa vers Lorne, puis griffonna quelques mots sur un autre, qu'il tendit à Tessa.

— Merci, dit-elle.

Elle ouvrit le volume, lut ce qu'il avait écrit et le fixa d'un air à la fois troublé et interrogateur. Il la regarda, un léger sourire aux lèvres devant son expression abasourdie, puis se tourna vers Lorne.

— Présentez votre sœur à notre hôtesse, Marie-Hélène. Vous l'avez déjà rencontrée avec moi, je crois. Elle est dans le salon. Je dois encore faire acte de présence, puis nous irons dîner.

— Merci pour le cadeau, Jean-Claude, murmura Lorne.

Celui-ci hocha la tête. Il lui sembla que la foule qui se massait autour de lui un instant auparavant s'était dispersée. Il haussa les épaules, se demandant s'il pourrait mettre un terme à cette corvée plus tôt que prévu. Mais non... Les gens affluaient de nouveau, constatant qu'il était seul. Ses amis et connaissances arrivaient de tout côté pour le solliciter. Il sourit et se remit à la tâche, aspirant à se retrouver seul avec la jeune femme qui était maintenant hors de portée de sa vue. Plus tard, se raisonna-t-il, je serai avec elle plus tard.

Lorne poussait Tessa vers le vaste et beau salon, aux murs ornés de tapisseries, aux lustres de cristal et aux meubles élégants. Dès qu'ils furent suffisamment loin de Jean-Claude, il souffla :

— Mon Dieu, que s'est-il passé ?

— Je ne sais pas, murmura-t-elle sur le même ton.

Mais elle pensait : J'ai croisé mon destin. J'ai rencontré l'homme que je cherche. Aussi bizarre que cette réflexion parût, elle savait qu'elle avait raison. Un calme étrange l'envahit, tel un voile transparent. Il lui sembla que son cœur s'était arrêté. Elle pensa aux mots qu'il avait écrits et comprit brusquement ce qu'ils signifiaient. Il éprouvait la même chose qu'elle. *Evidemment*. Ne l'avait-elle pas su en les lisant ? Elle l'avait vu sur son visage et dans ses yeux. Ils reflétaient ce qu'elle-même ressentait.

— Je te trouve bien calme, tout à coup, dit Lorne en scrutant son visage. Tu vas bien ?

— Très bien, répliqua-t-elle avec un petit sourire.

— Alors, laisse-moi te présenter à notre hôtesse.

— Qui est Marie-Hélène ?

— Une femme du monde, mariée à Alain Charpentier, un industriel. Ce sont de vieux amis de Jean-Claude Deléon. Je pense qu'ils vont dîner avec nous, ainsi qu'un autre couple. Jean-Claude a aussi invité son éditeur.

— Connais-tu tout le monde ?

— J'ai rencontré à plusieurs reprises Marie-Hélène et son mari, ainsi que Michel Longeval, l'éditeur de Jean-Claude. J'aperçois Marie-Hélène, près de la cheminée. Allons la saluer.

242

Un moment plus tard, Tessa serrait la main de l'une des femmes les plus chics qu'elle ait jamais vues, y compris sa mère. Elle avait cette élégance propre aux Françaises. C'était une blonde de taille moyenne et d'âge indéterminé. Elle portait un simple fourreau noir à décolleté arrondi et sans manches. Des diamants ornaient ses oreilles et un rang de grosses perles encerclait son cou... Des spécimens des mers du Sud. Elles ne sont pas aussi belles que celles de tante Edwina, songea Tessa. Soudain, elle se demanda ce que la vieille dame penserait de Jean-Claude Deléon.

Leur hôtesse était le charme personnifié. Elle bavarda de façon courtoise avec Lorne et Tessa tandis qu'ils sirotaient une flûte de Dom Pérignon. Lorne lui donnait la réplique. Tessa remarqua vaguement qu'il flirtait gentiment avec elle. Vue de plus près, elle paraissait bien soixante ans.

Tessa opina de temps à autre et ne dit que quelques mots, l'esprit ailleurs. Elle pensait à Jean-Claude, qui était en train d'apposer une ultime dédicace.

Jean-Claude choisit de s'asseoir près du chauffeur tandis que Lorne, Michel et Tessa s'installaient à l'arrière de la voiture.

Alain et Marie-Hélène s'étaient chargés d'emmener l'autre couple au restaurant, où ils devaient se retrouver. Tessa se rappelait leurs prénoms, Nathalie et Arnaud. Ils lui avaient paru très sympathiques, lorsqu'on les lui avait présentés.

Elle observait la nuque de Jean-Claude. Il avait une belle forme de tête et des cheveux magnifiques. Comme s'il avait perçu son regard, il jeta un coup d'œil par-dessus son épaule et leurs yeux, de nouveau, se rencontrèrent. Sans dire un mot, il se retourna brusquement et fixa la rue, droit devant lui, à travers le pare-brise. Il resta totalement silencieux jusqu'à leur arrivée au restaurant.

Tessa demeurait immobile et coite, elle aussi. Elle se demandait ce qui lui arrivait. Et pourquoi maintenant ? Elle écoutait d'une oreille distraite Lorne et Michel, qui discutaient à propos du film *Belle de jour*, qu'ils aimaient tous les deux. En réalité, elle se concentrait sur Jean-Claude Deléon et se repassait la scène de leur rencontre, une heure auparavant. Seulement... Il lui semblait l'avoir toujours connu... Comme ce sentiment était étrange !

Elle avait suivi Lorne en toute innocence dans cet hôtel particulier du faubourg Saint-Germain. Ils étaient passés par une porte cochère peinte en noir, avaient emprunté un étroit couloir, traversé la cour pavée, franchi la porte d'entrée et monté un escalier imposant qui menait à ce magnifique appartement.

Lorne ne lui ayant pas dit grand-chose à propos de son ami, Tessa ne s'était attendue à rien de particulier. A son grand étonnement, il l'avait fascinée au premier regard.

Il était assis derrière ce bureau, une pile de livres posée devant lui, entouré par une foule qui réclamait son attention. Il semblait adulé. Il avait légèrement bougé lorsqu'il l'avait vue venir vers lui avec Lorne. Immédiatement, elle s'était sentie attirée par lui. Peut-être était-ce ses yeux... Profondément enfoncés, sous les sourcils noirs, aussi sombres que ses cheveux, ils avaient la couleur de l'ambre et lui avaient paru magnétiques. Son visage était bien dessiné, avec une forte mâchoire, un large front, un nez aquilin, une bouche généreuse à la lèvre inférieure bien pleine. Elle n'aurait su lui donner un âge. Sans doute était-il bien plus vieux qu'elle, mais elle ne s'en souciait guère. Elle avait deviné qu'il était extrêmement viril, qu'il incarnait la masculinité. Un homme au sens plein du terme.

Soudain, ses jambes avaient lâché et lorsqu'il s'était levé, elle avait tremblé intérieurement. Il l'avait attendue debout. Elle avait immédiatement été sa prisonnière. Ils s'étaient serré la main, mais il n'avait pas tout de suite lâché la sienne et elle ne s'en était pas formalisée. Ils étaient restés face à face, oubliant le monde qui les entourait, captivés l'un par l'autre. Elle avait pris conscience, à cet instant, de l'attirance irrésistible qu'il exerçait sur elle, du désir qu'il lui inspirait. Pourtant, c'était bien plus que cela. C'était spirituel, aussi. Il lui semblait qu'il plongeait dans son âme, lisait en elle à livre ouvert, comme s'ils avaient passé un pacte tacite. Quelque chose de profond s'était produit entre eux et ils étaient déjà liés par une grande intimité, alors qu'ils venaient de se rencontrer.

Et voilà qu'elle était assise à l'arrière d'une voiture, regardant défiler les rues animées de Paris. Un frisson la parcourut et elle se redressa machinalement sur le siège. Elle devait admettre que l'inévitable venait de se passer. La situation lui échappait. Les dés étaient jetés... D'autres forces étaient en action.

Il les emmena chez Taillevent, rue Lamennais. C'était un restaurant qu'elle connaissait vaguement. Il avait été fermé pour les vacances d'été et venait seulement de rouvrir ses portes. La salle était donc comble. Jean-Claude fut accueilli avec le respect que l'on réserve aux rois, à la stupéfaction de Tessa. Elle ne tarda pas à constater, pourtant, que le personnel lui témoignait aussi une familiarité chaleureuse qu'il encourageait, et perçut en lui une vraie simplicité. Ce trait de caractère lui plut.

Dès qu'on les eut conduits à leur table, Jean-Claude plaça ses invités. Tout d'un coup, Tessa remarqua qu'elle n'était pas assise près de lui, mais à l'extrémité de la table, entre Alain et Michel. Lui-même se trouvait entre Marie-Hélène et Nathalie. Cela impliquait qu'elle était directement dans sa ligne de mire.

C'était un hôte parfait, qui choyait ses invités, parlait à chacun en particulier, passait commande auprès des serveurs et se montrait bon vivant. A intervalles réguliers, ses yeux se posaient sur le visage de Tessa. Il sembla à cette dernière que la soirée se déroulait dans le brouillard. Elle fit tout machinalement, commanda un plat qu'elle toucha à peine et dont elle ne perçut même pas la saveur. Parfois, elle avalait une gorgée de vin et faisait la conversation à ses voisins de table, ou jetait un coup d'œil à Lorne, lui souriait ou lui adressait quelques mots. Mais la plupart du temps, elle se taisait, écoutait et tâchait d'en apprendre le plus possible sur Jean-Claude Deléon. Une ou deux fois, il lui demanda si elle appréciait la cuisisne ou lui sourit discrètement, mais le plus souvent, il évoquait avec éloquence ses sujets de prédilection : le théâtre, la littérature, les films et la politique. A la fin, la discussion tourna autour de la politique internationale et de l'avenir du monde.

En l'écoutant, Tessa avait le sentiment de le cerner. Découvrant qu'il avait suivi nombre de conflits, en Bosnie, au Kosovo ou en Afghanistan, elle se douta qu'il était renommé en tant que journaliste. Il lui apparut aussi qu'il avait été le protégé et un favori du président François Mitterand, et que l'élite intellectuelle française le tenait pour un nouveau Malraux. En outre, il avait produit des documentaires et écrit une pièce, qui avait été jouée à la Comédie française.

La seule chose qu'elle ignorait, c'était son âge exact. Elle n'était pas d'accord avec l'estimation que lui en avait donné Lorne. D'après elle, Jean-Claude Deléon devait avoir passé la cinquantaine, mais elle admettait n'avoir jamais été très douée dans ce domaine.

Et la soirée passa ainsi, jusqu'à ce qu'il fût temps pour eux de quitter le restaurant. Une fois de plus, il prit place dans la même voiture que Lorne et Tessa, mais insista pour que le chauffeur les déposât les premiers à leur hôtel. Lorsqu'ils y parvinrent, il sortit du véhicule et leur fit ses adieux sur les marches. Il prit la main de Tessa et l'effleura de ses lèvres, puis recula d'un pas et la regarda longuement, comme s'il voulait graver son visage dans sa mémoire.

— A bientôt, murmura-t-il.

Puis il s'écarta d'elle et salua Lorne. Un instant plus tard, il était parti et la voiture disparaissait au coin de la rue.

Tandis que le frère et la sœur traversaient le hall, Lorne remarqua :

— Il nous a quittés bien brusquement, je trouve. J'allais lui proposer de monter boire un verre. Je sais qu'il apprécie le calvados.

— Apparemment, répondit-elle tranquillement, il était pressé de rentrer chez lui.

— Tu lui plais énormément, Tessa.

— Tu crois ?

Lorne lui jeta un coup d'œil bizarre, avant de s'écrier :

— Tu le sais, allons !

Comme elle ne répondait rien, il demanda.

— Et toi ?

— Quoi, et moi ?

— Ne fais pas l'innocente ! T'intéresse-t-il ? Quelle question stupide, n'est-ce pas ? Tu t'es quasiment pâmée à ses pieds.

Elle leva vers son frère des yeux interrogateurs.

— C'est vrai ?

— Oui. Je ne t'avais jamais vue dans un tel état. Pas plus que je ne l'ai vu, non plus, se comporter de cette façon.

— Tu l'as donc déjà aperçu accompagné, Lorne ?

— Parfois.

— Et comment était-il ?

— Distant. Froid.

— Et avec moi ?

— Sidéré. Sous ton charme. Comme frappé par la foudre, tout à coup. En fait, le mot qui m'est venu à l'esprit en le regardant, c'était *absorbé*. Il était très absorbé et passionné.

Tessa soupira mais ne dit rien. Ils entrèrent dans l'ascenseur et montèrent jusqu'à leur suite. Dès qu'ils furent entrés, elle se tourna vers son frère :

— Je te dis bonsoir, chéri. Je suis fatiguée et j'ai hâte de me coucher. Cela ne t'ennuie pas ?

— Bien sûr que non, Tess.

Il déposa un baiser sur la joue de sa sœur et la suivit des yeux tandis qu'elle traversait le salon et entrait dans sa chambre. Tout ira bien pour elle, pensa-t-il.

Une fois dans ses quartiers, Tessa s'assit sur une chaise, près du lit, et fixa le livre qu'elle tenait. Elle s'était agrippée à lui toute la soirée. La couverture était saisissante. Elle représentait une armure médiévale dont les éléments étaient effondrés les uns sur les autres. *Son* nom figurait en haut et en bas, il y avait le titre : *Warriors*.

Elle l'ouvrit et examina un instant sa photographie, en deuxième page, essayant de le déchiffrer.

Le téléphone se mit à sonner. Elle décrocha.

— Allô ? dit-elle.

— C'est moi.

— Je sais.

— Quand puis-je vous voir ?

— Demain.

— C'est parfait. A l'heure du déjeuner ?

Le cœur de Tessa s'emballa.

— Oui.

— J'espère que Lorne ne se sentira pas... comment dire... exclu.

— Il a d'autres projets, inventa-t-elle.

— Bien. Je vous envoie une voiture. A midi.

— Merci.

— A demain, dit-il.

Ce fut tout. Tessa regarda le poste un instant, posa l'ouvrage sur le lit, puis retourna dans le salon. Lorne réchauffait un verre de calvados entre ses mains en regardant un débat politique sur CNN. Il tourna la tête lorsqu'elle entra.

— Tu en veux ? demanda-t-il en levant son verre.

— Je ne sais pas... Jean-Claude vient de m'appeler, dit-elle en s'approchant de son frère.

— Je me suis bien douté que c'était lui.

— Je déjeune demain avec lui.

Lorne hocha la tête.

— Il m'a dit qu'il allait t'inviter.

Tessa s'assit sur le bras du canapé et s'exclama :

— Il t'en a parlé ! Il t'a demandé la permission ? J'espère que non. J'ai trente-deux ans, pour l'amour du ciel, je suis mère de famille, et bientôt divorcée !

Rejetant la tête en arrière, Lorne éclata de rire.

— Ne prends pas ce ton indigné. Bien sûr que non, il ne m'a pas demandé la permission. Il n'est pas comme cela. Au moment où nous quittions le restaurant, il m'a dit avoir l'intention de te joindre, quand il serait chez lui. Il souhaitait te proposer de déjeuner. Je pense qu'il voulait que je sois au courant parce que je suis ton frère et que nous sommes ensemble à Paris. Sans oublier que nous sommes bons amis, tous les deux.

Voyant qu'elle demeurait silencieuse et se mordait la lèvre inférieure, contrariée, Lorne ajouta :

— C'est un grand garçon, Tessa. Jamais il n'aurait sollicité mon accord pour sortir avec toi. Il s'est montré courtois. C'est un gentleman qui a des manières parfaites, quelle que soit l'occasion.

Elle hocha imperceptiblement la tête et murmura :

— Je comprends.

Puis elle gagna le bar et se servit un petit verre de calvados. Lorsqu'elle revint vers le canapé, Lorne baissa le son de la télévision, puis porta un toast.

— A ta santé !

— A la tienne, dit Tessa en s'asseyant en face de lui. Qu'a-t-il écrit, dans ton livre ?

— Il a mis qu'il admirait mon talent de comédien, m'a appelé son *bien cher ami* et m'a souhaité bonne chance pour le tournage. Et toi ?

— Quelque chose de plutôt bizarre.

— Quoi donc ?

— Il a écrit mon nom, et puis « Je suis là ».

— C'est tout ? C'est un peu étrange, en effet. Je suis là... *quoi* ?

Tessa secoua la tête.

— Je suis là... et j'attends. Je suis là... pour vous. C'est ainsi que j'interprète ces mots.

— Tu as sans doute raison. Et moi aussi, d'ailleurs, il était très *absorbé* par toi, je te l'ai dit.

— Je le trouve attirant.

— Oui. C'est un être charismatique.

— Et cela ne t'ennuie pas, que je déjeune avec lui ? Tu ne me mets pas en garde contre lui ?

— Non, je ne pourrais pas. C'est quelqu'un de supérieur, de très sérieux, de très responsable. Il est ce que l'oncle Ronnie aurait appelé *ein Mensch*.

— Mais tu disais que c'est un homme à femmes, rappela Tessa.

— C'est vrai, mais je n'ai pas dit que c'était un *coureur*, parce que je ne le pense pas. Oh, il y a eu pas mal de filles, dans sa vie, mais ce n'est pas un don Juan. C'est un amateur de femmes. Il les *admire*. Il n'est pas misogyne, comme certains que je connais, qui ont le sang chaud mais n'*aiment* pas les femmes.

— Je vois.

Tessa se cala dans la chaise et sirota le calvados. Au bout d'un moment, elle déclara :

— Il envoie une voiture me chercher.

— Je t'ai dit que c'est un gentleman. De toute façon, ma Tess, tu devrais être flattée. Avant de te retrouver, pour le déjeuner, il se rend au palais de l'Elysée pour rencontrer le président de la république.

Pas très loin de l'hôtel O'Neill, à Paris, Jonathan Ainsley était assis dans un bar situé dans une petite rue, non loin des Champs-Elysées.

Il attendait Mark Longden et se demandait où il pouvait être, tout en savourant un verre de cognac Napoléon. Il ne cessait de regarder sa montre, maudissant Mark à mi-voix. Il était très pointilleux sur l'exactitude et détestait les gens qui n'étaient pas ponctuels.

Récemment, il en était venu à se demander si Mark ne devenait pas un handicap, voire un obstacle. Il avait attendu mieux de lui. Il avait espéré qu'il ferait plus d'efforts pour détruire Paula à travers ses enfants. A vrai dire, Mark aurait réussi à réduire Tessa à sa merci si Linnet n'avait pas pris la situation en main, ainsi qu'Emsie. Jonathan voulait écraser les trois sœurs, en même temps que Paula. Il haïssait toutes les Harte, sauf sa cousine Sarah, qui était l'exception qui confirme la règle.

Paula et ses filles lui rappelaient bien trop Emma Harte, sa grand-mère, qu'il avait détestée toute sa vie. Il avait conservé sa haine pour elle au-delà de sa mort. Il pensait que pour favoriser Paula, elle l'avait lésé et privé de sa part d'héritage.

Mark poussa soudain la porte et se hâta de traverser le bar jusqu'à lui. En le regardant approcher, Jonathan fut immédiatement frappé par sa pâleur, son visage tendu et ses yeux fatigués. Après qu'ils se furent salués, Mark s'assit et fit signe à un serveur. Un instant plus tard, il commandait un cognac, une tasse de café noir et un paquet de Gauloises.

— Tu t'es remis à fumer, hein ? s'enquit Jonathan sur un ton sardonique. Je croyais que tu faisais partie de ces puristes qui condamnent ceux qui cèdent une seconde fois à l'attrait du tabac.

— C'est exact, mais j'en ai *besoin*, ce soir. Disons que je me permets quelques gâteries, après une dure semaine.

— Mon cher Mark, j'en ai énormément à te proposer, il te suffit de demander. Et elles seront certainement bien plus appréciables qu'une cigarette.

Mark lui jeta un regard de côté et secoua la tête.

— Pas de femme ce soir, mon ami. Et rien d'autre non plus. Je suis complètement épuisé. Le voyage de Thirsk à Londres a été pénible et mon avion vient d'atterrir à Paris.

— Je t'ai dit de partir de Manchester, ou même de Yeadon. Bon, peu importe. Où en est la construction de ma maison ?

Il avait pris une voix chaleureuse, bien que la question ne présentât pas grand intérêt pour lui. La dernière chose qu'il voulait au monde, c'était bien une demeure dans le Nord.

— Même si je suis de parti pris, j'affirme qu'elle est merveilleuse. Tu vas t'y plaire, Jonathan, dit Mark. Mieux que cela, tu vas l'adorer. Tu ne voudras plus la quitter. *Jamais.*

Jonathan sourit à peine et inclina la tête, sachant qu'il désirerait sûrement la fuir, s'il y mettait jamais les pieds. Il y avait son luxueux appartement parisien, sa maison princière, qui dominait le port de Hong Kong, sans parler de sa ferme en Provence, son dernier achat. Evidemment, il continuerait de séjourner dans ces trois résidences, qui étaient mille fois plus splendides que celle qu'il possédait dorénavant dans le Yorkshire. Cette acquisition n'avait été qu'une ruse, destinée à prendre Mark dans ses filets. Il lui avait fait croire qu'il cherchait un architecte, alors qu'il était en quête de quelqu'un pour faire le sale boulot... ruiner ces trois affreuses bonnes femmes. Avec son complexe d'infériorité, sa quête de célébrité et d'argent, Mark était la proie idéale, surtout parce qu'il avait énormément de points faibles. Il était lubrique, aimait les filles faciles et n'était jamais rassasié d'ecstasy. Il lui arrivait même de consommer de l'héroïne, bien qu'il se montrât plus prudent quand il en prenait. Et il s'enivrait.

Il est ma créature, pensa Jonathan en le regardant. Il fera ce que je veux parce que je le contrôle totalement. Il a besoin des plaisirs que je peux lui offrir. Jonathan s'appuya au dossier de la chaise, un sourire satisfait aux lèvres.

Mark but son café et avala une gorgée de cognac, puis il alluma une cigarette et inhala profondément la fumée. Après quelques secondes, il déclara :

— J'ai eu vent d'une rumeur, quand j'étais dans le Yorkshire. Il paraîtrait que l'autre fils de ton père se trouve à Londres… Owen Hughes. Il est dans cet hôtel Welshman, de Belgravia Street. Sa femme et lui sont venus de New York pour voir leur fille, Evan, la seule petite-fille de ton père, et ils ont déjeuné avec elle et Gideon. Une simple réunion de famille, apparemment. Qu'en penses-tu ?

Chaque fois qu'il songeait à Evan, Jonathan était furieux. La petite-fille dont son père avait toujours rêvé. Il faudrait qu'il s'occupe d'elle en même temps que des autres. Il rit silencieusement. C'était une Harte, elle aussi, un rejeton de cette maudite Emma. Il ferait le nécessaire.

Il ne put retenir les mots qui se pressaient sur ses lèvres :

— J'ai un fils, moi aussi, tu sais.

Sidéré, Mark fixa Jonathan, bouche bée.

— Bon sang ! Et pourquoi ne l'amènes-tu pas chez ton père, dans le Yorkshire ? Cela mettrait certainement Evan Hughes hors jeu.

— Il vit dans un autre pays…

C'était la vérité, mais Jonathan prit conscience qu'une explication s'imposait et poursuivit :

— Il n'a pas été en très bonne santé, pendant un certain temps. Il doit être protégé, vivre sous un climat chaud et dans un environnement particulier.

Ceci, pour le coup, était faux. En vérité, le bébé que son épouse lui avait présenté, quelques années auparavant, n'était pas de lui mais de son associé chinois, Tony Chui. Les yeux de l'enfant lui avaient révélé la trahison de sa femme. Qu'elle aille au diable, elle aussi.

252

— Qui t'a dévoilé la présence d'Owen Hughes à Londres, Mark ?

— J'ai eu des informations à droite et à gauche. J'ai mes sources. J'ai fouiné. De toute façon, combien de temps comptes-tu rester à Paris ?

— Je ne sais pas encore. C'est la raison pour laquelle je souhaitais que tu viennes me voir, plutôt que de nous rencontrer à Londres. Je dois descendre dans le Sud de la France. J'ai acheté une propriété en Provence, un vieux mas plutôt sympathique... Je vais avoir besoin de ton aide pour cela aussi. Bien entendu, tu seras largement rétribué. Mais nous verrons cela plus tard. Pour l'instant, je voudrais savoir où en est ton divorce. Tu sais que je me sens très concerné par ta séparation d'avec cette fille abominable. Toi, un architecte talentueux, tu ne dois pas être ralenti dans ton ascension par une rien du tout de Harte. Une vraie garce, de surcroît !

— Le terme n'est pas assez fort pour décrire Tessa Fairley. Elle est impossible ! Je voudrais pouvoir éloigner Adèle d'elle ! s'écria Mark avec passion.

— Eh bien, mon garçon, pourquoi ne pas essayer ? L'argent n'est pas le seul objectif, loin de là. Je parierais qu'il s'agit plutôt d'un combat... à mort. Je me trompe ?

Mark lança un coup d'œil rapide à Jonathan et s'exclama sur un ton étouffé :

— Cela ne me gênerait pas de la rouer de coups, mais je ne la tuerai jamais, Jonathan. Je ne suis pas un meurtrier et je ne prendrai pas le risque de finir en taule à cause d'une femme.

— Ecoute-moi, mon ami, j'ai quelques idées.

Tandis que Jonathan parlait, Mark se mit à sourire.

Ils restèrent au même endroit pendant encore une heure, environ, à parler et à boire. Finalement, Jonathan régla l'addition et quitta le bar en compagnie de Mark.

Tout à leur joie et complètement absorbés par leurs complots, ils ne remarquèrent pas un couple banal, assis dans un coin de la salle, qui les avait observés pendant leur entrevue. L'homme et la femme les suivirent rapidement dans la rue et les filèrent jusqu'à ce que Jonathan eût repéré sa voiture et son chauffeur. Dès que Mark et lui se furent installés à l'arrière, le couple monta à bord de son propre véhicule pour poursuivre la filature, se préparant à affronter une longue nuit de surveillance.

Il était midi, le vendredi, et Lorne se trouvait encore dans la suite, à l'hôtel, en train d'apprendre son rôle. La semaine suivante, il devait se rendre au studio, à l'extérieur de Paris, et voulait être parfaitement prêt.

Il en était à sa cinquième lecture des premières pages quand la sonnerie du téléphone brisa sa concentration. Il posa le script sur le bureau et décrocha.

A peine avait-il dit « allô » qu'il reconnut la voix de sa demi-sœur, Linnet :

— Lorne, c'est moi.

— Petit oiseau, linotte chérie, qu'il est doux d'entendre ton gazouillis.

— Maman aurait dû réfléchir à deux fois, avant de me donner un tel prénom ! Je t'appelle de Penninstone Royal.

— Quel temps fait-il ?

— Un peu plus frais. Très agréable, en fait, et je suis assise sur la terrasse, en train de me prélasser, pour une fois dans ma vie.

— Toi, te prélasser ? Balivernes ! Je le croirai quand je le verrai. Tout va bien, j'imagine ?

— Oui. Rien de désagréable à signaler. Je peux voir Adèle, qui joue avec ses poupées. Elvira est avec elle et nous attendons Evan pour le déjeuner. Elle prend un après-midi de congé, elle aussi. Elle a passé une dure semaine, au magasin. Bien. Comment se porte Tessa ? J'espère qu'elle ne s'inquiète pas trop.

— Non. Je te la passerais volontiers, mais elle vient juste de partir pour déjeuner avec un ami.

— Cela n'a aucune importance. C'est à toi que je voulais parler, de toute façon.

— De quoi s'agit-il ? Tu as une voix bizarre, tout à coup.

— Tout va bien, plus ou moins. Je voulais te prévenir que Jonathan Ainsley a quitté Hong Kong et se trouve à Paris...

Le sang de Lorne ne fit qu'un tour.

— Comment le sais-tu ? l'interrompit-il.

— Jack Figg vient de m'appeler. Ses gars sont sur place et ont pris M. Ainsley en filature. Il a donc été repéré hier soir, avec le charmant Mark Longden. Ils étaient dans un bar et buvaient ensemble. Ils paraissaient très proches.

— Diable ! C'est fort regrettable.

— Lorne, ne t'inquiète pas et je t'en prie, n'en parle pas à Tessa. Je ne veux pas gâcher son séjour en France. Elle n'a nul besoin de savoir qu'ils se sont rencontrés. Dis-lui seulement que j'ai appelé et que tout va pour le mieux ici, ce qui est la vérité.

— J'espère que ces deux brigands ne sont pas en train de tramer un sale complot, marmonna Lorne. Ils ne m'inspirent aucune confiance.

— A moi non plus, mais ils n'ont peut-être parlé que de la maison dont Mark a conçu les plans pour Jonathan, à Thirsk. Il était dans le Yorkshire, voilà deux jours, c'est Jack qui me l'a dit. Essaie de ne pas te faire trop de souci et, comme papa le dirait, garde les yeux ouverts.

— C'est ce que je ferai, et merci de m'avoir prévenu. Quand maman revient-elle, exactement ? Tessa m'a dit qu'elle devrait être de retour la semaine prochaine et Shane quelques jours plus tard.

— C'est exact. Elle arrive aux alentours du 6 septembre, avec Winston et Emily, mais papa a encore quelques rendez-vous aux Bahamas ou à la Barbade, et un autre à New York. D'après ce que maman m'a dit, elle veut accélérer la procédure de divorce et pense que sa présence est nécessaire.

— C'est sûrement vrai, alors écoute, mon poussin...

— Eh ! Arrête de me donner tous ces noms d'oiseaux, mon cher frère. J'en ai assez, qu'on me traite comme une petite fille.

Il sourit au téléphone et dit :

— Désolé, mais les vieilles habitudes se perdent difficilement, tu sais bien. Grosses bises, Linnet.

— Grosses bises à toi. Et... merde pour la semaine prochaine.

18

Après avoir aidé Tessa à s'installer dans la voiture, le chauffeur lui remit une enveloppe, sur laquelle Jean-Claude avait écrit : « Tessa Fairley ». Confortablement adossée à la banquette de cuir, elle la fixa, admirant un instant la calligraphie, très belle, les lettres énergiques et bien formées. Elle l'ouvrit et lut le message qui s'y trouvait :

Chère Tessa,
Si j'ai quelques minutes de retard, Hakim vous servira un rafraîchissement.

J-CD

Après l'avoir parcouru une seconde fois, elle le glissa dans son sac et regarda dehors, se demandant où il vivait. Le conducteur ne lui avait fourni aucune indication et elle décida de ne pas poser de questions. Elles se pressaient pourtant sur le bout de sa langue, ce matin, lorsqu'elle avait pris le petit déjeuner avec Lorne, mais elle s'était refrénée. Elle voulait tout découvrir de cet homme par elle-même. L'opinion des autres était sans importance, y compris celle de Lorne. Ce dernier n'aurait proféré aucune critique sur Jean-Claude, parce qu'il l'admirait.

Tessa tira sur la tunique de toile noire qu'elle portait par-dessus un pantalon étroit assorti, puis se carra confortablement à une extrémité de la banquette. Ne sachant où ils déjeuneraient, elle avait choisi un ensemble très simple, adapté à n'importe quel cadre, bistro ou restaurant élégant. Les perles qui ornaient ses oreilles, ainsi qu'une broche en forme de fleur, sur son épaule, conféraient à sa tenue un certain chic. Elle pouvait toujours enlever ses bijoux et les mettre dans son sac, si besoin était.

La chaleur l'avait enveloppée lorsqu'elle était sortie de l'hôtel et maintenant, elle était contente de porter un haut sans manches et des sandales. Cette dernière journée du mois d'août s'annonçait très chaude, et ce tissu noir était frais et confortable.

Tandis que la voiture se frayait un chemin dans la circulation, Tessa prit conscience qu'elle gagnait son quartier préféré, le septième arrondissement. Peu après, le chauffeur tourna dans la rue de Babylone et s'arrêta devant un vieil immeuble dont la porte cochère massive avait dû, autrefois, laisser passer des voitures tirées par des chevaux.

Après l'avoir aidée à sortir du véhicule, il lui ouvrit le portillon ménagé dans l'imposant battant, puis la salua. Elle le remercia et entra dans la cour pavée de ce qui avait dû être un ancien hôtel particulier.

Le concierge sortit immédiatement de sa loge et lui demanda en quoi il pouvait lui être utile. Elle lui dit que M. Jean-Claude Deléon l'attendait et il la mena à l'intérieur du bâtiment. Il lui montra ensuite une double porte d'acajou, à droite d'une petite cage d'ascenseur.

Elle marcha vers elle et sonna. Quelques instants plus tard, un homme d'âge moyen, souriant, vêtu d'une veste blanche de maître d'hôtel, lui ouvrit. A sa peau mate et à ses cheveux sombres, Tessa pensa qu'il était sans doute originaire d'Afrique du Nord.

Il s'écarta pour la faire entrer.

— Bonjour, madame. Je m'appelle Hakim, ajouta-t-il dans un anglais teinté d'un fort accent.

— Bonjour, Hakim, répliqua-t-elle.

Ses talons hauts claquèrent sur les dalles de marbre, tandis qu'elle traversait le vestibule à sa suite. Il la conduisit dans une bibliothèque spacieuse.

— Vous désirez un apéritif, madame ? Monsieur devrait être de retour d'ici une dizaine de minutes.

— Un verre d'eau, s'il vous plaît, murmura Tessa.

Une fois seule, elle demeura immobile sur le seuil de la pièce. Elle l'observa à loisir, désireuse d'en découvrir le plus possible sur Jean-Claude Deléon. Quoi de mieux que son cadre de vie pour mener à bien ce genre d'investigations ?

La bibliothèque ne ressemblait à aucune autre, du moins à sa connaissance. Elle était à la fois fort belle et masculine, élégante et raffinée, surtout si l'on considérait les objets anciens qui semblaient tout droit sortis d'un musée. Les teintes douces et unies offraient un fond subtil sur lequel se détachaient les bois clairs et patinés des meubles anciens. Murs et rideaux crème, sofa et fauteuils beige clair, parquet étincelant comme un miroir que ne dissimulait nul tapis... L'ensemble était harmonieux.

Là où elle se trouvait, Tessa faisait face à deux hautes fenêtres près desquelles se trouvaient un bureau et une chaise d'acajou Empire. Une paire de lampes en bois doré, habillées d'un abat-jour noir et carré, reposait sur le plateau du meuble. Il y avait d'autres objets qu'elle ne put identifier à distance, hormis une grosse horloge, qu'elle apercevait de dos.

Sur la gauche, se dressait une cheminée de marbre blanc aux proportions imposantes, au trumeau orné d'un miroir. Devant, étaient disposés deux canapés et quatre bergères Louis XIV, avec, au centre, une table basse en verre. Elle ne paraissait pas déplacée parmi les meubles d'époque.

Une bibliothèque de bois sombre et brillant garnissait le panneau de droite jusqu'au plafond. Les étagères croulaient sous des centaines de volumes. Une ravissante table du XVIIIe siècle trouvait place devant, et dans un coin, reposaient un guéridon flanqué d'une lampe sur pied et une chaise à haut dossier.

A cet instant, Hakim reparut, apportant le verre d'eau. Tessa le lui prit des mains, le remercia, puis se dirigea vers les fenêtres et regarda dehors. Elle découvrit avec surprise qu'elles donnaient sur une vaste terrasse, et au-delà, aperçut une pelouse et des parterres de fleurs. Des arbres, des buissons et des arbustes variés poussaient le long du mur, créant une ravissante tonnelle qui offrait une ombre bienvenue, par une journée comme celle-ci. Sous les feuillages, elle remarqua plusieurs chaises de jardin en métal et trouva le coin ravissant. C'était un vrai luxe, en plein cœur de Paris.

Hakim sortit sur la terrasse et commença à mettre la table. La perspective d'un déjeuner dans l'intimité réjouit Tessa.

Faisant quelques pas dans la pièce, elle jeta un coup d'œil au bureau. L'horloge ancienne venait de chez Le Roy et Fils, à Paris. A côté d'elle, il y avait une boîte en bronze doré, aux motifs compliqués, deux coupe-papier de cristal à la poignée ornée de filigranes de bronze, un sous-main de cuir et une pile de buvards neufs. C'était tout. Une certaine austérité se dégageait du choix et de la disposition des objets, mais le côté épuré contribuait à l'élégance générale.

Elle s'approcha des rayonnages et examina les livres. Des philosophes : Descartes, Aristote, Platon, Sophocle. Des écrivains français : Hugo, Céline, Malraux, Sartre, Zola, Colette. Elle remarqua aussi des ouvrages sur l'histoire française, anglaise et américaine, ainsi que certains de ses romans préférés de Dickens, des sœurs Brontë, de Jane Austen. Quant au domaine de la politique, il était représenté par les écrits de Charles de Gaulle et de Winston Churchill, les biographies de Churchill, John Major, de Gaulle, John Kennedy, Ronald Reagan et Roosevelt, ainsi que des œuvres sur Napoléon, Talleyrand, Nelson et Charles II. Elle repéra, en outre, un recueil des discours de Churchill pendant la Seconde Guerre mondiale, plus son *Histoire des peuples anglophones*.

Les grands conflits et les religions avaient également leur place, dont l'islam, ainsi que quelques essais sur le terrorisme. Parmi les romans récents, réunis sur une étagère, elle reconnut un certain nombre de titres anglais à la couverture colorée, dus à des écrivains célèbres.

Les livres d'art, cantonnés à part, traitaient de Renoir, Picasso, Manet, Monet, Degas, Gauguin, Turner, Constable, Gainsborough, Buffet, Rodin. A côté, s'alignaient des travaux sur Massenet, Bizet, Bach, Beethoven, Mozart, Puccini et les opéras de Wagner.

Tessa ne put s'empêcher de se demander si Jean-Claude avait tout lu. C'était certainement le cas, décida-t-elle. Elle était certaine qu'il avait des goûts fort éclectiques en matière d'art et de musique.

Elle posa son verre vide sur la table basse puis poursuivit son inspection, s'attachant, cette fois, aux tableaux accrochés aux murs. Il y avait un portrait saisissant de Napoléon et un autre avec Joséphine. Ils étaient côte à côte, à droite du trumeau. En vis-à-vis, Tessa admira une belle composition ancienne, montrant une femme élégante vêtue d'une robe bleue. Il pouvait s'agir d'un Ingres. Soulignant la porte qui donnait sur le vestibule, deux toiles représentant l'une une femme, l'autre un homme, en costume du XVIIIᵉ siècle, exaltaient l'automne et l'hiver. Le style, inhabituel, faisait penser à Fragonard.

Tessa retourna vers la cheminée, cherchant à s'imprégner de l'ambiance. La pièce reflétait le goût et le raffinement du propriétaire des lieux, ainsi que son extraordinaire personnalité. Un homme brillant, extrêmement cultivé, un intellectuel et un philosophe, quelqu'un de parfaitement accompli.

Soudain, elle entendit des pas dans le vestibule. Une seconde plus tard, il apparut sur le seuil. Il portait un costume sombre et une chemise blanche. Tandis qu'elle le dévisageait, il tira sur sa cravate, comme si elle était trop serrée, et marcha vers elle.

Elle se mit à trembler intérieurement et réalisa, très étonnée, qu'il l'intimidait au plus haut point. Il s'arrêta devant elle et elle lui tendit la main. Il l'effleura de ses lèvres, puis la lâcha.

— Je vous prie d'excuser ce retard, dit-il.

— Ce n'est rien, murmura-t-elle.

Elle voulut déglutir, se demandant pourquoi sa bouche était si sèche.

Il s'écarta d'elle en expliquant :

— Pardonnez-moi, je souhaiterais me changer. Je reviens tout de suite.

Il disparut et de nouveau, elle fut seule. Elle s'assit dans l'une des bergères, légèrement prise de vertige, et attendit son retour.

Jean-Claude monta l'escalier quatre à quatre jusqu'au premier étage et se rua dans sa chambre. Il se déshabilla rapidement, passa une chemise propre de coton blanc dont il remonta les manches et enfila un pantalon beige. Dès qu'il fut vêtu, il glissa ses pieds nus dans des mocassins et se sentit déjà beaucoup mieux. Par cette chaude journée, il avait cru étouffer durant sa visite à l'Elysée. Il était content de se mettre à l'aise.

Il traversa sa chambre, décrocha le téléphone et appela Lorne. Il répondit presque immédiatement :

— Allo ? dit-il vivement.

— C'est moi. Je vous appelle de chez moi. Tessa est ici et nous allons déjeuner à la maison.

— Bonne idée, Jean-Claude. Je ne pense pas qu'il serait très sage de sa part d'être vue dans Paris avec un homme. Il est peu probable que deux Anglais puissent s'égarer dans votre monde, mais sait-on jamais ?

— Je voulais vous poser une question, mais j'ai oublié de le faire, tout à l'heure.

— Allez-y.

— Est-ce une coïncidence, si son mari se trouve en ce moment à Paris ? Ou pensez-vous qu'il l'ait suivie ? Dois-je faire protéger Tessa, pour m'assurer de sa sécurité ?

— Ce ne sera pas nécessaire, mais je vous remercie d'y avoir pensé. Je suis presque certain que Mark Longden est à Paris pour rendre compte à Jonathan Ainsley. En ce moment, il doit se faire sermonner.

— Bien. Ne vous inquiétez pas, Lorne, Tessa est en sécurité avec moi. Je resterai en contact avec vous... et vous devez en faire autant.

— C'est entendu et merci, Jean-Claude. Rappelez-vous qu'il ne faut rien dire à Tessa. Si elle apprend que Longden est à Paris, elle sera dans tous ses états.

— Motus et bouche cousue. Au revoir, mon ami.

Dès qu'il eut raccroché, Jean-Claude se dirigea vers la chaise où il avait négligemment jeté sa veste, retrouva son téléphone portable et le glissa dans une poche de son pantalon, puis il se rendit dans la salle de bains.

Il se lava les mains, se baigna le visage à l'eau froide, le sécha, y appliqua un peu d'eau de Cologne et passa un peigne dans ses cheveux. Il se détourna du lavabo et y revint aussitôt, fixant son reflet dans le miroir. Il paraissait très fatigué et un peu soucieux, aujourd'hui. Suis-je trop vieux pour elle ? se demanda-t-il. Il s'immobilisa pour y réfléchir. L'image de Tessa Fairley était gravée dans son esprit. Il laissa échapper un profond soupir. La question de l'âge ne comptait pas dans le domaine du cœur.

Depuis qu'il l'avait rencontrée, il lui semblait que sa vie était sens dessus dessous. Rien n'était plus pareil. Malgré sa concentration, durant sa visite au président, tout à l'heure, il y avait eu un moment où elle s'était imposée à ses pensées. Très embarrassé, il avait dû couper court.

Qu'allait-il faire, à son sujet ? Comment maîtriser la situation ? Lui qui avait l'art de résoudre toutes sortes de problèmes était complètement perdu. « Je vais laisser les choses suivre leur cours... filer, comme un train lancé à grande vitesse. Que pourrais-je faire d'autre ? »

Il traversa la chambre à grandes enjambées, longea le couloir et descendit l'escalier. En entrant dans la bibliothèque, il admit qu'il ne maîtrisait rien. Entre elle et lui, quelque chose d'immédiat, de profond et de bouleversant s'était passé, la nuit précédente... Le destin ferait son œuvre.

19

Tessa regardait le jardin en pensant à Jean-Claude. Elle s'interrogeait encore à propos de son âge lorsqu'il entra dans la bibliothèque d'un pas décidé. Elle pivota pour lui faire face.

Il s'arrêta près de la table basse et leurs yeux se rencontrèrent. Il l'observa un instant, puis lui sourit. Elle fit de même, pressée par l'envie d'aller à lui.

— Vous prendrez du champagne, je pense, murmura-t-il en sortant la bouteille du seau à glace que Hakim avait apporté quelques secondes auparavant. C'est un Billecart-Salmon rosé, l'un de mes préférés. Je le trouve doux... J'espère que vous l'apprécierez.

— J'aime le champagne rosé.

C'était la vérité, bien qu'elle ne fût pas une grosse buveuse. En le regardant officier, elle déglutit plusieurs fois avec difficulté. Elle se découvrait de nouveau intimidée par lui. Mais n'était-ce pas naturel ? C'était un homme accompli et célèbre, apprécié de l'élite française, et apparemment un favori du président.

En dehors de cela, Tessa éprouvait un mélange d'émotions qui tournoyaient en elle. Pour commencer, elle était gauche et même un peu gênée en sa présence. Elle aurait voulu tendre la main pour le toucher et souhaitait qu'il le fît ; elle désirait qu'il l'enlaçât. Ses bras semblaient si forts... Comme privée d'air, elle s'écarta de lui avant de se couvrir de ridicule.

Une fraction de seconde plus tard, il était de nouveau tout proche d'elle et lui tendait une coupe. Sa main effleura la sienne et ce fut comme une décharge électrique. Elle s'assit sur une chaise, sans un mot, et ne manqua pas de remarquer son sourire amusé quand il alla se servir. Ils trinquèrent.

— A vous, dit-il.

— A vous, répéta-t-elle.

Puis elle but une longue gorgée, qu'elle trouva rafraîchissante.

Il y eut un silence et il demanda :

— Eh bien, Tessa... comment vous sentez-vous ?

Son regard sombre et hypnotique était posé sur elle, pensif, tandis qu'il attendait sa réponse.

La question l'avait prise au dépourvu et elle ne répondit pas immédiatement. Elle le fixa, les sourcils froncés, et sans plus de retenue lança :

— Intimidée.

Il parut surpris.

— Par moi ?

Eberluée par sa propre franchise, Tessa hocha la tête et reprit :

— Oui. Je suis impressionnée par votre œuvre, votre importance et votre position dans le monde. Je ne suis pas habituée à fréquenter des gens connus.

— Je ne suis... qu'un homme, Tessa, comme tous les autres.

— C'est faux ! Vous êtes très célèbre.

Jean-Claude s'assit sur une chaise et, de nouveau, l'observa, songeur.

— La renommée n'a aucune signification pour moi. Vous êtes nerveuse, peut-être vous trouvez-vous même maladroite. Oui, je pense que c'est cela, parce que c'est ce que j'éprouve, moi aussi.

Elle lui jeta un regard étonné.

— Oh !

— C'est normal, enchaîna-t-il. Soudain, nous nous retrouvons en tête-à-tête, seuls. Et nous ignorons quelle attitude adopter l'un envers l'autre.

— Peut-être...

Se penchant en avant, il la regarda droit dans les yeux et se mit à lui parler doucement :

264

— Hier soir, quelque chose s'est produit entre nous. Je vous ai observée, chez Marie-Hélène, et vous aussi. Le courant est passé. Le plus intime qui puisse circuler entre un homme et une femme. Nous nous sommes *exactement* compris. Si nous avions été seuls, j'aurais réagi différemment.

— Que voulez-vous dire ?

— Je vous aurais dit... *venez chez moi.*

— Vous auriez dû me le demander, murmura-t-elle, j'aurais accepté.

— C'est dommage.

Jean-Claude leva les mains en signe de regret, haussa les épaules et lui sourit un peu tristement.

— Alors, pourquoi vous être tu ? le pressa-t-elle, sans cesser de le fixer. Etait-ce à cause des personnes présentes ? suggéra-t-elle.

— Non, non, répliqua-t-il. Pas du tout. Je ne vis pas ma vie par ou pour le monde. C'était à cause de Lorne.

— Mais il ne vous en aurait pas voulu ! Il vous adore ! s'exclama-t-elle.

Il lui jeta un coup d'œil bizarre.

— C'est un mot un peu étrange, vous ne croyez pas ?

Elle secoua la tête.

— Il vous idolâtre, il vous admire, il pense que vous êtes unique. Rien de ce que vous faites ne peut être mal, pour lui.

— Je suis flatté, naturellement. Vous devez comprendre quel prix j'accorde à son amitié. Je ne ferai rien qui risque de la saper.

— Il estime que vous êtes un gentleman, précisa Tessa.

Elle avala une gorgée de champagne et se demanda si elle n'était pas un peu pompette.

— Je ne suis pas certain que cela pèse lourd dans la balance, fit-il tranquillement.

Tessa le regarda sans mot dire. Il y eut un silence, mais il n'était pas du tout embarrassant. Cet échange assez libre avait détendu l'atmosphère. Tessa avait conscience de ne jamais s'être montrée aussi honnête envers Mark. Le seul fait de l'évoquer la fit se crisper intérieurement et elle se hâta de l'expulser de son esprit. Ce n'était certes pas le moment de penser à lui, dans cet appartement et avec cet homme supérieur... Jean-Claude Deléon.

De son côté, il était content de l'avoir encouragée à exprimer ses sentiments. Cela les avait rapprochés. Il détestait ces jeux interminables, entre personnes de sexe opposé. Il les trouvait puérils, ridicules et insipides. Seules l'honnêteté et la vérité lui semblaient acceptables.

Se levant soudainement, il prit la bouteille, remplit la coupe de la jeune femme, puis retourna de l'autre côté de la table et se servit. Il se rassit ensuite dans la bergère, savoura une gorgée et demanda :

— Vous avez peur ?

— Un petit peu.

— De moi ? Ce n'est pas possible !

— Non, pas vraiment... De ce qui peut arriver entre nous.

— Ah, oui, se jeter dans une relation amoureuse est toujours risqué.

Elle était paisible, songeuse.

D'une voix chaleureuse et rieuse à la fois, il demanda :

— Un centime pour vos pensées, Tessa Fairley.

— Quel âge avez-vous ?

Les mots tombèrent au milieu de la pièce tel un boulet. Jean-Claude la dévisagea. Visiblement, il ne s'attendait pas à cela.

Tessa se serait giflée. La question qu'elle se posait, au moment où il l'avait interrogée, avait franchi le seuil de ses lèvres. Elle s'excusa :

— Pardonnez-moi ! Comment ai-je pu me montrer aussi grossière ? Quelle terrible maladresse de ma part ! dit-elle en rougissant. Vous n'avez pas à me répondre...

— Je suis bien trop âgé pour vous, l'interrompit-il.

Il lui souriait, mais un éclair de regret traversa son regard.

— Non, ce n'est pas vrai.

Ignorant sa dernière remarque, il reprit :

— Hier soir, quand je me suis retrouvé seul, j'ai repensé à notre rencontre. Je me suis demandé pourquoi la vue d'une femme avait pu constituer un tel choc. C'est ce que je dois comprendre.

Mais il connaissait déjà la réponse. En une fraction de seconde, il avait su qu'elle était celle qu'il avait toujours cherchée. Voilà tout.

— C'est votre tour, de paraître songeur, remarqua Tessa.

— Oui. Je pensais à vous. Quels sont vos projets ?

— Pour ce week-end, ou pour l'avenir ?

— Les deux.

— Je n'en ai aucun pour le week-end.

— Accepteriez-vous de le passer avec moi ?

— Oui.

— Cela ne posera aucun problème avec Lorne ? Je ne peux pas vous arracher à lui. Vous êtes venus à Paris ensemble. L'abandonner serait... injuste.

— Mon frère est très sérieux quand il s'agit de son métier, vous le savez, Jean-Claude, et il sera content de pouvoir travailler son rôle. Il veut toujours atteindre la perfection, être infaillible au moment où il joue. Il est perfectionniste.

— Je le sais. Pourtant, nous ne devons pas l'exclure.

— Posons-lui la question, en ce cas.

— Vous semblez plus détendue, Tessa.

— Je le suis. Je me sens mieux.

— Et en ce qui concerne l'avenir, qu'envisagez-vous ?

— Je dois aller au bout de la procédure de divorce. Dès que ma mère sera rentrée de New York, la semaine prochaine, je crois que tout ira beaucoup plus vite. Elle est très forte pour résoudre les problèmes, surtout lorsqu'il s'agit d'affronter les hommes de loi. L'avez-vous rencontrée, en compagnie de Lorne ?

— Oui. C'est un être exceptionnel.

Et je crains qu'elle n'approuve pas notre relation songea-t-il, mais il jugea plus sage de ne pas le formuler à haute voix.

Hakim apparut sur le seuil de la pièce.

— Monsieur, s'il vous plaît.

— Merci, Hakim.

Jean-Claude se leva.

— Venez, Tessa, le repas est servi. Nous allons passer par la salle à manger.

— Votre bibliothèque est l'une des plus belles pièces que j'aie jamais vues. Ce n'est pas là que vous travaillez, pourtant, n'est-ce pas ?

— Non, mais je m'y assieds souvent, pour réfléchir.

— Où écrivez-vous, alors ? Ailleurs qu'ici ?

— Non. J'ai un bureau à l'étage. Je vous le montrerai plus tard, si vous le souhaitez.

— Très volontiers. Avez-vous rédigé *Warriors* ici ?

— Oui... Je vous l'ai offert parce que vous vous trouviez à la réception, ajouta-t-il rapidement, mais vous n'êtes pas obligée de le lire, vous savez.

— Oh, mais je l'ai déjà commencé ! Je n'ai pas pu dormir, la nuit dernière, laissa-t-elle échapper. De toute façon, je me suis aperçue que je ne pouvais plus le lâcher, tant j'étais captivée, reprit-elle très vite en se redressant sur sa chaise, toute rouge. Vous en connaissez un rayon sur les guerres, le terrorisme et la politique.

Il hocha la tête.

— Pourquoi ne pouviez-vous pas dormir ?

Elle déglutit plusieurs fois et s'apprêtait à inventer un mensonge ridicule, mais elle opta pour la franchise.

— Je pensais à vous.

Il inspira profondément.

— Je le sais. J'ai eu le même problème.

Son regard perçant se posa sur elle et ne la quitta plus jusqu'à ce qu'elle battît des paupières et se détournât. Voulant la ramener à lui, il déclara :

— Je suis content que vous compreniez le français. C'est important, pour moi.

Elle aurait voulu lui demander pourquoi, mais s'en abstint.

— Où avez-vous appris l'anglais ? demanda-t-elle. Vous l'utilisez magnifiquement, poursuivit-elle sur un ton qu'elle espérait désinvolte.

— J'ai pris des leçons quand j'étais très jeune, encore adolescent, et j'ai travaillé dur. Quand j'avais douze ou treize ans, à peu près, j'avais décidé de devenir écrivain et je voulais voyager, surtout en Amérique et en Angleterre. Pour cette raison, il me fallait parfaitement maîtriser la langue.

270

— Eh bien, c'est le cas.

Elle se demanda ce qui n'allait pas chez elle. Pourquoi s'entêtait-elle à asséner ce qu'il savait déjà ?

L'arrivée de Hakim, qui apportait une vichyssoise, interrompit la conversation. Dès qu'elle fut servie, Tessa en porta une cuillerée à sa bouche, mais découvrit qu'elle avait beaucoup de mal à l'avaler, bien qu'elle fût délicieuse. La nourriture était la dernière chose qu'elle eût en tête, à cet instant.

Dès que Hakim fut reparti, elle demanda :

— Vous avez couvert de nombreux conflits, mais ce devait être très dangereux.

— Comme la vie. N'est-ce pas, Tessa ?

Elle plissa légèrement les yeux.

— Lorne vous a confié un certain nombre de choses, à mon sujet, affirma-t-elle.

— Non. Je l'ai vu il y a deux semaines, quand il revenait d'Istanbul et regagnait Londres en passant par Paris. Nous avons dîné ensemble et c'est au cours de ce repas qu'il m'a parlé de l'enlèvement de votre enfant ; c'est tout.

— Je vois.

— Il s'inquiétait pour vous.

— Je sais, soupira-t-elle. Mais vous, quand vous vous rendez dans un pays déchiré par les combats, c'est comme si vous alliez au-devant des ennuis, non ?

— Non. Je ne prends pas de risques... Du moins, pas dans ces cas-là.

Il y eut un long silence. Le désir passa dans les yeux de Jean-Claude et crispa ses traits, puis il lui adressa un sourire tendre et aimant.

Il dégageait un magnétisme presque palpable et, pour briser le charme qu'il semblait avoir jeté sur elle, elle saisit sa coupe. A son grand désagrément, sa main tremblait fort. Elle en fut abasourdie. Pour se calmer, elle inspira, parvint à affermir son bras et à ne pas répandre une goutte de champagne.

Bien qu'il n'eût rien dit, elle savait qu'il avait remarqué sa gaucherie. Comment en eût-il été autrement ?

Hakim vint débarrasser, puis il apporta l'omelette et s'évapora. Tessa s'efforça de manger sans beaucoup de succès et après quelques secondes, s'aperçut que Jean-Claude n'y parvenait pas plus qu'elle.

— Je n'ai pas très faim, lança-t-il, conscient qu'elle l'observait.

— Moi non plus.

— Je crois que nous ferions mieux d'affronter ce qui nous préoccupe.

— Que voulez-vous dire ?

— L'aspect physique... de la situation. Allons, Tessa, suivez-moi, dit-il en se levant.

Elle l'imita et ensemble, ils quittèrent la terrasse.

Dans le vestibule, il se tourna vers elle.

— Je vous ai dit que je vous montrerais mon bureau. Il est en haut.

Il lui désigna l'escalier et la conduisit à l'étage.

Après lui avoir ouvert la porte, il la suivit dans la pièce. Juste au moment où il allait la prendre dans ses bras, le téléphone sonna.

— Merde, marmonna-t-il pour lui-même.

Il repoussa le battant du pied et se hâta vers sa table de travail. Dès qu'il eut décroché, il reconnut la voix de sa sœur, Marie-Laure, à l'autre bout du fil.

Il lui parla avec affection et l'écouta un instant. Ses yeux se posèrent sur Tessa, qui regardait les photographies accrochées à l'un des murs. Il y figurait en compagnie d'écrivains, de politiciens, de peintres ou d'amis, tout le beau linge parisien et du monde entier. Afin d'abréger la conversation avec sa sœur, il lui expliqua qu'il était en rendez-vous et ne pouvait s'attarder. Les quelques minutes qu'il avait passées à discuter avec elle avaient paru des siècles à Tessa lorsque enfin il raccrocha. Elle se tourna alors vers lui et le fixa. Aussitôt, il lut dans ses yeux le désir ardent qui l'habitait, l'envie qu'elle avait de lui. Elle était submergée par des sentiments semblables aux siens.

Il se précipita vers elle et elle tomba dans ses bras, comme si elle avait trébuché, laissant échapper un petit cri et s'agrippant à lui. Une seconde plus tard, elle enfouissait son visage contre son épaule. Elle tremblait tellement qu'il en fut alarmé et tenta de la calmer en lui caressant le dos, en la serrant très fort dans ses bras et en lui murmurant des mots apaisants.

— Tessa, tout va bien. Détends-toi, ma chérie, souffla-t-il dans ses cheveux.

Finalement, elle rejeta la tête en arrière pour le regarder. Il éprouva un choc en plongeant dans ces prunelles argentées. La tenir ainsi lui coupait le souffle. De nouveau, il était abasourdi par sa beauté. Elle entrouvrit légèrement les lèvres et les humecta du bout de la langue.

Enflammé, incapable de lui résister une seconde de plus, il écrasa sa bouche sur la sienne et ils échangèrent un long baiser. Il frissonna et la serra davantage contre lui. Ils étaient debout au milieu de la pièce, oublieux du monde extérieur, de tout ce qui n'était pas eux et ce qu'ils éprouvaient l'un pour l'autre.

Un instant plus tard, enlacés, ils tombèrent sur le sofa. Il continua de l'embrasser passionnément, comme il avait souhaité le faire la veille en la rencontrant, et à chaque minute depuis ce moment. Enfin, elle était là où il avait voulu qu'elle fût : dans ses bras. Ils allaient faire l'amour. Etre possédé par elle et la posséder, voilà à quoi il aspirait.

Au bout d'un court instant, il se leva et commença à déboutonner sa chemise blanche avec impatience, tout en allant fermer la porte à clé. Lorsqu'il revint vers elle, elle était nue sur le sofa, son corps élancé offert à ses caresses. Comme elle était belle ! pensa-t-il.

Une seconde plus tard, il était lui aussi déshabillé et ses vêtements gisaient sur le sol. Il s'étendit auprès d'elle et la prit dans ses bras, puis la serra tout contre lui, écoutant son cœur se débattre comme un fou dans sa cage thoracique, comme celui de Tessa.

Se dressant sur un coude, il plongea de nouveau dans ses yeux. Elle lui rendit son regard intense et frôla son visage.

— Jean-Claude, fit-elle d'une voix étouffée.

— Ma chérie ?

— Je te désire tant !

— Pas plus que moi.

Il embrassa son front, ses yeux, ses petits seins fermes, caressa lentement son ventre plat. Ses mains explorèrent les courbes de son corps jusqu'à ce qu'elle gémît doucement de plaisir et lui rendît ses caresses. Quand il se fit plus hardi et insistant, elle ne put se contenir davantage et laissa échapper un cri. Poursuivant avec habileté, il sentit monter son désir par vagues successives et vint en elle en murmurant à son oreille :

— Ma chérie, ma Tessa, mon amour.

— Jean-Claude, Jean-Claude, soupira-t-elle.

Elle l'attira contre elle et le serra très fort.

Il sembla à Jean-Claude que leurs corps étaient parfaitement adaptés l'un à l'autre et leur rythme parfait, comme s'ils ne formaient qu'un. La passion les emportant, ils se mirent à bouger de plus en plus vite. Haletant, ils atteignirent ensemble le paroxysme. Jean-Claude crut qu'il sombrait dans un espace lumineux et argenté, où il l'emmenait avec lui, désirant ne jamais la laisser s'en aller.

Ils reposaient sur le sofa, environnés d'une sorte de brouillard, l'esprit légèrement embrumé. Leur désir mutuel était rassasié, toute tension s'était évaporée et ne subsistaient plus entre eux que la joie et l'accomplissement.

— Tu te sens bien ? murmura-t-il contre ses cheveux.

— Très bien, sauf que j'ai très soif.

Il déposa un baiser sur le bout de son nez, se leva et traversa la pièce. Elle le regarda, songeant qu'il bougeait bien, d'une façon à la fois décidée et positive. La veille, Lorne l'avait qualifié, à un certain moment, d'homme d'action, parce qu'il était de toutes les missions, toujours volontaire pour couvrir les guerres ou se lancer dans des projets dans des pays étrangers.

Lorsqu'il revint, apportant une bouteille d'eau et deux verres, elle demanda :

— Tu as une cuisine, à l'étage ?

Il se mit à rire.

— Non, je suis allé dans la salle de bains. J'y ai un réfrigérateur pour l'eau et les boissons non alcoolisées, ainsi qu'une cafetière.

274

Il posa les deux gobelets sur le bureau, les remplit, les apporta près du sofa et en tendit un à Tessa. Elle se redressa, posa les pieds sur le sol et le prit.

— Merci. Je suis assoiffée ; ce doit être à cause de tout ce champagne que tu m'as fait boire.

Il s'assit près d'elle et lui jeta un rapide coup d'œil.

— Tu n'es pas en train de m'accuser de t'avoir fait boire pour te séduire ?

— Non. Cela, tu l'as fait hier soir, chez Marie-Hélène, devant la moitié de Paris.

Il rit de nouveau, ravi par son esprit.

— Touché.

— As-tu un peignoir à me prêter ? Oh, regarde, je peux mettre ça.

Elle se baissa pour ramasser la chemise blanche, abandonnée sur le sol.

— Laisse-moi te donner autre chose, elle est sale, je l'ai portée.

— C'est justement pour cela que je la veux, dit-elle en y enfouissant son visage. Elle sent ton eau de Cologne.

Elle l'enfila et boutonna quelques boutons.

— Elle sent toi, ajouta-t-elle.

Il rit tout bas en retournant dans la salle de bains et revint un instant plus tard, portant un peignoir de soie bleu marine.

— Tu as faim ?

— Un peu, mais je ne crois pas que l'omelette soit encore chaude.

Il s'approcha d'elle et la prit dans ses bras.

— Je vais nous confectionner quelques sandwichs. Mais je veux d'abord te parler.

— A quel propos ?

Elle s'écarta légèrement de lui, saisie par le ton sérieux sur lequel il s'était exprimé. Levant les yeux vers lui, elle hésita un instant, puis interrogea très vite :

— C'est grave ?

— Assieds-toi, dit-il d'une manière un peu impérieuse.

Il avait désigné le sofa et elle obéit promptement, sachant qu'il ne badinait pas.

Il pivota sur lui-même, tira une chaise et s'installa en face d'elle. Pendant quelques instants, il demeura silencieux, comme plongé dans ses réflexions et presque méditatif. Elle l'observait furtivement, le trouvant très beau. Ce n'était pas étonnant si les femmes tombaient comme des mouches à ses pieds ! N'était-ce pas ce qu'elle avait fait, d'ailleurs ? Il était beau, avec un corps puissant et ferme. Ses yeux bruns étaient expressifs, tantôt rêveurs, tantôt magnétiques, et son regard pouvait être perçant. Sa bouche bien dessinée était sensuelle et généreuse. Oui, c'était cela. Cette caractéristique si difficile à cerner de sa personnalité, c'était la bonté qu'exprimait son visage. Mais alors qu'il la fixait intensément, elle le vit bien sérieux.

— C'est grave ? demanda-t-elle encore, soucieuse.

— Non.

Il but une grande gorgée d'eau, posa le verre sur la table toute proche, se carra dans la chaise et déclara :

— J'ai cinquante-trois ans. Ce qui vient de se passer... n'est pas anodin, pour moi, dit-il en balayant l'air de sa main. Je ne joue pas.

— Je crois que je le sais déjà, Jean-Claude.

— J'en ai trop vu, trop fait, j'ai vécu trop intensément et de bien des façons. Douleur, chagrin d'amour... me sont familiers. Je me suis colleté avec la désillusion et le désespoir, j'ai enduré de nombreux deuils et l'on pourrait penser, je crois, que j'ai presque tout essayé. Il y a des gens, à Paris, qui voient en moi un homme fatigué, usé, et d'une certaine façon, c'est ce que je suis. A mon âge, je ne peux me permettre de gaspiller mon temps, parce que j'ai encore beaucoup à écrire, à étudier, à terminer et à faire. Comprends-tu ce que je veux te dire, Tessa ?

— Je crois que oui.

— Hier soir, quand je suis rentré chez moi, après le dîner, j'avais l'impression d'avoir été... *matraqué*. C'est le seul mot qui me vienne... Par toi. Par notre rencontre. Tu as exercé un effet foudroyant sur moi. Et je crois que c'était réciproque. Je me trompe ?

— Non. Je ressens exactement la même chose que toi. Ne venons-nous pas de nous le prouver mutuellement, Jean-Claude ? Mais...

276

Elle s'interrompit.

— Mais quoi ?

— Je suis un peu effrayée.

Il lui sourit.

— Et moi, terrifié.

Elle toussota, puis déclara :

— Ce que tu voulais dire, il y a un instant, c'était que tu ne souhaites pas que je te fasse perdre ton temps. C'est cela ?

— En effet. Je n'y suis que trop bien arrivé, au fil des ans, avec des femmes qui se révélaient différentes de ce que j'avais cru.

— Et moi ? Que penses-tu que je sois ?

— Celle que j'ai cherchée toute ma vie.

— Dans le livre que tu m'as dédicacé, tu as marqué : « Je suis là. » C'est une phrase assez énigmatique.

— Que crois-tu qu'elle signifie ?

— Je suis là pour vous... je vous attends.

— Tu es quelqu'un de très intuitif, Tessa.

— Lorne a dit que je ne m'étais jamais tenue de cette façon. Il a prétendu que je m'étais pâmée à tes pieds. Mais il avait raison, du moins c'est ce que j'ai ressenti.

Jean-Claude hocha la tête, mais s'abstint de tout commentaire.

— Il a aussi affirmé qu'il ne t'avait pas plus vu te comporter ainsi.

— C'est vrai. Je ne pense pas que cela me soit arrivé une seule fois. Tout ce que je voulais, c'était te prendre dans mes bras et t'y garder à jamais, continua-t-il avec une sorte de petit rire, comme amusé par sa conduite de la veille. Et cette envie me submergeait au point que j'en ai été sonné.

— Tu ne veux pas perdre ton temps... Qu'attends-tu donc de moi ?

— Une poignée de main, franche et honnête, comme diraient mes amis américains. Es-tu prête à t'embarquer dans une relation avec moi ? Autre chose... Je veux être certain que tu me diras toujours la vérité.

— Je ne te mentirai jamais ! s'exclama-t-elle. Quant à me lancer dans une relation avec toi, je le souhaite ardemment. Ne venons-nous pas de commencer ?

— D'aucuns n'y verraient que... l'aventure d'une nuit.

— D'un après-midi, tu veux dire, le corrigea-t-elle en riant.

Il eut la bonne grâce de se joindre à elle et secoua la tête, amusé.

Adoptant un registre plus bas, elle remarqua :

— Nous habitons dans des villes différentes, j'ai une fille de trois ans. J'ai aussi une carrière, des responsabilités.

— Je le sais, Tessa, mais essayons quand même, tu veux bien ?

Comme elle ne disait rien, il insista :

— Tu veux bien ?

— Oui, répondit-elle.

20

Tessa repoussa ses cheveux en arrière. Assise sur le sofa, elle regardait la porte. Jean-Claude était descendu préparer des sandwichs et tout à coup, elle était de mauvaise humeur. Elle mit quelques secondes à comprendre... Jean-Claude lui manquait. Son absence la frustrait, alors qu'il n'était parti que depuis quelques minutes.

Cette prise de conscience l'abasourdit. Presque immédiatement, elle se souvint de la nuit sans sommeil qu'elle avait passée, obsédée par lui. Finalement, elle avait allumé la lampe et attaqué *Warriors*. En dehors du fait que cette lecture l'avait rapprochée de lui, elle lui avait permis de mieux le comprendre, de pénétrer son esprit. Il écrivait remarquablement bien, avait-elle constaté avec un certain étonnement. Les premiers chapitres l'avaient bouleversée.

Elle avait alors béni sa mère, qui avait insisté pour qu'elle étudiât le français et l'avait contrainte à s'y mettre. Si elle ne l'avait pas compris, en effet, elle n'aurait pas pu se plonger dans l'œuvre de Jean-Claude. Et c'était primordial, à ses yeux.

Il est extraordinaire, pensa-t-elle, intelligent, accompli, charismatique. Lorsqu'il se trouvait dans une pièce, il l'emplissait de sa présence et de sa personnalité ; voilà pourquoi il lui manquait. Sans lui, son bureau était calme et sans vie.

C'était la même chose dans les lieux publics. Elle l'avait remarqué, la veille. Il envahissait l'espace lorsqu'il y pénétrait, sans faire quoi que ce fût de spectaculaire. Et pour cause, puisqu'*il* était spectaculaire. Il déplaçait l'air autour de lui, suscitant l'émoi.

Il faisait aussi l'amour d'une façon qu'elle n'avait jamais expérimentée. Avant d'épouser Mark, elle n'avait connu qu'un seul homme, et cette liaison avait été catastrophique. Quant à Mark, il était un peu grossier, pressé, ne se souciant pas de la satisfaire. Puis il était devenu violent, lui avait fait mal, jusqu'à abuser d'elle d'une façon si ignoble qu'elle l'avait quitté. Elle était heureuse d'être en vie et de lui avoir échappé. Ne pense pas à lui, se dit-elle en bloquant ces mauvais souvenirs. Focalise-toi sur Jean-Claude, à la place.

Elle se laissa aller sur le sofa et ferma les yeux pour mieux revivre le moment délicieux qu'elle venait de passer dans ses bras... Une heure de félicité... De pur délice.

Les intentions de Jean-Claude étaient tout à fait sérieuses, à son sujet, il le lui avait fait comprendre, à sa façon honnête et franche. N'était-il pas un as de la communication ? Il voulait une relation durable, et elle aussi. S'agissait-il de mariage ? Elle n'en était pas certaine. Comment cela pourrait-il marcher ? Il vivait à Paris et voyageait de par le monde pour suivre les conflits qui l'ébranlaient, et pour interviewer les hommes politiques et les présidents qui le dirigeaient... Il prenait des risques. Supporterait-elle de le savoir ainsi en danger ?

Et puis, il y avait *sa* vie... Sa chère Adèle. Où qu'elle allât, celle-ci irait aussi, mais ce n'était pas un problème. Jean-Claude tomberait immédiatement amoureux d'elle, comme tout un chacun. La petite était irrésistible.

Cependant, il lui fallait aussi tenir compte de sa carrière, de ses responsabilités chez Harte. Comment arriverait-elle à travailler à Londres et à vivre à Paris ? Et elle devrait bien habiter ici, si leur histoire d'amour évoluait comme il le souhaitait... non, comme il s'y attendait. Il ne s'installerait certainement pas à Londres, en tout cas pas de manière définitive.

La souffrance procurée par l'enlèvement d'Adèle lui avait fait comprendre une chose : son enfant l'emportait sur toute autre préoccupation, dans sa vie. Son parcours professionnel avait été relégué au second plan. Allait-il passer à la troisième place à cause de Jean-Claude ?

Elle se redressa sur son siège. Elle était tombée amoureuse de lui. Instantanément. Elle avait regardé ce beau visage, si grave, et elle l'avait aimé. Comme India avec Dusty Rhodes, pensa-t-elle tout à coup. En un éclair, elle comprit mieux ce qui s'était passé entre sa cousine et l'artiste.

Jean-Claude lui avait dit avoir été assommé ; elle avait été sidérée. Les émotions qu'il avait suscitées en elle étaient multiples et inédites.

Ressentant de nouveau le besoin de mieux le comprendre, elle se leva et se promena dans le bureau. Elle observa une série de photographies, sur un autre mur, et découvrit sur une étagère de nombreux livres qu'il avait écrits. Elle remarqua que certains d'entre eux avaient été traduits en anglais et en d'autres langues, ce qui la ravit. Elle se moqua d'elle-même. Pourquoi avait-elle senti cette brusque bouffée d'orgueil ? Après tout, elle ne le connaissait que depuis la veille. Cela semblait impossible… *seulement depuis la veille*. Pourtant, son existence avait subi un changement irrévocable. Pas plus qu'elle, sa vie ne reviendrait à l'état antérieur.

De façon inattendue, elle se sentit envahie par la panique. Qu'allait-elle faire ? Comment parviendrait-elle à gérer tout cela ? Elle fut submergée par la nouveauté de ce qui lui arrivait puis, inspirant profondément, se força à se détendre. Elle n'avait qu'à se laisser aller et affronter les événements au jour le jour.

Elle balayait la pièce du regard. Comme Jean-Claude l'avait dit, elle était unique. Une galerie en faisait le tour, longeant les étagères remplies de livres, qui occupaient plusieurs murs et montaient jusqu'au plafond. Un escalier en colimaçon, d'acier et de cuivre, permettait d'y accéder.

L'endroit était spacieux et aéré. A une extrémité, se trouvait une grande fenêtre. Les couleurs, chaudes et masculines, formaient une combinaison saisissante. Les murs étaient tendus d'un tissu rouge brique, un velours assorti recouvrait le sofa, et le tapis offrait un mélange de rouge et de vert. Une lourde plaque de verre posée sur de solides pieds de cuivre et d'acier constituait la table de travail, spectaculaire. Deux lampes en acier y trônaient, garnies d'un abat-jour vert sombre.

Tessa nota la présence d'un buvard, d'un encrier et de plusieurs casiers de métal destinés au classement des papiers. Elle apprécia l'idée que Jean-Claude fût un homme ordonné, à l'esprit rigoureux. Elle l'était elle-même, au point qu'elle ne pouvait supporter le désordre.

Le long d'un autre mur, une seconde table, réservée à l'informatique, accueillait un ordinateur, une machine de traitement de texte et une imprimante, ainsi que deux lampes semblables aux précédentes. Le lieu était vraiment voué au travail, songea Tessa en hochant la tête. Sans doute Jean-Claude était-il rapide et efficace.

Tessa revint au centre du bureau, tout en jetant un coup d'œil à sa montre. A son grand étonnement, elle constata qu'il était presque trois heures. A cet instant, la porte s'ouvrit sur Jean-Claude.

— Excuse-moi d'avoir mis autant de temps, murmura-t-il en se penchant pour récupérer le plateau qu'il avait posé par terre.

Il entra et alla le poser sur la table de travail. Puis il lui fit signe d'approcher.

— Viens t'asseoir sur cette chaise, tu seras mieux installée.

Autoritaire, aussi, pensa-t-elle. Mais c'est avec un radieux sourire qu'elle le rejoignit. Il l'enlaça et la serra fort contre lui.

— Ma chérie, murmura-t-il en lui caressant les cheveux.

Puis il la lâcha, alla chercher un siège et s'installa en face d'elle.

L'en-cas, somptueusement présenté grâce, sans doute, aux bons soins de Hakim, reposait sur un linge blanc immaculé, en organdi. Un joli service en porcelaine de Chine complétait la mise en scène. Tessa prit une assiette et une serviette, et se posa là où Jean-Claude le lui avait indiqué. Il insista pour qu'elle commençât à manger, ce qu'elle fit, tandis qu'il lui servait une tasse de thé, avant de prendre lui-même un sandwich.

282

Après s'être restauré et avoir bu, il la regarda en souriant.

— Tu occupais tellement mon esprit que je n'ai pas réalisé à quel point j'étais affamé.

— Je sais. J'avais moi-même une faim de loup, répliqua-t-elle.

Elle pencha la tête de côté et l'observa d'un air songeur.

Il posa sa tasse sur le plateau, en alerte.

— Qu'y a-t-il ?

— Il m'est venu une idée bizarre... Crois-tu que mon frère ait organisé tout cela ?

Surpris, Jean-Claude plissa légèrement les yeux, puis partit d'un grand éclat de rire, visiblement très amusé par l'hypothèse.

Au bout d'un moment, il s'écria :

— Mon Dieu ! Si tel est le cas, je lui en serai éternellement reconnaissant. Qu'est-ce qui t'a fait penser cela ?

— Eh bien, au cours d'une discussion assez récente, je lui ai dit que je pensais ne jamais me remarier, après cette débâcle avec...

— Quelle a été la réponse de Lorne ? la coupa-t-il d'un ton péremptoire.

— Il m'a dit que c'était très bien, mais qu'il ne me permettrait pas de mener une vie solitaire. Il allait s'assurer que j'aie une multitude d'amants.

— Seulement un, ma chérie, plaisanta Jean-Claude en posant sa main sur celle de Tessa.

— Oui, sans aucun doute. Juste un. Toi.

Un sourire radieux illumina le visage de Jean-Claude et ses yeux sombres pétillèrent.

— J'ai eu la même idée que toi, à propos de ton frère, en descendant chercher les sandwichs. Ce serait sympathique, s'il nous accompagnait à la campagne, demain.

— Nous allons à la campagne ? fit-elle, surprise.

— Tu as bien accepté de passer le week-end avec moi ?

— Oui.

— J'ai une maison en dehors de Paris, petite mais confortable, commenta-t-il avec un geste vague de la main. Elle est très agréable et je crois qu'elle te plaira. Tu veux bien y aller, ma chérie ?

J'irais n'importe où avec toi, pensa-t-elle, et elle répondit :

— J'en serai ravie. Nous pourrions peut-être appeler Lorne tout de suite, pour connaître ses projets.

— Je croyais qu'il apprenait son rôle...

Jean-Claude décrocha le téléphone et forma le numéro de l'hôtel. Un moment plus tard, il avait Lorne à l'autre bout du fil.

— C'est moi, mon ami. Comment allez-vous ?

— Bonjour, Jean-Claude ! s'exclama Lorne. Très bien, et vous ? Tout se passe au mieux, entre Tessa et vous ?

— Bien sûr. Etes-vous pris, demain ?

— Non, je travaille mon rôle. Pourquoi ?

— J'ai pensé que ce serait une bonne idée d'emmener Tessa hors de Paris pour le week-end et ce serait un grand plaisir, pour moi, si vous acceptiez de nous accompagner dans ma maison... Vous y êtes déjà allé.

— Votre maison ! s'exclama Lorne en riant. Lui avez-vous avoué qu'il s'agissait d'un château ?

— Ah, mon cher ami, vous exagérez toujours ! Vous serez des nôtres, n'est-ce pas ?

— Merci pour votre invitation, Jean-Claude. Je pense que c'est une excellente idée d'éloigner Tessa, quand ces deux canailles rôdent dans le coin.

— C'est exactement mon avis, répliqua Jean-Claude. Alors, c'est d'accord ?

— Si elle veut bien de moi.

— Je vous la passe, murmura Jean-Claude en tendant le récepteur à Tessa.

— Allô, Lorne ? Je te préviens, si tu ne viens pas, je n'y vais pas non plus.

— Bien sûr, que je vous accompagne ! J'adore sa maison. Tu vas bien, mon cœur ?

— Mieux que cela... Je suis au septième ciel.

— C'est un homme fantastique, quelqu'un de vraiment merveilleux, Tessa. Je me sens mieux à l'idée que tu es avec lui. Tu seras toujours en sécurité, auprès de lui.

284

— Je m'en rends compte. Je suppose qu'il t'appellera plus tard, pour fixer un rendez-vous. Rien de nouveau ?

— Rien. As-tu eu Linnet ?

— Non, mais je n'attends pas de coup de fil. Je lui ai parlé ce matin, avant d'aller déjeuner, et tout allait bien. J'ai mon téléphone portable et il est branché vingt-quatre heures sur vingt-quatre.

Pendant que Jean-Claude emportait le plateau à la cuisine, Tessa se rhabilla. Elle contemplait une photographie de lui lorsqu'il revint. Elle pivota sur elle-même en l'entendant, très troublée.

— Qui est cet enfant, avec toi ? Car c'est bien toi, n'est-ce pas ?

Il la rejoignit et la prit par les épaules.

— Oui, et c'est mon fils, dit-il en baissant les yeux vers elle. Il avait dix ans, à cette époque.

— Oh !

— Il a presque ton âge, aujourd'hui. Je t'ai dit que j'étais trop vieux pour toi. Assez, en tout cas, pour être ton père.

— Non ! Tu ne l'es pas ! J'ignorais que tu avais été marié... Tu as été marié, avec sa mère ? poursuivit-elle.

— Très brièvement, quand j'étais jeune, il y a longtemps. J'avais vingt et un ans et Philippe est né quand j'en avais vingt-deux.

— Je vois. Il habite à Paris ?

— Non, il vit dans le sud de la France. C'est un artiste.

Tessa hésita un instant avant de demander :

— Tu es toujours marié ?

Il éclata de rire.

— Bien sûr que non ! Je suis divorcé depuis de nombreuses années.

— Tu ne t'es jamais remarié ?

— Non... Il y a eu beaucoup de femmes...

— Je m'en doute.

Il se tourna vers elle et posa ses deux mains sur ses épaules.

— Je ne peux pas effacer le passé, dit-il en scrutant son visage bouleversé. Pas plus que toi, ma chérie. Nous apportons tous deux... un certain nombre de valises, dans notre relation. Nous devons nous en accommoder du mieux que nous pouvons. Je peux te dire ceci, en toute sincérité... Je crois que tu es celle que j'attendais et que tu peux combler le vide de mon cœur, comme je peux remplir le tien. Alors, ne t'attarde pas sur le temps révolu. Attachons-nous à l'avenir.

Elle posa sa tête sur son épaule et se remémora les paroles de Lorne, un instant plus tôt ; elle serait en sécurité, auprès de Jean-Claude. Il avait raison.

Jonathan Ainsley était assis à son bureau Louis XVI, dans le cabinet de son somptueux appartement de l'avenue Foch. Le récepteur pressé contre son oreille, il écoutait attentivement la femme qui se trouvait à l'autre bout du fil. Lorsqu'elle eut fini de parler, il demanda :

— Tu es sûre que Tessa Fairley est à Paris ?

— Oui, ainsi que son frère Lorne. Ils doivent être descendus à l'hôtel O'Neill. Pourquoi iraient-ils ailleurs, puisque leur père en est le propriétaire ?

— Ce n'est que trop vrai, ma chère, répondit Jonathan en jouant avec le morceau de jade qu'il tenait. Quand sont-ils arrivés ?

— Jeudi soir, et l'on n'attend pas le retour de Tessa à Londres avant mercredi prochain. Son frère reste à Paris pour le tournage d'un film. Si elle revient plus tôt que lui, c'est sans doute parce que sa mère doit arriver de New York début septembre.

— Très bien, très bien. Il y aura une belle surprise pour toi, quand je te verrai à Londres, un petit cadeau. Et bien entendu, nous aurons un entretien privé... Cela te plaira, n'est-ce pas, mon chou ?

— Tu sais bien que oui, Jonathan.

— Je te préviendrai de mon arrivée. Pour l'instant, je te remercie de m'avoir fourni cette information précieuse.

Ils se dirent au revoir et raccrochèrent. Immédiatement, Jonathan composa le numéro du Ritz, où Mark avait pris une chambre. Cela sonna interminablement, mais personne ne répondit. Raccrochant brutalement, Jonathan appela ensuite l'hôtel O'Neill et demanda à parler à Mme Tessa Fairley.

Une seconde plus tard, le standardiste reprenait la communication pour annoncer, dans un anglais teinté d'un léger accent :

— Je suis désolé, mais nous n'avons pas de Mme Fairley.

— Peut-être son frère est-il descendu chez vous et est-elle avec lui ? Pouvez-vous appeler sa suite ?

— M. Fairley n'est pas ici, monsieur. Aucun membre de la famille ne séjourne chez nous, actuellement.

Près d'exploser de fureur, Jonathan marmonna un remerciement et raccrocha, le visage déformé par un affreux rictus. Il s'appuya au dossier de la chaise, se gratta le menton et réfléchit une minute. Apparemment, les jumeaux ne résidaient pas à l'hôtel familial, mais Jonathan ne voyait pas où ils pouvaient bien se trouver. Si Fairley tournait un film à Paris, peut-être avait-il loué un appartement pour quelques semaines, voire quelques mois ?

Comment le dénicher, alors ? Mark se chargerait du sale boulot et s'arrangerait pour découvrir où étaient les Fairley. Il ne voudrait certainement pas rater l'occasion de porter tort à Tessa. Dès qu'on les aurait localisés, il n'y aurait rien de plus facile que d'organiser un accident quelconque.

Longden étant introuvable, Jonathan décida d'appeler Sarah Pascal. Elle ne serait sans doute au courant de rien, puisqu'elle était en aussi mauvais termes avec les Harte que lui-même. Mais il éprouvait parfois un plaisir sadique à lui envoyer quelques piques, à propos de leurs cousins. Ses railleries semblaient toujours l'agacer, à son grand amusement.

Une fois de plus, la chance n'était pas avec lui. Il téléphona au bureau de Sarah, mais on lui apprit qu'elle était partie pour le week-end. Bien sûr ! On était vendredi après-midi et il était quatre heures ! Nul doute qu'elle était partie rejoindre son mari à la campagne.

Dommage, pensa Jonathan avant de composer le numéro de sa maîtresse, Yvette Duval. A son grand étonnement, la bonne lui annonça que Madame était partie pour Rome.

— Rome ! s'étrangla-t-il avant de raccrocher, furieux et frustré.

A quoi jouait-elle ? Il se demanda soudain si elle allait se révéler une garce infidèle, comme son épouse. Il évoqua l'image de cette dernière... Annabelle Sutton. Une femme qu'il avait aimée à la folie et qui l'avait trompé, cocufié de la façon la plus répugnante en couchant avec son associé ! Comme il l'avait exécrée ! Il avait souvent pensé à la mettre sur sa liste, à la suite des Harte et d'Evan Hughes. Mais il s'y était refusé, finalement, peut-être en souvenir du passé. Quelle faiblesse ! Elle aurait mérité de souffrir, après ce qu'elle lui avait fait.

Quant à Yvette Duval, il en avait terminé avec elle. Ce soir, il ferait appel à l'une des prostituées de Mme Simone, pour ce qui était des plaisirs de la chair. Et la semaine prochaine, il flirterait avec la fille d'Yvette, Chantal. Quelle meilleure forme de revanche ? Il se débarrasserait de la mère et entamerait une liaison avec sa délicieuse progéniture... A peine dix-neuf ans, mais un sacré numéro, à ce qu'il avait cru comprendre.

Cette perspective le fit sourire avec délice. Il décrocha de nouveau le téléphone, composa le numéro du Ritz et demanda Mark Longden. Comme personne ne répondait, il laissa un message. Mark le rappellerait peut-être. Faible, dépravé, toujours en quête d'argent, il accepterait son offre. Après tout, il était sa créature et lui mangeait dans la main, du moins aussi longtemps qu'il aurait besoin de lui. Quand il ne lui serait plus d'aucune utilité, il le jetterait, tout simplement.

Jonathan ne fut pas surpris quand Mark l'appela, un peu plus tard, et l'invita à dîner. N'ayant rien de mieux à faire, il accepta l'invitation et ils se retrouvèrent au Ritz.

Assis au bar, ils buvaient des martinis secs quand Jonathan ne résista pas à l'envie de répéter à Mark le commérage qu'on lui avait rapporté un peu plus tôt.

— Ta charmante femme, la ravissante Tessa, se trouve à Paris. Tu le savais ?

Visiblement stupéfait, Mark fixa Jonathan.

— Comment l'as-tu appris ?

— Mon petit doigt me l'a dit. Elle est avec son jumeau, le bel acteur Lorne Fairley. Il doit tourner un film.

Mark hocha à peine la tête et but une gorgée d'alcool. Irrité par son manque de réaction et voulant l'aiguillonner, Jonathan reprit :

— Quel dommage que tu ne sois pas en Angleterre ! Tu aurais pu rendre visite à ton *adorable* petite fille.

Aux oreilles de Mark, le mot sonna de façon sarcastique. Il se raidit et répliqua :

— Adèle est véritablement adorable, c'est la plus belle enfant au monde.

Se rappelant qu'on ne prenait pas les mouches avec du vinaigre, Jonathan changea de ton.

— Je t'accorde qu'elle est superbe, Mark. Elle doit te manquer.

— C'est vrai. Adèle est un petit moulin à paroles, elle adore me raconter tout ce qu'elle fait. Elle sera l'une des demoiselles d'honneur de Linnet O'Neill, le jour de son mariage. Elle est très excitée à l'idée qu'elle se trouvera parmi des filles plus âgées qu'elle.

Jonathan dressa l'oreille. Les yeux brillants d'intérêt, il se pencha en avant.

— J'ai oublié quand a lieu ce fameux mariage.

Il mentait, car il n'en avait jamais entendu parler. Eleanor ne pouvait plus lui fournir d'informations.

— Le premier samedi de décembre, je crois.

— Vraiment ! Et les divers clans seront présents, bien entendu. Il y aura les Harte, les O'Neill et les Kallinski au grand complet. Tu imagines ça, Mark ? Tous ensemble dans le Yorkshire ! Et où se déroule la cérémonie ?

— Dans la chapelle du village de Penninstone Royal. La réception se tiendra à Penninstone, d'après ce que j'ai compris.

— J'adorerais y être... Comme une petite souris, s'entend. Pas toi ?

Le visage de Mark s'assombrit.

— Jamais de la vie ! Pour rien au monde je ne côtoierais cette bande de snobs !

— Représente-toi simplement l'assemblée... Quel dommage que nous ne puissions pas lâcher une bombe dans l'église ! Oh, mon Dieu ! Tu imagines !

Jonathan fut pris d'un rire irrésistible. Mark l'observait avec attention.

— Tu plaisantes, je suppose ?

— Bien sûr que oui, mon garçon ! Tu penses vraiment que j'irais me coller dans cette situation... que je me retrouverais sous les verrous pour le simple plaisir de supprimer la bande des Harte. Mais tu sais quoi, Mark, j'aimerais assez pouvoir chambouler leurs projets. Tu comprends, rien que pour m'amuser.

Mark l'observa un instant et sourit.

— Tu plaisantes, bien sûr ! Tu adores choquer les gens !

— C'est exact, admit Jonathan. Récemment, j'ai lu un article, dans le *Daily Mail*, à propos d'une bande de loubards. Tu sais, des skinheads, des hooligans, qui étaient venus en camionnette dans un village du Somerset. Ils avaient campé sur les pelouses et prétendaient qu'il s'agissait d'un espace public, qu'ils avaient le droit de s'y installer. La police n'a pas pu les en déloger pendant des mois, ils troublaient sans fin la vie des villageois. Tu imagines cela ?

Mark fit signe au serveur et commanda deux nouveaux martinis secs.

— Tu ne devrais pas plaisanter sur de tels sujets, Jonathan, du moins, pas en présence de quelqu'un d'autre que moi. On pourrait te prendre au sérieux.

Jonathan se tut et sirota son second apéritif, qui venait de se matérialiser dans sa main. Mais je suis très sérieux, pensa-t-il. Mortellement sérieux. Un petit incendie, dans cette chapelle, me débarrasserait des Harte, des O'Neill et des Kallinski. Je pourrais supprimer les trois clans d'un seul coup. Maintenant, il ne me reste plus qu'à engager des délinquants et à les envoyer au village de Penninstone Royal, avec, pour mission, d'y instaurer le chaos et le grabuge le premier samedi de décembre. Quelle bonne idée ! Vraiment !

21

Lorne faisait son sac avant de partir pour la campagne quand la sonnerie de son téléphone portable retentit. Il répondit immédiatement.

— Allô ?

— Monsieur Fairley, c'est Vincent.

En reconnaissant la voix du gérant de l'hôtel, Lorne s'exclama :

— Bonjour, Vincent. J'ai eu des appels ? Ou s'agit-il d'autre chose ?

— C'est au sujet d'un coup de fil, monsieur Fairley. Il y a quelques minutes, un homme a demandé à parler à Mme Longden, puis à vous. Le standardiste a suivi vos instructions et répondu qu'aucun membre de la famille ne se trouvait chez nous.

— Très bien. A ce propos, il se trouve que c'est vrai, puisque ma sœur a quitté Paris et moi-même, je m'en vais dans une demi-heure. Je reviens après le week-end. Les consignes restent inchangées : quelles que soient les circonstances, vous n'avez pas entendu parler de nous.

— Naturellement, monsieur Fairley. Passez un bon week-end.

— Merci. Vincent, je suppose que l'interlocuteur en question n'a pas laissé son nom ?

— Non, monsieur, mais il s'agirait d'un Anglais.

— Je vois. Nous en discuterons plus tard. Que tous les messages soient bien notés.

— Très bien, monsieur.

Le gérant raccrocha et Lorne termina son sac, puis il entra dans la chambre de Tessa, sortit d'un placard une petite valise et consulta la liste qu'elle lui avait dictée par téléphone : chemise de nuit, peignoir, sous-vêtements, chaussures plates, sandales…

En quelques minutes, il rassembla et rangea les articles dans le bagage. Il reprit l'énumération et vit que sa sœur voulait la tenue blanche qu'elle portait le jeudi, ainsi que les boucles d'oreilles ornées de perles. Il trouva le tout et y ajouta un ou deux vêtements qu'il aimait voir sur elle.

Dans la salle de bains, il s'empara de la trousse à maquillage, de certains produits qu'elle lui avait demandés, ainsi que du dentifrice et de la brosse à dents et à cheveux.

En une demi-heure, il avait fini d'empaqueter leurs affaires à tous les deux. Retournant dans le salon, il téléphona à Linnet, à Penninstone Royal.

— Penninstone Royal, fit la voix de Margaret.

— Bonjour, Margaret chérie, répondit Lorne sur le ton spécial qu'il lui réservait. Comment vas-tu ? Pas trop de travail, j'espère ? Tu sais que tu dois te reposer un peu, maintenant.

— Oh, Lorne, comme je suis contente d'entendre ta voix, dit Margaret avec chaleur. Comment va Tessa ?

— Nous allons bien tous les deux, Mags, et nous profitons de Paris. Je suppose que tout se passe au mieux, à la maison ?

— Dieu merci, oui ! Tu veilles sur ta sœur, mon petit ?

— Bien sûr, Margaret.

— Embrasse Mlle Tessa pour moi et maintenant, attends une minute, que je te passe Linnet. Prends bien soin de toi.

C'est drôle, songea Lorne, parfois elle désigne Tessa par son prénom, parfois elle se montre plus révérencieuse. Par bonheur, avec moi, elle se contente de « Lorne ».

Margaret était dans la famille depuis toujours et les avait vus naître. De temps en temps, elle avait une attitude bizarre et prenait des distances avec eux, comme si elle se rappelait qu'elle était la gouvernante.

— Allô ? C'est Linnet.

— Bonjour, sœurette. Je viens aux nouvelles.

— Rien de neuf, ici. Tout est calme sur le front de l'ouest. Et j'aime bien que tu m'appelles « sœurette », c'est mieux que tous ces surnoms dont tu m'affubles.

Il rit.

— Ecoute, je voulais aussi te raconter ce qui se passe.

— Tout va bien, n'est-ce pas, Lorne ?

— Oui. J'ai décidé d'emmener Tessa hors de Paris, pour le week-end. Nous allons chez mon ami Jean-Claude Deléon. Tu as fait sa connaissance l'année dernière, si tu t'en souviens. Ici, à Paris, avec maman et papa, quand vous vous rendiez dans le sud de la France.

— Aucune femme au monde ne pourrait l'oublier ! Ce serait un euphémisme de dire que c'est un homme attirant. Très bien, donc vous partez chez lui. Excellente idée !

— Il nous avait invités et je n'avais encore rien décidé, quand tu m'as appris la présence de Mark Longden et d'Ainsley à Paris. J'ai alors accepté son invitation. Bien entendu, nous ne risquons guère de rencontrer ces brigands, mais on ne sait jamais. Deux précautions valent mieux qu'une.

— Tu ne penses pas qu'ils tenteraient quelque chose contre Tessa ou toi ! s'exclama la jeune femme.

— Qui sait, Linny ? Ce qui est certain, c'est que ces deux-là obsèdent un peu Jack, ces temps-ci. Alors, je préfère ne pas prendre de risques. Tu ne sais d'ailleurs pas à quel point je suis content que nous allions chez Jean-Claude, finalement. Le gérant de l'hôtel vient de me prévenir qu'un Anglais avait appelé, demandant qu'on lui passe Tessa, puis moi. Il ne s'agit pas d'un membre de la famille, puisque tout le monde a mon numéro de téléphone portable. De toute façon, on aurait laissé un nom.

— C'est vrai. Et Tessa ? Est-elle contente de suivre le mouvement ?

— Bien sûr. Elle ne voudrait pas refuser, pour ne pas me priver de la paix et de la sérénité qui règnent à la campagne. Elle sait que j'ai besoin de travailler mon rôle.

— Je suis contente que vous sortiez de la ville. Il fait toujours chaud ?

— Très. Préviens-moi, si jamais quoi que ce soit arrivait.

— Promis. Profitez bien de votre escapade.

— Merci. Je t'embrasse très fort. A bientôt, Linny.

— Je t'embrasse aussi.

Après avoir raccroché, Lorne resta un moment assis, regardant dans le vide en pensant à Jean-Claude. C'était lui qui avait eu l'idée de les emmener au vert. Peu de temps auparavant, il l'avait rappelé, lui proposant de partir le soir même, afin de rester plus longtemps là-bas. Il lui avait suggéré de prendre quelques affaires et de les rejoindre à son appartement pour boire un verre. Comme Lorne hésitait, craignant que Tessa ne se doutât de quelque chose, son ami l'avait persuadé du contraire. Un peu plus tard, Tessa lui avait communiqué la liste de ce dont elle avait besoin pour le week-end. Elle lui avait paru tout à fait normale et il n'avait plus eu qu'à s'incliner.

Se levant d'un bond, il prit le script, ses notes, un carnet et quelques articles, qu'il fourra dans un sac à dos, puis s'approcha du bureau. Il composa le numéro de la réception et demanda qu'on lui envoyât le bagagiste, après quoi il se précipita dans la chambre pour prendre sa veste.

Dix minutes plus tard, un taxi le conduisait rue de Babylone.

Clos Fleuri se trouvait au centre d'un parc, à la lisière de la forêt de Fontainebleau. Quand la voiture de Jean-Claude franchit le portail, Tessa cessa un instant de respirer, tant elle était surprise.

La demeure se trouvait au bout d'une courte allée. Dans le crépuscule, elle se dégageait magnifiquement, ainsi dessinée contre le ciel bleu sombre. Quelqu'un avait allumé les lumières, si bien que les fenêtres étincelaient, les invitant à entrer. « Quel accueil délicat ! », pensa Tessa.

Elle vit aussitôt qu'il ne s'agissait pas du tout d'un château, ainsi que l'avait affirmé Jean-Claude durant le trajet. Lorne l'avait contredit et s'était moqué de lui, affirmant qu'il était bien trop modeste.

Mais Jean-Claude avait raison, lorsqu'il parlait d'une maison. Elle était de taille moyenne et, vue de l'extérieur, semblait comme tassée sur elle-même. Une tour ronde coiffée d'un toit conique de tuiles bleu foncé s'élevait aux quatre angles. Il y avait aussi quatre cheminées et toutes ces hautes fenêtres, bien trop nombreuses pour être comptées. Sur la gauche, se dressaient des bâtiments qui devaient être d'anciennes écuries, et à droite, des arbres. Aux pierres usées par le temps et aux briques rose pâle, Tessa devina que la bâtisse avait quelques siècles.

Lorsqu'ils furent plus près, elle se dit qu'elle n'en avait jamais vu de plus attirante et qu'elle n'oublierait pas la première impression qu'elle en avait eue. L'attrait qu'elle ressentit la prit d'autant plus par surprise qu'elle n'avait jamais été émue par une demeure, y compris Penninstone Royal, où elle avait grandi et qui lui avait toujours semblé trop grand, presque écrasant.

Mais voilà... Clos Fleuri était à *lui*... Cela expliquait peut-être le phénomène. Tout ce qui avait un lien avec lui la fascinait...

Quelques minutes plus tard, Jean-Claude se garait devant la porte d'entrée qui s'ouvrit immédiatement, avant même qu'il eût serré le frein à main. Un maître d'hôtel relativement jeune descendit rapidement les marches et les accueillit avec enthousiasme. Après avoir présenté ce dernier, du nom de Gérard, à ses invités, Jean-Claude les conduisit dans la maison, pendant que Gérard prenait les bagages dans le coffre.

— Je vais vous montrer vos chambres, dit-il.

Il les guida à travers un hall d'entrée bien meublé, puis ils le suivirent dans l'escalier central, doté d'une rampe d'acajou cirée.

— Ensuite, reprit Jean-Claude, j'irai inspecter le panier à provisions que nous avons apporté, afin que nous fassions notre choix pour le dîner.

— Tessa est un fin cordon-bleu ! déclara Lorne, tout fier. Elle nous préparera le repas.

Jean-Claude jeta un coup d'œil à la jeune femme, un peu surpris.

— Je ne crois pas qu'il y ait quoi que ce soit à préparer. Lurdes a prévu une multitude de plats froids. Et bien entendu, il vient demain pour faire la cuisine.

— Mais je serais vraiment ravie de me mettre aux fourneaux ! s'écria Tessa. Si tu es d'accord, bien entendu...

— Mais oui... C'est une très bonne idée.

A son tour, elle le regarda de côté, songeant qu'il ne paraissait pas très enthousiaste, mais ne dit rien et le suivit dans le couloir, ainsi que Lorne.

A mi-parcours, il ouvrit une porte et se tourna vers Lorne :

— Nous y sommes, mon vieux. Je sais que vous aimez cette chambre.

Sur ces mots, il s'écarta pour laisser passer le jeune homme. Tessa jeta un coup d'œil à l'intérieur. La pièce, tapissée de toile de Jouy bleu et blanc, était charmante. Les rideaux et le couvre-lit étaient assortis, et un tapis bleu couvrait le sol.

— Merci, Jean-Claude, c'est ma préférée. Je vous retrouve en bas dans quelques minutes.

Lorne leur sourit à tous deux, puis ferma la porte.

Lorsqu'ils arrivèrent au bout du couloir, Jean-Claude s'arrêta.

— Tu es chez toi, Tessa, j'espère que l'endroit te plaira.

Puis il tourna la poignée et la fit entrer.

Un tissu d'une couleur inhabituelle, genre parchemin imprimé de feuilles roses et vertes, fané par le temps, habillait les murs, donnant au lieu un aspect ancien. Tessa tourna lentement sur elle-même, embrassant tout du regard, remarquant le lit à baldaquin, la jolie coiffeuse, la chaise.

— Eh bien, qu'en dis-tu ? demanda Jean-Claude en l'observant attentivement.

— Elle est belle, murmura Tessa.

Elle lui sourit, mais son sourire laissa place très vite à une expression abattue. Devinant ce qui la contrariait, Jean-Claude traversa la pièce à grandes enjambées et ouvrit une porte sur le côté.

— Je suis là, si tu as besoin de moi. Voici ma chambre, Tessa. Veux-tu y entrer ?

Immédiatement, le moral de la jeune femme remonta et elle le suivit dans ses quartiers. Il la prit dans ses bras et murmura contre ses cheveux :

— Tu te sens mieux ?

— Je croyais que tu ne voulais pas de moi, souffla-t-elle.

— C'est une éventualité que tu dois bannir de ton esprit, ma chérie. Je suis là. Toujours.

— Et je vais dormir ici, avec toi ? demanda-t-elle très bas.

— N'imagine pas que tu puisses coucher ailleurs. Mais je crois qu'il nous faut être discrets, c'est important, pour ton bien plus que pour le mien. C'est pour cette raison que je t'ai attribué une chambre. Tu pourras t'en servir pour t'habiller...

L'écartant légèrement de lui, il lui déposa un baiser sur le bout du nez.

— Mon père m'a enseigné que la discrétion est ce qu'il y a de meilleur, dans le courage.

Peu après, Tessa descendit dans la cuisine. Son visage s'éclaira sitôt qu'elle en eut franchi le seuil. Elle était spacieuse, en pierre, avec des tuiles provençales et des poutres au plafond, dans le style rustique. A la vue des équipements très modernes, elle s'écria :

— Oh, j'adorerais m'affairer ici, Jean-Claude !

Il se tourna vers elle en riant.

— Je sais que l'endroit incite à la création de mets délicieux. Cependant, pour ce soir, je crains que nous ne devions nous contenter du repas préparé par Lurdes.

— Je sais.

Tessa le rejoignit près de la table de chêne et baissa les yeux vers les plats qu'il avait sortis du panier et déballés. Une terrine de pâté de campagne, des cornichons, des tranches de jambon cru, une salade de pommes de terre crémeuse, une timbale de caviar bélouga et un bol d'appétissantes cerises rouge sombre.

— C'est la fête, murmura-t-elle.

— Et Gérard vient de m'annoncer que nous avons un gros brie tout rond dans le garde-manger, et des baguettes fraîches. Je ne crois pas que nous mourrons de faim.

— En effet !

Elle jeta un coup d'œil à la porte, car Lorne venait d'apparaître, vêtu de façon décontractée d'un pantalon blanc et d'une chemise noire.

— Oh, tu t'es changé ! Je n'y ai même pas pensé… marmonna-t-elle en secouant la tête. Je devrais peut-être aller…

— Ce n'est pas nécessaire, ma chérie, dit Jean-Claude en posant tendrement la main sur son bras. Tu es très belle comme tu es.

Elle lui jeta un coup d'œil et sourit.

— J'ai soif, dit-elle alors, je boirais bien un verre d'eau glacée.

— Je vais faire le barman, offrit Lorne en s'approchant du réfrigérateur. Et vous Jean-Claude, que prenez-vous ?

— Du champagne rosé. Vous devriez en trouver au frais. Gérard s'assure qu'il y en a toujours.

Lorne rouvrit le réfrigérateur, regarda à l'intérieur et en sortit un Billecart-Salmon.

— Ouh ! Je crois que je vais me joindre à vous. Et maintenant, filez, tous les deux, je vous apporte les boissons dehors.

— Bonne idée ! s'exclama Jean-Claude.

Il prit le bras de Tessa et l'entraîna à travers la cuisine.

— Ne te préoccupe de rien, dit-il. Gérard se charge de l'intendance.

Une porte de côté donnait sur la terrasse, qui longeait l'arrière de la maison. Jean-Claude et Tessa se dirigèrent vers les chaises, disposées autour d'une table de fer peinte en blanc.

— Je suis ravi que nous ayons quitté Paris, Tess, murmura-t-il lorsqu'ils s'assirent. Il n'y a rien de mieux qu'une soirée estivale à la campagne. Je dois avouer que j'oublie à quel point Clos Fleuri est beau, quand j'en suis éloigné.

— C'est une propriété ravissante et je suis d'accord avec toi, c'était une bonne idée de partir de Paris. Quel joli nom… Clos Fleuri !

— La demeure s'appelait ainsi quand je l'ai achetée. Elle était terriblement délabrée. Ma sœur m'a aidé à la ramener à la vie. Tu la rencontreras demain, elle vient déjeuner avec son mari.

— Je meurs d'impatience de la connaître, dit Tessa, se réjouissant à l'avance d'en apprendre davantage sur lui.

Elle se carra confortablement sur sa chaise et leva les yeux vers le ciel. Il était d'un bleu profond, maintenant, et quelques étoiles étaient apparues. Elles étaient extrêmement claires, brillantes et semblaient si proches qu'elle eut l'impression qu'en tendant la main, elle pourrait les cueillir. Le jardin était paisible et les feuillages bruissaient doucement, agités par la brise. Tessa perçut, un peu éloigné, le coassement des grenouilles.

— Il y a une mare à l'extrémité de la pelouse, lui expliqua Jean-Claude.

— Cela me rappelle la propriété de ma mère, dans le Yorkshire, avec son étang.

— Monsieur, s'il vous plaît, on vous demande au téléphone, annonça Gérard, arrivant de la cuisine.

— Oh, excuse-moi, murmura Jean-Claude en se levant.

Tessa ferma les yeux, laissant ses pensées dériver pendant qu'il rentrait dans la maison. S'était-elle jamais sentie aussi paisible ? Elle en doutait. Elle n'avait pas connu une telle sérénité auprès de Mark Longden. Il était toujours pressé, ne connaissant pas le repos et bousculant son monde. Rien ne lui plaisait. Elle n'agissait jamais à son goût. Il ne réfléchissait à rien de ce qui l'entourait. Il était bien trop centré sur lui-même pour s'intéresser à qui que ce soit. Elle avait hâte d'être divorcée, libre.

Lorne et Jean-Claude surgirent sur la terrasse et vinrent vers elle en discutant. Elle se redressa et prit le verre d'eau que lui tendait Jean-Claude.

Ils trinquèrent, puis Lorne s'assit et déclara :

— Vous savez, Jean-Claude, je voulais vous demander quelque chose. Pourquoi avez-vous intitulé votre livre *Warriors* ? Pourquoi lui avez-vous donné un titre anglais ?

— Il m'a semblé qu'il sonnait mieux, qu'il était plus évocateur ; c'était aussi l'opinion de mon éditeur. En outre, tout le monde connaît la signification du mot. Vous ne trouvez pas que c'est plus international que « guerriers » ?

— C'est vrai.

— Je t'ai demandé pourquoi tu couvrais les guerres, pourquoi tu prenais des risques, intervint Tessa. Mais tu ne m'as pas vraiment répondu. Alors, je te repose la question, Jean-Claude.

— Probablement parce que j'aime me trouver au cœur de l'action. Je l'ai toujours fait, depuis ma jeunesse. En un sens, je me considère comme un reporter de guerre.

— Pourtant, ce doit être l'enfer... remarqua-t-elle doucement.

— Tout conflit en est un, Tessa, pourtant nous continuons d'y aller.

Il secoua la tête et laissa échapper un soupir. L'espace de quelques secondes, il parut troublé, puis il continua :

— Apprendrons-nous jamais ? Je pense que non, à moins que la nature de l'humanité ne se transforme radicalement, ce qui est peu probable. La violence fait partie intégrante de notre planète et je ne cesserai pas de me demander pourquoi. J'ai besoin de l'analyser, pour me comprendre et cerner l'espèce humaine. C'est sans doute pour cette raison que je me mets constamment à l'épreuve.

Un bref silence s'installa entre les trois amis.

Jean-Claude s'éclaircit la gorge, avant d'émettre un petit rire forcé.

— Ne pensons plus à cela. Détendons-nous et réalisons plutôt la chance que nous avons. Une chance inespérée, ajouta-t-il en regardant Tessa.

Elle lui sourit.

Ça marche entre eux, pensa Lorne. Je savais bien qu'ils étaient faits l'un pour l'autre. Et il se dit qu'il avait eu raison de les réunir.

Sans réfléchir, Tessa laissa échapper :

— Je m'inquiéterai pour toi, si tu pars encore sur le terrain.

Au lieu de répondre, Jean-Claude lui prit la main, la porta à ses lèvres et l'embrassa. Il ne la lâcha pas, tandis qu'il se lançait dans une discussion avec Lorne au sujet de son prochain film, et la tenait encore quand Gérard vint annoncer que le repas était servi.

Cette nuit-là, alors que Tessa dormait dans ses bras, Jean-Claude resta éveillé à fixer le plafond. D'innombrables pensées se bousculaient dans sa tête, luttant pour l'emporter dans ses préoccupations. Il se connaissait suffisamment pour savoir qu'il voulait que Tessa demeurât auprès de lui.

Il se rappelait s'être demandé, bien des années auparavant, si l'on pouvait prédire qu'une union serait heureuse dès le premier regard. Une histoire d'amour était toujours risquée. Pourtant, il était sûr de ses sentiments, sûr d'elle et sûr d'eux... même si la perspective restait effrayante, parce que ce devrait être sérieux. Il n'avait pas de temps à perdre, à ce tournant de sa vie. Il avait cinquante-trois ans !

Elle était trop jeune pour lui, non ? Bien sûr ! Elle n'avait qu'un an de plus que son propre fils. Pourtant, elle était mûre pour son âge, intelligente, raffinée, cultivée... Autant de qualités qu'il trouvait très attrayantes, chez une femme.

Ils s'étaient mutuellement séduits en un jour... attirés l'un par l'autre comme s'ils n'avaient formé qu'un seul être. Le nombre des années avait-il une quelconque importance ? N'incarnait-elle pas son destin ?

22

Gideon prit sa sacoche, glissa son téléphone portable dans la poche de sa veste et traversa son bureau. Il atteignait la porte, quand la sonnerie du poste fixe retentit. Rebroussant chemin, il décrocha.

— Gideon Harte.

— C'est Andy. Je peux passer te voir ?

— J'allais partir. Il y a un problème ?

— Peut-être.

— Très bien, je t'attends.

— J'arrive dans une minute.

Gideon s'approcha de la fenêtre et contempla les toits de Londres. Le ciel se peignait de couleurs bizarres, ce soir-là. La ligne d'horizon était teintée de rose, comme si un feu couvait en dessous, provoquant une sourde incandescence. Gordon soupira. Il était très fatigué. Il était presque dix heures, ce lundi soir, et il avait eu une longue journée. Il se réjouissait que son père revînt de New York à la fin de la semaine. En son absence, il avait dû superviser toute la chaîne de journaux, ce qui constituait une lourde tâche, puisqu'il gérait déjà l'*Evening Post*.

Ses pensées revinrent à Andy McHugh. Il espérait que son meilleur reporter n'allait pas lui apporter les nouvelles qu'il redoutait déjà depuis un certain temps.

Un instant plus tard, Andy frappa et entra en s'exclamant :

— Désolé de te retarder, Gid, mais j'ai pensé que tu devais être mis au courant tout de suite.

Il referma la porte derrière lui et rejoignit Gideon près de la fenêtre.

— D'accord, va droit au but, s'il te plaît, et pas de fioritures, dit Gideon en regardant Andy droit dans les yeux.

— C'est à propos de Dusty Rhodes.

— Oh, merde ! Je savais bien que cela arriverait un jour ou l'autre. Que s'est-il passé ? Qui a déterré l'histoire ?

— Comme tu le sais, la police et l'hôpital ont bien voulu « oublier » l'agression dont il a été victime. Mais il y aura quand même un gros titre dans le *Daily Mail*, demain ou mercredi. Et un entretien très complet avec Melinda Caldwell.

— Grâce au Ciel, cela ne doit pas concerner le coup de poignard qu'elle a donné à Dusty ! Le nom d'India aurait forcément été mentionné.

— Tu as raison, il ne l'est sans doute pas dans l'article, bien que nous n'en soyons pas certains. Mais écoute, Gideon, il y a autre chose. Cette Caldwell a eu un enfant de Dusty. Une fille, Atlanta, âgée de trois ans.

Gideon regarda le journaliste, bouche bée.

— Seigneur ! Et il n'en a jamais parlé à India, j'en suis absolument sûr. Elle me l'aurait dit, ou à l'une de ses cousines. Nous sommes très proches les uns des autres. La nouvelle va la secouer et cela changera tout, pour elle. Il lui a menti.

— Peut-être pas. Je crois que Dusty Rhodes et Melinda Caldwell ont rompu depuis déjà longtemps. Harry Forster et moi avons fouillé dans le passé de Dusty et il semble qu'ils se soient séparés en 1998, juste après la naissance de la petite. Il a été sincère envers India, à ce sujet.

— Il a simplement omis de lui dire qu'il avait une fillette de trois ans.

— Parfaitement exact.

— Comment as-tu appris tout cela, Andy ?

— Comme tu le sais, j'ai un contact, dans cette clinique de désintoxication. C'est un infirmier, à qui j'ai demandé de me tenir informé, en ce qui concerne Melinda. Il m'a appelé, ce soir, pour me communiquer quelques informations bien utiles. Il y a environ deux semaines, une amie de Melinda, Carrie Vale, est venue la voir, comme elle le faisait depuis quelques mois. Cette fois, une autre femme l'accompagnait, qui s'est fait passer pour une amie de Melinda. Je dis cela parce que, en réalité, elle écrit dans le *Mail*. Elles ont sans doute convaincu Melinda de vendre son histoire, « Ma vie d'agonie auprès d'un artiste britannique contemporain », ou quelque chose dans ce genre-là. Mon contact m'a dit que Melinda s'était confiée à lui, se vantant d'avoir touché un gros paquet. Pourtant, il pense que ce n'est pas tant l'appât du gain qui l'a motivée que le désir de revanche. Elle veut se venger de Dusty Rhodes parce qu'il l'a laissée tomber... Tu sais ce que c'est : « Qui sème le vent récolte la tempête. »

Gideon s'installa à son bureau et réfléchit.

— Assieds-toi, Andy, dit-il finalement. Essayons d'évaluer les dommages pour India.

Andy hocha la tête et prit un siège.

— Je ne pense pas que cette affaire puisse lui nuire, Gid. Elle n'a rien fait de mal en entretenant une relation avec Dusty Rhodes. Il est célibataire, disponible... En revanche, je pense qu'elle lui en voudra certainement de ne pas lui avoir parlé de son enfant, du moins si c'est le cas. Je dis « si », car il lui a peut-être exposé la situation.

— J'en doute, parce qu'elle se serait confiée à l'un d'entre nous. Mais je suis d'accord avec toi, à propos de l'article. Je vais devoir prévenir India, conclut Gideon avec un grand soupir, surtout si le récit paraît demain.

— Parfait ! J'ai tenu à te parler ce soir, parce que je pensais aux répercussions possibles. Dès que l'information sera lancée, toute la presse va s'intéresser à Dusty et à sa fille. Si India est avec lui, à Willow Hall, elle risque d'être emportée dans la bourrasque. Tu sais comment sont les journalistes ; il y a de vrais brigands, parmi eux.

— Bon sang ! Cela pourrait arriver facilement. J'imagine certains gros titres... L'origine sociale différente des protagonistes risque d'être mise en exergue. En tout cas, tu as été très avisé d'acheter les services de cet infirmier. Au moins, nous ne serons pas complètement pris par surprise.

— Je continue de suivre l'affaire, Gideon, mais nous ne pouvons guère maîtriser les événements à venir. Chacun va reprendre le sujet, le rabâcher et en faire ses choux gras.

— Je m'en rends compte. Malgré tout, réjouissons-nous du sursis qui nous est accordé. Je vais appeler India pour la prévenir, et si elle est à Willow Hall avec lui, je lui demanderai de battre immédiatement en retraite.

Linnet était assise dans le petit salon du premier étage, à Penninstone Royal, étudiant les croquis de sa future robe de mariée, ainsi que de celle des demoiselles d'honneur. Elle les avait étalés sur une table basse et leva brusquement les yeux vers Evan, qui se tenait à l'extrémité de la pièce, près de la fenêtre en saillie.

— Je sais que tu es en train de revoir la liste des tâches qu'il nous reste à accomplir au magasin, mais aurais-tu deux minutes ? demanda-t-elle.

— Bien sûr.

— J'ai besoin de tes yeux. Je n'arrive pas à choisir ma tenue. Tu as tellement bon goût que tu pourras sans doute m'aider.

Evan posa son calepin et rejoignit Linnet sur le sofa. Elle prit l'un des dessins, l'étudia et fit soudain la moue.

— Non, pas celle-ci. Bien trop moderne.

Lentement, accordant toute son attention aux détails, elle les étudia chacun son tour et les élimina l'une après l'autre. Elle se tourna ensuite vers Linnet et déclara :

— Pour être honnête, Linny, pas une ne m'enthousiasme. Celle-ci ne serait pas trop mal...

Tout en parlant, elle avait sorti le modèle et le tendit à son amie.

— Mais ce n'est pas le genre de robe que j'imagine sur toi. Ce n'est pas ainsi que je te vois pour le grand jour.

Linnet se laissa aller contre les coussins et fixa Evan avec intérêt. Elle faisait grand cas à son avis.

— Comment m'imagines-tu ? demanda-t-elle.

— Elégante, mais romantique.

Evan leva les mains et les fit virevolter devant Linnet, comme si elle dessinait une forme dans l'air.

— Je crois que tu devrais porter une tenue médiévale... Ou plutôt, non, une robe qui évoquerait l'époque Tudor. Oui, c'est cela ! Et pas du blanc, qui ne mettrait pas en valeur ta peau claire et tes cheveux roux. Elle serait en satin bien lourd et couleur crème, avec des perles insérées dans les broderies. La poitrine haute, un col montant, de longues manches. Une jupe évasée. Tu ressemblerais à une jeune reine... Tu en seras une, d'ailleurs, ce jour-là !

Linnet la fixait, de ses yeux verts et étincelants.

— J'adore ta description, ton idée est fabuleuse. Ecoute, tu es bien styliste ? Alors, dessine ma tenue ! Je t'en prie, dis oui, Evan. Si tu commences maintenant, on aura juste le temps. Nous sommes le 4 septembre et le mariage a lieu le 1er décembre ; cela nous donne trois bons mois.

— C'est vraiment ce que tu veux ? demanda Evan en l'observant attentivement. Tu ne préfères pas un modèle de Balmain ou d'Yves Saint Laurent ? Une création haute couture ?

— Non, je veux Evan Hughes. Dis oui !

A cet instant, le téléphone se mit à sonner et Linnet se leva pour décrocher.

— Allô ?

— Bonjour, Linnet, c'est Gideon.

— Salut, chéri ! Tu veux parler à Evan ? Elle est ici, justement...

— Tu me la passeras ensuite, Linny ; d'abord, j'aimerais avoir India.

— Oh, Gid, elle est allée dîner chez sa grand-mère à Niddersley. Grand-tante Edwina a voulu faire la connaissance de Dusty Rhodes ; ils sont partis vers six heures et demie. Tu as essayé de la joindre sur son téléphone portable ?

— Cela ne répond pas. Sais-tu si elle passe la nuit chez Dusty, ou si elle rentre à Penninstone ?

— Elle revient ici, c'est certain. Elle a dit à Evan qu'elles iraient ensemble à Leeds, en voiture, demain matin. Tu sais bien que le magasin est leur bébé !

— J'en suis ravi ! répliqua sèchement Gideon. Je veux dire, qu'elle ne découche pas !

— Tu as l'air hors de toi, Gid. Quelque chose ne va pas ?

— En quelque sorte, répondit-il en soupirant.

Puis il lui rapporta ce qu'Andy McHugh lui avait révélé. A la fin, Linnet déclara :

— Je doute qu'India connaisse l'existence de cette petite. Elle a fait une fois une allusion au fait que Dusty ne s'était jamais marié et n'avait pas d'enfants. Waouh ! Elle ne va pas apprécier, je crois !

— En effet. Elle est trop droite et honnête pour accepter la duplicité chez les autres.

Comme toujours, Linnet chercha à voir le bon côté des choses :

— Dusty a vraisemblablement eu peur de lui dévoiler la vérité.

— Tu as peut-être raison. D'un autre côté, tu ne crois pas qu'il aurait pu lui en parler, après l'agression ? Voyons la réalité en face : dans la mesure où sa liaison avec Melinda Caldwell n'était plus un secret, n'aurait-il pas pu lui avouer l'existence de sa fille ? N'aurait-il pas dû faire confiance à India et savoir qu'elle comprendrait ?

— Sans doute, mais nous ne connaissons pas Dusty Rhodes.

A cet instant, India entra dans la pièce et regarda Linnet d'un air interrogateur.

— Salut, India ! s'exclama Evan en lui souriant. India est là, ajouta-t-elle à l'intention de Linnet en insistant sur le prénom de façon significative.

— Je sais. Gideon, India vient d'arriver. Je te la passe.

Les sourcils froncés, India approcha du bureau.

— Pourquoi parlais-tu de Dusty ? marmonna-t-elle.

Linnet lui tendit le récepteur en silence, puis s'écarta et retourna s'asseoir sur le sofa en adressant une grimace à Evan. India allait être hors d'elle... et c'était un peu normal.

Il n'y avait aucun bruit dans la pièce. Evan et Linnet se taisaient, tandis qu'India écoutait ce que lui disait Gideon, le visage impassible. Mais les deux jeunes femmes virent une petite veine qui battait sous la peau fine de sa tempe et ses yeux étaient imperceptiblement plissés. Elle était en colère mais se contenait. Quand Gideon eut fini, elle lui répondit :

— Oui, absolument. Bien sûr, que je n'ai pas l'intention de le rejoindre à Willow Hall, Gideon ! Ce serait chercher les ennuis, puisque tu crois que les quotidiens vont suivre. De toute façon, j'envisageais de rester ici toute la semaine, à cause de mon travail au magasin. Evan et moi travaillons ensemble. La voici, justement ! Merci, Gideon, pour l'avertissement et le conseil.

Evan se précipita pour prendre le récepteur.

— Comment vas-tu, Gideon ?

— Je suis absolument épuisé, crevé devrais-je dire. Tu ne sais pas à quel point je suis content que papa récupère son bureau, lundi prochain.

— Je sais que cela n'a pas été facile, surtout ce mois-ci. Tu n'es pas fâché contre moi, mon amour ? s'enquit-elle en baissant la voix, tournée vers la fenêtre.

— Bien sûr que non ! répliqua-t-il en riant. Je suis seulement écrasé par le travail. Je t'aime, Evan, ne l'oublie jamais. Ce n'est pas parce que nous avons parfois un différend que je vais cesser d'être amoureux de toi. Disons que je me suis levé du pied gauche. Certains jours, c'est la raison pour laquelle je suis irritable.

Elle savait qu'il ne pensait pas tout à fait ce qu'il venait de dire, mais rit avec lui. Il lui en avait voulu toute la semaine précédente, mais ce soir, il semblait redevenu lui-même.

— A propos, je crois que je devrai rester ici, le week-end prochain, Gid.

— A cause du travail ?

— En partie. J'ai aussi promis à Robin d'aller le voir. Ce n'est pas un problème, pour toi, n'est-ce pas ?

— Non. Il se trouve que mes parents montent directement dans le Yorkshire à leur retour. J'y serai donc aussi.

S'éloignant un peu, Evan baissa encore d'un ton.

— Si j'interprète bien ce que Linnet t'a dit, il y a des histoires avec Dusty ?

— Linnet te donnera tous les détails ; en gros, Dusty a un enfant de la femme qui l'a poignardé et n'en a jamais parlé à India.

— C'était plutôt bête de sa part, tu ne trouves pas ?

— En effet. Je te quitte, ma chérie, je suis mort. Grosses bises.

— Grosses bises. Je t'aime, Gideon.

— Moi aussi.

Evan raccrocha et rejoignit ses cousines, assises l'une près de l'autre sur le sofa. India était très pâle et avait les traits tirés.

— Alors, Evan, qu'en penses-tu ? demanda-t-elle en la regardant, ses fins sourcils blonds relevés.

Evan se campa face aux deux jeunes femmes.

— Eh bien... pour l'instant, je ne sais pas grand-chose. Que se passe-t-il, au juste ?

Linnet se chargea de tout lui expliquer et lui parla de l'article qui paraîtrait probablement le lendemain.

— Gideon s'inquiétait des conséquences, quand la presse va s'emparer de l'affaire. Les scandales se vendent bien, surtout s'ils concernent des gens connus.

Evan regarda India avec sympathie.

— Et tu n'as jamais eu le moindre soupçon ? demanda-t-elle.

— Absolument pas. Je ne comprends pas que Dusty ne m'ait rien dit, après l'agression. Gideon a raison : puisqu'il m'avait parlé de sa relation avec Melinda, pourquoi n'a-t-il pas mentionné sa fille ?

— Il était peut-être gêné, murmura Linnet en prenant la main d'India dans la sienne et en la pressant amicalement.

— Je suis d'accord avec Linny, remarqua Evan. Je pense que c'est la seule explication possible. A ce propos, où est cette enfant ? Si sa mère est hospitalisée, qui s'occupe d'elle ?

— Sans doute sa grand-mère maternelle, suggéra Linnet.

India s'enfonça dans le sofa, l'air triste.

— J'aurais voulu qu'il m'en parle, je me sens stupide. Mais surtout, il m'a sous-estimée.

Voulant la distraire un instant, Linnet changea de sujet :

— Comment allait grand-tante Edwina, ce soir ? Et comment s'est passé le dîner ?

— Très bien.

— Dusty lui a plu ?

— Oh, oui, beaucoup ! Tu me passeras l'expression, mais elle en a perdu sa petite culotte.

Les lèvres d'Evan frémirent, mais elle ne put s'empêcher d'éclater de rire. Linnet l'imita et un moment plus tard, India se joignit à elles. Pendant quelques secondes, elles furent en proie à une hilarité contagieuse. Quand enfin Linnet parvint à se calmer, elle s'essuya les yeux et bafouilla :

— Oh, India, tu dis des choses tellement drôles, parfois ! L'espace d'un instant, j'ai eu une vision insensée et merveilleuse de tante Edwina. Plus sérieusement, que comptes-tu faire ?

— Je vais exiger des explications de Dusty. Que puis-je faire d'autre ?

— Quand ? demanda Linnet, habituée à ne pas lâcher sa proie.

— Demain matin. Si Evan est d'accord, nous passerons le voir avant d'aller à Leeds, à condition de partir de très bonne heure. Tu veux bien, Evan ?

— Bien sûr, India. Si tu jettes ton gant à ses pieds, je serai à ton côté. Règle Harte numéro un, n'est-ce pas ?

Dusty Rhodes n'était pas tout à fait réveillé. Il somnolait à moitié, à mi-chemin entre le sommeil et la conscience. Lorsqu'un rai de lumière commença à filtrer dans sa chambre, il se mit à bouger légèrement. Il devait se lever, se rendre à l'atelier, tenter de peindre. Il finit par s'asseoir sur le lit et perçut une présence dans la pièce. Il battit des paupières dans la pénombre, cherchant à identifier l'intrus.

— India ! s'exclama-t-il en sortant ses longues jambes du lit pour poser les pieds sur le sol. Que fais-tu ici, mon cœur ?

Elle commença par le fixer, puis se décida à parler :

— Je suis venue t'avertir.

— Moi ? Et de quoi ?

— Melinda Caldwell a vendu son histoire au *Daily Mail*, dit-elle en lui tendant le journal.

Il savait qu'inévitablement, un jour, un tel événement se produirait, pourtant il éprouva une sorte d'effondrement intérieur. Il prit le journal, le jeta sur le lit, puis se leva et la regarda, incapable de proférer un mot. Il nota la froideur de ses yeux et la sévérité de sa bouche, et sentit qu'elle se contenait. La colère bouillonnait, sous l'apparence impassible.

Il eut alors l'impression d'être vulnérable et stupide. Pour commencer, il était totalement nu, et elle habillée. Il s'empara de son peignoir et s'en vêtit en hâte.

— Ce n'est pas encore dans le numéro d'aujourd'hui, continua-t-elle d'une voix glaciale, mais c'est annoncé. L'article va être publié sur deux jours, à partir de demain. J'ai pensé que tu devais être averti du fait que les quotidiens allaient s'emparer de l'affaire, selon mon cousin Gideon, et chercher à t'interviewer. Peut-être devrais-tu te retirer quelque part une semaine, jusqu'à ce que cela se tasse. La presse va être sur ton dos, tu sais.

— La sécurité a été renforcée, ici, grâce à Jack Figg et à toi ! protesta-t-il. Je suis bien protégé, derrière mon portail.

— Je voulais te prévenir, mais c'est à toi de décider ce que tu veux faire. J'aimerais aussi te poser une question.

— Vas-y, mon cœur.

Il se dirigea vers elle, mais elle recula aussitôt et il comprit que la victoire ne serait pas aisée.

— India, tu sais que tu peux me demander n'importe quoi, répéta-t-il.

— Pourquoi ne m'as-tu pas dit que tu avais un enfant de Melinda Caldwell ?

A court de mots, il braqua sur elle un regard vide. Il n'avait aucune excuse. Il aurait dû lui en parler, s'expliquer. Soudain embarrassé et ne sachant que dire, il haussa les épaules.

— Sans doute pensais-je que cela serait un obstacle entre nous.

— C'est le cas, désormais, parce que tu n'as pas eu suffisamment confiance en moi pour me l'avouer. Tu m'as sous-estimée, Dusty, c'est ce qui m'attriste le plus. Hier soir, j'ai réalisé que tu ne me comprends pas vraiment, que tu ne sais pas qui je suis, d'où je viens... tant sur le plan affectif qu'intellectuel. Tu n'as aucune idée de ma véritable personnalité. Aussi je crois que nous devons en rester là.

— Ne dis pas cela ! s'exclama-t-il. Je te connais très bien et je te comprends. Et je t'aime, India. Tu es très importante, pour moi, tu le sais forcément.

Elle secoua la tête.

— Je ne sais qu'une chose... Tu as tout faux, en ce qui concerne ton attitude envers les miens. Tu les prends pour des snobs, alors qu'ils sont simples, ouverts, et qu'ils travaillent dur. Tu les as récusés sans les connaître. Et cela m'amène à penser que tu es arrogant, égoïste et lâche.

— Comment peux-tu dire des choses pareilles ! J'ai rencontré ta grand-mère, hier soir, non ? cria-t-il.

— Ne sois pas ridicule ! C'est une vieille dame de quatre-vingt-quinze ans qui t'a mangé dans la main au bout de cinq secondes parce que tu as flirté avec elle, que tu l'as charmée. Je t'ai beaucoup parlé de mes cousins et cousines, qui sont aussi mes meilleurs amis. Tu refuses de les voir, parce qu'ils ont ton envergure et ne se laisseront pas manipuler.

— Ecoute-moi, India, tes conclusions sont hâtives. Je *voulais* te parler d'Atlanta, quand je suis sorti de l'hôpital, mais j'ai eu peur de gâcher notre idylle romantique et...

— Ce qui est certain, c'est qu'elle est gâchée, maintenant, trancha-t-elle.

Elle gagna la porte de la chambre, l'ouvrit et sortit sur le palier.

— Attends une minute ! Tu ne vas pas rompre avec moi parce que j'ai un enfant ! explosa-t-il, furieux.

— Certainement pas ! J'ai suffisamment de compassion pour accepter cette idée, comprendre que ta fille fait partie de ta vie et que tu as un engagement envers elle. Je te quitte parce que tu n'as pas confiance en moi, parce que tu ne me connais pas et que, de toute façon, tu ne fais aucun effort pour envisager les choses de mon point de vue.

— Tu es injuste, India, dit-il d'une voix moins forte.

— Toi aussi, Dusty. Tu sais combien je t'aime et je crois que c'est réciproque. Pourtant, tu ne veux pas que notre relation évolue et tu ne souhaites certainement pas t'engager. A quoi bon poursuivre, en ce cas ? conclut-elle en haussant les épaules. Franchement, je crois qu'il est temps, pour moi, de tirer ma révérence.

Elle commença à descendre l'escalier. Il courut après elle.

— Attends, India ! supplia-t-il.

— C'est fini, Dusty, lui dit-elle sans se retourner.

— Mais... et ton portrait !

— Je m'en fiche ! répliqua-t-elle.

Elle traversa le hall et franchit la porte d'entrée. Elle la claqua si fort derrière elle qu'il crut que les panneaux vitrés allaient voler en éclats, mais ils vibrèrent seulement.

L'espace de quelques instants, il fut incapable de bouger et fixa le battant. Finalement, il tourna les talons et entra dans sa chambre. Maintenant qu'il était seul, il se sentait envahi par un sentiment de désolation. Parviendrait-il à la reconquérir ? Il n'en était pas sûr. Elle était furieuse contre lui et il la comprenait. Il jura à mi-voix contre lui-même, se maudissant de ne pas s'être fié à elle. En réalité, il n'avait jamais été capable de s'abandonner à ceux qui l'aimaient vraiment. Tirerait-il parti de ces erreurs passées ?

Dès qu'elle fut sortie de la maison, India courut jusqu'à l'Aston Martin, qu'elle avait garée près des écuries. Elle s'installa au volant et se tourna aussitôt vers Evan, qui lui toucha légèrement le bras, inquiète.

— Tu vas bien ?

— Oui, répliqua India en fondant en larmes.

Evan passa un bras autour de ses épaules, et tenta de l'apaiser en lui offrant des mouchoirs en papier et en lui murmurant des mots gentils. Au bout d'un moment, India prit sur elle et recouvra son calme. Elle sécha ses larmes, se moucha et mit le contact.

— Allons-nous-en, dit-elle en démarrant. Je veux mettre le plus de distance possible entre M. Rhodes et moi.

— Je comprends, murmura Evan.

Et elle décida de ne pas lui poser de questions.

Un peu plus tard, sur la route, India lui confia ce qui s'était passé, ajoutant :

— Je l'aime vraiment, tu sais. Mais je ne peux pas rester avec un homme qui ignore qui je suis. C'est comme ça. Je l'oublierai.

— Je suis sûre que tu y arriveras, affirma Evan.

Mais elle ne pouvait s'empêcher d'en douter.

23

La porte du petit salon s'ouvrit. Paula leva les yeux et sourit à sa fille.

— Bonjour, Tessa chérie, dit-elle. Tu m'apportes une cafetière qui est la bienvenue. Ne reste donc pas là, à hésiter, entre. Tu as eu raison de prendre une tasse pour toi, nous allons pouvoir discuter un peu.

— Je sais que tu travailles depuis l'aube, maman, et je n'ai pas voulu te déranger avant. Mais il est presque onze heures et j'ai pensé que tu aurais besoin de te remonter.

Tessa traversa la pièce et posa le plateau sur la table basse située entre deux sofas rebondis, avant de s'asseoir sur l'un d'eux.

Reculant sa chaise, Paula quitta le bureau dix-huitième patiné par le temps qui avait appartenu à sa grand-mère et rejoignit sa fille. Après avoir mis du lait et une sucrette dans sa tasse, elle regarda Tessa avec affection.

— Tu es ravissante, Tessa, vraiment. Je me suis fait cette réflexion hier soir, pendant le dîner. Ce séjour à Paris t'a réussi, d'après ce que tu m'as dit.

— Oui. Lorne est tellement gentil et attentionné ! Nous avons passé de bons moments ensemble.

— C'est ce qu'il m'a raconté, murmura Paula.

Immédiatement, elle évoqua la présence troublante de Jonathan Ainsley et de Mark Longden à Paris, le week-end précédent. Linnet, puis Lorne, lui en avaient parlé séparément, et Jack Figg lui avait fait un rapport complet la veille.

Les informations qu'il lui avait fournies avaient renforcé sa détermination : elle devait négocier avec le mari de Tessa d'une façon appropriée et efficace.

Se laissant aller contre le dossier, Tessa déclara :

— Hier soir, tu m'as dit que le rendez-vous avec Mark et les avocats devait avoir lieu lundi après-midi. Faut-il vraiment que j'y assiste ?

— Oui, Tessa, répliqua Paula en se penchant vers elle. Je sais que tu ne peux pas le supporter et moi non plus, d'ailleurs, mais c'est nécessaire. Christopher Jolliet insiste beaucoup à ce sujet et c'est l'un des meilleurs conseils que j'aie jamais eus. Je l'écoute, tu sais, même si tu crois que c'est moi qui « mène la barque », comme tu dis.

Tessa se mit à rire.

— Je viendrai, maman... Devrai-je faire ou dire quelque chose ? s'inquiéta-t-elle en fronçant les sourcils.

— Non, à moins que Christopher ou l'un des avocats de Mark ne te pose des questions.

— Je vois. Il y a deux semaines, quand je t'ai téléphoné, à New York, tu m'as dit que tu avais un plan. Quel est-il ?

— Je préfère ne pas en discuter avec toi aujourd'hui, Tess, si cela ne t'ennuie pas, répondit très vite Paula. J'ai encore quelques détails à régler ce week-end avec Christopher. Ensuite seulement, tout sera clair dans mon esprit. Mais ne crains rien, je suis certaine que cela marchera.

— Si tu le dis, maman, il est inutile d'en parler maintenant. Je me fie à ton jugement. A mon avis, il n'y a personne de plus intelligent que toi.

— Shane, sans doute, répliqua Paula en riant. Mais je te remercie de ta confiance. A propos, j'ai fait une petite visite à Adèle dans la cuisine, ce matin de bonne heure. Elle est vraiment adorable, jolie et gaie comme un pinson... Grâce au ciel, elle n'a pas été affectée par cette affreuse journée. Je regrette tant de ne pas avoir partagé ce fardeau avec toi...

— Mais Linnet l'a fait, l'interrompit Tessa, et elle a très bien géré la situation. En réalité, j'ignore ce que je serais devenue sans elle. Elle s'est montrée extrêmement avisée en faisant appel à Jack, mais je crois te l'avoir déjà dit.

— Oui, et tu as raison. Elle a eu une grande présence d'esprit.

— J'ai accepté d'être son témoin, maman.

Très surprise, Paula regarda vivement sa fille.

— Tu as changé d'avis ?

— Oui, parce que j'ai pensé qu'elle avait été blessée par mon refus.

— Très bien. Donc India, Evan et Emsie seront demoiselles d'honneur, et Gideon et toi serez témoins. C'est cela ?

— Pas tout à fait. L'autre jour, j'ai aussi donné mon accord pour qu'Adèle soit demoiselle d'honneur, comme Linnet le souhaitait.

L'harmonie règne entre les deux sœurs... enfin ! songea Paula. C'est à peine croyable.

— C'est vraiment gentil de ta part, chérie. Je suis contente que tu aies décidé de participer ainsi au mariage de Linny. Je sais qu'elle avait été très peinée de ton refus.

— T'a-t-elle dit qu'Evan dessinait sa robe ?

— Non, mais nous ne sommes que samedi. J'ai à peine eu le temps de reprendre mon souffle, depuis mon retour. Raconte-moi tout, Tessa.

— Linnet n'aimait pas les croquis que lui avaient proposés différents stylistes et l'autre jour, elle a demandé son avis à Evan. Celle-ci lui a suggéré quelques idées superbes... comme un satin crème assez lourd, des perles insérées dans les broderies, un style rappelant l'époque Tudor. Linnet a adoré. Evan est très occupée, entre le projet de robe et celui de refonte totale du magasin de Leeds, avec India.

Paula posa sur sa fille des yeux interrogateurs.

— Tu plaisantes, au sujet du magasin ?

— Bien sûr. Mais elles procèdent à de nombreuses innovations. Tu seras surprise, maman. Elles ont effectué des changements bien plus radicaux que je ne l'ai fait à Harrogate... Au grand désespoir de ta vieille mégère de secrétaire, apparemment, ajouta-t-elle après avoir bu un peu de café noir.

— De qui parles-tu ?

— D'Eleanor.

— Ce n'est pas vraiment une vieille mégère.

Paula savait qu'Eleanor ne pouvait plus l'espionner pour le compte de Jonathan Ainsley, car elle ne lui en laissait pas l'occasion.

— C'est une façon de parler, maman, mais c'est une femme maussade et mal lunée.

— A propos d'India, dit Paula, comment va-t-elle ? Linnet m'a raconté qu'elle avait eu des problèmes avec cet artiste, Russel Rhodes.

Tessa relata toute l'histoire à sa mère.

— Je suis vraiment désolée pour India, conclut-elle. Elle est bonne, droite... C'est normal qu'elle le laisse tomber.

Paula hocha la tête et se resservit de café. En reposant la cafetière à sa place, elle jeta à Tessa un long regard pensif. Comme la veille, elle constata que quelque chose avait changé dans son comportement. C'était tellement flagrant qu'il y avait forcément une raison profonde.

Tessa n'était plus irritable, désagréable, déterminée ou agressive comme auparavant. En réalité, il y avait une douceur charmante et nouvelle en elle, quelque chose que Paula n'avait jamais perçu jusqu'à présent. Elle était féminine, détendue. Elle rayonnait, comme toute femme qui a été aimée, et qui est satisfaite sur le plan sexuel... Paula ne voyait pas d'autre façon de décrire le phénomène.

Elle se redressa sur le sofa et examina attentivement sa fille. « Mon Dieu ! *Il y a un homme dans sa vie.* Elle est tombée amoureuse, et c'est réciproque. Donc, c'est sérieux. » Oui, c'était bien cela. Seul l'amour pouvait avoir causé un tel bouleversement chez Tessa.

Paula fut tellement surprise de sa découverte qu'elle se leva et marcha vers la fenêtre. Souhaitant que Tessa ne vît pas l'expression de son visage, elle y resta à contempler la lande. « Qui cela peut-il être ? Et quand est-ce arrivé ? » Elle s'était absentée près de deux mois et les derniers événements lui échappaient. Seule Tessa pouvait répondre aux questions qu'elle se posait, car vraisemblablement, si un membre de la famille avait su quoi que ce soit, il lui en aurait glissé un mot par téléphone.

Tessa était amoureuse, mais tout le monde l'ignorait. Cela signifiait-il que la relation posait un problème quelconque ? S'agissait-il de quelqu'un de marié ? Elle espérait que non.

— Maman, j'ai oublié de te parler de la soirée qu'India et moi avons passée avec grand-tante Edwina. Reviens t'asseoir sur le sofa, s'il te plaît, je veux te la raconter en détail.

Arborant une expression impassible, Paula tira sur son chemisier bleu marine et vint auprès de sa fille.

— Je suis tout ouïe, murmura-t-elle en s'installant en face d'elle.

Tessa rapporta intégralement l'histoire, ce qui incluait le don qu'Edwina leur avait fait, à India et à elle, des bijoux.

— Tante Edwina m'a conseillé de ne pas m'appesantir sur mes problèmes conjugaux, conclut-elle. Elle pense qu'une fois le divorce prononcé, je devrais gagner des prairies plus vertes. Elle espère que la débâcle de mon mariage avec Mark ne me dégoûtera pas des hommes et que je surmonterai l'obstacle. Et sur-le-champ.

— Puisse-t-elle avoir raison... Je présume que tu as eu à cœur de suivre son conseil, insinua Paula après un bref silence.

Se levant d'un bond, Tessa vint près d'elle.

— Je l'ai fait ! Il m'est arrivé quelque chose de merveilleux.

— Tu es tombée amoureuse, l'interrompit Paula.

— Comment le sais-tu ?

— C'est écrit sur ton visage, ma chérie. Hier soir, j'ai remarqué que tu as beaucoup changé et c'est plus clair que jamais ce matin. Je suppose que le coup de foudre est réciproque ?

Tessa rougit légèrement.

— Oui, il lui a suffi d'un regard.

— Et *qui* est cet homme qui t'a ainsi transformée ?

— Jean-Claude Deléon, l'écrivain français. Tu l'as rencontré à Paris, avec Lorne... C'est l'un de ses amis. Tu te souviens de lui ?

Bien qu'elle fût rarement à court de mots, Paula resta un moment à fixer sa fille en silence. Recouvrant ses esprits, elle inspira profondément et dit :

— Bien sûr que oui ! C'est quelqu'un d'assez extraordinaire. De très séduisant. De très célèbre. Et quand est-ce arrivé ?

Avant que Tessa ait pu répondre, Margaret parut sur le seuil de la pièce. Elle toussota, puis murmura :

— Excusez-moi, madame, mais je voulais savoir combien vous seriez pour le déjeuner, aujourd'hui ?

— Mon Dieu, Margaret, j'ai bien peur de l'ignorer, répondit Paula en se tournant vers Tessa. Il y a toi, moi, grand-père Bryan, c'est cela, Tess. Sais-tu si Evan et Linnet seront là ?

— Oui, maman ; en ce moment même, elles travaillent en bas sur la robe de mariée de Linnet. Du moins, c'est ce que fait Evan, pendant que Linnet règle certains détails pour le mariage.

— Très bien. Il semble donc que nous serons cinq, Margaret. Oh, j'allais oublier Emsie et Desmond. Cela fait sept.

— Non, non, une minute ! intervint Tessa. Il me semble que Linnet a dit que Julian et oncle Ronnie seraient aussi des nôtres.

— Quelle bonne surprise ! Je suis impatiente de les voir. Préparez le repas pour dix, Margaret. Il est possible que Gideon pointe le bout de son nez.

La gouvernante hocha la tête, puis jeta un coup d'œil au papier qu'elle tenait, avant d'annoncer :

— J'ai préparé votre potage préféré, en entrée. Ensuite, j'ai prévu un hachis Parmentier, parce que M. O'Neill adore ça, ainsi qu'un pâté en croûte au bœuf et aux rognons. Puis des légumes frais, cuits à la vapeur, et un jambon du Yorkshire. En dessert, j'ai confectionné un pudding. Pour ceux qui sont au régime, il y a des fruits.

— Ce sera un véritable festin. Je dois admettre que votre délicieuse cuisine m'a manqué, Margaret.

— Merci, madame. Je suis bien contente que vous soyez de retour.

Dès qu'elles furent de nouveau seules, Tessa reprit immédiatement :

— Pour en revenir à Jean-Claude, nous avons fait connaissance la semaine dernière, maman, quand je suis allée à Paris avec Lorne. Cela a été foudroyant... Comment dire... C'est comme si nous avions été heurtés de plein fouet tous les deux.

Paula hocha la tête.

— En ce qui te concerne, ma chérie, cela pourrait-il être un feu de paille ?

— Non, et de son côté non plus. Jean-Claude souhaite que nous nous engagions sérieusement l'un envers l'autre.

— Il y a du mariage dans l'air ?

— Eh bien... Il n'a pas utilisé le mot, mais oui, je pense que c'est ce qu'il veut dire. Il ne te plaît pas ? s'enquit soudain Tessa en remarquant les sourcils froncés de sa mère.

Paula réfléchit un instant, puis répondit :

— Il y a une grande différence d'âge, entre vous, n'est-ce pas, ma chérie ?

— Oui, mais cela n'a d'importance ni pour lui ni pour moi.

— Quel âge a-t-il ?

— Cinquante-trois ans.

— Vraiment ? Il ne les fait pas, c'est certain. Je suis sûre que ses intentions sont honorables et d'après ce que j'ai pu observer, c'est un homme responsable et attentif.

— Tout va bien, alors ?

Paula fixa sa fille.

— Cela changerait-il quelque chose, si je te disais que je ne suis pas d'accord ?

— Oui, parce que je souhaite que tu approuves ma relation avec lui, mais cela ne m'influencerait pas... Comment pourrais-je modifier ce que j'éprouve pour lui ?

— C'est impossible, si tu l'aimes vraiment. Par ailleurs, tu es une adulte responsable et par conséquent, tu as le droit de mener ta vie comme tu l'entends. Mais il se trouve que je ne désapprouve pas ta liaison avec Jean-Claude, pas du tout. C'est presque le contraire, en réalité. Je l'ai toujours trouvé charmant, et il plaît aussi à Shane.

Tessa se détendit un peu.

— Je suis très soulagée, maman. Après ce que Mark m'a fait subir, il est important pour moi que tu apprécies l'homme dont je suis amoureuse.

— C'est le cas et je veux seulement préciser une chose. Je crois que pour l'instant, tu dois te montrer très prudente. En tout cas, tant que ton divorce n'est pas réglé.

— Tu veux dire que je ne dois pas voir Jean-Claude ? demanda Tessa avec effroi.

— Non, mais vous devez rester discrets et ne vous montrer nulle part.

— Nous nous en serions abstenus, de toute façon. En fait, à Paris, j'ai déjeuné chez lui, puis nous avons passé le week-end tous les trois dans sa maison de campagne.

— Il y a autre chose, Tessa.

— Oui, maman ?

— Tu parais extraordinairement heureuse et sereine, aujourd'hui. Mais lundi, lors de la rencontre avec les avocats de Mark, je préférerais que tu aies l'air triste et même un peu quelconque, si tu peux y parvenir.

— Je ne me maquillerai pas et serai parfaitement terne, cela devrait suffire.

— Je crois. Tu dois jouer le rôle de la victime, ce que tu es, en réalité. En l'occurrence, tu n'en as absolument pas l'aspect.

Tessa sortit du petit salon avec l'intention de rejoindre Adèle, pour jouer un peu avec elle avant le déjeuner. De son côté, Paula se rassit à son bureau et prit son stylo, pensant se mettre immédiatement au travail. Mais elle n'en avait plus envie. Pas ce matin, décida-t-elle. Je suis trop distraite.

Elle se carra dans la chaise et regarda par la fenêtre. Les bruyères fleurissaient déjà sur la lande. Au milieu du mois de septembre, les collines disparaîtraient sous un océan pourpre, aussi loin que les yeux pourraient voir. Comme la campagne était belle ! Le ciel, d'un bleu limpide, était parsemé de légers nuages floconneux qui flottaient en direction de l'horizon. Paula adorait tout particulièrement cet endroit, à cette époque de l'année, avec les abeilles voletant au soleil. Quant à Linnet, c'était une inconditionnelle de ce paysage toutes saisons confondues, comme Emma autrefois.

Le moral de Paula monta d'un cran à l'idée qu'elle était de retour à Penninstone Royal, la maison où elle avait grandi et qu'elle aimait tant. Elle se délectait d'être assise là, devant cette fenêtre, à ce bureau auquel sa grand-mère avait travaillé des années, savourant ses souvenirs, évoquant son affection éternelle pour Emma. Puis ses pensées changèrent de cours, pour se fixer sur sa première-née.

Avec satisfaction, Paula se dit qu'elle avait bien appris sa leçon, comme tous, d'ailleurs, car Tessa n'avait pas cessé de leur enfoncer dans le crâne qu'elle était née cinq minutes avant Lorne. Ce disant, elle affirmait à qui voulait l'entendre qu'*elle* était l'aînée des enfants de Paula.

Tessa McGill Harte Fairley Longden. Une jeune femme plutôt spéciale. Oublie le Longden, se rappela Paula. Tessa avait déjà abandonné le nom de Mark au profit du sien, dont elle avait toujours été fière.

C'était tragique, mais Tessa avait été physiquement et mentalement violentée. Personne ne l'avait su, parce qu'elle avait été trop honteuse et effrayée pour se confier. Jusqu'au jour où elle n'avait plus pu supporter la situation. Craignant pour sa vie, elle avait fui le domicile conjugal. Pendant longtemps, elle avait été une victime, mais elle avait trouvé la force, le courage, l'orgueil, la détermination et la volonté de survivre... Autant de qualités qu'elle avait héritées d'Emma. Elle s'était arrachée, ainsi qu'Adèle, à un destin mortel.

Et maintenant, Jean-Claude Deléon faisait son entrée sur la scène. S'il y demeurait, rien ne serait plus jamais pareil. Et la vie de chacun en serait modifiée, Paula en était absolument certaine. Il était le catalyseur qui mettrait un terme au mauvais sort. En un sens, l'avenir de la famille reposait entre ses mains. Cela n'inquiétait pas Paula.

Toujours assise, elle pensait à lui... Un être d'une telle stature intellectuelle et morale, un visionnaire devant lequel ses pairs s'inclinaient... Paula connaissait sa notoriété non seulement par les médias, mais par Lorne, qui le vénérait à juste titre.

Jean-Claude avait vingt et un ans de plus que Tessa, et seulement trois de moins qu'elle, mais finalement, cette différence d'âge constituait un avantage. Il était mûr, responsable et fiable. Si leur liaison durait, Tessa serait en sécurité jusqu'à la fin de sa vie. Rien que pour cela, Paula lui en serait toujours reconnaissante.

Oui, l'arrivée de Jean-Claude lui donnait à réfléchir... Le changement de comportement de Tessa avait été immédiat.

Si elle restait avec lui, sa personnalité, sa vie même, s'en trouveraient profondément modifiées.

Tessa mettrait-elle de côté son ambition dévorante ? Abandonnerait-elle l'idée de diriger les magasins Harte pour vivre auprès du Français ? Ou continuerait-elle à se prendre pour l'héritière désignée, la dauphine ?

Si elle délaissait ses rêves de gloire, la voie serait libre pour Linnet. Elle tiendrait les rênes des établissements Harte sans être gênée. Peut-être Emsie la rejoindrait-elle, un jour ? Quelle serait alors la place d'India ? Et celle d'Evan ? Paula avait conscience des ambitions de cette dernière, de son désir de jouer un rôle important chez Harte. Si elle épousait Gideon, s'opposerait-il à ce qu'elle travaillât ?

Non, pas Gideon. C'était un vrai Harte, capable de comprendre les règles familiales. Sa mère, Emily, dirigeait Harte Entreprises bien avant sa naissance. Les femmes travaillent, chez Harte, pensa Paula ; elles seront les plus touchées si Tessa se remarie, parce que beaucoup de choses tournent autour d'elle. Je dois rencontrer Jean-Claude, et vite. J'ai besoin de le voir avec les yeux d'une mère, mais aussi d'une patronne d'entreprise... Il pourrait bousculer l'équilibre du pouvoir...

La porte s'ouvrit brusquement, arrachant Paula à ses pensées. Sa petite-fille courut vers elle en criant :

— Grand-mère ! Grand-mère ! Viens jouer avec moi !

Paula se leva, la prit dans ses bras et la serra fort contre elle. Au-dessus de sa tête, auréolée de cheveux blonds, elle regarda Tessa, qui se tenait sur le seuil de la pièce.

— Tu lui as parlé d'elle ? demanda-t-elle. Cela ne lui posera pas de problème ?

— Aucun, assura Tessa avec confiance. Nous en avons discuté. Il se réjouit de la découvrir. Il en est très heureux. Vraiment.

Paula hocha la tête. Tessa aurait peut-être sa part de bonheur, finalement. A condition, évidemment, que Mark Longden restât définitivement à la place qu'elle lui réservait.

24

La salle de réunion du cabinet Crawford, Creighton, Philips, Crawford et Jolliet n'avait pas changé au fil des ans.

Depuis qu'elle était adulte, Paula y avait passé beaucoup de temps, chaque fois qu'elle avait dû solliciter un avis auprès de John Crawford, l'associé le plus âgé et l'avocat de la famille. Aujourd'hui, en ce lundi après-midi, il y avait quelque chose de rassurant dans ce lieu familier aux murs lambrissés, garni d'une longue table d'acajou entourée par vingt-quatre chaises et de beaux lustres de bronze au plafond.

L'une des secrétaires y avait introduit Paula un instant auparavant. Elle s'approcha de la fenêtre et regarda la rue, sachant que Tessa n'allait pas tarder. Mais elle ne l'aperçut pas.

Elle se dirigea ensuite vers le grand portrait de John et le contempla. C'était un bel homme distingué auprès duquel elle avait maintes fois cherché conseil. Il était en semi-retraite, maintenant, mais restait disponible si l'on faisait appel à lui pour un avis ou des détails sur les affaires des Harte. Il possédait une mémoire prodigieuse, et nul n'en savait plus que lui sur l'empire Harte et son évolution depuis sa fondation.

A bien des égards, il était presque un membre de la famille. Il rencontrait d'ailleurs la mère de Paula, Daisy, une fois par mois, puisqu'il était l'un des administrateurs de la fondation Emma Harte, qu'elle dirigeait. Cette riche organisation faisait régulièrement des dons à diverses associations caritatives, soigneusement sélectionnées par Daisy et John.

— Bon après-midi, Paula, s'exclama Christopher Jolliet, le neveu de John, en entrant dans la salle. Je suis désolé de vous avoir fait attendre, mais j'avais justement mon oncle au bout du fil, quand vous êtes arrivée. Il m'a chargé de vous transmettre son affection.

Paula sourit, hocha la tête et serra la main de Christopher en l'embrassant sur la joue.

— Bonjour, Christopher. J'étais en train d'admirer son portrait. Et vous ne m'avez pas fait attendre, j'étais en avance.

Christopher lui jeta un rapide coup d'œil, remarquant son élégance : tailleur noir et chemisier de soie blanche. Pourtant elle dégageait une impression de sévérité, voire de colère, et il savait mieux que quiconque qu'elle était là pour en découdre. Elle s'apprêtait à démolir un homme et il ne pouvait l'en blâmer. Mark Longden méritait ce qu'il allait subir.

— Je suis content de vous voir, dit-il, mais je regrette que ce soit en une aussi pénible occasion. Vous avez l'air en forme, Paula, ajouta-t-il en la conduisant à la table. Ce séjour à New York vous a réussi.

— C'est vrai. Nous avons été plutôt occupés, mais j'adore cette ville et le dépaysement a été bénéfique.

— Quand Shane revient-il ?

— Mardi prochain… c'est-à-dire demain. Il a un rendez-vous dans la matinée, ensuite il prend le vol de nuit et atterrit mercredi matin. Il se trouvait à New York pour affaires quand cette réunion de dernière minute a été fixée. Cela concerne un nouvel hôtel O'Neill, qui serait situé à Manhattan. Il a été contraint d'y assister car sa sœur Merry, qui se charge hanituellement des négociations en Amérique, comme vous le savez, est en vacances dans les Rocheuses canadiennes.

— Shane a admirablement réussi son expansion commerciale. Je comprends que le grand-père Bryan soit fier de lui.

Paula se mit à rire.

— Son père l'adore, comme nous tous, d'ailleurs. C'est un vieux monsieur fantastique.

— J'aimerais bien que nous dînions ensemble, quand Shane sera de retour.

Christopher écarta une chaise de la table pour Paula, après quoi il s'assit près d'elle. Il posa devant lui la pile de chemises cartonnées qu'il avait apportée, puis s'appuya au dossier du siège et demanda :

— Y a-t-il encore un point dont vous désiriez discuter avant que les autres arrivent ?

Paula secoua la tête.

— Je ne pense pas. Vous avez éclairci ce qui restait en suspens, ce week-end ; cela me suffit. En fait, je me suis tellement répété ce que j'avais à dire que je le sais par cœur.

— J'en suis certain.

La porte s'ouvrit et une secrétaire introduisit Tessa dans la salle de réunion. Christopher se leva pour l'accueillir.

— Bonjour, Christopher, dit-elle en venant à lui pour lui serrer la main.

— Bonjour, Tessa, répondit-il en lui déposant un baiser sur la joue.

Tessa alla vers sa mère et se pencha pour l'embrasser.

— Bonjour, maman, murmura-t-elle. J'espère ne pas être en retard.

— Non, tu es à l'heure. Comme tu peux le constater, la partie adverse n'est pas encore arrivée.

Elle examina attentivement sa fille.

— Je suis affreuse, hein ? gloussa Tessa. Tu voulais que je sois fade... Je me suis conformée à tes vœux.

Christopher éclata de rire.

— Je crains que votre beauté ne transparaisse, ma chère Tessa, malgré tous vos efforts pour la masquer. Et j'ai le sentiment qu'il en sera toujours ainsi.

— Je te déteste, en marron. Où as-tu déniché cette robe qui te donne l'air si mal fagotée ? demanda Paula en fronçant les sourcils.

— J'ai un rayon d'habillement entier à ma disposition ! s'exclama Tessa. Je sais que la couleur ne me va pas, mais c'était le but, non ? Le brun me fait la peau grise et le cheveu terne.

— Le résultat est parfait, mais jette cette tenue dès demain et ne tire plus jamais tes cheveux en queue-de-cheval, ma chérie. Ce n'est pas du tout ton style.

— D'accord, maman, mais je te rappelle que c'est *toi* qui m'as dit que je ne devais pas avoir l'air heureuse, que je devais ressembler à un sac... Je suis victime d'un mari violent.

Tessa s'interrompit. Ses yeux allèrent de sa mère à Christopher, puis elle haussa les épaules.

— Je n'ai fait que suivre tes conseils.

— Tu as eu raison, Tessa, dit Paula. Tessa a pris quelques jours de congé avec son frère, expliqua-t-elle à Christopher. Elle est revenue en pleine forme, fraîche et dispose, si jolie que j'ai pensé qu'il valait mieux atténuer un peu les effets de son escapade à l'étranger. Je *connais* Mark Longden. Il entrera ici et dira à ses avocats : « Regardez comme ma femme va bien, je ne lui ai jamais fait de mal. » Il niera tout, s'il en a l'occasion.

— Je sais, Paula, mais j'ai vu les bleus de Tessa et les photographies. Vous avez été avisée de conseiller à Tessa de se déguiser en sac... Bien sûr, elle a du mal à y parvenir... Elle ne risque pas de passer inaperçue...

Paula regarda l'avocat avec étonnement. Soudain, il se lançait dans une envolée flatteuse. C'était souvent l'effet que Tessa produisait sur les hommes, sans doute parce qu'elle possédait une beauté éthérée. Elle n'avait pas réussi à la masquer tout à fait, comme il l'avait remarqué.

A cet instant, la porte s'ouvrit et Georges Creighton, un jeune associé du cabinet, se précipita dans la salle, portant lui aussi une pile de chemises cartonnées. Après avoir salué Paula et Tessa, il prit un siège à côté de la jeune femme.

— Les avocats de Longden sont en bas, annonça-t-il, mais lui-même n'est pas en vue.

— C'est tout à fait lui, marmonna Tessa. Depuis que je le connais, il a toujours été en retard partout.

— Je souhaiterais revoir certains points avec vous, Tessa, dit Christopher en ouvrant l'un des dossiers. Précisons-les avant d'être assiégés de toutes parts.

Mark Longden arriva le dernier.

Dès l'instant où il franchit le seuil de la pièce, Tessa se sentit nerveuse, sur ses gardes, ne sachant à quoi s'attendre. Physiquement, il n'avait pas beaucoup changé, et au premier regard, paraissait juvénile et vigoureux. Mais elle remarqua des rides creusées au coin de ses lèvres, et ses yeux étaient étrangement éteints. Lorsqu'il approcha, elle vit que sous des dehors calmes, il était agité et tendu. Il s'efforçait de se contrôler, mais elle le connaissait trop bien pour ne pas relever les bizarreries et les signes révélateurs de son état.

Elle ne put s'empêcher de le comparer à Jean-Claude, aussi odieuse que fût une telle association. Jean-Claude était calme, déterminé, sûr de lui et serein. Son assurance ne faisait pas de lui un despote. Mark, qui était corrompu, indiscipliné, complaisant envers lui-même, montrait sa faiblesse à travers chacun de ses actes. Et il était d'une avarice extrême.

Quand il lui sourit, elle tressaillit mais demeura apparemment de marbre. Son visage était figé, son expression impitoyable.

Mark se détourna aussitôt et son sourire se mua en grimace. Il s'installa près de ses avocats et se mit à leur parler avec une sorte de volubilité.

Après quelques minutes, quand les formules de politesse eurent été échangées, Christopher Jolliet toussota et fixa Mark et ses conseils, Jonas Ladlow et Herbert Jennings, à l'extrémité de la table.

— Messieurs, commença-t-il, comme vous le savez, nous nous rencontrons aujourd'hui pour trouver un accord financier entre les deux parties présentes, Tessa et Mark Longden, qui sont en instance de divorce. Cependant, ce...

— J'ai fait la liste de mes revendications ! l'interrompit Mark. Elle repose sur ce que Tessa m'a dit il y a plusieurs semaines et...

— Laissez-moi terminer, s'il vous plaît, répliqua sèchement Christopher en jetant un regard significatif à Ladlow et Jennings.

Mark manifestait son mécontentement en gesticulant, mais Ladlow posa une main apaisante sur son bras, se pencha vers lui et lui chuchota quelques mots à l'oreille.

— J'allais vous expliquer que Mme O'Neill va se charger des négociations. Elle souhaite que sa fille et M. Longden comprennent bien la proposition qu'elle va faire à M. Longden. Cependant, il y a plusieurs clauses conditionnelles...

— C'est impensable ! cria Mark d'une voix mauvaise.

Ce fut Jennings qui intervint, cette fois.

— Je vous en prie, Mark, n'interrompez pas Me Jolliet !

Mark le foudroya du regard, mais se tassa sur son siège et se tut.

Ladlow prit de nouveau la parole, s'adressant à Paula et à Christopher, installés en vis-à-vis.

— Nous sommes prêts à entendre les clauses conditionnelles, maître. Ensuite, nous pourrons peut-être les discuter.

— Premièrement : après que Mme Paula O'Neill aura exposé l'accord financier qu'elle propose et à condition que M. Mark Longden l'accepte, le contrat devra être signé aujourd'hui.

— C'est un peu rapide ! s'exclama Jonas Ladlow en fronçant les sourcils. Mon confrère et moi souhaitons en étudier attentivement les termes.

— Laissez-moi poursuivre, répondit poliment Christopher. Si M. Longden s'exécute, la deuxième clause stipule que certains termes du contrat doivent prendre effet le plus vite possible.

— Lesquels ? demanda Ladlow.

— Mme O'Neill va vous les exposer, murmura Christopher, bizarrement énigmatique.

— Je vais prendre le relais, Christopher, enchaîna Paula.

L'avocat hocha la tête.

— Allez-y.

— Je suis prête à passer un accord financier avec vous, Mark, à condition que tout soit bouclé aujourd'hui, ainsi que Me Jolliet vous l'a dit. Vous signerez devant vos avocats et les miens. Vous comprenez, Mark ? Et vous, maîtres ?

Tout le monde hocha la tête, mais Jonas Ladlow demanda :

— Dans le cas contraire, vous retireriez votre offre ?

— Exactement, maître Ladlow.

— Que m'offrez-vous ? demanda Mark, au grand déplaisir de ses avocats, qui lui lancèrent des regards furieux.

— Dix millions de livres, dit Paula d'une voix égale. Selon moi, c'est très généreux, étant donné les circonstances.

Mark sourit.

— Où est le stylo ? Je signe tout de suite !

Ses conseils échangèrent un coup d'œil.

— Nous devons d'abord connaître l'ensemble des clauses conditionnelles et les étudier.

— Bien entendu. Vous pouvez les lire et vous familiariser avec, maître Ladlow, dit Paula avec un petit sourire. L'ensemble est très court et rédigé en termes extrêmement simples. Laissez-moi seulement ajouter ceci : si votre client n'accepte pas ma proposition, l'affaire se réglera au tribunal et le juge risque de n'accorder ni compensation financière ni pension alimentaire à M. Longden.

Tessa se pencha vers sa mère.

— Ne fais pas ça, maman ! C'est beaucoup trop d'argent. Que Mark réponde de ses actes devant la justice, comme tu viens de le dire, et qu'elle tranche.

Les paroles de Tessa inquiétèrent les avocats de Mark.

— Quelles sont les *autres* clauses, madame O'Neill ? demanda Ladlow.

Il connaissait la réputation de femme d'affaires de Paula et savait qu'elle était une rude négociatrice. Les dix millions de livres cachaient certainement quelque chose.

— Auparavant, je préférerais vous exposer comment j'envisage de vous verser la somme, Mark. Voici : un million trente jours après la signature du contrat ; un autre une fois le divorce prononcé ; un par an pendant les cinq prochaines années, ce qui nous amène en 2007. Le solde, soit trois millions, vous sera réglé trois ans plus tard, en 2010.

Personne ne parla pendant un moment. Les avocats paraissaient perplexes. Mark semblait satisfait.

Tessa était en colère et cela se voyait sur son visage.

Jonas Ladlow et Herbert Jennings demandèrent à quitter la table un instant et gagnèrent l'extrémité de la salle. Debout, près de la fenêtre, ils discutèrent à voix basse.

— Il y a un piège, Herb, murmura Jonas. Il y en a forcément un quelque part.

— Je suis d'accord, Jonas. Paula O'Neill est bien trop habile pour lâcher dix millions de livres comme ça. Bien sûr, les versements s'échelonnent sur neuf ans, à compter d'aujourd'hui, mais c'est tout de même une grosse somme.

— Compte tenu du contexte, oui. Mark est loin d'être un ange.

— Inutile de le dire ! Bon, écoutons la suite...

Les deux avocats revinrent s'asseoir.

— En quoi consistent les clauses conditionnelles, madame O'Neill ? s'enquit Ladlow.

— Si Mark signe, il devra s'installer en Australie.

— Pas de problème, rétorqua celui-ci. Oh, et qu'en est-il de la maison de Hampstead ? Me revient-elle ? Tessa me l'a promise, vous savez.

— Elle ne vous appartient pas, Mark. Pas plus qu'à Tessa, d'ailleurs. Je vous l'ai donnée à tous les deux quand vous vous êtes mariés, mais je n'en ai jamais *fait cadeau* à Tessa. Elle est à mon nom et je n'ai nullement l'intention de m'en séparer. Nous discutons un accord de dix millions de livres, Mark, ce qui représente une négociation extrêmement sérieuse. La maison de Hampstead n'entre pas dans le contrat.

Mark ouvrit la bouche pour dire quelque chose, mais Jonas Ladlow fut plus rapide que lui :

— Si mon client signe aujourd'hui, il touche un million dans trente jours, puis encore un dès le divorce prononcé, et doit partir s'installer en Australie. Vous ai-je bien compris, madame O'Neill ?

— Absolument, maître. Sitôt que le juge aura bouclé le dossier, M. Longden s'envolera pour Sydney. Il percevra alors le deuxième versement. Il sera consigné sur place pendant cinq ans.

— Quoi ? cria Mark avec véhémence. Je ne peux pas vivre là-bas cinq ans d'affilée ! Vous m'exilez !

— Appelez cela comme vous voulez, répliqua froidement Paula ; ce sont mes conditions. Cela vous permettra de créer un cabinet d'architecture viable. Au bout de cette durée, vous pourrez revenir en Angleterre pour un mois.

— Un mois ! hurla-t-il. Il n'est pas question que j'accepte, Paula.

— Très bien, je comprends. N'oubliez pas que dix millions de livres sont en jeu. Il s'agit d'une affaire sérieuse. Ne prenez pas de décision hâtive ou stupide, Mark. Réfléchissez.

— Que se passera-t-il au bout des cinq ans ? interrogea tranquillement Jonas Ladlow, sans quitter Paula des yeux.

Il ne pouvait s'empêcher de l'admirer, bien qu'il restât impassible. Il devait admettre qu'elle était une adversaire coriace, et connaissait fort bien Mark Longden.

Paula se tut un instant, puis répondit :

— M. Longden pourra se rendre en Angleterre tous les deux ans. Après le dernier versement, en 2010, il sera libéré de toute restriction.

— A cette date, Adèle aura douze ans ! cria Mark. J'aurai manqué son enfance, les années de sa croissance !

— C'est exact, mais vous auriez dû penser à elle dès le début, Mark ; peut-être votre union avec Tessa aurait-elle tenu. Vous êtes l'auteur de votre vie. Vous avez écrit le script et joué le rôle... très tristement, conclut Paula en haussant légèrement les épaules.

Après avoir parlé un moment à voix basse, Mark et ses conseils se levèrent pour poursuivre la discussion près de la fenêtre. Ils revinrent finalement à la table de réunion. Jonas Ladlow toussota, regarda Paula droit dans les yeux et déclara :

— Mon client refuse votre proposition et préfère courir sa chance devant un tribunal. N'importe quel magistrat prendra ses droits en compte, quant à l'autorité parentale conjointe.

— Très bien, maître Ladlow, si tel est le choix de M. Longden... Puis-je avoir le dossier que je vous ai envoyé il y a deux semaines, je vous prie, Christopher ? Oh, et aussi le précédent, celui de juillet, enchaîna Paula.

Christopher les lui tendit sans mot dire.

Elle ouvrit le premier, y jeta un coup d'œil, puis fixa les avocats adverses.

— Violence conjugale, toxicomanie, alcoolisme, kidnapping. Tous les détails sont là.

— Je n'ai pas kidnappé Adèle ! s'insurgea Mark, rouge de colère.

— Tenez-vous tranquille, l'interrompit Paula. Vous avez frappé ma fille, vous l'avez poussée en bas d'un escalier, causant ainsi un traumatisme. Vous auriez pu la tuer ou provoquer un handicap permanent. Vous l'avez violée. Vous avez enlevé Adèle pendant une journée entière. Vous avez dépensé un argent qui n'était pas le vôtre sans compter. La liste de vos méfaits est longue, Mark... Faites comme vous l'entendez, poursuivit-elle après avoir inspiré profondément, courez votre chance devant un tribunal ! Laissez-moi vous dire ceci : avec le dossier que j'ai constitué contre vous, vous allez finir en prison.

Jonas Ladlow et Herbert Jenning en restaient bouche bée, atterrés. Mark, qui était assis entre eux, se tassa soudain sur son siège, le visage gris de frayeur.

— Puis-je voir les documents auxquels vous faites allusion ? demanda Jonas Ladlow.

Pourtant, il craignait presque de découvrir leur contenu. C'était un peu comme d'ouvrir la boîte de Pandore. Il n'avait pas particulièrement envie de connaître des secrets inavouables.

Paula hocha la tête.

— Avant de vous les passer, je dois vous faire part d'un soupçon, maître Ladlow.

Il fronça les sourcils et posa sur elle un regard interrogateur.

— Oui, madame O'Neill ?

— Bien que je ne puisse pas le prouver pour l'instant, je pense que votre client complote avec Jonathan Ainsley afin de causer des dommages corporels à plusieurs membres de ma famille proche. Je compte informer bientôt Scotland Yard de mes doutes. Je sais de source sûre que Mark Longden et Jonathan Ainsley se trouvaient tous deux à Paris le week-end dernier, et qu'ils ont passé la majeure partie de leur temps ensemble. Je n'ignore pas, en outre, qu'Ainsley souhaite faire du mal à Tessa, ainsi qu'à son frère Lorne et à sa sœur Linnet.

Jonas Ladlow était incapable d'émettre un son, comme son confrère. Tous deux restaient figés, se demandant pourquoi ils avaient accepté de défendre les intérêts de Mark Longden. Quant à celui-ci, il était à court de mots, pour une fois. Mais intérieurement, il maudissait Ainsley.

Avec un petit sourire à l'adresse de Ladlow, Paula conclut :

— Je ne pense pas que votre client désire être convoqué devant le tribunal pour répondre d'une conspiration visant au meurtre, n'est-ce pas ?

Après avoir consulté Ladlow, Jennings prit la parole :

— Pourrions-nous examiner cet accord financier, je vous prie ? Et nous permettez-vous de nous retirer avec M. Longden, afin d'en discuter avec lui ?

— Naturellement, maîtres, répondit Christopher.

Quand tous trois furent sortis, accompagnés par Geoffrey Creighton, Tessa posa la main sur le bras de sa mère et murmura :

— C'est vrai, maman ? Mark était à Paris ? Et Jonathan veut nous faire du mal ?

— La réponse est « oui » aux deux questions. Mais tu n'étais pas en danger, ma chérie. Jack Figg était au courant de la présence de ces voyous à Paris. Il les a fait suivre, et a été informé de tous leurs faits et gestes. Il a tenu Linnet au courant, qui a prévenu Lorne. Lui et toi étiez protégés, crois-moi.

— Linnet a-t-elle appelé Lorne, le vendredi matin ?

— Elle l'a fait, oui, suivant en cela les instructions de Jack. Dès qu'il a su que vous étiez à Paris, tous les deux, il a cru préférable d'alerter ton frère, qui s'est tu pour ne pas t'inquiéter.

— Je vois. Peut-être est-ce la raison pour laquelle Jean-Claude nous a emmenés dans sa maison de campagne ?

— Je ne crois pas. C'est une coïncidence, mais elle était la bienvenue.

— Adèle est-elle en danger, maman ?

— Pas que je sache, ma chérie, mais Jack engage quand même un garde du corps. Il passera pour ton chauffeur, afin de ne pas affoler tout le monde.

— Je comprends.

Tessa s'appuya au dossier de la chaise, les yeux dans le vide. Au bout d'un instant, elle se tourna vers sa mère et dit, d'une voix à peine audible :

— Tu n'aurais pas dû offrir tout cet argent à Mark. Après ce qu'il m'a fait, il mériterait de n'avoir rien du tout.

— Je suis d'accord avec toi, mais j'aime contrôler certaines situations. Si Mark accepte l'accord et signe, ce sera de l'argent bien dépensé, parce que ton ex-mari sera totalement sous mon contrôle.

Tessa hocha la tête en se mordant la lèvre inférieure.

— Certes, mais même ainsi, je trouve que tu lui donnes une somme énorme.

— Il faut que tu comprennes une chose, Tessa. J'ai acheté la maison de Hampstead environ un million et demi de livres il y a quelques années. Je comptais l'offrir à Lorne, qui n'en a jamais voulu. Elle a donc été louée, comme tu le sais. Tout cela s'est passé il y a dix ans. Aujourd'hui, ce bien a pris énormément de valeur. J'en ai parlé à Emily, qui va le faire vendre par le département immobilier de Harte Enterprises. Elle pense que cela vaut autour de trois millions et demi de livres, peut-être même quatre. J'obtiendrai donc une bonne plus-value. Si j'investis l'argent, j'en tirerai ce que je donne à Mark.

— Je te remercie, maman, d'avoir veillé sur Adèle et sur moi, de te charger des négociations avec Mark. Penses-tu qu'il acceptera ton offre ?

Paula se mit à rire.

— Je n'en doute pas une seconde ! Et vous, Christopher ?

— Non seulement vous l'avez détruit, mais vous lui avez collé une trouille du feu de Dieu en parlant des manigances d'Ainsley. A mon avis, il sera trop heureux de prendre les dix millions et de filer en Australie. Le plus loin possible des détectives de Scotland Yard, en tout cas. A sa place, c'est ce que je ferais. Pas vous ?

— Certainement, murmura Paula.

— Moi aussi, ajouta Tessa.

A cet instant, Geoffrey Creighton revint, suivi d'une secrétaire qui apportait un plateau sur lequel étaient disposés une
théière, un pot de crème, un sucrier, des tasses et des
assiettes. Tout ce qu'il fallait pour prendre le thé.

— Nous n'avons que des biscuits, expliqua Geoffrey. Mais
ce sont des Fingers au chocolat...

Tessa rit pour la première fois de la journée.

— Les préférés de ma fille, expliqua-t-elle à Geoffrey, qui la
regardait avec surprise.

Paula fit le service et ils se détendirent. Vingt minutes
après, Mark et ses avocats les rejoignirent.

Après s'être assis, Jennings rendit ses dossiers à Paula.

— Une lecture vraiment très intéressante, dit-il. Je suppose
que vous ferez citer Jack Figg à la barre, si le divorce suit son
cours normal ?

Ses yeux allèrent de Paula à Christopher.

— Bien entendu, rétorqua Paula.

— Nous n'aurions pas d'autre choix, renchérit Christopher.

— Mark va suivre notre conseil, madame O'Neill, maître
Jolliet. Il est prêt à signer le contrat tout de suite.

— Les termes en sont parfaitement clairs, enchaîna Jonas
Ladlow, comme vous l'aviez affirmé, maître Jolliet. Cela va à
l'essentiel.

— C'est ainsi que j'aime travailler, rétorqua Paula en lui
souriant. J'apprécie de faire court.

Les deux avocats hochèrent la tête.

Mark signa les divers exemplaires le premier, ce fut ensuite
le tour de Tessa, puis de Paula. L'authenticité de leur signature fut ensuite attestée par les représentants légaux des deux
parties.

En remettant son stylo dans son sac, Paula pensa : « Je te
tiens, espèce de salaud. Maintenant, je t'ai bien en main. Tu
n'es plus la créature de Jonathan, mais la mienne. »

— C'est Joël. Je convoque une réunion de rédaction pour la une de demain. Tu es d'accord ?

— Oui, je te reprends dans une minute.

Il appuya de nouveau sur le deuxième bouton.

— J'ai Toby en ligne sur mon portable, papa.

— Très bien. Parle-lui, je monte dans ton bureau.

— A tout de suite.

Gideon raccrocha et reprit son mobile.

— Tu es encore là, Toby ?

— Je dois aller dans la salle de presse, je ne peux pas te parler maintenant. Branche-toi sur CNN et recontacte-moi, si besoin est.

— Merci, Toby.

Gideon traversa la pièce en courant. Il fourra le portable dans sa poche et chercha la télécommande. D'habitude, elle était sur son bureau, mais évidemment, il ne la trouvait nulle part. Il la repéra sur l'étagère, au-dessus du poste, la saisit et pressa les boutons jusqu'à trouver la chaîne qu'il cherchait...

Bouche bée, il regarda les scènes qui se déroulaient sous ses yeux. L'horreur s'empara de lui lorsqu'il vit l'une des tours s'écrouler. Jetant un coup d'œil à l'horloge, il nota qu'il était deux heures heures vingt-cinq, c'est-à-dire neuf heures vingt-cinq à New York, le mardi matin.

En état de choc, il était fasciné par les images terribles qu'il voyait sur l'écran. Des flammes s'élevaient dans le ciel. De gros nuages de fumée et de poussière flottaient. Des pans entiers de maçonnerie s'effondraient.

La respiration coupée, il vit des gens sauter par les fenêtres pour échapper au feu et se précipiter dans la mort. Seigneur ! Tout le monde fuyait dans les rues... Des sirènes hurlaient. Des explosions claquaient... Des voitures brûlaient. Il était incapable d'en croire ses yeux.

La sonnerie stridente du téléphone le força à se détourner. Il se rua vers son bureau.

— Oui ? fit-il d'une voix rauque.

— Gideon ? C'est encore Andy. Je réunis la rédaction pour le *Post*. Tony Wharley a dû partir plus tôt. Il avait rendez-vous chez le médecin.

— Vas-y. J'attends mon père. Je te donne carte blanche.

Il retourna se planter devant la télévision et resta là, à contempler le chaos, tandis que des milliers de pensées se pressaient dans son esprit. Etait-ce une déclaration de guerre ? Et qui était responsable de cette catastrophe ?

Winston Harte avait toujours eu une attitude positive face à la vie, et un immense optimisme… Il regardait toujours la moitié pleine de la bouteille, jamais la vide. Tout était possible ! Peut-être conquerrait-il le monde, un jour, et demain était forcément meilleur qu'aujourd'hui.

Son approche positive des choses l'avait aidé à surmonter des épreuves. Mais cet après-midi-là, pour la première fois de son existence, son tempérament le trahissait.

Il se sentait totalement vidé, anéanti. Cela ne lui était jamais arrivé et c'était une sensation qu'il avait du mal à supporter.

Quand l'ascenseur s'arrêta, il en sortit et se retrouva à l'étage de la rédaction. Comme à l'accoutumée, il se dirigea aussitôt vers la rangée de vitres qui permettaient aux gens de voir la salle de presse, depuis le couloir. Et selon son habitude, il y resta un moment.

Les salles de rédaction l'émouvaient, où qu'elles fussent dans le monde, et particulièrement la sienne, mais là, le frisson de plaisir l'avait quitté. Il était glacé jusqu'aux os, empli de désespoir, le cœur serré par une tristesse douloureuse. Il devait réagir… Il était le président, le patron. Le personnel se tournerait inévitablement vers lui à un moment ou un autre, pour être guidé… Il devait se tenir prêt, aujourd'hui et les jours suivants.

Il prit une profonde inspiration, se redressa, gonfla la poitrine. Quoi qu'il arrivât, il était journaliste. Pendant quelques minutes, il observa l'activité qui régnait parmi son équipe… Il s'efforça de s'en réjouir, de se sentir fier.

Il avait hérité son amour du journalisme de son grand-père, le premier Winston de la famille, qui avait dirigé le groupe pour Emma. Il le tenait aussi de son grand-oncle Frank, le jeune frère d'Emma, correspondant de guerre et chroniqueur politique célèbre en son temps.

L'encre de l'imprimerie coulait dans ses veines, comme dans celles de Gideon.

Son regard était maintenant posé sur l'écran placé en face de lui. Les images terrifiantes de la tragédie de New York l'emplissaient. La vue de la désolation, de la panique et de la terreur lui serra le cœur. Lorsqu'il se détourna, il était plus sombre que jamais. Il emprunta le couloir qui menait au bureau de Gideon, pressé autant par le besoin de se soulager que de discuter avec son fils de la manière dont ils allaient couvrir l'événement.

Parvenu devant la porte, il inspira plusieurs fois, s'exhorta au courage et entra.

Gideon se tenait devant la télévision. Incapable d'en détourner les yeux ne serait-ce que quelques secondes, il cria :

— Viens voir, papa ! C'est John Hussey, du *Wall Street Journal*. Il rapporte ce qu'il voit depuis son bureau, au neuvième étage d'un building situé en face du World Trade Center. Oh, mon Dieu ! La tour s'effondre ! Oh, mon Dieu ! C'est stupéfiant, incroyable, catastrophique.

Winston rejoignit son fils, mais seulement un instant. Il lui était difficile de regarder l'écran. Il s'en éloigna brusquement et s'assit sur une chaise, tremblant.

Pivotant sur lui-même, Gideon déclara :

— Nous ne pouvons que mentionner brièvement cette catastrophe, dans la colonne des nouvelles de dernière minute. L'édition du soir est déjà sous presse, mais...

Gideon cessa de parler, alarmé par l'angoisse et le désespoir qui marquaient les traits de son père.

— Papa ! Tu as une mine affreuse ! Tu es si pâle ! Tu ne te sens pas bien ?

Il se précipita vers son père et lui posa la main sur l'épaule. Ils étaient très proches et Gideon était le préféré de Winston, bien que celui-ci n'eût jamais fait preuve de favoritisme à son égard.

Winston leva les yeux vers lui, ouvrit la bouche pour parler, se confier, mais les mots ne sortirent pas. Il agrippa seulement les doigts de Gideon, toujours posés sur son épaule.

342

Gideon scrutait son visage. Il remarqua les gouttes de sueur sur son front, son teint crayeux. Il était si blanc que ses taches de rousseur, habituellement presque invisibles, ressortaient nettement sur l'arête de son nez et sur ses pommettes. Et puis, avec un léger choc, Gideon lut de la souffrance dans les yeux verts de Winston, voilés par des larmes inattendues.

Qu'est-ce qui n'allait pas ? Winston était un journaliste bien trop professionnel pour se laisser envahir par ses émotions, malgré l'ampleur du drame qui frappait New York. Une ville qu'il aimait beaucoup, au demeurant. En un éclair, Gideon se douta que quelque chose de très personnel troublait son père et, s'efforçant de conserver une voix égale et calme, demanda :

— Es-tu malade ?

Winston déglutit plusieurs fois, puis dit lentement, d'une voix rauque et tremblante :

— Il est là-dedans. Il n'en sortira jamais vivant.

— Qui, papa ? De qui parles-tu ?

— De Shane, reprit plus bas Winston. Il avait un rendez-vous au World Trade Center, ce matin. C'est pour cette raison qu'il n'est pas rentré en même temps que nous...

Il ne put poursuivre et secoua la tête, avant d'émettre un bref sanglot. Portant une main à sa bouche, comme s'il voulait réprimer son chagrin, il finit par bredouiller :

— Il est sans doute déjà mort.

Abasourdi, horrifié par ce qu'il venait d'entendre, Gideon se pencha vers son père, l'entoura de ses bras et le serra contre sa poitrine.

— Je t'en prie, papa, dit-il enfin avec tendresse, ne tire pas de conclusions hâtives. Tu ne peux pas être certain que Shane se trouvait bien dans la tour. Pour l'instant, nous ne savons pas grand-chose, en réalité, sauf ce que nous voyons à la télévision. Je sais que c'est une question stupide, mais as-tu essayé de le joindre ?

— Bien entendu, mais je n'ai pas pu l'avoir sur son téléphone portable. Sur aucun, en fait. Les lignes sont sans doute surchargées ou coupées.

Gideon lâcha son père, puis il se redressa et demanda doucement :

— Papa, as-tu prévenu Paula ?

— Je l'ai appelée dès que j'ai appris l'information. Elle était en réunion, alors j'ai contacté Emily, pour qu'elle aille au magasin et soit auprès d'elle.

— Oui, maman est la personne qu'il lui faut, dans un moment comme celui-ci.

— Nos mères étaient très proches, tu le sais, dit Winston de façon inattendue. Elles avaient l'habitude de nous promener ensemble, dans nos landaus, quand nous étions bébés. Je le connais depuis soixante ans !

— Je sais, papa. Cela représente toute ta vie.

— Nous n'avons jamais eu un différend, une querelle. *Jamais*. Jamais, pendant toutes ces années. C'est mon meilleur ami ; le frère que je n'ai pas eu...

Incapable de poursuivre, Winston se tut.

— Efforçons-nous de rester positifs ! s'exclama Gideon. Il se peut que la réunion de Shane se soit tenue à un étage inférieur. Peut-être a-t-il pu descendre l'escalier et sortir du building. Et puis, papa, puisque tu n'as pas réussi à le joindre, il est très probable qu'il n'a pas pu non plus te contacter. Peut-être est-ce la raison pour laquelle tu n'as pas eu de ses nouvelles.

— Dieu t'entende !

La sonnerie du téléphone força Gideon à se précipiter vers son bureau.

— Gideon Harte.

La voix de Paula était si faible qu'il en éprouva un choc.

— C'est Paula. Ton père est-il là, Gideon ?

— Oui, Paula, et...

— Passe-la-moi ! l'interrompit son père.

Sans lui laisser le temps de dire quoi que ce fût, il bondit à son côté et s'empara du récepteur.

Gideon s'écarta pour les laisser discuter en toute intimité. Mais même s'il avait voulu saisir la conversation, il ne l'aurait pas pu. Après avoir prononcé son prénom sur un ton très doux et très tendre, son père écoutait Paula en silence.

S'approchant de la télévision, Gideon s'assit sur une chaise et continua de contempler les images sans fin de la catastrophe. Il devrait bientôt rejoindre Joël, puis Andy, pour une réunion de rédaction. Ils avaient à mettre au point l'édition du lendemain, quoi qu'il arrivât.

Son cœur se serrait à la pensée de Shane O'Neill. S'il était mort, la famille parviendrait-elle à s'en remettre un jour ? Il n'en avait aucune idée. Fermant les yeux, il se représenta Shane et pria en silence : « Mon Dieu, faites qu'il soit vivant. » Et il répéta cette supplique encore et encore, attendant que son père interrompît sa communication téléphonique.

Tessa se tenait devant le portrait d'Emma Harte, suspendu dans le couloir qui menait aux services administratifs du magasin. Chaque fois qu'elle s'arrêtait pour contempler son arrière-grand-mère, il lui semblait apercevoir furtivement la femme que Linnet serait un jour, lorsqu'elle atteindrait l'âge qu'avait Emma, au moment où le tableau avait été réalisé.

Linnet était le portrait craché d'Emma, son clone... Elle avait le même teint clair, les mêmes immenses yeux verts et scintillants, la même chevelure d'or roux implantée en V au-dessus du front. D'aucuns prétendaient qu'elle n'avait pas seulement hérité de l'apparence d'Emma, mais aussi de son cerveau. Peut-être était-ce vrai. Peut-être Linnet était-elle la personne qu'il fallait à la tête des magasins Harte, même si elle-même s'était considérée comme la dauphine. Aspirait-elle vraiment à faire la pluie et le beau temps ? A être la patronne ? Elle n'en était plus si sûre. Que voulait-elle ?

Elle connaissait la réponse : Jean-Claude Deléon. En bloc. Elle le désirait entièrement. Pour toujours.

Eh bien, cela signifiait qu'elle abandonnait ses ambitions. Sa carrière. Pourrait-elle s'y résoudre ?

Pourquoi pas ? Elle refusait de dormir le reste de sa vie dans un lit froid et vide, comme Emma l'avait fait après la mort de Paul, en 1939. Ils connaissaient tous l'histoire de ce grand amour, du tragique accident dont Paul avait été victime et de sa mort. De son suicide, en réalité.

— Tu étais une très belle femme, grand-mère, souffla Tessa. Et tu avais raison de penser que tout le monde a un prix. En tout cas, c'est vrai pour Mark Longden. Bon débarras ! aurais-tu dit, n'est-ce pas ?

Son futur ex-mari était un pauvre type. Elle ne pouvait rien y changer, mais elle aurait voulu que sa mère ne lui offrît pas autant. Dix millions de livres ! Paula lui avait dit et répété que la vente de la maison couvrirait largement la somme... Tout de même ! Et lui ! Ce qu'il voulait, c'était de l'argent. Il avait protesté, prétendu qu'on l'exilait, mais finalement il avait signé l'accord... La fortune qu'on lui promettait comptait plus, à ses yeux, que sa fille.

Paula avait été brillante. Elle avait pris la mesure de l'individu et l'avait acheté. En l'expédiant à Sydney, elle s'assurait qu'il ne menacerait plus leur sécurité, à Adèle et à elle. Lorsqu'il reviendrait en Angleterre, l'enfant serait presque une adolescente.

Tessa frissonna à la pensée que Mark était à Paris, le week-end précédent... Quelle horreur, s'ils s'étaient trouvés nez à nez alors qu'elle était avec Jean-Claude !

Tessa s'approcha de la porte menant aux bureaux, qui s'ouvrit brusquement. Linnet se rua dans le couloir. Elle était vêtue en bleu pâle, telle Emma dans sa jeunesse.

— Maman veut que tu viennes. Maintenant, Tessa ! s'exclama-t-elle à la vue de sa sœur.

— Qu'y a-t-il ? demanda la jeune femme en fronçant les sourcils. Tu as l'air bouleversée.

— Où étais-tu ?

— Je faisais l'inventaire, pourquoi ?

— Tu n'es pas au courant, alors ?

— De quoi ?

— Une attaque terroriste a eu lieu à New York... Deux avions ont percuté le World Trade Center. C'est incroyable...

— Seigneur ! Mais c'est affreux, Linnet !

— Viens, ne perdons pas de temps. Maman est complètement hors d'elle et elle a besoin de nous.

Shane, pensa Tessa. Il se trouvait à New York. Non ! Lui était-il arrivé quelque chose ? Incapable de bouger, elle fixait sa demi-sœur d'un air hagard. Elle la voyait vraiment, maintenant... les traits tirés, la bouche sévère, les lèvres pincées, la pâleur, l'épouvante au fond des yeux... comme un daim effrayé par les phares d'une auto.

346

— Shane va bien ? Il n'a pas été blessé ? demanda-t-elle.

Linnet la fixa un instant avant de répondre :

— Nous n'en savons rien. Personne n'a réussi à le joindre.
Je pense que toutes les lignes sont coupées. Viens, je t'en prie,
Tessa, dit-elle en prenant sa main. Maman a vraiment besoin
de nous.

Tessa se laissa entraîner dans le vestibule. Il m'a fallu
toutes ces années pour comprendre que Shane est vraiment
mon père, pensa-t-elle. Il m'a élevée et aimée depuis l'origine.
Je lui dois ce que je suis. Pas à Jim Fairley, qui a disparu alors
que j'étais encore au berceau.

Elle se mit à prier pour que Shane n'eût pas été tué au
cours de l'attentat… Sa mère n'y survivrait pas. Aucun
d'entre eux ne s'en sortirait indemne.

26

Linnet n'avait vu cette expression sur le visage de sa mère qu'une fois, bien des années auparavant, quand son frère Patrick était mort. Désolation, il n'y avait pas d'autre mot pour la décrire.

Elle a subi un traumatisme, pensa Linnet en suivant Tessa dans le bureau, elle croit que papa est mort. A cette idée, une boule se forma dans sa gorge et elle refoula les larmes qui lui piquaient les yeux. « Je n'y crois pas, non. Je le saurais. »

Comme Shane, Linnet se prenait pour une vraie Celte. Cela signifiait qu'elle était différente, plus sensible, plus encline à la spiritualité, plus intuitive que les autres gens. Il existait un lien particulier entre son père et elle, et s'il était mort, elle l'aurait perçu. A l'instant même de sa disparition. Parce qu'il lui aurait adressé un signe prémonitoire. Il est vivant, songea-t-elle de nouveau.

Pour sa mère, elle devait se montrer forte ; c'était impératif. Elle se dirigea vers le sofa, sur lequel cette dernière était assise avec Emily Harte. Les deux cousines avaient grandi ensemble et Linnet pensait parfois qu'on aurait dit des sœurs, tant elles étaient proches l'une de l'autre.

Tessa prit place près de Paula et lui répéta ce que Linnet lui avait déjà dit :

— Maman, je ne crois pas que papa soit mort, honnêtement. Tu as dit que son rendez-vous avait lieu vers neuf heures. Si c'est le cas, il est arrivé au moment où le premier avion heurtait la tour. Tu imagines bien qu'il ne serait pas entré dans un bâtiment en feu, n'est-ce pas ?

Paula passa une main tremblante sur son visage tendu et tenta de se calmer. Elle posa un regard morne sur Tessa et finit par hocher la tête. Avalant une gorgée d'air, comme si elle suffoquait, elle répondit lentement :

— Tu as raison, Tess. Ta sœur m'a affirmé la même chose. Je voudrais juste pouvoir lui parler... M'assurer qu'il va bien.

— Chérie, intervint Emily, il essaie certainement de nous joindre, à l'heure qu'il est. Winston m'a appelée, il y a quelques minutes, et il m'a dit que personne ne parvenait à avoir New York. Les lignes sont surchargées ou coupées.

— As-tu tenté d'envoyer un fax à papa ? demanda Tessa. Je suis bête ! reprit-elle en faisant la grimace. Tu l'as fait, bien entendu ! Je suis sûre que tu as pensé à tout.

Linnet s'installa sur une chaise, près du sofa.

— Oncle Winston a essayé de contacter les bureaux du journal, sur la 42e Rue, et j'ai revu la chronologie des événements, à la télévision, il y a dix minutes. A neuf heures vingt et une, tous les ponts et les tunnels menant à Manhattan étaient fermés. La ville est isolée du reste du monde et nous ignorons ce qu'il est advenu des lignes téléphoniques.

— Il ne nous reste plus qu'à espérer que Shane est sain et sauf, murmura Emily. Peut-être n'est-il jamais arrivé à son rendez-vous. S'il s'est aperçu que quelque chose de bizarre se produisait, il peut avoir fait demi-tour, être retourné à la maison ou au bureau.

— Peut-être n'est-il pas parvenu à rebrousser chemin ! s'exclama Tessa. Ou il y a eu des embouteillages. Toutes sortes de choses ont pu se produire, maman.

Paula prit la main de sa fille dans les siennes.

— Tu as raison, mais j'ai besoin d'entendre sa voix.

— Ou d'avoir un signe, conclut Linnet.

Remarquant une lueur étrange dans les yeux de sa mère, elle décida de ne pas s'aventurer en terrain risqué et précisa :

— Comme un fax, par exemple.

Paula sursauta.

— Essayons encore d'en envoyer un ! Tout de suite ! Tu ne crois pas, Emily ?

— Excellente idée ! s'écria Linnet en se levant d'un bond.

Elle se précipita vers le bureau de sa mère, prit une feuille de papier à en-tête et, après avoir inscrit le nom de son père en haut de la page, écrivit :

Très cher Shane,
Nous savons que tu avais un rendez-vous au World Trade Center, ce matin. Fais-nous savoir que tu es sain et sauf.
Tendresses.

Paula, Tessa, Linnet et Emily

Après avoir posé son stylo, elle lut le message aux autres.

— Envoie-le tout de suite ! s'exclama Emily.

— Fais-le, insista sa mère.

Paula s'était retirée dans le salon d'essayage adjacent à son bureau quelque temps auparavant. Elle voulait être seule et recouvrer son calme. Elle aimait ses filles et Emily, et savait qu'elles étaient bien intentionnées, mais elle avait besoin de respirer. Et d'être tranquille.

Il lui était insupportable d'envisager que Shane ait pu être tué dans l'attentat du World Trade Center. Pourtant, c'était possible. Se dérobant une fois de plus à cette idée, elle se pelotonna sur le petit canapé à deux places et enfouit son visage dans un coussin. Avait-il été au mauvais endroit au mauvais moment ?

Une avalanche... Les années s'évanouirent. Elle se rappela la terrible journée au cours de laquelle elle avait perdu son père et son premier mari. Eux avaient vraiment joué de malchance. Tout le monde avait parlé de la volonté de Dieu, ou de coup du sort. Ce qui venait de se produire à New York résultait d'une action humaine...

Elle se mit à trembler de façon incontrôlable, soudain glacée jusqu'aux os. Elle était terrorisée. Elle ne pouvait imaginer sa vie sans Shane. Depuis leur enfance, il avait toujours été auprès d'elle et elle l'aimait de tout son être. Leurs chemins s'étaient séparés, le temps de son union avec Jim

Fairley, mais elle n'avait pas tardé à comprendre qu'elle avait commis une erreur. Leur mariage s'était détérioré et leur séparation avait été amère. Jim avait alors disparu de façon inattendue. Elle n'avait jamais voulu sa mort, elle souhaitait juste divorcer...

Bien entendu, Shane était peut-être vivant, comme le disaient Emily et les filles. Il avait pu arriver en retard à son rendez-vous, avoir vu ce qui se passait depuis la rue, avoir été obligé de faire marche arrière. Et même s'il était en avance, il avait pu s'échapper. Reste optimiste, pensa-t-elle en se redressant. Et surtout, garde l'esprit clair.

Elle se leva, s'approcha du lavabo, baigna ses yeux pour enlever le mascara qui avait coulé, mit un peu de rouge à lèvres et brossa ses cheveux. Après quoi, elle retourna dans son bureau, sachant qu'elle devait être forte et courageuse pour tous les membres de sa famille, reprendre la situation en main.

Trois paires d'yeux anxieux se posèrent sur elle quand elle entra dans la pièce. Trois visages soucieux étaient tournés vers elle, mais elle ne put se résoudre à sourire. Pourtant, elle devait rassurer les siens.

— Je crois que nous devrions tenter à nouveau de téléphoner, dit-elle d'une voix ferme. Le fax est-il parti ? demanda-t-elle à Linnet.

— Non, l'envoi a échoué. Mais tu sais que cela transite par les lignes téléphoniques, alors... Dès que le problème sera réglé, les messages parviendront automatiquement à leurs destinataires, maman.

— Oui. Commande du thé, s'il te plaît, Linnet chérie. Emily, tu veux bien contacter Winston pour savoir s'il dispose d'informations que nous ignorons, ce qui est probable ? Tessa, essaie encore de joindre l'appartement de New York.

— Bien sûr, répondit celle-ci.

Se levant, elle gagna la fenêtre, sortit son téléphone portable de sa poche et composa le numéro. Pendant ce temps, Linnet se précipitait dehors pour demander à Jonelle, l'une des secrétaires de sa mère, de leur faire monter du thé. Quant à Emily, elle appela immédiatement le journal.

Paula s'assit, se demandant ce qu'elle pouvait faire d'autre. Pas grand-chose.

— Damnation, marmonna-t-elle à mi-voix.

Si seulement le réseau téléphonique de Manhattan se remettait à fonctionner ! Sans fax ni téléphone, les gens qui vivaient là-bas étaient isolés du reste du monde.

Comme si elle avait lu dans ses pensées, Tessa murmura :

— Pas de chance, maman… Il ne se passe rien. Aucune sonnerie.

Paula hocha la tête et regarda l'horloge. A sa grande surprise, elle constata qu'il était presque quatre heures. Onze heures du matin à New York.

— Je viens de parler à Winston, dit Emily, il a le même problème que nous. Impossible d'avoir le bureau new-yorkais. Les e-mails ne passent pas non plus.

— C'est logique, commenta Linnet.

Elle s'installa sur le sofa, les yeux de nouveau fixés sur la télévision, horrifiée par les scènes qui défilaient à l'écran. Au bout d'un instant, Jonelle entra dans la pièce avec le plateau du thé. Réparties autour de la table basse, elles le burent en silence, perdues dans des réflexions effrayantes.

Pendant l'heure qui suivit, le téléphone ne cessa de sonner. Winston, Gideon et Toby appelèrent Emily pour savoir si Paula avait eu des nouvelles de Shane. Julian contacta plusieurs fois Linnet. Lorne joignit sa mère depuis Paris. Quand grand-père Bryan lui téléphona à son tour, Paula mentit et affirma que Shane ne se trouvait pas à proximité du World Trade Center.

A un moment, Linnet déclara :

— Les aéroports sont fermés. Manhattan est complètement isolé, désormais, et papa ne pourra pas rentrer avant plusieurs jours.

Paula jeta un coup d'œil rapide à sa fille.

— Tu es convaincue qu'il va bien, n'est-ce pas ?

— Oui, maman. Nous aurons bientôt de ses nouvelles, tu verras. Je le sens au plus profond de moi-même.

Cela semblait ne jamais devoir s'arrêter. Grand-père Bryan rappela, ainsi qu'Evan et India, depuis le magasin de Leeds.

L'assistant personnel de Shane, Edgar Madsen, se manifesta quatre fois en l'espace d'une demi-heure, pour une raison ou pour une autre.

Paula savait qu'il était aussi inquiet qu'eux tous et sans doute avait-il besoin d'entendre sa voix pour se rassurer. Elle faillit lui proposer de les rejoindre, puis changea d'avis. Mieux valait qu'il restât au bureau, dans Mayfair, au cas où Shane parviendrait à le joindre.

De temps en temps, elle regardait sa montre et constatait que les minutes s'écoulaient. Elle était soulagée que Desmond fût reparti pour le pensionnat, le dimanche précédent, et qu'Emsie eût elle aussi repris l'école à Harrogate. Ils savaient que leur père était resté à New York, mais ignoraient qu'il avait rendez-vous au World Trade Center le matin même.

Les yeux de Paula balayèrent la pièce. Linnet, qui tenait la télécommande, était en train de changer de chaîne. Elle se fixa finalement sur la télévision indépendante nationale, qui faisait partie de Harte Media International, dirigé par Winston et Toby. Paula se levait pour la rejoindre quand la sonnerie du téléphone retentit de nouveau.

En s'approchant de son bureau, elle vit que le voyant de sa ligne privée clignotait et le cœur lui manqua.

— Paula O'Neill, fit-elle d'une voix étouffée.

— C'est moi, chérie.

— *Shane !* Shane chéri ! J'étais folle d'inquiétude. Grâce à Dieu, tu vas bien. Nous nous sommes fait tellement de souci !

Sur ces mots, elle éclata en sanglots.

— Je sais. Ne pleure pas. Je ne parvenais pas à vous joindre. Pas plus que papa, le bureau de Londres ou Winston. Je ne pouvais même pas contacter la structure de New York. Les lignes sont surchargées ou coupées, à certains endroits.

— Shane chéri, je suis avec Emily, Tessa et Linnet. Nous étions affolées. Elles t'envoient des baisers. Dis-moi ce qui s'est passé. Comment as-tu réussi à sortir du World Trade Center ?

— Je ne suis pas allé à mon rendez-vous, Paula, dit Shane sur un ton neutre. Thomas Mercado, le type que je devais rencontrer, m'a appelé pour me demander de n'arriver qu'à neuf heures et demie, parce qu'il devait déposer son fils à l'école. A neuf heures vingt, j'étais pris dans les embouteillages et je n'ai pas pu arriver jusqu'au World Trade Center. Mais j'ai assisté à l'événement, Paula. C'était affreux, si incroyable que je ne trouve pas de mots pour décrire ce que j'ai vu. Après quelques minutes, j'ai compris que je ne pouvais rien faire d'autre que de repartir. Mais nous étions pris au piège, parmi ces voitures immobiles. Finalement, j'ai abandonné la mienne et le chauffeur est venu avec moi. Dans la rue, j'ai essayé de t'appeler, ainsi que Winston, mais en vain. J'ai fait le numéro de tous vos téléphones portables.

— Tu as eu de la chance, souffla Paula, sous le choc, les yeux pleins de larmes.

— Je suis l'homme le plus chanceux au monde, chérie. J'ai vu la tour sud s'effondrer vers dix heures, puis la nord vingt minutes plus tard. Un pompier, qui se trouvait tout près de moi, m'a soudain crié de courir aussi vite que je le pouvais. C'est ce que j'ai fait, comme mon chauffeur et ceux qui se trouvaient là. J'ai couru par les rues de Manhattan. Je n'ai jamais entendu un fracas semblable à celui que faisaient les bâtiments en s'écroulant. *De ma vie*. Et je ne pourrai pas l'oublier.

— Oh, Shane, nous avons tellement de chance, toi et moi...

Paula se tut un instant pour remercier Dieu en silence.

— Je te passe Linnet, dit-elle finalement.

Linnet, Tessa et Emily parlèrent toutes les trois à Shane, puis Paula reprit le récepteur.

— Je suppose que tu es coincé là-bas, mon chéri.

— Je le crains. Les aéroports sont fermés, mais je pense qu'ils rouvriront à la fin de la semaine.

— Je ne t'ai même pas demandé d'où tu appelais.

— De l'appartement. Comme je te le disais, je tente de vous joindre depuis plusieurs heures et quand enfin j'y suis parvenu, je n'arrivais pas à le croire. Maintenant, je vais téléphoner à mon père. Mais s'il te plaît, fais de même dans dix minutes, pour lui dire que je vais bien. Peut-être n'ai-je réussi à t'avoir que par un heureux hasard.

— C'est possible. Je t'aime, Shane.

— Moi aussi, Paula.

27

Dès sa première rencontre avec Robin Ainsley, Evan s'était sentie parfaitement à l'aise. En grande partie, certainement, parce qu'il s'était montré chaleureux et amical à son égard, si bien que sa nervosité s'était immédiatement évaporée.

Il était toujours naturel avec elle et lui parlait à cœur ouvert, comme si elle était sa seule confidente. Peut-être était-ce le cas. Sans doute ces conversations le soulageaient-elles, de temps en temps, et au cours des mois, elle avait compris qu'elle était importante pour lui. Elle était sa petite-fille et il la traitait comme telle. Elle avait, d'ailleurs, accompli un chemin similaire : il était son grand-père biologique, ce qui ne retirait rien à l'affection qu'elle avait eue pour Richard Hughes.

A présent, elle était assise sur la terrasse de Lackland Priory, attendant que Robin sorte de la maison. Elle avait été un peu triste quand ses parents lui avaient appris leur intention de repartir pour les Etats-Unis plus tôt que prévu. Elle avait espéré qu'ils passeraient quelque temps à Penninstone Royal, avec Paula, et rencontreraient Robin. Le sort en avait décidé autrement.

Les attaques terroristes, à New York et à Washington, leur avaient fait avancer leur retour, « pour aider, dans la mesure de nos moyens », avait expliqué Marietta. Et Evan comprenait ce patriotisme, car elle l'éprouvait aussi. Mais ses responsabilités la retenaient en Angleterre.

Ils feraient la connaissance de Robin une autre fois. Il faudra bien qu'ils reviennent pour mon mariage... du moins s'il a lieu, pensa-t-elle un peu tristement. Gideon n'avait pas été d'un abord facile, ces temps-ci. Ils ne s'étaient pas vus de toute la semaine et n'avaient donc pas pu éclaircir certaines divergences de points de vue. Elle-même était très occupée par la restauration du magasin de Leeds et les journées de Gideon étaient bien remplies, depuis les événements qui avaient eu lieu en Amérique.

On était samedi, pourtant il avait décidé de passer le week-end à Londres. Elle avait beau comprendre ses raisons, elle n'en était pas moins déçue de ne pas être avec lui. Le journal passait en premier, elle le savait depuis toujours. Tous les Harte accordaient la priorité à leur travail.

Evan se servit une seconde tasse de café, ajouta du lait et une sucrette. Elle le but à petites gorgées, savourant ce beau jour de septembre. Il faisait plus chaud que d'habitude, le ciel était bleu et le soleil étincelait. C'était une journée très claire et aucune brume ne descendait de la lande. Percevant un bruit de pas, elle jeta un coup d'œil par-dessus son épaule et sourit à Robin. Il lui rendit son sourire et vint s'asseoir près d'elle.

— Pardonne-moi d'avoir été aussi long, mais ma sœur Edwina avait besoin de discuter d'affaires avec moi et elle n'accepte jamais un refus. Elle a plus de quatre-vingt-dix ans, ajouta-t-il avec un petit rire, mais personne ne le devinerait, à la voir.

— C'est ce que j'ai cru comprendre, répliqua Evan. India et Tessa parlent d'elle comme si c'était une jeune femme de leur âge.

Robin rit.

— Elle pense qu'elle l'est, en tout cas.

Evan se pencha vers lui et le regarda droit dans les yeux.

— Robin, il y a quelque chose dont je veux vous parler. Je ne pourrai sans doute pas vous présenter mes parents, comme nous l'avions prévu. Ils repartent pour l'Amérique la semaine prochaine. Ils ont le sentiment qu'ils le doivent, en raison des attentats.

L'espace de quelques secondes, le visage de Robin refléta la déception, mais il hocha la tête et lui dit :

— Je crois que j'en aurais fait autant, si mon pays avait été agressé de cette façon. Un acte de guerre a été perpétré sur le sol des Etats-Unis, mardi dernier. Sans préambule. Des centaines d'innocents ont été tués d'une façon absolument atroce. Tes parents éprouvent le besoin tout naturel de retourner chez eux, je le comprends. Mais ils reviendront en Angleterre, j'en suis certain, poursuivit-il. De toute façon, n'avions-nous pas pensé qu'il vaudrait peut-être mieux que ton père n'apprenne pas qui je suis ?

— C'est vrai, mais je reste très ambivalente, à ce sujet. Gideon pense que la situation doit être claire, maintenant que nous sommes fiancés.

— Sans doute, mais je pourrai faire la connaissance d'Owen une autre fois. Ne te tracasse pas à ce sujet, Evan.

— Je vous remercie de vous montrer aussi compréhensif et aussi gentil à mon égard, Robin.

— Je t'aime, ma chérie, et tu es ma seule petite-fille.

Après s'être servi une seconde tasse de café, il poursuivit lentement :

— Evan... il y a quelque chose que je veux que tu saches, mais cela doit rester strictement entre nous.

— Vous savez que je ne trahirai jamais votre confiance.

— Bien entendu, mais ce que je vais te dire *doit* rester secret, parce que je ne voudrais pas que cela parvienne un jour aux oreilles de Jonathan. Comprends-tu ?

Evan se sentit soudain glacée, comme chaque fois qu'on prononçait ce prénom devant elle.

Plongeant la main dans la poche intérieure de sa vieille veste de tweed, Robin en sortit une petite carte et la lui tendit.

— J'ai constitué un fidéicommis, pour toi. Tous les détails sont là. Je m'y suis pris de telle sorte qu'on ne pourra pas remonter jusqu'à moi. Mais pour plus de prudence, n'en parle à personne, pas même à Gideon. C'est clair ?

— Je vous le promets... Mais ce n'était pas nécessaire. Je vous avais dit que je ne voulais rien de vous, Robin, hormis votre affection.

— Je sais, je sais, dit-il sur un ton qui parut à Evan légèrement impatient. Cependant, mon fils ignore tout d'un certain nombre de mes investissements. J'en ai transféré une partie sur un compte à ton nom.

— Mais Robin...

Il agita le doigt dans sa direction, l'air sévère.

— Pas de « mais », Evan. Je ne veux pas entendre un mot de plus à ce sujet. Range cette carte dans ton sac, réfléchis tranquillement, digère la nouvelle, puis mets ce papier en lieu sûr.

Elle fit ce qu'il lui demandait, puis reposa son sac sur le sol avant de prendre la main du vieux monsieur.

— Merci, Robin, vous êtes très généreux, dit-elle doucement, touchée par son geste.

— Je t'en prie, ma chérie. Et maintenant, dis-moi comment va Paula. Je sais qu'elle a eu très peur que Shane n'ait disparu dans l'attentat du World Trade Center. Daisy m'en a parlé.

— Elle se sent mieux, d'après ce que je sais. Mercredi, elle était épuisée. Linnet m'a dit que toute cette tension, cette anxiété l'avaient véritablement anéantie. Ce matin, avant que je vienne vous voir, nous avons pris le petit déjeuner ensemble, Linnet et moi. Elle vous embrasse, d'ailleurs. L'aéroport de New York est rouvert et Shane rentre demain, à bord du Concorde. Ensuite, il prend un jet privé pour Yeadon. Ce doit être merveilleux de connaître ce type d'union, estima doucement Evan. Linnet dit qu'ils sont toujours amoureux l'un de l'autre, après toutes ces années.

Robin l'observa avec attention.

— Certainement... murmura-t-il. Mais tu sembles mélancolique, Evan. Quelque chose ne va pas, entre Gideon et toi ?

— Tout va bien... C'est seulement que... Eh bien, je crois qu'il est toujours fâché, à propos des fiançailles et de papa.

Robin laissa échapper un soupir et secoua la tête.

— Les hommes sont bien stupides, parfois. Je le sais. J'en suis un et j'ai été idiot de nombreuses fois, dans ma vie. J'espère que Gideon va évoluer. Vous êtes fiancés et devriez fixer la date de votre mariage, au lieu de vous quereller.

— Ce n'est pas vraiment cela. Il est de mauvais poil contre moi. Parfois distant, lointain, silencieux.

— Il vient dans le Yorkshire, ce week-end ?

— Non. Il a pensé qu'il devait rester à Londres, avec son père et Toby. Il m'a dit qu'ils avaient énormément de travail, avec les derniers événements.

— C'est un vrai Harte. Il est dévoué à son métier, et sans doute est-ce une bonne chose. Il est journaliste avant tout, comme Winston et mes oncles.

Ils continuèrent à bavarder, puis Evan déclara :

— Je suis désolée de ne pouvoir déjeuner avec vous, aujourd'hui, Robin, mais Linnet et moi sommes en pleins préparatifs de mariage et je lui ai promis de l'aider, cet après-midi.

Il lui sourit et ils se levèrent ensemble. Robin lui prit le bras, puis ils longèrent la terrasse et gagnèrent l'arrière de la maison. Lorsqu'ils parvinrent devant la voiture d'Evan, Robin demanda :

— J'espère que tu auras du temps, le prochain week-end ? Quand repars-tu pour Londres ?

— Mardi matin. Je veux être auprès de mes parents pendant deux jours, avant qu'ils ne repartent. Je reviendrai de bonne heure, vendredi, pour travailler avec India, et samedi matin, je serai au magasin de Leeds. Je pourrais venir dimanche ?

— C'est parfait. Peut-être Gideon aura-t-il envie de t'accompagner ? suggéra-t-il en la prenant dans ses bras pour l'embrasser.

— Je ferai en sorte de le convaincre, dit Evan en ouvrant la portière de sa voiture. Merci, murmura-t-elle, et à la semaine prochaine.

— A la semaine prochaine, ma chérie.

Evan se glissa derrière le volant, baissa les vitres et mit le contact. Elle fronça les sourcils, étonnée : le moteur refusait de démarrer. Elle essaya de nouveau, mais en vain.

Robin se pencha.

— Tu crois que tu l'as noyé ?

— Non. Je n'obtiens aucune réaction.

— C'est sûrement la batterie. C'est une vieille voiture de Paula, n'est-ce pas ? Une de ses anciennes bagnoles, comme elle les appelle.

— Oui, elle me la prête souvent, mais je crois qu'elle aurait besoin d'une révision.

— Sans doute. En attendant, tu peux emprunter ma Rover, ce n'est pas un problème.

— Mais vous en avez besoin ! s'exclama Evan en sortant de la Jaguar.

— J'ai mon tacot préféré, dans le garage.

— Ah oui ! Votre coupé Bentley des années soixante !

— Tu t'en souviens ? fit-il, satisfait.

— Bien sûr. Vous avez précisé que la direction était assistée et le changement de vitesses très particulier. Je me rappelle tout ce que vous me dites, Robin.

— Mais il est rare que les jeunes filles retiennent des détails sur les voitures, répliqua Robin en riant.

Il la conduisit jusqu'au garage et quelques minutes plus tard, elle conduisait la Rover sur l'allée de gravier.

— C'est fantastique, Robin ! s'exclama-t-elle en sortant la tête par la vitre baissée. Merci beaucoup. Je vous la rapporterai demain. India ou Linnet m'accompagnera pour me ramener à Penninstone.

— Pas de problème ! Au revoir, ma chérie !

Il lui adressa un signe affectueux de la main tandis qu'elle roulait en direction du portail.

Evan aimait bien le sentiment qu'elle éprouvait au volant de la Rover. C'était un véhicule solide et agréable à conduire. Elle franchit sans bruit le portail de Lackland Priory, tourna à gauche et prit la route qui menait au hameau de Lackland. Ensuite, elle prendrait la nationale, vers Penninstone.

Bien assise sur son siège, elle pensa que décidément, elle appréciait ces anciens modèles. Il y avait quelque chose de différent, en eux. Leur plus grand attrait tenait peut-être au fait qu'ils procuraient une sensation de luxe désuet, datant d'une époque disparue. Elle aurait eu du mal à formuler exactement ce qu'elle éprouvait, mais Paula partageait son impression. Elles en avaient parlé, une fois, et Paula lui avait dit que tous les membres de la famille tenaient à ces spécimens révolus. « Peut-être est-ce notre sens de l'économie, avait-elle conclu en riant, mais je ne le crois pas. »

India elle-même avait une vieille Aston Martin, qui faisait baver d'envie tous les mâles Harte. Et Gideon rêvait de la Bentley Continental de Robin.

En haut de la colline, Evan freina très légèrement. La pente était raide et la Rover assez lourde. Elle perçut immédiatement l'action de la pesanteur et enfonça davantage la pédale. Rien ne se passa. Les freins ne fonctionnaient pas ! La Rover commença à prendre de la vitesse et elle ne voyait aucun moyen de l'arrêter.

Elle était parvenue à la moitié de la pente lorsqu'elle aperçut le cheval et la carriole qui arrivaient par un chemin de traverse. Elle klaxonna autant qu'elle le put. Le conducteur sur le siège leva les yeux vers la colline et vit le véhicule qui fonçait vers lui, mais il semblait incapable de se déplacer. Il était figé sur place.

En un éclair, Evan réalisa qu'elle allait devoir braquer pour éviter de percuter l'attelage et de tuer l'homme et l'animal, à la vitesse où elle allait. Elle tourna le volant frénétiquement et de toutes ses forces. Serrant les dents, elle dévia la Rover sur la droite. Elle vit trop tard le muret de pierre sèche. Comme il se dressait devant elle, elle comprit qu'elle ne pouvait l'éviter.

Quelqu'un avait-il saboté les freins ?

Ce fut la dernière pensée qui lui traversa l'esprit.

Billy Ramsbotham regarda un instant la voiture accidentée, du haut de la carriole, puis tira légèrement sur les rênes et fit claquer sa langue. Il lança son cheval en direction de Lackland pour chercher de l'aide. Mais avant d'y parvenir, il aperçut Frazy Gilliger, qui arrivait dans l'autre sens à bicyclette. Il lui fit signe de s'arrêter.

— Que se passe-t-il, Billy ? Tu vas à fond de train ! Quelque chose ne va pas ? demanda Frazy, notant l'agitation du bonhomme.

— C'est ça ! Un peu plus haut, il y a une gamine dans une Rover accidentée. Je crois bien que c'est celle de M. Ainsley.

La petite a l'air évanouie... En tout cas, elle est dans un sale état, la pauvre gosse.

— Mon Dieu, ce doit être Mlle Evan ! cria Frazy.

Sans ajouter un mot, il se mit à pédaler de toutes ses forces pour remonter la pente, en direction de Lackland Priory. Il était hors d'haleine quand il franchit le portail et parvint derrière la maison. Il sauta à bas de son vélo, qu'il laissa tomber sur l'allée, puis se précipita dans la cuisine, bruyamment et sans cérémonie.

Bolton, le majordome, parlait à la cuisinière, Mme Pickering. Il sursauta et se retourna vers la source du bruit.

— Dieu du ciel, Frazy ! Qu'est-ce qui te prend, d'entrer de cette façon ?

— C'est Mlle Evan ! Elle a eu un accident ! Je l'ai aperçue du coin de l'œil, mais je ne me suis pas arrêté pour regarder. Je suis venu ici le plus vite possible. Billy Ramsbotham l'a vue heurter un muret. Il paraît qu'elle est dans un sale état. Mieux vaut appeler l'ambulance, Percy.

— Mon Dieu ! s'écria Bolton. Vous pouvez téléphoner, Maud ? ajouta-t-il à l'adresse de la cuisinière. Il faut que je prévienne M. Ainsley. Contactez l'hôpital de Ripon, pas celui de Harrogate. Il est plus près. S'il ne peut pas la prendre en charge, il la transférera à Harrogate.

— Je m'en occupe tout de suite, Percy, dit Mme Pickering en courant vers le téléphone.

Bolton sortit en hâte de la cuisine pour gagner la bibliothèque. Robin Ainsley se tenait près de la fenêtre. Il agrippa le dossier d'un fauteuil à bascule en écoutant son majordome, qui lui rapporta en quelques secondes ce que venait de lui raconter Frazy. Le cœur du vieux monsieur battait très fort et il craignit de tomber, tant ses jambes tremblaient.

— Est-elle vivante ? demanda-t-il finalement.

— Je l'ignore, monsieur, mais j'y vais tout de suite. La cuisinière a appelé l'hôpital de Ripon, pour avoir une ambulance.

— Je viens avec vous, Bolton.

— Très bien, monsieur.

Bolton tourna les talons et se mit à courir, suivi par Robin, qui pensait que le monde venait de s'effondrer autour de lui.

Perdre cette enfant, maintenant qu'il venait tout juste de la retrouver, était inconcevable. Quant à elle... Mourir dans la fleur de l'âge, et si ravissante... Ce serait une tragédie ! Il priait pour qu'elle fût vivante, et pas trop gravement blessée. Elle avait la vie devant elle... une brillante carrière, son mariage avec Gideon...

En sortant de la maison, il se demanda si quelqu'un avait saboté les freins de la voiture, celle-là même qu'il utilisait le plus souvent. Evan était prudente, et excellente conductrice. Qu'avait-il bien pu se passer ? Pourquoi avait-elle eu cet accident ?

Il lui vint brusquement à l'esprit que s'il y avait eu malveillance, elle avait forcément été commise contre lui. Il écarta cette pensée, redoutant de formuler le nom qui lui trottait dans la tête... « Non, il ne ferait pas une chose pareille ! Pourquoi voudrait-il me tuer ? »

Il ne fallut à Bolton que deux minutes pour arriver sur le lieu de l'accident. Il insista pour que Robin restât dans la voiture.

— Laissez-moi y aller seul, monsieur, je vous en prie.

— Très bien, consentit Robin.

Bolton courut vers la Rover et jeta un coup d'œil à l'intérieur, au-dessus de la vitre baissée. Il vit aussitôt qu'Evan était couchée en travers du volant, selon un angle bizarre, mais la ceinture de sécurité était toujours fixée, ce qui le réconforta un peu. Il n'aurait pas pu dire si elle vivait encore, jusqu'à ce qu'il l'entendît gémir. Le cœur plus léger, il revint en courant porter la nouvelle à Robin.

— Mlle Evan est vivante, monsieur ! Elle gémit. Je n'ai pas osé la toucher. Nous devons attendre l'arrivée des ambulanciers pour en savoir davantage.

— Grâce à Dieu, elle n'est pas morte ! s'exclama Robin avec soulagement. Vous avez raison, il ne faut pas déplacer une personne blessée quand on n'a pas les connaissances médicales nécessaires. On peut faire plus de mal que de bien.

Robin s'adossa contre la banquette et commença à respirer plus normalement. Fermant les yeux, il adressa une prière silencieuse au Dieu en qui il avait depuis longtemps cessé de croire. Dans un instant de crise comme celui-ci, il était réconfortant de s'en remettre à une présence omnipotente, qui pouvait faire des miracles et procurer de l'espoir.

Bolton était revenu près du véhicule accidenté. Aucun bruit n'en parvenait plus et il commençait à douter qu'Evan fût encore en vie. Mais il ne retourna pas auprès de Robin Ainsley, de peur que celui-ci ne lui posât des questions. Enfin, il entendit le hurlement d'une sirène et en éprouva un énorme soulagement. Quelques minutes plus tard, l'ambulance fonçait dans sa direction.

Elle stoppa et deux infirmiers en sortirent. Après avoir échangé quelques mots avec Bolton, ils évaluèrent la situation et examinèrent Evan, puis la sortirent délicatement de l'épave et l'allongèrent sur un brancard. Enfin, ils l'embarquèrent.

— Qui est-ce ? demanda le conducteur, resté en arrière pour parler avec Bolton.

— Evan Hughes, la petite-fille de M. Ainsley, expliqua-t-il.

— De Lackland Priory ?

— C'est cela. Elle vit ?

— Oui, mais nous devons immédiatement l'emmener à l'hôpital. Pour l'instant, il nous est impossible de vous dire de quoi elle souffre exactement.

— Grâce à Dieu, elle ne nous a pas quittés. Nous vous suivons jusqu'à Ripon.

— Nous nous retrouverons là-bas, en ce cas, dit le conducteur avant de courir vers l'ambulance.

Bolton conduisit jusqu'à l'hôpital. Dès qu'il eut garé la Bentley, il accompagna Robin dans la salle d'attente. Ils s'installèrent côte à côte sans échanger un mot, attendant qu'un médecin leur donne des nouvelles d'Evan. Au bout de quelques minutes, Robin s'avisa qu'il devait mettre Linnet au courant de ce qui s'était passé, puisqu'elle attendait Evan à l'heure du déjeuner.

— Vous avez le téléphone portable, Bolton ? demanda-t-il en se tournant vers lui.

— Oui, monsieur.

Robin composa le numéro de Penninstone Royal et ce fut Linnet en personne qui décrocha. Après lui avoir raconté ce qu'il savait, il ajouta très vite :

— Evan est vivante, Linnet. Mais nous ignorons la nature de ses traumatismes, pour l'instant.

— Je viens tout de suite, oncle Robin.

— Non, non, c'est inutile. Tu ne pourras rien faire et je te promets de te tenir au courant.

— Je ne veux pas que tu restes seul, dit fermement Linnet. J'arrive, n'essaie pas de m'en dissuader. J'appelle maman au magasin de Harrogate. Je suis là dans une demi-heure.

Devinant qu'il était vain de discuter, il acquiesça :

— A tout de suite, alors.

Si quelqu'un ressemblait à sa mère, c'était bien Linnet, car quand elle s'était mis quelque chose en tête, il n'y avait rien à faire.

Une demi-heure après cette conversation, le Dr Gibson sortit de la salle d'examen. Au grand soulagement de Robin, il avait le sourire aux lèvres.

— Bonjour, monsieur Ainsley. J'ai examiné Mlle Hughes ; elle va se remettre. Elle est choquée, bien entendu, et a une côte et une cheville cassées, ainsi que des hématomes sur les bras et les jambes. Mais elle ne souffre d'aucun traumatisme interne. Vous serez heureux d'apprendre qu'elle n'a pas perdu le bébé. Elle a eu beaucoup de chance, car les dommages auraient pu être bien plus graves. Elle risquait une fausse couche. C'est un miracle que cela ne soit pas arrivé.

Robin était trop âgé pour s'étonner de quoi que ce soit. Mais il dut s'avouer qu'il était surpris d'apprendre qu'Evan était enceinte. Elle avait l'esprit pratique et était prudente. Comment cette grossesse avait-elle pu survenir avant le mariage ? Le souffle coupé, il fut frappé par l'idée qu'elle l'avait peut-être fait exprès, pour accélérer les choses avec Gideon. Il avait du mal à y croire. Ce n'était pas son genre. Tout ce qu'il savait, c'était qu'il aimait cette jeune femme et se réjouissait de l'heureux événement... Elle portait son arrière-petit-enfant.

Le médecin ouvrit une porte et introduisit Robin dans une chambre à un lit. Evan était allongée, adossée à des oreillers. Elle portait la chemise blanche de l'hôpital et était très pâle. Elle semblait exténuée et abasourdie. Elle avait une grosse contusion sur la joue et il comprit qu'elle souffrait lorsqu'elle fit la grimace en tentant de bouger.

Il approcha du lit et elle murmura, d'une voix fatiguée et bégayante :

— Je suis désolée, pour la voiture.

— Cela n'a pas d'importance, ma chérie. Tout ce qui compte, c'est que tu sois vivante. Tu aurais pu être tuée, tu sais.

Il se pencha pour l'embrasser sur le front, puis lui prit la main.

— Tu peux me dire ce qui s'est passé ? Ou bien est-ce un trop gros effort ?

— Les freins ne marchaient pas... Je ne contrôlais plus la voiture... Le cheval et la carriole se trouvaient sur ma route, alors j'ai braqué pour les éviter, ajouta-t-elle faiblement, après une profonde inspiration.

Robin posa sur elle un regard interrogateur.

— Tu crois que les freins ont lâché parce que la Rover est vieille, ou parce que quelqu'un les a sabotés ?

— Je ne sais pas...

Il secoua la tête, la bouche pincée, et dit d'une voix étouffée :

— La Rover est révisée régulièrement. Je ferai vérifier l'état des freins au garage, mais peut-être la police voudra-t-elle s'en charger elle-même.

Evan soupira mais ne dit rien, ne voulant pas formuler le nom auquel elle pensait.

— J'ai téléphoné à Linnet, reprit Robin. Elle arrive. On va me demander de sortir d'une minute à l'autre, expliqua-t-il en tirant une chaise pour s'installer près du lit. On doit te plâtrer la jambe. Ce doit être douloureux, n'est-ce pas ?

Elle hocha la tête.

— Le bébé va bien, Evan, dit-il doucement. Le Dr Gibson me l'a assuré.

Prise au dépourvu, elle le regarda, bouche bée, tandis qu'une légère rougeur envahissait son visage et ses joues.

— Ne le dites à personne, je vous en prie ! fit-elle très bas.

— Bien sûr. Quelle a été la réaction de Gideon ?

— Il ne sait rien.

— Pourquoi ne le lui as-tu pas dit ?

— Je ne veux pas l'influencer... au sujet de notre avenir.

— Je comprends. Que tu l'épouses ou non, c'est ton affaire, ma chérie, mais sache que je serai là pour toi et mon arrière-petit-enfant, quoi qu'il arrive.

Les yeux d'Evan s'éclairèrent.

— Merci, murmura-t-elle.

On frappa à la porte.

— Entrez, dit Robin.

Quelques secondes plus tard, Linnet se précipitait vers le lit en s'exclamant :

— J'ai cru mourir de peur pendant tout le trajet, Evan ! Que s'est-il passé ?

Elle prit la main de la jeune femme et scruta son visage avec inquiétude.

— Les freins ont lâché, expliqua Robin. C'est gentil d'être venue, Linnet. Merci.

Linnet lui sourit. Réprimant les idées qui se bousculaient dans son esprit, au sujet de Jonathan Ainsley et de sa dangereuse vendetta, elle demanda :

— Es-tu blessée, Evan ?

— Côte cassée, cheville cassée, murmura Evan. Je vais avoir un plâtre.

— Dieu soit loué, cela aurait pu être plus grave, dit Linnet.

Dusty Rhodes sortit de l'ascenseur, au cinquième étage du magasin Harte, à Leeds. Regardant autour de lui, il comprit immédiatement pourquoi la secrétaire d'India lui avait recommandé de faire attention : l'endroit était en cours de rénovation. Il dut slalomer entre des espaces délimités par des cordes.

Il voyait India de loin, vêtue d'un pantalon et d'un chemisier beiges. Elle tenait un bloc-notes et des lunettes, posées sur le haut de son crâne, retenaient ses cheveux. Elle était toujours chic et décontractée, et s'habillait d'ordinaire à la dernière mode. Mais ce jour-là, pour affronter les gravats, elle avait choisi une tenue de travail, qui la mettait moins en valeur. Dusty connaissait son esprit pratique.

India parlait avec deux ouvriers. Elle semblait très absorbée et l'espace de quelques secondes, il hésita. Il ne l'avait pas vue depuis plusieurs semaines et avait besoin de lui parler. Etant donné l'aigreur de leur rupture, il était certain qu'elle ne répondrait pas, s'il téléphonait, aussi avait-il décidé de venir la voir.

Au bout d'un moment, il se lança, enjamba une pile de planches, contourna une brouette et quelques seaux de plâtre, et s'avança vers elle.

Un des hommes remarqua le premier sa présence. Son visage s'éclaira lorsqu'il le reconnut. Un grand sourire aux lèvres, les yeux pétillants de plaisir, il s'écria :

— Salut, Dusty ! Comment vas-tu ? Cela fait longtemps qu'on ne s'est pas croisés, mec !

Avant que Dusty ait pu répondre, India pivota sur elle-même pour lui faire face. Il saisit une lueur de surprise dans son regard, mais cela ne dura pas. India était championne pour dissimuler ses sentiments. Aussitôt, elle arbora l'expression impassible d'un joueur de poker expérimenté.

— Bonjour, India.

Elle inclina la tête.

— Dusty, répondit-elle simplement.

Il s'adressa à l'ouvrier.

— Tu es bien Jackie Pickles ?

L'homme sourit.

— C'est bien moi, Dusty. Tu te rappelles ton vieux copain de classe ?

— Bien sûr, fit Dusty en riant. Ecole primaire de l'Eglise du Christ, à Leeds.

— L'eau a passé sous les ponts, depuis ce temps, dit Jackie en jetant un coup d'œil à celui qui se trouvait près de lui. Je parie que tu ne te souviens pas de Harry Thwaites, Dusty !

— Tu te trompes. Salut, Harry, la dernière fois que je t'ai vu, c'était au lycée, pas vrai ?

Thwaites sourit à son tour.

— Cela fait longtemps, Dusty. Je suis marié, aujourd'hui, et j'ai deux enfants.

India, qui avait suivi ce petit échange avec intérêt, intervint :

— Tu voulais me parler, Dusty ?

— Oui.

Mais de nouveau, son regard se détourna d'elle et il dit à Pickles :

— Je parie qu'il y a un problème avec ces poutres d'acier.

— Exact. Elles ne figurent pas sur les plans de lady India. Nous les avons trouvées en abattant un mur et elles compliquent les choses.

— Montre-moi ça, India, s'il te plaît, dit Dusty en lui jetant un coup d'œil. J'ai étudié l'architecture.

— Je sais. Je voudrais qu'elles soient enlevées.

Dusty examina les croquis, puis s'approchant des piliers d'acier, qui allaient du plancher au plafond, déclara :

— Mon dernier dollar que cette armature soutient le plafond, qui constitue le sol de l'étage supérieur !

— Vraisemblablement, dit Thwaites.

— Si tu retires ces structures, India, tout va s'effondrer. Tu dois les intégrer à tes nouveaux projets, il n'y a pas d'autre solution.

Pickles et Thwaites lui adressèrent un grand sourire.

India sembla un peu fâchée contre lui, mais soudain, elle arbora une expression résignée.

— Eh bien, si l'on ne peut pas faire autrement... Excusez-moi quelques minutes, ajouta-t-elle à l'intention des deux hommes, je n'en ai pas pour longtemps. Peut-être voudriez-vous en profiter pour faire une pause ?

— Merci, lady India, dirent-ils à l'unisson.

Ils sourirent encore à Dusty et s'éloignèrent.

— Es-tu certain qu'on ne peut pas enlever ces piliers ?

— Eh bien, tu peux toujours essayer, dit Dusty ; *moi*, je ne le ferais pas. Ce serait un désastre.

— Je comprends... C'est une surprise. Pourquoi es-tu venu me voir ?

Cette rencontre avec deux anciens copains d'école et leur discussion avaient quelque peu rompu la glace.

Presque détendu, Dusty répondit :

— Je voulais m'excuser et essayer de m'expliquer... à propos de Melinda et d'Atlanta.

— Allons dans mon bureau, nous pourrons discuter un instant.

— Merci, India.

Ils montèrent en silence jusqu'au septième étage. En ouvrant la porte, India annonça d'un ton froid et sec :

— Entre et parlons, mais je ne peux pas t'accorder beaucoup de temps.

— Ce ne sera pas long, assura Dusty en refermant le battant derrière lui.

India ne semblait pas d'humeur à lui pardonner facilement.

Elle contourna sa table de travail et resta debout derrière. L'arrivée de Dusty l'avait prise par surprise, mais l'intermède qui avait eu lieu entre les ouvriers et lui lui avait donné le temps de se reprendre. A son propre étonnement, elle découvrait qu'elle était calme. Elle devait admettre qu'il lui avait manqué, qu'elle s'était languie de lui et qu'elle l'aimait toujours. En réalité, il n'avait cessé de hanter ses pensées.

Il paraissait bien, mais des cernes sombres soulignaient ses yeux et il avait l'air fatigué. Elle devina qu'il avait dû se lancer à corps perdu dans la peinture, pour oublier la souffrance que lui procurait leur rupture.

Se penchant par-dessus le bureau, il s'exclama avec chaleur :

— Ecoute, j'admets avoir été stupide. J'aurais dû te parler de mon enfant dès mon retour de l'hôpital, quand je t'ai expliqué qui était Melinda. Mais j'étais gêné et j'avais une peur bleue. Il y a aussi le fait que je n'ai jamais dévoilé ma vie privée à personne.

India s'assit et lui fit signe d'en faire autant.

— Je sais.

Il prit une chaise, s'installa en face d'elle et continua :

— Je ne me confie pas. Je suis un solitaire. Je ne me suis jamais engagé envers une femme et j'ai juré, il y a longtemps, de

370

ne pas me marier. Pour être franc, jusqu'à ce que tu me quittes, je ne savais pas exactement ce que j'éprouvais à ton égard.

Elle lui jeta un regard dur.

— Au moins, tu es honnête. Tu es donc en train de m'expliquer que je n'étais qu'une femme de plus, traversant ta vie, et que tu ne voyais aucune raison de partager ton passé avec moi. C'est cela ?

— D'une certaine façon. Mais pas tout à fait... J'étais accro, même si je ne saisissais pas exactement tout ce que cela impliquait. Je te respectais, India, je t'admirais. Mais j'étais aussi bouleversé, embarrassé et je ne savais pas comment aborder le sujet de ma fille.

— J'aurais compris, c'est pourquoi je t'en ai tant voulu. Tu m'as sous-estimée et tu ne m'as même pas accordé le bénéfice du doute.

— J'en suis désolé.

— Eh bien, c'est gentil de ta part d'être venu t'excuser, dit-elle en se levant. Je dois y aller et...

— India, encore un mot, l'interrompit-il. Je paie pour Melinda et Atlanta, et j'aide financièrement Mme Caldwell. Je prends aussi en charge les consultations médicales de Melinda.

India hocha la tête et avança, pressée de retourner travailler.

— Je voulais que tu le saches.

— Pourquoi ne l'as-tu pas épousée ? lança-t-elle soudain.

— Je ne l'aimais pas. En fait, quand nous avons rompu, j'ignorais qu'elle était enceinte.

— Je vois.

Comprenant qu'il était inutile de poursuivre la conversation, Dusty marcha vers la porte. Il se sentait épuisé, vidé. Il avait lâché la vérité et n'avait rien à ajouter. India n'était pas disposée à écouter sa plaidoirie, encore moins une déclaration d'amour.

— Quand Melinda a-t-elle commencé à se droguer ?

— Juste après la naissance d'Atlanta, heureusement.

Il ouvrit la porte, se tourna vers elle et lui adressa un faible sourire.

— Bon, eh bien voilà, je suppose...

La gorge serrée, il s'aperçut qu'il était au bord des larmes. Il était stupide !

De son côté, India éprouvait une panique croissante. Elle ne pouvait pas le laisser partir... Elle l'aimait... C'était sa seule chance d'arranger les choses entre eux. Elle s'écria :

— Attends, Dusty ! Ne t'en va pas, s'il te plaît !

Il pivota sur lui-même et la regarda. Ses yeux s'écarquillèrent lorsqu'il vit son expression. Le visage d'India exprimait un amour absolu...

Il revint vers elle.

— Qu'y a-t-il, India ?

— Je t'aime. Je t'ai toujours aimé ; je voulais que tu le saches, avant de partir.

— Veux-tu que je reste ?

— Oui ! *Oui.*

Il s'approcha d'elle, la prit dans ses bras et la serra contre lui.

— Je t'aime aussi, dit-il. Je désire passer le reste de ma vie avec toi, si tu veux bien de moi.

Elle leva vers lui des yeux voilés de larmes.

— Serait-ce une demande en mariage ?

— C'en est une. Sois ma femme, s'il te plaît.

— Oui, souffla-t-elle.

Se haussant sur la pointe des pieds, elle l'embrassa sur la bouche.

28

Comme souvent dans le Yorkshire, le temps changea brusquement. Après un week-end ensoleillé et chaud, il plut le lundi, et le mardi fut froid et sombre. Le ciel nuageux menaçait.

Lorsque la rigueur s'installait, Margaret passait de bonne heure dans les pièces du rez-de-chaussée les plus fréquentées pour y allumer du feu : le grand hall, la salle où l'on prenait le petit déjeuner, la bibliothèque. Une belle flambée chassait la fraîcheur et constituait un excellent antidote contre le ciel gris.

Evan était d'accord avec elle et après un déjeuner léger, que Margaret lui servit en bas, elle la remercia.

— Je pense que rien n'est plus agréable qu'un feu, Margaret. Ma grand-mère en allumait souvent dans notre maison du Connecticut, même quand il faisait beau et ensoleillé. Elle adorait cela.

— Ma mère aussi, remarqua Margaret. Elle s'appelait Hilda. Elle a été gouvernante des années chez Mme Harte. Elle me racontait que celle-ci se plaignait d'avoir toujours froid. Dans ces grandes maisons, les pièces sont fraîches, avec leur parquet et leur haut plafond. Il faut commencer à chauffer bien avant l'arrivée de l'hiver.

— Vous avez raison. Une cheminée allumée crée une atmosphère chaleureuse et amicale.

— C'est vrai ! Vous voulez du café, mademoiselle Evan ?

— Non, c'est gentil. Encore merci pour ce délicieux déjeuner.

— J'ai été ravie de vous le préparer, mademoiselle. A quelle heure vos parents arrivent-ils ?

— Mon père a insisté pour venir en voiture. Il a dit qu'ils seraient là pour le thé, *tea-time*, comme on dit en Angleterre. Ils devraient donc être ici vers quatre heures, c'est cela ?

— C'est exact.

Ecartant sa chaise de la table, Evan se leva avec quelque difficulté, aidée par Margaret. Elle boitilla à travers le grand hall en direction de la bibliothèque. Elle était sortie de l'hôpital la veille, dans l'après-midi, après avoir promis au médecin de l'appeler si elle éprouvait une douleur inhabituelle. Bien sûr, celui-ci souhaitait prévenir d'éventuelles complications concernant le bébé. Il n'avait fallu que deux heures à Evan pour s'habituer au plâtre, sur sa jambe droite, mais sa côte cassée la faisait souffrir, surtout lorsqu'elle était assise et voulait se redresser. Elle avait eu de la chance. Elle frissonna en évoquant la façon dont les freins avaient lâché. Jonathan Ainsley était-il derrière tout cela ? Elle n'avait pas mentionné son nom devant Robin et décida de l'écarter de son esprit.

Quelques semaines auparavant, elle avait découvert les albums de photographies qui avaient appartenu à Emma. C'était des registres énormes, où son arrière-grand-mère avait patiemment réuni les instantanés et les portraits pris au fil des ans.

Joe les lui avait tous apportés dans la matinée. De nouveau, elle les feuilleta, captivée par la vue de ses ancêtres, la plupart du temps en noir et blanc, mais parfois en couleurs.

Fascinée, elle ouvrit le premier volume. La couverture, en panne de velours rouge, était mise en valeur par des coins et un fermoir en argent. A l'intérieur, de nombreuses légendes, rédigées par Emma, offraient une écriture nette et déliée.

L'homme qui séduisait le plus Evan était le frère aîné d'Emma, Winston, à dix-sept ans, en uniforme de la Royal Navy. Le cliché datait de la Première Guerre mondiale. Winston était l'arrière-grand-père de Gideon et Evan retrouvait en lui des traits de l'homme qu'elle aimait. Il n'était pas difficile de voir que Gideon avait hérité de lui la beauté des Harte.

374

Juste à côté, une légende flanquait un vide : « Mon père, le grand Jack Harte. » Evan ne put s'empêcher de se demander qui avait pris le tirage, et pourquoi. Un peu plus loin, elle trouva un instantané, sous lequel était écrit : « Mon père ».

Comme elle l'examinait, elle réalisa qu'il lui faisait penser à Toby, le frère de Gideon. Rien d'étonnant à cela ! Toby aussi était le fils de Winston, né du grand Jack. A côté, il y avait un portrait fané d'Elizabeth Harte, l'épouse de Jack et la mère d'Emma. Mon Dieu ! La jumelle de Robin, Elizabeth, lui ressemblait trait pour trait...

— Et moi aussi, murmura Evan. Robin avait raison, lorsqu'il disait que j'étais une vraie Harte, issue en droite ligne des parents d'Emma.

Avec lenteur et délicatesse, elle tourna les pages. Paul McGill, dans son uniforme militaire... Robin et Elizabeth enfants, avec leur père, Arthur Ainsley... Kit, le fils d'Emma et de Joe Lowther, son premier mari... Edwina, très élégante, vêtue à la mode des années vingt.

Dans le second recueil figuraient des photos de Kit, Robin et Elizabeth pendant la Seconde Guerre mondiale. Sa grand-tante était ravissante, avec sa somptueuse chevelure brune, dans son uniforme de la Croix-Rouge. Elle reconnut son arrière-grand-mère devant la Chambre des communes, en compagnie d'un couple élégamment vêtu. « Ma chère amie Jane Stewart Ogden et son époux, Bill », avait noté Emma.

Dans le troisième volume figuraient des photographies de Daisy, la fille d'Emma et de Paul McGill. Il y avait aussi un instantané d'Emma et de Paul ; sur un autre ils se trouvaient avec Daisy. Juste à côté, Evan reconnut Paula et Philip avec leur mère, Daisy, et leur père, Philip Amory.

Evan s'appuya au dossier de la chaise, ébahie par le nombre de photographies datant du début du XXe siècle. Les albums, vingt et un en tout, couvraient presque cent ans. Si j'étais écrivain, pensa-t-elle, je pourrais rédiger une saga familiale rien qu'en les parcourant !

Et voilà qu'elle portait en elle un autre Harte. Elle posa les mains sur son ventre et pensa au bébé. Sa conception était un accident, mais elle était heureuse d'être enceinte. Elle avait eu beaucoup de chance de ne pas le perdre... De nouveau, elle frissonna... Elle aurait pu se retrouver à la morgue...

Elle ferma les yeux. L'enfant allait bouleverser son existence. Elle espérait se marier avec Gideon, l'homme de sa vie. Elle ferait en sorte que les choses s'arrangent entre eux.

Robin se tint un instant sur le seuil de la bibliothèque et observa Evan. Il la trouvait vraiment ravissante, cet après-midi-là. En bien meilleure forme que la veille. Elle n'était plus si pâle et affaiblie, et ce chemisier bleu-gris lui allait à la perfection.

C'était une fille bien, il l'avait su dès le début. Elle était droite, sincère et franche comme l'or. Elle triompherait haut la main de la crise qu'elle traversait. Elle avait l'esprit pratique, les pieds bien sur terre, et il pensait qu'elle arriverait à aplanir les difficultés qu'elle rencontrait avec Gideon.

Il frappa à la porte ouverte et entra dans la pièce en s'exclamant :

— Te voici, Evan ! J'espère que je ne te dérange pas.

Elle leva les yeux vers lui, toute souriante.

— Vous êtes venu de bonne heure, Robin !

— Oui, mais je souhaitais passer quelques instants en tête-à-tête avec toi, avant l'arrivée de tes parents.

Il s'approcha de la table devant laquelle elle était assise et découvrit la pile des albums.

— Je vois que tu révises les classiques familiaux, dit-il en riant.

— Bien sûr ! Je trouve cela captivant.

Se penchant vers elle, Robin l'embrassa sur la joue, s'assit et continua :

— Je suis décidément ravi que tu attendes un enfant, Evan. Et bien que je t'aie dit que cela vous regardait, Gideon et toi, je me demandais si tu avais l'intention de lui en parler.

— Oui, mais je voudrais pouvoir choisir le bon moment.

Elle se pencha vers son grand-père, rayonnante.

— J'ai l'intention d'appeler le bébé Robin, que ce soit une fille ou un garçon. J'espère que vous n'y voyez aucun inconvénient.

376

Touché par la nouvelle, il répliqua :

— Bien sûr que non, ma chérie. Et maintenant, quels sont tes projets pour l'après-midi ? Quand tu m'as invité à prendre le thé, j'avoue avoir été un peu surpris... Que comptes-tu faire ?

— Je n'en sais trop rien, répondit-elle. Mais j'ai pensé que j'allais réunir tout le monde et... voir ce qui arrive.

— Très bien. Et quand tes parents ont-ils l'intention de repartir pour New York ?

— Je l'ignore. Quand je les ai appelés, après l'accident, ils étaient d'abord hystériques, jusqu'à ce que je les convainque que j'étais en un seul morceau, hormis quelques petits bouts cassés. Quand maman a compris que j'allais rester ici jusqu'à ce que je puisse bouger, elle a insisté pour venir. Je pense donc que pour l'instant, ils ont remis leur départ à plus tard. De toute façon, j'ai l'intention de retravailler dès cette semaine.

— Ne sois pas trop pressée, Evan. Je suis certain que Paula n'est pas le tyran que nous imaginons parfois. Je suppose que je suis la seule personne à savoir que tu es enceinte ?

— Oui, et je vous demande de garder le secret.

— Bien entendu. Tu as informé Gideon de ton accident, j'espère ?

— Oh oui, et il était bouleversé. Il m'a promis de venir dès qu'il le pourrait. Mais il est encore débordé. J'ai l'impression qu'il se trouve au centre de l'action, au journal.

— Je sais.

Robin toussota, puis prit la main d'Evan dans la sienne.

— Je ne veux pas t'inquiéter davantage, mais la police m'a appelé, ce matin. Elle a procédé à un examen soigneux de la voiture et a conclu que les câbles des freins ont été sectionnés.

Evan n'en fut pas surprise et hocha la tête.

— Quelqu'un les a donc sabotés ?

— C'est exact. Mais les enquêteurs disent n'avoir trouvé aucune empreinte. L'identification du coupable est, par conséquent, impossible.

Evan frissonna une nouvelle fois en pensant qu'elle aurait pu être tuée, ainsi que le conducteur de la carriole. Les yeux fixés sur son grand-père, elle dit doucement :

— Personne ne savait que j'allais prendre cette voiture…

Elle s'interrompit, frappée par l'inquiétude.

— En effet. J'étais sans nul doute le seul visé, ma chérie, c'est pourquoi je ne veux pas que tu te fasses trop de souci… Nul n'a voulu ta mort.

— Mais je m'en fais pour vous ! s'écria-t-elle.

— Rassure-toi, je t'en prie. Je vais bien et suis plus vigilant que jamais. A l'avenir, je serai extrêmement prudent, je te le promets.

— *Il…* était dans le coin ?

— Tu fais allusion à Jonathan, évidemment. Non, sa présence n'a pas été signalée, mais tu sais aussi bien que moi qu'il dispose de gars pour faire la sale besogne à sa place. Je suis certain qu'il les paie largement.

Evan regardait Robin en silence, émerveillée par sa dignité. Son cœur se gonfla de tendresse. Quelle épreuve ! Son propre fils s'efforçait de l'atteindre ! Elle se pencha en avant pour presser la main de son grand-père, puis se redressa, alertée par un bruit.

— Je suis venu aussi vite que j'ai pu ! s'exclama Gideon, sur le seuil de la pièce.

Il se précipita dans la bibliothèque, le visage tendu par l'anxiété, les yeux posés sur elle.

— Gideon, je ne t'attendais pas avant la fin de la semaine !

En deux enjambées, il était près d'elle et la prenait dans ses bras. Il la serra contre lui en faisant attention de ne pas lui faire mal.

— Je ne supportais pas l'idée que tu aurais pu être tuée, ma chérie. Pardonne-moi si je t'ai serrée un peu fort, Evan, dit-il en s'écartant légèrement d'elle pour scruter son visage. Comment va cette côte ? Je n'ai pas été trop brutal ?

— Pas du tout. J'ai eu de la chance, Gid. Je m'en tire bien. Cela aurait pu être pire.

— J'en ai conscience, ma chérie.

Se tournant vers Robin, Gideon lui tendit la main et déclara d'une voix vibrante de gratitude :

— Merci d'avoir veillé sur elle à ma place, oncle Robin, je t'en sais énormément gré.

Robin sourit et hocha la tête, content de l'arrivée inattendue de son petit-neveu.

— Assieds-toi, Gideon, suggéra Evan. Je veux te dire quelque chose.

A l'instant où il était apparu, elle avait pris une décision rapide...

Troublé, il s'installa près de Robin, de l'autre côté de la table.

— Tu as l'air bizarre... Ça ne va pas ?

— Si... Je suis enceinte. Je porte notre enfant, Gid.

Complètement sidéré, Gideon fixa la jeune femme sans mot dire pendant un moment. Puis il repoussa son siège, se leva d'un bond et alla vers elle. Debout, derrière la chaise de la jeune femme, il posa les mains sur ses épaules.

— Mon Dieu ! Tu attends un bébé ! C'est une merveilleuse nouvelle, Evan. Absolument merveilleuse !

Levant les yeux vers lui, elle vit qu'il était sincère. Ses prunelles vertes, souvent si froides, si critiques, étaient emplies de joie. Aucun doute n'était permis, pensa-t-elle, submergée par le soulagement.

— Pourquoi ne me l'as-tu pas dit avant ? demanda-t-il.

— Je ne voulais pas t'influencer, à propos de... *nous*, de notre *avenir*.

— Je comprends. Mais tu n'imaginais pas que je pourrais être fâché, n'est-ce pas ?

— Je ne savais que penser... Sauf que j'étais heureuse de porter ton enfant en moi, Gideon. Une part de toi qui grandit.

Il lui sourit, puis se pencha pour l'embrasser sur le front.

— Je suis *transporté*, Evan. Ravi et comblé. Je me sens tellement... béni par les dieux de t'avoir, mon cœur. Qu'en dis-tu, Robin ?

— Je suis aux anges, Gideon, et je sais que tes parents vont être aussi contents que moi.

— C'est vrai. Ils vont être au septième ciel.

Se tenant toujours derrière elle et les mains sur ses épaules, Gideon lança un regard très direct à Robin et demanda d'une voix basse :

— Qu'est-il arrivé aux freins de la Rover ? Evan m'a dit qu'ils avaient lâché ?

Robin laissa échapper un long soupir, et son visage s'assombrit et devint soucieux.

— Ne me dis pas qu'on les a sabotés !

Il y eut un bref silence. Robin hocha finalement la tête.

— La police m'a appris ce matin que les câbles avaient été sectionnés.

— C'est *incroyable*. Inutile de se demander pourquoi et comment pour l'instant, oncle Robin, mais tu dois être très prudent.

— J'en ai conscience. C'est ce que je disais à Evan, quand tu es arrivé. Mais ne restons pas là, ses parents ne vont pas tarder. Nous les attendons pour le thé.

Un instant pris de court, Gideon s'écria :

— Eh bien ! C'est ce qu'on appelle jeter un pavé dans la mare !

Evan sentait qu'elle avait changé. C'était à la fois subtil et profond. Cela résultait de l'accident, comme quoi un événement malheureux pouvait provoquer quelque chose de bon.

Dès le lendemain, elle s'était avisée de sa vulnérabilité. Elle était mortelle, ne maîtrisait pas complètement sa vie. On ne pouvait jamais prévoir les choses ni comment se préserver. Tout ce dont elle fût certaine, c'était qu'elle existait. De façon inattendue, elle avait réalisé qu'elle *était elle-même* et qu'elle se *connaissait*. Avec cette prise de conscience, lui était venue l'idée que nul ne pouvait mener son existence à sa place.

Au plus profond d'elle-même, elle avait compris qu'elle ne pouvait se laisser influencer par son père, par l'idée qu'elle se faisait de lui ou par le passé. Son histoire faisait partie d'elle, mais ne devait pas entacher son avenir.

Et ainsi, elle avait décidé d'être franche avec ses parents et honnête envers Gideon. C'est pourquoi, dès son arrivée, elle lui avait annoncé qu'elle portait leur bébé. Son irruption dans la bibliothèque l'avait prise au dépourvu, mais elle avait saisi l'occasion au bond… Quelle merveilleuse sensation de liberté procurait la vérité !

Elle se leva sans que Robin ou Gideon eût à se porter à son secours. Elle s'appuya à la table et fit quelques pas dans la pièce. Il lui fallait manœuvrer prudemment sa jambe plâtrée, mais elle appréciait de se tenir debout, car sa côte cassée la faisait moins souffrir qu'en position assise. Le pire, c'était lorsqu'elle était couchée.

Malgré tout cela, elle devait avoir un ange gardien, comme Linnet le lui avait dit en riant, la veille. Son bébé allait bien, et elle se sentait forte et pleine de vie. Elle ne tarderait pas à se remettre de l'accident.

Elle se réjouissait de la réaction de Gideon, à l'annonce de la vérité... Tout se passerait bien entre eux, désormais, elle en était certaine. Quant à son père, il finirait par découvrir le secret de sa naissance, un jour ou l'autre. Elle préférait prendre les devants.

Gideon interrompit sa conversation avec Robin.

— Tout va bien, mon cœur ?

— Très bien. J'avais besoin d'être debout, pour m'étirer. Ma cage thoracique a tendance... à faire l'intéressante.

Il se mit à rire, puis se retourna vers Robin et ils reprirent la conversation sur le thème du terrorisme. En tant qu'ancien membre du Parlement, Robin avait de nombreuses relations et disposait d'informations très sûres.

Debout près de la fenêtre, Evan les observa un instant, heureuse. Gideon serait père dans quelques mois, et Robin arrière-grand-père. L'arrivée de l'enfant serait bénie par l'ensemble des membres de la famille. L'échographie dirait s'il s'agissait d'un garçon ou d'une fille.

Soudain, elle perçut un bruit de moteur.

— Voici une voiture. Je pense que ce sont mes parents.

— Ils ne viennent pas en train ? s'étonna Gideon.

— Non. Papa a insisté, prétendant qu'il connaissait le chemin. Le soir où nous avons dîné ensemble, la première fois que je les ai revus à Londres, il m'a dit être venu dans le Yorkshire, enfant.

Robin parut sur le point de parler, puis se ravisa. La rejoignant près de la fenêtre, il entoura ses épaules de son bras.

— Laisse-moi deviner, ma chérie. Tu les as invités parce que tu comptes leur dire qui je suis, n'est-ce pas ?

— Pensez-vous que j'aurai à le faire, Robin ?

— Que veux-tu dire ?

— Mon père et vous vous ressemblez énormément. Tu ne trouves pas, Gideon ?

— Il n'y a pas de doute à ce sujet, répliqua-t-il. Et nous formons un comité d'accueil bien grave, à les attendre ainsi, debout dans la pièce.

Evan s'appuya contre Robin.

— Pour l'instant, je me sens mieux ainsi.

Margaret parut sur le seuil.

— Bonjour, Gideon. Je ne savais pas que tu étais ici.

— Je me suis glissé telle une petite souris, rétorqua-t-il, jovial, comme à l'habitude.

— C'est bien vrai ! Vos parents sont là, mademoiselle Evan, je leur ai montré leur chambre. Ils se rafraîchissent avant de descendre. Je leur ai expliqué où se trouve la bibliothèque. J'apporte tout de suite le thé ; ils doivent mourir de soif et de faim.

— Merci, Margaret.

La gouvernante s'en alla aussitôt, tandis que Gideon se précipitait vers la cheminée.

— Je vais débarrasser la table basse, marmonna-t-il.

Il retira un cendrier, un vase de fleurs et un livre, qu'il déposa à côté, puis disposa deux chaises près du canapé.

— Là, fit-il avec satisfaction. Ainsi, nous pourrons nous asseoir tous les cinq et former un cercle.

Margaret revint avec un grand plateau sur lequel se trouvaient la théière et les tasses. Elle posa le tout sur la table et déclara :

— Je reviens avec des sandwichs, des pains au lait et un de mes biscuits de Savoie à la crème.

— J'en ai l'eau à la bouche, dit Gideon en lui décochant un sourire charmeur. Ta spécialité à la crème et à la confiture n'a pas sa pareille dans le monde entier.

— Tu as toujours été un flatteur, lança-t-elle en quittant la pièce.

Elle revint quelques instant plus tard avec un second plateau, qu'elle casa sur le bureau.

— Voulez-vous que je reste pour servir, mademoiselle Evan ?

— Nous nous arrangerons, Margaret, merci. Merci pour tout.

— Je suis champion pour servir le thé et les gâteaux, intervint Gideon.

Margaret hocha la tête et repartit en direction de la cuisine.

— Je suis content d'être le témoin de cet événement, Evan, dit Gideon. Comment vas-tu t'y prendre ?

— Je ne sais pas... à l'instinct, sans doute.

— La décision te revient, ma chérie, dit Robin. Ne le fais pas pour *moi*...

— Je veux le faire pour moi, pour l'enfant, pour Gideon et pour *vous*, Robin. La vérité est importante pour nous tous, non ? Encore plus maintenant que j'attends un bébé.

— Certainement, répliqua Robin en jetant un coup d'œil à Gideon. Je suis sûr que tu es d'accord ?

— Bien entendu. Et tu vas aussi leur dire que tu es enceinte, Evan ?

— Peut-être.

— En ce cas... puisque nous sommes fiancés, je souhaite t'épouser le plus vite possible. Dis oui, je t'en prie.

— Oui !

— Enfin ! Nous allons nous marier !

Robin sourit. Ils allaient être heureux ensemble, ces deux-là, s'il connaissait quelque chose à la nature humaine. Ils étaient très bien assortis.

A cet instant, Owen et Marietta parurent sur le seuil de la bibliothèque. Ils scrutèrent l'immense pièce d'un air hésitant.

— Papa ! Maman ! Entrez ! s'écria Evan en boitillant dans leur direction. Je suis si contente de vous voir !

Sa mère se précipita vers elle, mais l'embrassa avec précaution.

— Je sais tout de tes blessures, lui murmura-t-elle à l'oreille. Grâce au ciel, tu vas bien, Evan ! Je me suis fait tellement de souci !

— Je suis en pleine forme, maman.

Un instant plus tard, son père lui déposait un baiser sur la joue en lui prenant la main. Son regard bleu, empli de chaleur et d'affection, se posa sur son visage.

— Nous sommes heureux de te retrouver, ma chérie ! Es-tu sûre qu'il n'y a pas de problème et que tu ne souffres d'aucune lésion interne ?

— Mais non, papa ! Les médecins ne m'auraient pas laissée sortir de l'hôpital, si c'était le cas.

Gideon se dressa soudain à son côté. Il embrassa Marietta et serra la main d'Owen.

— Je suis ravi de vous revoir, monsieur et madame Hughes. Soyez les bienvenus à Penninstone Royal.

Marietta lui réserva son plus beau sourire.

— Nous sommes enchantés d'être ici. Nous...

Elle s'interrompit à la vue de Robin, qui se tenait près de la cheminée. Elle le fixa quelques secondes, puis jeta un coup d'œil à son mari.

Evan, qui n'avait rien perdu du manège, saisit l'occasion au vol.

— Je veux te présenter quelqu'un, papa, dit-elle en lui prenant la main et en le conduisant jusqu'à Robin. Voici Robin Ainsley, le fils d'Emma. Grand-père, je veux que vous fassiez enfin la connaissance de votre fils. Papa, j'espère ne pas t'infliger un choc trop sévère, mais Robin est ton père... Glynnis et lui étaient ensemble, pendant la guerre.

Robin tendit la main.

Owen la prit. Les deux hommes échangèrent un long regard, tandis qu'Owen se reconnaissait en celui qui lui faisait face. Il fut incapable de proférer un mot et Robin dut rompre le silence :

— Nous nous sommes rencontrés une fois, dit-il en lâchant la main d'Owen. Mais cela fait si longtemps que vous devez l'avoir oublié. Cela s'est passé ici, dans cette maison, avec ma mère, votre grand-mère, Emma Harte. Glynnis... votre mère vous avait amené pour voir Emma et je suis passé par hasard. Vous en souvenez-vous ?

Owen le fixait avec intensité.

— Vaguement, répondit-il. Nous étions venus dans le Yorkshire parce que maman adorait la région. Nous devions prendre le thé ici, oui, je me le rappelle. Mais j'ignorais... que vous étiez mon père. Je croyais que c'était Richard Hughes.

— Vous aviez raison, Owen ! Il vous a élevé et chéri comme son propre fils. Il a été un père magnifique. Vous devez le comprendre.

Owen se contenta de hocher la tête.

A cet instant, Marietta s'approcha de lui.

— Je vous présente mon épouse, dit très vite Owen.

— Je suis ravi de faire votre connaissance.

— Mon Dieu ! s'exclama Marietta. J'ai toujours cru qu'Owen ressemblait à Richard, mais il est votre portrait tout craché.

Evan s'était comportée de façon si remarquable que Gideon avait été saisi d'étonnement. Elle s'était aussi montrée très courageuse. Elle avait dit les choses à haute et intelligible voix, sans laisser aucune place au doute ou à la spéculation, et cela avait marché. Peut-être à cause de sa sincérité, de sa simplicité.

Et maintenant, elle était étendue sur le lit jumeau, près du sien, soutenue par des oreillers, baignée par la lueur du jour naissant. Elle s'était soudainement sentie si fatiguée qu'il l'avait aidée à gagner sa chambre et était resté auprès d'elle. Il y avait deux raisons à cela... D'abord, il ne voulait pas la laisser seule, ensuite il avait beaucoup souffert de la solitude, ces derniers temps. Leurs divergences avaient creusé un fossé entre eux... Aujourd'hui, grâce au ciel, il était comblé. Quoi qu'il arrivât dans leur vie, par la suite, cela ne se reproduirait jamais.

Gideon se souleva sur un coude et regarda le visage d'Evan. Elle était calme, dans le repos, et ravissante. Comment avait-il pu douter d'elle ?

Lorsqu'il l'avait rencontrée, neuf mois auparavant, il avait immédiatement compris qu'elle était différente des femmes qu'il avait connues. Elle était franche, intelligente et droite. Récemment, il avait été déçu par ses hésitations et son attitude envers son père. Mais après tout, n'était-il pas naturel qu'elle l'adorât ?

Il écarta une mèche de cheveux qui masquait son visage. Elle battit des paupières et le regarda droit dans les yeux.

Il la fixait, un léger sourire aux lèvres, ses prunelles vert clair emplies d'amour.

— Un penny pour tes pensées, Gideon Harte.

— C'est simple, je songeais à quel point je t'aimais, ainsi que l'enfant qui grandit en toi, ajouta-t-il en posant la main sur son ventre.

Un sourire heureux éclaira le visage de la jeune femme et ses yeux prirent un éclat particulier.

— Moi aussi, dit-elle.

— Evan chérie, je suis vraiment navré de m'être montré si désagréable, ces dernières semaines ! M'as-tu pardonné ?

— Il n'y a rien à pardonner. Je n'étais pas, moi-même, très facile.

— Aujourd'hui, tu t'es montrée courageuse en parlant à ton père.

— C'est parfois un moment pénible, mais finalement, on s'aperçoit que cela vaut le coup et que c'était la seule chose à faire. Quelle honte, si quelqu'un d'autre que moi avait fini par tout lui révéler ! Il aurait eu le sentiment d'avoir été... *trahi*. J'en suis certaine.

— Il n'a pas bougé un cil quand tu lui as annoncé que nous attendions un enfant et allions nous marier en janvier. Tu espérais que tes parents assisteraient à la cérémonie, parce que ce ne sera pas la même chose s'ils sont absents, mais tu leur as annoncé cela froidement. Moi-même, j'ai été pris au dépourvu !

— Je devais garder le ton le plus neutre possible, pour que l'émotion ne s'en mêle pas et ne fasse pas obstacle à ce que j'avais à dire.

— Ton père a très bien pris la nouvelle, je dois l'avouer. Quant à ta mère, elle était véritablement au septième ciel ! Elle n'arrêtait pas de parler de son premier « petit-fils » et à la fin, ton père lui-même ne pouvait s'empêcher de sourire. Et il n'a posé aucune question... Mais j'en ai une, ma chérie.

— Laquelle ?

— Pourquoi janvier ? Pourquoi ne pas nous marier avant ?

— Cela me plairait bien, Gid, mais nous n'avons pas le droit de faire de l'ombre à Linnet. Même si nous procédions discrètement à la mairie, ou si nous faisions une fugue amoureuse, nous éclipserions en partie son mariage avec Julian, tu ne crois pas ?

— Tu as raison. Mais tu auras l'air... très enceinte, quand nous échangerons nos serments.

Evan gloussa.

— C'est sûr ! Mais je m'en moque et de toute façon, je veux quelque chose de sobre. Juste ta famille et la mienne.

— La mienne est nombreuse et d'ailleurs, c'est aussi la tienne.

— C'est vrai. Il y a autre chose, Gid. Les gens ont peur de prendre l'avion, en ce moment.

— Je comprends... Tes sœurs peuvent refuser de traverser l'Atlantique, à cause des menaces terroristes.

— Exactement.

— Eh bien, va pour janvier, alors.

Gideon jeta un coup d'œil à sa montre.

— Je vais descendre voir ce qui se passe.

— Je crois que je vais t'accompagner. J'aimerais assez savoir comment les choses ont tourné, entre Robin et papa.

Marietta, Owen et Robin étaient tous trois assis devant la cheminée du grand hall. Un peu plus tôt, Evan l'avait appelé *grand-père*, pour bien mettre les choses au point. Maintenant, elle se demandait s'il accepterait qu'elle s'adressât toujours à lui de cette façon. Elle le lui demanderait plus tard, lorsqu'ils seraient seuls.

Trois paires d'yeux se tournèrent vers Gideon et Evan quand il l'aida à s'asseoir dans un fauteuil.

— Ce plâtre doit te gêner pour bouger, remarqua Marietta.

— C'est assez fatigant, confirma Evan.

Ses yeux allèrent de Robin à son père et elle s'excusa :

— Je me suis montrée un peu brutale, tout à l'heure, papa, mais c'était la seule façon de te dire la vérité, au sujet de Robin et de Glynnis.

Owen se leva pour l'embrasser sur le front.

— Tu as fait ce qu'il fallait, Evan. Ce n'était plus qu'une question de temps avant que je sache à quoi m'en tenir, et il valait mieux que cela vienne de toi, ma chérie. Ta mère et Robin le pensent aussi. Et je suis un homme fait, pas un enfant, je peux supporter la réalité, même si elle est très inattendue et stupéfiante.

— Je sais, papa.

Gideon intervint.

— Malheureusement, je vais devoir m'en aller, Evan.

— Mais la route est si longue ! Tu vas être épuisé !

— Non. Je prends l'hélicoptère à l'aéroport de Yeadon. Je serai à Londres en un clin d'œil. Ne t'inquiète pas, mon cœur, dit Gideon en embrassant Evan sur la joue. Je t'appellerai dans la journée.

— Très bien, alors, répliqua-t-elle en souriant.

Elle déposa un baiser sur le bout de ses doigts, qu'elle pressa ensuite contre la bouche de Gideon.

— Je t'aime, Gid.

— Moi aussi.

Il prit congé des autres et partit. Se laissant aller contre le dossier rembourré, la jeune femme goûta le confort de la pièce spacieuse, la chaleur du feu, dont les flammes projetaient sur les murs leur lueur vacillante. Elle était bien, ici, malgré les vastes proportions du hall et la hauteur du plafond. Elle se sentait détendue et heureuse, assise avec ses parents et Robin... sa famille.

Tous trois buvaient un cocktail en bavardant. Evan sirotait un jus d'orange, pensant au bébé, à Gideon, à leur avenir... La joie qui la submergeait lui paraissait presque trop belle pour être vraie.

Margaret annonça bientôt que le repas était servi dans la petite salle à manger. Owen aida sa fille à se lever, puis Robin les guida, tout en entretenant Marietta de chevaux. Evan ignorait que sa mère s'intéressait à eux ou aux courses. Mais tant de choses lui échappaient, à son propos ! Quant à son père ! Cet après-midi, ne leur avait-il pas dit qu'il connaissait la maison et y avait rencontré Robin ? Pourquoi tant de mystères ? Eh bien, Evan devinait la réponse à la question...

Après le dîner, se sentant exténuée, elle s'excusa auprès des deux hommes et demanda à sa mère de l'accompagner jusqu'à sa chambre. Dès qu'elle fut déshabillée et couchée, Marietta s'assit au bord du lit et lui prit la main.

— Je suis heureuse que tu aies parlé à ton père, surtout au sujet de Robin. Il fallait qu'il sache.

Fronçant les sourcils, Evan observa Marietta, avant de dire lentement :

— Tu dis cela bizarrement, maman, comme si *toi* tu étais déjà au courant.

Marietta hésita une fraction de seconde, avant de répondre :

— Je le savais, mais je n'en ai jamais parlé.

Evan ouvrit de grands yeux et se rapprocha de sa mère.

— Qui te l'avait dit ? Question stupide... C'est grand-mère, n'est-ce pas ?

— Oui. Elle m'a tout révélé, mais pas avec des mots.

— Je ne comprends pas.

— Bien sûr. Accorde-moi une minute, je reviens.

Marietta se leva et sortit de la chambre. Evan eut à peine le temps de repenser aux confidences de sa mère, qu'elle était déjà de retour et refermait doucement la porte derrière elle. Elle portait un paquet qu'elle déposa sur les genoux d'Evan.

Celle-ci baissa les yeux sur l'emballage de papier kraft.

— Qu'est-ce que c'est ?

— Des lettres d'Emma Harte à Glynnis. Glynnis les avait gardées et l'une des dernières choses qu'elle m'a demandées a été de les retirer de son appartement. Elle voulait *te* les donner. Elle m'a fait promettre de ne pas la trahir et bien sûr, j'ai tenu parole.

— Tu les as lues ?

— La plupart d'entre elles, oui. Le paquet n'était pas fermé, il ne l'est toujours pas. J'avais l'intime conviction que Glynnis ne s'en formaliserait pas... Nous étions proches l'une de l'autre. Ta grand-mère m'aimait et avait confiance en moi.

— Je l'ai toujours su, maman. Donc, tu avais appris que papa était le fils de Robin.

Marietta soupira.

— Oui... et d'autres choses, aussi. Mais prends, c'est pour toi.

Evan se laissa aller contre les oreillers.

— Pourquoi voulait-elle que je sache tout ?

— Certainement pour se libérer... Elle désirait que tu connaisses la vérité sur elle, sur sa vie et sur l'héritage de ton père. Cette correspondance est à toi, désormais, ma chérie, conclut Marietta en se penchant pour embrasser Evan. Lis-la quand tu en éprouveras le désir... Mais rappelle-toi qu'elle n'est destinée qu'à toi.

— Je comprends, maman, et je te remercie de me l'avoir apportée. Tu es sûre que papa n'est pas au courant ? Il n'a pas eu l'occasion de la parcourir, quand tu étais absente ?

— Oh non ! Je l'avais mise au coffre, à la banque.

Evan ne put s'empêcher de rire.

— Tu ne cesses de me surprendre, maman !

Dès qu'elle fut seule, Evan ouvrit le paquet, malgré la fatigue. Lorsqu'elle eut retiré le papier, elle trouva une grosse boîte de carton remplie de missives. Elle en sortit une au hasard et se plongea dedans. Elle poursuivit sa lecture deux heures durant, assimilant les informations qu'elle découvrait. Cela la surprenait parfois et lui faisait venir les larmes aux yeux.

Finalement, exténuée, elle abandonna et éteignit la lumière. Elle eut le sommeil agité, et ses rêves furent hantés par Emma, Glynnis et tous les événements qui s'étaient déroulés plus de cinquante ans auparavant...

DEUXIÈME PARTIE

EMMA ET GLYNNIS

Eté 1950

« *L'amour est une brèche dans un mur, un portail cassé,
par où rentre ce qui ne repartira pas ;
l'amour livre la citadelle du cœur fier au destin.* »

L'Amour, Rupert Brooke, 1913

29

Quand Emma vit le timbre, une foule de souvenirs chaleureux affluèrent dans son esprit. Pays de Galles. Elle sut immédiatement qui lui écrivait, car elle reconnaissait aussi l'écriture. Elle ouvrit l'enveloppe sur-le-champ, avec un plaisir anticipé, et lut rapidement :

27 mai 1950

Chère madame,
Je suis dans la vallée du Rhondda, où je rends visite à ma famille. Ce serait merveilleux de tous vous revoir, et je projette donc de passer par Londres. J'espère que vous aurez le temps de déjeuner ou de prendre une tasse de thé avec moi. Je serai à l'hôtel Hyde Park, où j'espère arriver vers la fin de la semaine prochaine.
Avec toute mon affection.

Glynnis

Emma mit la lettre de côté, puis prit une feuille de papier et écrivit :

1ᵉʳ juin 1950

Chère Glynnis,
Quelle charmante surprise, que d'avoir de vos nouvelles ! Je suis ravie d'apprendre que vous vous trouvez sur nos rivages et serai très heureuse de vous revoir, après toutes ces années. En fait, je meurs d'impatience ! S'il vous plaît, téléphonez-

moi dès votre arrivée à Londres et nous déjeunerons ensemble.

Avec toute mon affection.

EH

Emma plia la missive en deux, la mit dans une enveloppe sur laquelle elle inscrivit l'adresse et y ajouta un timbre. Elle la fixa un instant. La perspective du rendez-vous lui procurait un immense plaisir. Son ancienne secrétaire lui manquait... Elle regrettait sa beauté, son charme et sa grâce, sa jolie voix teintée d'un léger accent gallois. Elle ne put s'empêcher de se demander à quoi elle ressemblait, aujourd'hui. Elle ne lui avait pas envoyé de photographie depuis longtemps.

Repoussant sa chaise, Emma se leva et s'approcha de la grande fenêtre qui donnait sur la lande. La journée était magnifique, chaude et ensoleillée, le ciel avait la couleur bleue des véroniques.

On était au début du mois de juin et si le temps voulait bien se maintenir, l'été serait délicieux. Emma l'espérait, car le précédent avait été pluvieux, au point qu'il lui avait semblé, parfois, vivre au milieu d'une forêt de gouttes.

Cette année, elle comptait rester dans le Yorkshire, à l'exception d'un séjour à la villa Faviola, dans le sud de la France. C'était une nécessité.

La guerre était terminée depuis cinq ans, pourtant il restait bien des travaux à faire. La maison avait souffert pendant la guerre et les Allemands, qui l'avaient longuement occupée, l'avaient laissée en très mauvais état. Emma avait fait faire quelques réparations, mais c'était loin d'être achevé.

Peut-être irait-elle en août ou en septembre. Blackie lui avait promis de l'accompagner. Elle avait grand besoin de ses compétences et de son habileté. Elle se moquait souvent de lui, prétendant qu'il était resté maçon dans l'âme depuis qu'ils s'étaient rencontrés, quarante-cinq ans auparavant. Il ne faisait qu'en rire, appréciait même ses plaisanteries. Il se rappelait cette époque avec nostalgie. En ce temps, ils étaient pauvres, mais faisaient des projets et cherchaient à améliorer leur sort.

Jetant un coup d'œil à sa montre, Emma constata qu'il n'était que onze heures du matin. Il était temps d'aller se promener dans la lande... Se détournant de la vue magnifique, elle traversa le petit salon du premier étage, s'assit une fois de plus à son bureau et termina sa correspondance. Après avoir appelé le magasin de Leeds et téléphoné à sa secrétaire, à Londres, elle gagna sa chambre pour changer de chaussures.

Un instant plus tard, elle descendit l'escalier, traversa le hall et alla à la cuisine. Elle ouvrit la porte à la volée.

— Bonté divine ! Vous m'avez fait sursauter, madame Harte, s'exclama Hilda. Vous m'avez fait peur, ça oui !

— Je suis désolée, Hilda. Je voulais vous dire que je vais prendre l'air. Je déjeunerai vers une heure et demie. Cela vous convient ?

— Très bien, madame. J'ai prévu une plie, avec des pommes de terre sautées, des petits pois et un chou-fleur du jardin cuit à la vapeur, comme vous l'aimez, avec une sauce au persil. Cela vous plaît-il, madame ?

— Je vais me régaler, Hilda. A mon retour, nous déciderons du menu de demain. M. O'Neill vient dîner, comme chaque vendredi, et je suis sûre que vous lui confectionnerez quelques-uns de ses mets favoris. Il y aura aussi Mlle Daisy, avec M. Amory et la petite Paula.

Un grand sourire fendit le visage d'Hilda.

— Oh, madame, c'est un beau petit bout, vous ne trouvez pas ? Nous l'adorons tous.

— C'est une enfant adorable, sans aucun doute. Mais elle le sait.

Hilda se mit à rire, puis retourna à ses fourneaux, pensant au dîner du lendemain.

En marchant vers la lande, qu'elle avait déclarée sienne lorsqu'elle n'avait que dix ans, Emma regardait autour d'elle, admirant la froide beauté du paysage. D'aucuns le trouvaient rude et hostile, mais elle le voyait avec des yeux différents, et y puisait réconfort et repos. Elle avait tiré sa force et sa détermination de cet environnement implacable. Elle ne s'y sentait jamais seule ou triste. Au contraire, elle parvenait toujours à la paix, parmi ces collines qui l'avaient vue naître.

Gravissant la pente d'un bon pas, elle remarqua que l'herbe était sèche et décolorée ; mais c'était toujours le cas, à cette époque de l'année. A la fin du mois d'août, la bruyère commencerait à fleurir et couvrirait les collines d'un manteau de pourpre. La brise ferait alors onduler un océan scintillant.

Emma parvint enfin à son coin préféré, au sommet, et s'assit sur la grosse pierre qui se trouvait dans la niche créée par deux rochers géants. L'immense monolithe de l'ère glaciaire la dominait de sa masse. Elle s'en était toujours émerveillée. Abandonnées là par la nature des milliers de siècles auparavant, les deux excroissances rocheuses ressemblaient à une sculpture, taillée par quelque main toute-puissante. Plus bas s'étendait le panorama splendide et familier qu'elle connaissait si bien : la lande à perte de vue, puis la vallée verdoyante où la rivière traçait un sillon argenté, sous le soleil étincelant du mois de juin.

Emma inspira à pleins poumons le parfum qui montait de la flore... Il lui emplissait les narines, la ramenait dans son enfance. Elle ferma les yeux et évoqua un instant sa mère, qui avait elle aussi adoré la lande. Et plus spécialement le « sommet du monde ». Un jour, elle y retournerait... Elle s'y était rendue tant de fois en compagnie de sa mère, puis avec Edwin Fairley ! Il y avait si longtemps... Elle n'était alors qu'une jeune fille naïve et bien trop confiante. Elle perçut le bourdonnement des abeilles qui dansaient au-dessus des ajoncs et des fleurs. Quand elle rouvrit les yeux, elle vit les linottes et les alouettes tournoyant dans le ciel. C'était une journée magnifique, embaumée et douce.

Elle referma les paupières et se laissa dériver, perdue dans ses pensées. L'image de Paul s'imposa à elle. Cela arrivait plusieurs fois par jour, puisqu'il était dans son cœur à jamais. Son humour irrévérencieux, son amour, son charme irrésistible, sa malice lui manquaient... Son départ avait laissé en elle un vide presque insupportable.

Elle se fixa soudain sur son fils Robin et éprouva une brusque flambée de colère contre lui, au souvenir de son idylle avec Glynnis. Elle devait faire très attention. Il ne fallait pas qu'il apprenne que la jeune femme se trouvait à Londres... Il risquerait de vouloir la voir.

Mais ce n'était peut-être pas un problème, après tout. Longtemps auparavant, Glynnis avait affirmé qu'elle ne voulait plus entendre parler de lui tant il s'était mal conduit à son égard, lui brisant le cœur. Elle avait épousé son GI, Richard Hughes, qui élevait le fils de Robin comme le sien. Il incarnait tout ce qu'une femme pouvait désirer... C'était un homme bien, un époux affectueux, qui l'acceptait telle qu'elle était et l'adorait. Glynnis avait eu de la chance.

— Tu es en pleine forme, Blackie, dit Emma en l'observant franchement. Tu es tout à fait... splendide. Oui, c'est le mot qui convient pour te décrire. Je devrais peut-être dire *superbe*. Tu portes un beau costume.

Rejetant la tête en arrière, Blackie éclata d'un rire tonitruant. Lorsqu'il eut retrouvé son sérieux, il lui lança un regard perspicace.

— La flatterie ne te mènera nulle part, *mavourneen*. Si je ne te connaissais pas aussi bien, je dirais que tu as une idée derrière la tête.

— Ne sois pas stupide ! Bien sûr que non !

— C'est bien ce que je disais, Emma, ma douce. Ainsi que tu le sais parfaitement, tout ce que j'ai est à toi. Je t'aime, Em.

— Moi aussi, Blackie. Quand je pense à toutes ces années durant lesquelles nous avons été amis ! Presque notre vie entière, en fait.

— Ouais, et j'avoue que tu étais un sacré brin de fille. Tu n'avais que les os sur la peau, mais tu étais divine, ma chérie ! Tu ressemblais à une fleur rare poussant parmi les mauvaises herbes de Fairley Hall. Cela fait presque cinquante ans aujourd'hui, continua-t-il avec un soupir, et tu es toujours aussi jolie, ajouta-t-il, après l'avoir gratifiée d'une œillade approbatrice. Te voilà apprêtée pour aller au bal, non ?

Elle lui sourit avec indulgence.

— Non, pas pour le bal. Quand tu m'as annoncé que tu arriverais de bonne heure, j'ai pensé que mieux valait me préparer pour la journée et la soirée, pendant que j'y étais.

— Tu es toujours aussi élégante, Emma. J'ai appris par Winston que les félicitations étaient à l'ordre du jour ?

Elle le regarda sans comprendre.

— Ton frère m'a dit que la Yorkshire Consolidated Newspaper Company avait pris le contrôle du *Yorkshire Morning Gazette*. Il t'appartient, désormais, Emma. Finalement, tu as vaincu Edwin Fairley, ma chérie.

— Tu savais que j'y parviendrais, non ? fit-elle d'un ton vibrant.

Elle le fixait avec une sorte de défi empreint de méfiance.

— Tu t'étais mis en tête d'avoir cette société contre vents et marées. Alors dis-moi…

— J'ai été très patiente et j'avais un adversaire mou. Mes journaux sont en pleine expansion, dans le Nord, et nous avions déjà énormément affaibli notre concurrent, dont le tirage avait beaucoup baissé, comme celui d'un certain nombre d'autres. A vrai dire, Blackie, la *Gazette* perdait de l'argent depuis la fin de la guerre et de toute façon, je l'avais mise au tapis.

Blackie tira sur son cigare et l'observa pensivement.

— Délibérément ? demanda-t-il.

— Evidemment. Et sans aucun scrupule. Edwin Fairley n'a jamais été très compétent, en affaires. C'est un bien meilleur avocat. Il aurait dû s'en tenir à cela, à mon avis.

— Winston m'a dit qu'Edwin avait vendu une grande partie de ses actions. C'était stupide. Il a affaibli sa position, non ?

Emma acquiesça.

— Il n'en a pas tiré grand bénéfice. En revanche, il a eu le tort de conserver son poste de président. C'était *vraiment* une erreur.

— Pourquoi ?

— Parce que sa situation était très fragile et que ses actionnaires lui en voulaient, mais il ne leur a accordé aucune attention. Il pensait qu'il avait raison. Il n'a pas compris qu'ils

400

n'étaient loyaux qu'envers leur compte en banque. Je leur ai fait une offre très avantageuse, j'ai proposé de mettre en place une nouvelle direction, mais c'est l'argent qui a emporté le morceau. Evidemment. *L'argent parle*, Blackie, c'est toi qui me l'as appris quand je n'étais qu'une gamine.

Il lui sourit, se leva et gagna la balustrade de la terrasse. Pensif, il contempla un long moment la pelouse. Se retournant brusquement, il dit très vite :

— Winston m'a appris qu'Edwin t'avait finalement cédé ses parts ?

— Il n'avait pas d'autre choix.

— Winston prétend que tu as réussi un beau coup, et je suis d'accord avec lui, mais je suis surpris que tu n'aies pas participé à ce conseil d'administration.

— Pourquoi y serais-je allée, puisque Winston me représentait ?

— Pour assister à la défaite d'Edwin, Em.

Les beaux yeux verts se firent aussi durs que le silex. Emma se redressa sur son siège, releva fièrement la tête et déclara d'une voix glaciale :

— Il y a quarante-cinq ans, j'ai dit à Edwin Fairley que je ne voulais jamais le revoir, aussi longtemps que je vivrais, et j'ai tenu parole. Tu ne crois tout de même pas que j'ai envie de le croiser maintenant ? Est-ce ce que tu imagines, Blackie ? Toi, mon seul véritable ami ?

— Sans doute pas, murmura-t-il.

Les souvenirs se pressaient dans sa mémoire. Lui-même avait failli cravacher Edwin Fairley à cause de ce qu'il avait fait à Emma. Des années durant, il avait regretté de ne pas l'avoir fait. Edwin le méritait.

— L'eau a passé sous les ponts, reprit Emma. Cependant, Winston m'a rapporté quelque chose de bizarre. Lors de ce conseil, Edwin lui a paru satisfait, m'a-t-il dit. J'ai trouvé cette appréciation pour le moins étrange et je lui ai répondu qu'il avait dû lire le *soulagement* dans les yeux d'Edwin.

— Je ne peux pas imaginer qu'il y ait trouvé un quelconque plaisir, Emma. La *Gazette* appartenait à sa famille depuis trois générations…

Emma se mit à rire.

— Du *soulagement*, Blackie. J'ai ôté un fardeau des épaules d'Edwin, et pour la seconde fois.

— Exact, *mavourneen*, répliqua doucement Blackie, le visage impassible.

A cet instant, il songea qu'Edwin avait effectivement été libéré, mais pas dans le sens où Emma l'entendait.

— Grand-mère ! Grand-mère ! Je suis là ! fit Paula de sa voix flûtée.

L'enfant de cinq ans courait le long de la terrasse sur ses petites jambes potelées, sa robe d'été flottant autour d'elle, toute souriante.

Se levant d'un bond, Emma se précipita vers sa petite-fille.

— Pas si vite, ma chérie. Je ne veux pas que tu tombes !

Elle se pencha pour l'attirer contre elle et l'embrassa.

— Va plus doucement, mon trésor.

La fillette la regarda gravement, puis gigota pour lui échapper et trotta en direction de Blackie.

— Bonjour, oncle Blackie !

Ravi, ce dernier caressa les boucles brunes.

— Tu es la plus belle des petites filles, *mavourneen*, murmura-t-il, ses yeux noirs emplis d'affection.

— Shane ! Je veux Shane, oncle Blackie. Où est Shane ? demanda-t-elle.

— Il est à l'école, ma chérie.

— Il pourra venir jouer, demain ?

— J'en suis certain, Paula.

Elle frappa des mains.

— Oh ! Chic !

Comme Emma s'approchait d'eux, Blackie leva la tête et sentit sa gorge se serrer. Même de si près, il avait cru la voir jeune fille, l'espace d'un instant... Ses cheveux roux étincelaient au soleil et elle lui paraissait aussi belle que lorsqu'il l'avait rencontrée, créature famélique, dans cette lande envahie par le brouillard. Ensuite, il l'avait suivie jusqu'à cette lamentable demeure de Fairley Hall. Il frissonna involontairement en évoquant cette époque.

Emma s'immobilisa et fronça les sourcils.

— Tu as l'air bien triste, Blackie. Quelque chose ne va pas ?

— Plus maintenant, *mavourneen*, plus maintenant, dit-il en lui souriant au-dessus de la tête de Paula. Sache que tu es toujours ma gamine de la lande, et que tu le resteras jusqu'à ma mort, ajouta-t-il en l'embrassant sur la joue.

30

Dès que Glynnis franchit le seuil de son bureau, Emma eut le sentiment qu'elle n'en était jamais partie. En un instant, le temps s'abolit et dix années s'évaporèrent. Les souvenirs affluèrent à sa mémoire tandis qu'une boule se formait dans sa gorge.

Elle se leva et traversa la pièce. Elles s'embrassèrent avec affection. S'écartant de Glynnis, elle la regarda bien en face et sourit.

— C'est à peine si vous avez changé, Glynnis ! s'exclama-t-elle. Vous êtes la même, peut-être un peu plus mince, mais toujours aussi ravissante.

— J'ai quelques années de plus, madame Harte, mais je vous remercie. Quant à vous, vous n'avez pas vieilli.

Emma gloussa et guida sa visiteuse vers le petit coin salon, aménagé dans un angle.

— Je vais vous confier un secret, dit-elle en s'asseyant en face de Glynnis, j'ai eu soixante ans en avril, mais je ne m'en aperçois pas. En fait, je me sens l'âme d'une jeune femme.

— Et c'est ce que vous paraissez, répliqua Glynnis avec sincérité.

— Je voulais vous inviter à déjeuner, ma chère Glynnis, mais vous m'avez dit que vous préfériez que nous prenions le thé. Vous avez fait allusion à une difficulté, à ce sujet, par téléphone. Est-ce grave ?

— Oh, non, madame Harte. C'est seulement que... Eh bien, voyez-vous, j'ai amené Owen avec moi, en Angleterre.

404

Mes parents ne l'ont pas vu depuis qu'il était bébé, si bien qu'il est avec moi, à Londres. Le déjeuner est son repas préféré, c'est la seule raison pour laquelle j'ai suggéré le thé.

Emma secoua la tête en riant.

— Il aurait pu déjeuner avec nous, vous savez. N'oubliez pas qu'il est aussi *mon* petit-fils. Je suis bien contente que vous l'ayez amené. C'était un nourrisson, la dernière fois que je l'ai vu.

— C'est un gentil petit garçon, je suis fière de lui... Il ressemble beaucoup à Robin, ajouta-t-elle d'une voix étouffée, après une hésitation.

Les yeux verts d'Emma brillèrent d'intérêt.

— Vraiment ? Et où est-il, en ce moment ?

— Avec ma cousine Gwyneth. Elle l'a emmené au zoo. Elle est mariée, maintenant, et elle vit à Hampstead, mais son appartement est minuscule. J'ai donc décidé qu'il valait mieux nous installer à l'hôtel. C'est pourquoi nous sommes au Hyde Park.

— Je comprends. Et Gwyneth va bien ?

— Oh, oui ! Elle n'a pas encore d'enfants, mais elle est très heureuse, avec son mari...

Il y eut un bref silence.

Emma observait Glynnis Hughes avec attention. Les questions se pressaient sur ses lèvres, mais elle décida de ne pas les poser toutes. Pourtant, elle ne pouvait s'empêcher de se demander si Glynnis était heureuse en mariage. Bien qu'elle lui écrivît régulièrement, elle ne parlait jamais de Richard et ne faisait aucune allusion à sa vie privée.

Glynnis toussota.

— Vous me fixez bizarrement, madame Harte...

— Ne vous inquiétez pas, Glynnis. Je me demandais seulement si *votre* union avec Richard était réussie. Vous ne l'évoquez pas dans vos lettres, mais j'ai toujours pensé que c'était quelqu'un de sympathique.

— Il l'est et tout va bien pour moi. Nous formons un couple solide et Richard se comporte envers Owen comme s'il était son fils, mais vous le savez déjà. Et il n'a pas cherché à savoir qui était son père. C'est un être droit et généreux.

— En ce cas, je ne me suis pas trompée à son propos. Au fait, pourquoi ne vous a-t-il pas accompagnée en Angleterre ?

— A vrai dire, il ne souhaitait pas venir. Ces dernières années, ses activités ont pris beaucoup d'expansion. Il réussit vraiment très bien dans son magasin d'antiquités, à Manhattan. Des clients, amateurs de meubles dix-huitième, lui ont même demandé de concevoir la décoration de leur appartement. Il est expert en ce domaine. Quoi qu'il en soit, il a deux gros chantiers en cours, en ce moment, et rien ne compte davantage que *ses* affaires. Il vous ressemble sur ce point, madame Harte. Je suis certaine que si je le comprends si bien, c'est parce que j'ai travaillé pour vous, conclut Glynnis.

Elles rirent, complices, mais furent interrompues par un coup léger, frappé à la porte. Alice, la secrétaire d'Emma, parut sur le seuil et demanda :

— Je vous sers le thé maintenant, madame Harte ?

— Oui, je vous remercie, Alice.

Emma se tourna vers Glynnis.

— Quels sont vos projets, pour le week-end ?

La jeune femme haussa légèrement les épaules.

— Je ne sais pas trop. Je comptais emmener Owen à Hampton Court, pour faire une petite sortie. Je veux qu'il connaisse son autre pays... mon pays.

— Pourquoi ne pas lui montrer le Yorkshire ? suggéra Emma en dressant les sourcils. Je pense que vous pourriez l'amener à Penninstone Royal, précisa-t-elle en remarquant la surprise de Glynnis. Vous passeriez le week-end avec moi. Je m'en vais ce soir et si vous arriviez demain, vous dormiriez vendredi soir à la maison, et y resteriez samedi et dimanche. Je suis certaine que cela lui plairait.

Les yeux bleus de Glynnis étincelèrent.

— Oh, madame Harte, ce serait agréable ! Mais vous êtes sûre...

— Absolument ! Je serais ravie de connaître Owen. D'une certaine façon, c'est déjà le cas, car vos lettres sont instructives, mais j'adorerais l'avoir près de moi quelque temps... en chair et en os, si je puis dire. Eh bien... vous me rendriez très heureuse.

Le visage de Glynnis s'assombrit et elle lança à Emma un regard soucieux.

— *Il* ne viendra pas, n'est-ce pas ? Je ne voudrais pas le rencontrer.

— Non, non. Robin m'appelle, s'il a l'intention de passer me voir. Mais ces temps-ci, il est le plus souvent à Londres. En tant que membre du Parlement, il s'investit beaucoup dans la politique.

Glynnis hocha la tête, se refusant même à prononcer son nom et n'ayant pas suffisamment confiance en elle-même pour poser la moindre question.

Alice revint, portant le plateau du thé. Elle le posa sur la table basse, entre elles, puis se hâta de sortir.

Emma fit le service, passa une tasse à Glynnis et expliqua :

— Tomkins me conduit dans le Yorkshire, un peu plus tard, mais je vais vous trouver une voiture et un chauffeur pour demain matin, Glynnis.

— C'est inutile, madame Harte. C'est gentil de votre part, mais nous pouvons prendre le train pour Harrogate. Vraiment, ce sera...

— Il vaut mieux venir par la route, coupa Emma. Les trains sont lents et souvent en retard. Mais si vous souhaitez prendre le volant, je vous prête ma Riley, il n'y a pas de problème.

— Si cela ne vous dérange pas, madame Harte, je préfère cette solution. Ainsi, Owen aura l'occasion d'admirer le paysage anglais.

— C'est donc décidé, conclut Emma avec un large sourire. Je vous attends ce week-end. Nous allons bien nous amuser, tous les trois.

— Désormais, nous possédons le groupe de presse le plus important du nord de l'Angleterre, déclara Emma. Mais je désire que nous nous développions encore ; je veux diriger un journal *national*.

Winston la fixa un instant sans manifester la moindre surprise. Emma ne l'étonnait plus depuis longtemps. A ses yeux, elle était une sorte de prodige. Ils le pensaient tous, d'ailleurs. Elle avait énormément étendu son empire, depuis la fin de la guerre. Elle avait accompli ce tour de force grâce à un mélange de détermination, d'énergie et de dur labeur. Aujourd'hui, c'était une importante femme d'affaires.

— Tu ne dis rien, Winston ?

— Je réfléchissais... et je pensais qu'aucun quotidien national n'est à vendre, en ce moment.

— Je sais. Aussi, peut-être pourrions-nous en créer un, partir de zéro.

— Bon sang, Emma, cela va coûter une fortune !

— Et en racheter un serait moins cher, tu crois ? Allons, je me ruinerais, si je me lançais dans une telle opération.

— Eh bien, pas de précipitation ! Rappelle-toi ce que disait toujours Henry Rossiter : « Les fous...

— ... se ruent là où les anges eux-mêmes craignent de s'aventurer », termina Emma. Si je comprends bien, je suis dingue, conclut-elle, les yeux pétillants.

— Personne n'oserait te qualifier ainsi, répliqua Winston. Bien d'autres termes pourraient éventuellement s'appliquer à toi, mais pas celui-là.

— Penses-y, au moins, Winston, insista-t-elle. Quand j'ai vu Blackie, vendredi dernier, je l'ai interrogé à propos de ce terrain que nous regardions, la semaine dernière, qui a été déclaré constructible. Il pense que nous devrions l'acheter, puisque c'est un bien commercial, qui pourrait prendre de la valeur.

Winston acquiesça.

— A vrai dire, il en a déjà beaucoup, Emma. En fait, j'allais te suggérer de faire une offre dès lundi.

— Allons-y, Winston. Blackie estime que nous ne pouvons pas nous tromper.

Emma se leva et gagna la fenêtre du petit salon. Dehors, il faisait beau et chaud, comme la semaine précédente. Le jardin commençait à prendre belle allure et elle se dit qu'il lui faudrait féliciter M. Ramsbotham, le jardinier chef. Elle complimenterait aussi Wiggs, son neveu, qui prendrait un jour la suite. Ils avaient merveilleusement travaillé sur les parterres, qui étaient plus beaux qu'ils ne l'avaient jamais été.

Elle se tourna finalement vers son frère.

— Je parie que tu ne devineras jamais avec qui j'ai pris le thé, hier.

— C'est probable, tu vois tellement de gens... Si tu me le disais, plutôt ?

— Glynnis... la ravissante Glynnis Jenkins, du pays de Galles.

— Bonté divine ! Elle est venue de New York ? Mais je suis stupide ! Evidemment, puisque tu le dis ! Combien de temps reste-t-elle en Angleterre ? Je serais ravi de la revoir.

— Plusieurs semaines, je pense. Je l'ai invitée à passer deux jours dans le Yorkshire avec son fils, Owen.

— Quel âge a-t-il, maintenant ?

— Six ans et d'après ce qu'elle m'a raconté, c'est un gamin intelligent. De toute façon, elle était enchantée de ma proposition ; elle arrive aujourd'hui. Je l'ai toujours beaucoup aimée.

— Comme nous tous, murmura Winston, les yeux dans le vague.

Emma détecta quelque chose de bizarre dans sa voix.

— Que veux-tu dire ?

— Rien de particulier, sinon qu'elle était extrêmement populaire. C'était une charmante personne, dont nous étions tous plus ou moins entichés. Non seulement les hommes, mais toi aussi, Emma, et quelques-unes des autres femmes qui travaillaient chez Harte. Glynnis avait le chic pour se faire apprécier, et elle était ravissante.

— Elle l'est toujours, remarqua Emma. Un peu plus mince, mais dotée d'une séduction qui ne se fanera jamais, je pense. Le charme vient de l'intérieur, bien que d'aucuns ne le comprennent pas. Cela n'a rien à voir avec la longueur des cheveux ou la couleur des yeux. J'ai pensé que Charlotte et toi pourriez déjeuner ici, demain ou dimanche, poursuivit Emma. Ou alors, venez dîner demain soir, si vous êtes libres. A vous de choisir. Je ferai également signe à Blackie. Il n'a jamais de projets bien définis.

— Très volontiers. Charlotte apprécie Glynnis ; elle a toujours pensé qu'elle était une excellente secrétaire. Je lui demanderai ce qu'elle préfère. De toute façon, Blackie dîne chaque vendredi avec toi, je crois.

— En effet, mais il peut aussi bien venir samedi.

Winston émit un petit gloussement.

— Blackie et toi devriez vous marier, puisque vous êtes toujours ensemble.

Emma le fixa avec surprise.

— Ne me regarde pas comme cela, chérie ! Blackie t'adore, et depuis toujours ! Mais toi, tu as épousé d'autres hommes.

— J'aime Blackie depuis que je le connais, il est mon meilleur ami. Mais je ne me remarierai pas.

— Même pas avec ce beau major américain ? se moqua Winston, malicieux.

Emma le toisa avec hauteur.

— Quel major américain ?

— Ne fais pas l'innocente... Celui que tu rencontres dans la maison de notre frère.

— Oh, *lui*... Je croyais que tu faisais allusion à *mon* major, ce pilote sympathique que je recevais ici pendant la guerre.

— Je n'en ai jamais rien su, répliqua Winston avec étonnement.

— Je ne te dis pas tout, tu sais.

— Qui était-ce ?

— Il n'est pas mort. Il s'appelle James Thompson et m'a rendu plusieurs fois visite, depuis la fin de la guerre. C'est un bon ami.

— Comment as-tu fait sa connaissance ?

— Il était basé à Topcliffe. Le 4 juillet, j'ai pris l'habitude d'organiser une réception et je les recevais tous... James et la bande.

— Je vois.

Winston observa sa sœur un instant. Il ignorait qu'elle pût se montrer aussi secrète. En tout cas, elle l'avait été, en ce qui concernait cet officier. Cela cachait-il une idylle ?

— Ne te sens-tu pas trop seule, mon Emma ? demanda-t-il.

— Comment le pourrais-je, Winston chéri, avec toi qui ne cesses d'aller et venir, de regarder par-dessus mon épaule ? Sans compter Blackie... Je suis très entourée.

Glynnis avait raison de dire qu'Owen ressemblait à Robin. En réalité, il était la réplique miniature du fils préféré d'Emma. Il avait la même chevelure sombre, et ces beaux yeux bleus et vifs qui étaient l'un des atouts de Robin. Il avait même hérité de lui la forme de son visage, et en grandissant serait de taille haute et élancée, comme lui.

Il se tint devant elle, lui adressa un sourire timide et tendit la main.

— Je m'appelle Owen Hughes, dit-il poliment.

Emma la prit dans la sienne et lui sourit largement.

— Mon nom est Emma Harte. Bienvenue à Penninstone Royal.

— Merci.

— Nous nous sommes déjà rencontrés, Owen, mais tu ne te le rappelles pas, car tu étais un bébé, à l'époque.

Il fronça les sourcils, puis leva vers sa mère ses yeux intelligents et vifs, l'air interrogateur.

Se penchant vers lui, Glynnis expliqua :

— Mme Harte a raison, Owen. Nous avons quitté l'Angleterre lorsque tu étais nourrisson et n'y sommes pas revenus depuis.

— A mon grand regret, murmura Emma en allant sur la terrasse. Je ne t'ai pas vu pousser, Owen, et j'en suis désolée. Je te trouve bien grand, pour six ans.

— Comme mon père, précisa-t-il gravement. Mon papa est brun, et maman dit qu'il est grand et beau. C'est vrai.

Emma se mit à rire.

— C'est si gentil de votre part de nous avoir invités, enchaîna Glynnis. J'ai toujours adoré cette maison, qui est belle et paisible. C'est un régal !

— Je suis contente que vous soyez ici. Et maintenant, Owen, viens t'asseoir près de moi sur cette chaise. Nous allons bavarder un peu en attendant que Hilda apporte le thé. Aimes-tu les fraises à la crème ?

Il hocha la tête sans la quitter des yeux et décida qu'elle lui plaisait bien. Sa maman lui avait dit qu'elle avait travaillé pour elle.

— Très bien, parce que c'est ce que nous allons avoir. Il

n'y a rien de meilleur, par une chaude journée de juin. Parlemoi de votre trajet, depuis Londres.

— Maman conduisait. J'ai vu plein de moutons et de vaches, dans les prés. Vous en avez ?

— Oui, répondit Emma. Plus tard, tu pourras aller les voir avec Tommy, le garçon de ferme. Tu aimes les animaux ?

— Oui, mais je ne veux pas être fermier. Je serai président des Etats-Unis.

— Quel magnifique projet, Owen !

— Papa dit que n'importe qui peut le devenir, s'il est intelligent et qu'il travaille dur. Il faut qu'il soit bon, aussi. Je peux travailler et maman affirme que je suis intelligent. Et je suis bon, hein, maman ?

— Tu es le meilleur petit garçon de l'univers et...

Glynnis s'interrompit brusquement. Toute sa force la quitta à la vue de l'homme qui longeait la terrasse dans leur direction. La poitrine serrée dans un étau, elle ne pouvait détourner les yeux de lui. C'était Robin Ainsley, la dernière personne au monde qu'elle voulût rencontrer. La bouche sèche, elle fut prise d'un tremblement irrépressible.

A son tour, Robin devint livide en apercevant Glynnis, puis l'enfant. *Son enfant.* Mon Dieu, pensa-t-il, pourquoi suis-je venu voir ma mère justement aujourd'hui ? Il aurait dû téléphoner, comme il le faisait d'habitude. A présent, la retraite n'était plus possible. Comment pourrait-il tourner les talons et s'enfuir, tel un lapin terrorisé ? Pourtant, il *était* terrorisé... par elle et par lui-même. Il n'avait jamais cessé de l'aimer, de penser à elle, de rêver qu'il la tenait dans ses bras et lui faisait l'amour. Ils avaient été unis par une passion dévorante, ils étaient montés au septième ciel...

Qu'elle était ravissante et désirable, cet après-midi-là ! Elle portait une robe de soie bleue, de la couleur exacte de ses yeux. Elle avait un visage fascinant de volupté et de beauté. Elle devait approcher la trentaine, maintenant, comme lui, et ces quelques années de plus n'avaient fait que l'embellir. Ses cheveux, épais et châtains, avec des reflets dorés, étaient coupés à la page, comme autrefois. Il la désirait ! Mais il ne pouvait pas l'avoir. Il avait renoncé à elle et savait combien il l'avait blessée.

412

Elle ne voudrait plus jamais de lui, elle lui était interdite, il le comprenait. Mais n'avait-il pas le droit de rêver ?

Robin s'immobilisa et regarda sa mère, dont le visage était impassible. Il s'approcha d'elle et l'embrassa sur la joue.

— Bonjour, maman.

— Bonjour, mon chéri. Pourquoi n'as-tu pas téléphoné ? siffla-t-elle à son oreille. Tu te souviens de Glynnis, je pense ? poursuivit-elle sur un ton anodin.

— Oui, réussit-il à articuler.

Et il n'eut pas d'autre choix que de marcher vers la seule femme qu'il eût jamais aimée. A sa grande surprise, ses jambes avaient du mal à le porter.

— Bonjour, Glynnis.

Soulagé que sa voix sonnât presque normalement, il lui tendit la main.

— Robin, fit-elle faiblement en la saisissant à regret.

Les doigts de Glynnis étaient glacés. Il aurait voulu les retenir pour les réchauffer, mais prenant conscience que c'était impossible, les lâcha à contrecœur. Se détournant alors, il baissa les yeux vers l'enfant, *leur* enfant.

— Je m'appelle Robin... Bonjour.

— Moi, c'est Owen, dit gravement le bambin.

— Cela ne t'ennuie pas, si je me joins à vous ? demanda Robin avec un sourire chaleureux.

— Oh non, c'est très bien. N'est-ce pas, maman ?

Glynnis ne put qu'acquiescer.

— Robin est mon fils, expliqua Emma à Owen, tout comme tu es celui de ta maman.

Et le mien, songea Robin en s'installant sur une chaise de jardin en fer forgé. Il ressentait le besoin urgent de prendre ce gamin dans ses bras et de le serrer contre lui. Il était le fruit de leur amour, à Glynnis et à lui.

— Oh ! s'écria soudain Emma. Je suis désolée de te déranger, Robin, mais pourrais-tu prier Hilda de t'apporter une tasse ?

Se levant aussitôt, Robin s'excusa. Incapable d'émettre un mot, surtout en présence d'Owen, Glynnis regarda Emma, qui décela une immense angoisse dans ses yeux.

Se penchant vers Owen, elle lui dit :

— Peux-tu me rendre un service, Owen ? Cours après Robin. Il est parti vers la cuisine. Pour y arriver, il te suffit de franchir cette porte, puis de traverser la bibliothèque et ensuite le grand hall. Demande-lui de me rapporter un verre d'eau, s'il te plaît.

— Je trouverai la cuisine ? demanda Owen avec un brin de nervosité dans la voix.

— Bien entendu, tu es un garçon intelligent.

Dès qu'elles furent seules, Emma expliqua, d'une voix basse et rapide :

— C'est un accident, Glynnis, croyez-moi ! Robin me téléphone toujours, lorsqu'il vient, pour s'assurer que je suis là. Pour une raison que j'ignore, il a omis de le faire aujourd'hui.

Les yeux pleins de larmes, Glynnis ne pouvait pas parler. Elle se contenta donc de hocher la tête. Comme elle l'aimait ! *Robin*. Elle ne prononçait son prénom que lorsqu'elle était seule ; elle pleurait, le nez dans l'oreiller, et le répétait à l'infini. *Robin Ainsley*. Son grand amour. Le seul homme qui compterait jamais. Oh ! Pouvoir le tenir dans ses bras encore une fois ! Que ne donnerait-elle pas pour cela ! Elle ne désirait rien d'autre au monde... Le serrer contre elle un moment.

De très loin, elle perçut la voix d'Emma, qui disait :

— Vous ne devez pas le revoir, Glynnis. Vous ne devez jamais vous retrouver seule avec lui.

31

Il ne l'avait pas vue depuis sept ans. Sept longues années. Mais il savait qu'il était déjà pris au piège, qu'il brûlait d'être avec elle, de la tenir dans ses bras, même pour un bref instant. Il essaierait au moins d'obtenir cela : lui parler quelques minutes en lui tenant la main.

Il avait été marié six ans et avait un enfant du nom de Jonathan. Mais Johnny était surtout le fils de sa mère, Valérie, à qui il ressemblait bien plus qu'à lui-même. C'était un beau petit garçon aux cheveux blonds, mais il n'avait rien des Harte, du moins c'était ce qu'il lui semblait.

En revanche, Owen était visiblement de son sang. C'était son portrait tout craché, jusqu'au bout des doigts. Robin avait remarqué ses longues mains. Emma avait-elle noté cette ressemblance ? C'était possible. Cela n'avait aucune importance, d'ailleurs. Depuis des années, Robin pensait que sa mère avait été au courant de sa liaison avec Glynnis. Elle était trop intelligente pour ne pas comprendre le cœur humain. D'ailleurs, Glynnis avait travaillé pour elle et elles étaient devenues très proches. Peut-être Glynnis s'était-elle confiée à elle, à un moment ou à un autre, mais il ne le saurait jamais, car Emma n'était pas du genre à trahir une confidence.

Tout en roulant à toute allure en direction de Penninstone Royal, ce samedi soir, il pensait à la réaction d'Emma, la veille. Son arrivée inattendue lui avait visiblement déplu et elle lui avait murmuré à l'oreille qu'il aurait pu la prévenir de sa visite. Mais elle avait dissimulé son irritation sous son fameux masque d'impassibilité. Elle avait un don particulier pour cacher ses sentiments.

Il sourit en pensant à elle. Ils se disputaient comme chien et chat, parfois, mais il l'aimait et la respectait. Il savait, en outre, qu'il était son fils préféré. Mais elle n'approuverait pas ce qu'il s'apprêtait à faire, ce soir. Lui-même n'était pas fier de lui, mais il ne pouvait s'en empêcher. Il fallait qu'il parlât à Glynnis en tête-à-tête.

Il se demandait si elle l'écouterait ou si elle lui claquerait la porte au nez. Il n'en savait rien, mais devait la voir.

En arrivant devant Penninstone, il constata que toutes les lumières étaient éteintes, sauf celles de deux chambres du premier étage, occupées par sa mère et Glynnis. Il savait qu'elles avaient dîné seules, mais que Winston et Charlotte déjeuneraient avec elles le lendemain. Il avait failli demander à Emma de l'inviter, mais avait renoncé à la mettre ainsi sur la sellette. Ce n'était pas très fair-play.

Après s'être garé sous un bouquet d'arbres, Robin sortit de la Humber et referma doucement la portière. Ensuite, il gagna rapidement l'entrée de service. Il leva les yeux. Par cette belle nuit de juin, le ciel était d'un bleu profond, presque noir, parsemé d'étoiles scintillantes. La lune était superbe, parfaitement sphérique et brillante. Grâce à elle, il se dirigeait facilement.

Il fouilla dans sa poche, d'où il sortit la clé de la cuisine, celle-là même qu'il conservait depuis son adolescence. Il entra dans la maison et referma soigneusement la porte derrière lui. Se déplaçant sans bruit, il emprunta le couloir de service.

En quelques secondes, il gravit l'escalier plutôt raide qui menait aux étages. Il négligea le premier, domaine de sa mère, grimpa plus haut et ouvrit finalement la porte qui permettait d'accéder aux chambres du deuxième. Il longea silencieusement le couloir et parvint devant la chambre bleue, qu'*elle* occupait.

Owen le lui avait révélé la veille, lorsqu'il l'avait emmené voir les vaches. Avec une certaine fierté, il lui avait confié que lui-même s'était vu attribuer la chambre or pour lui tout seul.

416

Il lui avait aussi expliqué que sa mère et lui étaient descendus à l'hôtel Hyde Park, à Londres. Robin n'avait eu à le solliciter que très légèrement pour qu'il lui fournît innocemment une masse d'informations. Il semblait l'apprécier, ce qui l'avait réjoui.

Le corridor était faiblement éclairé par la lune, qui perçait à travers les persiennes, à l'extrémité. Marchant sur la pointe des pieds, Robin s'arrêta devant la porte de la chambre bleue. Il frappa légèrement et attendit. Plusieurs secondes s'écoulèrent, puis le battant tourna lentement sur ses gonds.

Quand Glynnis le vit, ses yeux s'écarquillèrent. Il posa un doigt sur sa bouche, puis se glissa dans la pièce avant qu'elle pût l'en empêcher. Elle le suivit, visiblement furibonde.

Robin ferma la porte, contre laquelle il s'adossa en chuchotant :

— Il faut que je te parle.

Elle s'écarta de lui et, fuyant sa proximité, alla s'appuyer contre le bureau, placé devant la fenêtre. Prenant soudain conscience qu'elle n'était vêtue que d'une chemise de nuit légère, elle se précipita dans la salle de bains.

Il ne bougea pas, conservant son attitude d'apparente nonchalance. Malgré sa tension et son anxiété, il ne chercha pas à la suivre. La sachant très pudique, il devinait qu'elle avait dû se retirer pour enfiler un peignoir. Un instant plus tard, elle reparut, portant un kimono de soie bleue par-dessus sa chemise.

Robin verrouilla la porte et s'approcha d'elle.

— Pourquoi as-tu fermé à clé ? siffla-t-elle, les yeux pleins de colère, les traits crispés par l'effroi.

— A cause de notre fils. S'il se réveille, il risque d'avoir peur en se retrouvant dans une chambre inconnue et de vouloir te retrouver. Il ne pourra pas débouler d'un coup et j'aurai le temps de me cacher dans la salle de bains, jusqu'à ce que tu le recouches. Il ne doit pas me voir ici, à cette heure de la nuit, conclut Robin.

— Personne ne le devrait.

— Je sais.

— Que veux-tu, en fait ?

La voix de Glynnis était coupante, son regard glacial, mais il remarqua qu'elle était prise d'un tremblement incontrôlable.

— Seulement te parler, Glynnis.

— Je n'ai rien à te dire.

— Moi, si. Je sais que ce n'est ni l'heure ni le lieu, c'est pourquoi je suis venu te demander de me rencontrer, quand vous serez de retour à Londres.

— Sûrement pas !

Il fouilla dans sa poche et en sortit une enveloppe.

— Au cas où tu changerais d'avis. Voici une adresse et une clé. Je veux que tu les aies.

— Pourquoi ?

— Je souhaite que nous nous y retrouvions la semaine prochaine.

— Je t'ai dit que rien de ce que tu pouvais me raconter ne m'intéressait.

— Cette adresse… C'est une petite maison d'Edwina, située dans Belgravia. Son refuge quand elle revient d'Irlande pour faire des emplettes ou pour affaires. Il y a aussi un numéro de téléphone. Je t'en prie, Glynnis, viens ! Un mercredi.

Il lui tendit l'enveloppe, mais elle croisa farouchement les bras sur sa poitrine et pinça les lèvres. Les yeux durs, elle s'écarta de lui.

Robin déposa l'objet sur le bureau et reprit :

— Je veux simplement t'expliquer pourquoi les choses se sont passées ainsi, c'est tout. Je te le jure.

— Je t'en prie, Robin, marmonna-t-elle, va-t'en. *Maintenant.*

Il ne bougea pas, mais lui adressa un petit sourire.

— Ce garçon est splendide, Glynnis, et très bien élevé.

Elle demeura silencieuse.

Il s'approcha brusquement d'elle, si vite qu'elle fut prise par surprise. Avant qu'elle pût protester, il l'attira contre son grand corps mince.

— Oh, Glynnis, Glynnis… murmura-t-il d'une voix rauque.

Il lui embrassa le creux de la gorge, les joues, pour finalement trouver sa bouche.

418

Malgré elle, la jeune femme lui rendit ardemment ses baisers. Agrippée à lui, elle l'embrassa en murmurant son prénom. Elle sentit son sexe durcir contre elle. Il la désirait autant qu'elle-même. Elle faillit céder et l'entraîner vers le lit, mais s'abstint. Au prix d'un énorme effort, elle le repoussa doucement, un sanglot dans la gorge.

— Ma chérie, je t'en supplie… implora-t-il.

Ils échangèrent un long regard.

— Non, Robin, non.

— Glynnis…

Secouant la tête, elle gagna la porte, les jambes tremblantes, et le fixa avec intensité.

— Va-t'en, je t'en prie.

— Tu trouveras le numéro de téléphone d'Edwina dans l'enveloppe, lui rappela-t-il. S'il te plaît, appelle-moi entre midi et midi et demi, si tu ne viens pas.

Elle ne répondit pas.

Lorsqu'il s'immobilisa devant le battant, il ajouta doucement :

— Si tu ne viens pas, préviens-moi. C'est promis ?

Elle eut seulement la force de hocher la tête.

Après son départ, elle resta longtemps étendue sur le dos, à penser à lui. Elle avait failli succomber à son charme et où en serait-elle, si elle l'avait fait ? Elle se détesterait d'avoir cédé aussi facilement, de s'être laissée aller à coucher avec lui. Richard était un homme bien. Il l'aimait et lui était totalement dévoué. Et elle l'aimait à sa façon, s'efforçant d'être une bonne épouse, autant qu'il était un bon mari. Plus que tout, elle tâchait d'être une bonne mère.

Robin, oh, Robin, je t'aime… je te désire… je voudrais te serrer dans mes bras ! songeait-elle tandis que les larmes ruisselaient sur ses joues. Et elle pleura, pleura, jusqu'à ce qu'il n'en restât plus aucune.

Le week-end passa sans autre incident. Robin ne revint pas voir sa mère et Glynnis éprouva un choc en constatant qu'elle était déçue.

Après s'être vertement réprimandée, s'être répété qu'elle était une grande fille, pas une adolescente écervelée, elle fit tout son possible pour se comporter normalement et y parvint.

Elle s'était toujours bien entendue avec Emma ; elles avaient de nombreux points communs, étant toutes deux positives et optimistes de nature. Elles n'avaient jamais eu aucune difficulté à communiquer et pouvaient aborder n'importe quel sujet.

Le dimanche matin, elles bavardèrent pendant le petit déjeuner et continuèrent en se promenant avec Owen, avant le déjeuner. Il courut devant elles en direction de la mare, criant qu'il allait donner à manger aux canards, et elles sourirent avec indulgence. Il était dans son élément. Toute la matinée, il se dépensa, rit et jacassa avec elles. Avec beaucoup de plaisir, Glynnis remarqua une lueur joyeuse dans les yeux d'Emma.

A un moment, son ancienne patronne se tourna vers elle et s'écria :

— Quel charmant bonhomme, Glynnis ! Vous avez fait du beau travail, avec lui. J'espère que vous le ramènerez en Angleterre, l'an prochain. Vous irez voir votre famille au pays de Galles et en profiterez pour passer un peu de temps avec moi.

— J'aspire à revenir, madame Harte. Je sais que ma mère souhaiterait voir Owen régulièrement... Nous verrons.

Emma soupira, après quoi elle prononça ces paroles inattendues :

— Vous me manquez, Glynnis. Quand vous travailliez pour moi, pendant la guerre, je vous considérais comme une amie, vous savez, plus que comme une secrétaire. J'ai beaucoup d'affection pour vous et... eh bien, Owen *est* mon petit-fils... Si les choses avaient tourné autrement, vous seriez devenue ma belle-fille.

Les yeux au loin, Glynnis hocha imperceptiblement la tête.

— Je comprends ce que vous voulez dire, déclara-t-elle finalement, mais j'ai toujours cru dans le destin. Il fait des choses ce qu'elles sont. La plupart du temps, elles nous

420

échappent... C'est lui qui décide. Madame Harte, je voudrais vous parler de... l'argent, poursuivit-elle très vite. Il est inutile que vous m'envoyiez une pension chaque mois, je vous assure. Richard gagne suffisamment sa vie pour nous entretenir. Je n'ai besoin de rien.

— Bonté divine, Glynnis, je sais que votre mari se débrouille très bien ! Et je n'ai jamais voulu le rabaisser, en aucune façon. Pourtant, je tiens à vous adresser cette somme. Rappelez-vous que vous avez refusé l'aide de Robin, pendant la guerre. C'est ma façon de... eh bien, d'assurer l'avenir d'Owen, en un certain sens. Mettez l'argent de côté à la banque, il vous rapportera des intérêts. Plus tard, quand Owen ira à l'université, vous aurez besoin de ces économies. Je vais continuer, mon petit, c'est le moins que je puisse faire. Inutile de discuter.

Glynnis voulut protester, mais c'était en vain. Elle savait d'expérience que si Emma avait une idée en tête, elle n'en changerait pas. Apparemment, c'était le cas. Elle hocha donc la tête et la remercia... Elle ne pouvait pas faire plus.

Plusieurs heures plus tard, Winston et Charlotte vinrent déjeuner. Les retrouvailles furent chaleureuses. Emma remarqua très vite qu'Owen avait impressionné son frère, mais s'il nota une ressemblance familiale, il s'abstint de tout commentaire. Il avait la réputation d'être le diplomate de la famille. Il se comporta le plus naturellement du monde avec Owen et lui parla comme à un adulte.

Le repas prit fin bien trop vite. Winston et Charlotte s'en allèrent, puis Glynnis monta à l'étage pour rassembler leurs affaires, à Owen et à elle. Ils repartaient pour Londres très tôt, le lendemain matin, et elle préférait prendre un peu d'avance.

Tout en pliant les vêtements de son fils, avant de les déposer dans la valise, elle laissa échapper un soupir de soulagement. La journée s'était écoulée tranquillement, sans aucun incident...

Soudain, la petite voix flûtée d'Owen l'arracha à ses pensées :

— Maman ! Pourquoi Robin n'est-il pas revenu ? Quand il m'a emmené voir les vaches, il m'a promis que nous nous reverrions plus tard.

Posant le livre qu'il tenait sur la table, il courut vers sa mère et la tira par la manche. Glynnis baissa les yeux vers lui et se força à sourire.

— C'est un homme très occupé, Owen. Peut-être n'a-t-il pas pu se libérer de son travail.

L'enfant eut l'air déçu.

— Ah ? Il me plaît bien. Il a été très gentil, avec moi. Il fait de la politique, maman, continua Owen, et il m'a promis de m'emmener à la Chambre des communes.

— Oh, je ne sais pas si…

— Il va le faire ! s'écria Owen avec ardeur. Il l'a *promis*. Et je *sais* qu'il tiendra sa promesse.

Voyant qu'il était vraiment bouleversé, elle le serra contre elle et dit doucement :

— J'en suis certaine, Owen.

32

Glynnis n'avait jamais eu l'intention d'y aller.

Tout son instinct lui criait de se tenir éloignée de lui, mais finalement, elle s'était abandonnée au tumulte de ses émotions.

Le mercredi matin, lorsqu'elle s'était éveillée, elle avait éprouvé une tension dans tout son corps, une douleur sourde au creux de l'estomac. Incapable de se maîtriser, elle avait appelé Gwyneth à sept heures, avant de descendre prendre le petit déjeuner avec Owen, au rez-de-chaussée.

Sans se donner le temps de changer d'avis, elle avait plongé et proposé à Gwyneth de lui « confier » Owen pour la journée. Cette suggestion avait réjoui sa cousine, qui n'était pas encore mère et adorait les enfants. Elle était très attachée à Owen et prenait beaucoup de plaisir à l'emmener visiter Londres.

— Il voulait voir la tour de Londres depuis des siècles, expliqua-t-elle avec enthousiasme. Je passerai le prendre à onze heures, si cela te convient.

Glynnis accepta aussitôt, heureuse que Gwyneth fût libre. Par bonheur, elle n'avait pas prévu elle-même ce but de promenade. Néanmoins, elle s'en voulut énormément quand elle se coiffa et se maquilla, s'aspergea de parfum et choisit sa tenue avec un soin infini. Parce qu'il lui avait dit, des années plus tôt, qu'il adorait la voir en bleu, elle décida de mettre sa robe de soie.

Juste après qu'Owen fut parti, tout content de cette excursion inattendue, elle avait commencé à s'habiller. Elle avait mis un porte-jarretelles bleu et des bas, une combinaison de satin bleu, ornée de dentelle de la même couleur. Finalement, elle avait enfilé une paire de sandales à hauts talons, qui mettaient ses jambes en valeur... Robin les trouvait magnifiques ! Enfin, elle s'était glissée dans sa robe et s'était regardée dans la glace, presque contente de son apparence.

Une seconde plus tard, elle se dégoûtait elle-même, parce qu'elle allait *le* rejoindre. Ce n'était pas bien, elle le savait. Mais elle ne pouvait lutter.

Et maintenant, en sortant du taxi qui l'avait conduite jusqu'à Belgravia Square, elle hésitait. Elle ferait mieux de ne pas s'y rendre... Elle n'avait pas plus confiance en Robin qu'en elle-même. Ce tête-à-tête ne pouvait que se révéler catastrophique. Même Emma l'avait sous-entendu.

Elle fit lentement le tour de la place, se demandant que faire, de plus en plus nerveuse. Lorsqu'elle jeta un coup d'œil à sa montre, elle cessa de respirer. Il était presque midi et quart. Dans sa chambre, à Penninstone, il lui avait demandé de l'appeler à midi et demi. Elle regarda autour d'elle, cherchant désespérément une cabine téléphonique, mais il n'y en avait pas. Elle s'immobilisa, submergée par la panique. *Que faire ? Que faire ?* Elle inspira profondément et, prenant une décision, traversa la place d'un pas ferme, se hâtant vers les maisonnettes situées dans une ruelle, non loin de là.

Quelques secondes plus tard, elle sonnait à la porte d'Edwina.

Il lui ouvrit immédiatement. Bien qu'il ne sourît pas ni ne trahît aucune émotion, elle remarqua un éclair de bonheur dans ses yeux, à l'instant précis où il l'aperçut.

Il ne put prononcer un mot. Elle non plus.

Il poussa un peu plus le battant. Prenant soin de ne pas le frôler au passage, elle pénétra dans une grande salle de séjour. Robin ferma la porte et gagna le milieu de la pièce. Arrivé là, il s'immobilisa et la regarda. Ils étaient à quelques centimètres l'un de l'autre.

Il déglutit avant d'avouer enfin :

— Je pensais que tu allais téléphoner.

Elle le fixait sans mot dire, les jambes flageolantes.

— Pourquoi es-tu venue ? demanda-t-il doucement.

— Je... Je n'ai pas... Je n'ai pas pu m'en empêcher, bégaya-t-elle d'une voix sourde.

Il la regardait sans ciller, brûlant de la prendre dans ses bras, mais trop tendu pour se décider. Il craignait de dire ou de faire ce qu'il ne fallait pas, de l'effrayer.

Elle était comme hypnotisée. Elle pensa qu'elle allait éclater en sanglots et sentit aussitôt une grosse boule se former dans sa gorge.

Au moment où il s'y attendait le moins, Robin remarqua le désir qui crispait ses traits, répondant au sien. Sans réfléchir davantage et incapable de se retenir, il avança d'un pas vers elle. Elle en fit autant et ils tombèrent dans les bras l'un de l'autre.

Il la serra étroitement contre lui, ne se lassant pas de répéter son prénom en caressant son dos. Bizarrement, le soulagement de la tenir ainsi, après si longtemps, l'emportait en lui. Au bout de toutes ces années, la douleur qui le taraudait était enfin apaisée.

Les jambes de Glynnis tremblaient et elle songea que s'il la lâchait, elle tomberait. Elle s'étonna de ne pouvoir immobiliser ses membres.

— Glynnis chérie, tu frissonnes... N'aie pas peur... N'aie pas peur de moi. Je ne ferai rien... rien que tu ne veuilles toi-même. J'ai seulement besoin de te sentir.

Elle bougea légèrement, de façon à pouvoir le regarder en face.

Leurs yeux se rencontrèrent et s'emprisonnèrent mutuellement. Elle entrouvrit les lèvres, comme pour dire quelque chose, mais aucun mot ne sortit. Elle finit par murmurer :

— Je n'ai pas peur. Je suis... un peu nerveuse.

— Moi aussi.

Il se pencha pour l'embrasser longuement sur la bouche. Elle lui rendit son baiser, avec l'impression qu'elle se fondait lentement en lui.

Sans se lâcher, ils trébuchèrent en direction du sofa, qui se trouvait près de la cheminée, et y tombèrent, étroitement enlacés. Robin se redressa pour regarder le visage de Glynnis, osant à peine croire qu'elle était là, si près de lui. Il baisa son front, ses joues, sa gorge. Repoussant une mèche sombre qui lui tombait sur le visage, il dit doucement :

— J'ai juste besoin d'être avec toi... Je me suis langui de toi, Glynnis. Si tu ne veux pas...

Elle posa un doigt sur ses lèvres.

— Je te désire, répliqua-t-elle sur un ton étouffé. Robin... il y a si longtemps que nous n'avons pas été ensemble... sept ans.

Il frôla son visage, sa main descendit sur son cou, effleura sa poitrine, puis il commença à déboutonner sa robe. Au bout de quelques secondes, elle l'arrêta.

— Retire ta veste, ordonna-t-elle.

Il se leva, obéit, posa le vêtement sur une chaise, puis alla à la porte et poussa le verrou, après quoi il ferma les rideaux. En revenant près d'elle, il se débarrassa de sa cravate, s'attaqua aux boutons de sa chemise et la retira.

Se levant à son tour, Glynnis fit glisser sa robe à terre, où elle forma une flaque bleue. Robin s'approcha d'elle et la reprit dans ses bras, puis il la guida jusqu'au sofa, où il s'étendit près d'elle.

Très lentement, il caressa sa nuque, sa gorge, glissant ses doigts sous la combinaison de satin. Il la toucha du bout des doigts avant de se pencher pour embrasser la pointe de ses seins. Au bout d'un instant, il se redressa et la regarda dans les yeux. D'une voix chargée d'intensité, il déclara :

— Je t'aime, Glynnis, je n'ai pas cessé de t'aimer... Dis-moi qu'il en a été de même pour toi.

— Tu le sais bien, Robin ! Il n'y a que toi. Ce que j'éprouve, je ne l'ai jamais ressenti que pour toi.

— C'est la même chose pour moi, répliqua-t-il. Je t'appartiens, Glynnis. Pour toujours. Je serai à toi aussi longtemps que je vivrai. Et toi à moi, quoi que tu en penses.

— Robin, oh, Robin ! souffla-t-elle.

— Ote ça, ma chérie, dit-il soudain en touchant la combinaison.

Puis il défit le porte-jarretelles et roula lentement les bas de soie le long des jambes de la jeune femme. Une fois qu'elle fut complètement nue, il finit rapidement de se déshabiller, puis la rejoignit.

426

Tendus l'un vers l'autre, ils se caressèrent, se retrouvèrent. Après sept ans de séparation, ils se désiraient désespérément, aspiraient à s'unir et à ne plus faire qu'un. Tous deux étaient au bord de l'explosion.

Robin se pencha sur elle, embrassa ses seins, ses cuisses. Puis sa langue frôla son ventre pour se poser finalement au cœur de sa sensualité. Elle laissa échapper un long soupir et ne tarda pas à frissonner de plaisir, murmurant son prénom. Il lui fit l'amour avec passion et elle se livra à lui. Portés par une excitation et une ardeur égales, ils avaient l'impression de n'avoir jamais été séparés. Ensemble, ils atteignirent le paroxysme de l'émotion et Robin cria à son tour son prénom lorsqu'il la posséda complètement.

Ils restèrent longtemps étendus sur le sofa, se serrant l'un contre l'autre, comme s'ils craignaient de se perdre.

— Je n'avais pas l'intention de te séduire, déclara Robin au bout d'un bref instant.

— Je sais et tu ne m'as pas séduite. Nous venons de faire une splendide démonstration de ce que peut être la coopération, tu ne crois pas ?

— On ne peut pas mieux dire... J'ai quelque chose à t'avouer, Glynnis. Ecoute, je suis navré de t'avoir abandonnée, mais nous avions rompu bien avant que tu ne m'annonces ta grossesse. Et je...

— Ce n'est pas nécessaire, Robin, l'interrompit-elle. Je sais tout cela et ce que tu dis est absolument vrai. Au moment où je t'en ai informé, tu étais engagé auprès de Valérie. Je comprends ta réaction, surtout maintenant. De plus, j'étais *difficile*, à l'époque, changeante, anxieuse...

— Tu étais jeune, moi aussi. Je passais ma vie dans le ciel, à bord de mon Spitfire, à lâcher des bombes sur l'Allemagne et à risquer ma vie. A ma façon, j'étais d'humeur aussi capricieuse que toi. Nous étions tous sous tension. C'était la guerre !

— C'est vrai, oui, admit Glynnis. Je suis beaucoup plus calme, aujourd'hui. Après tout, j'ai trente ans, comme toi, je suis mère, et épouse...

Robin hésita un instant avant de demander :

— C'est un mariage... heureux ?

— D'une certaine façon, oui. Tu vois, Robin, cela marche. Richard m'aime et il adore Owen. Il s'en occupe très bien. C'est quelqu'un de bon.

— L'aimes-tu ?

Robin se détesta d'avoir posé cette question, mais il avait besoin de savoir ce qu'elle ressentait. C'était à peine s'il supportait de l'imaginer avec Richard Hughes. Avec n'importe quel homme, en fait. Quel fou il avait été, de la laisser partir !

Elle ne répondit pas tout de suite.

— Oui, dit-elle enfin, mais ce n'est pas pareil que... *nous*. Je vais essayer de t'expliquer... J'aime Richard, mais je ne suis pas amoureuse de lui. Et toi ? demanda-t-elle en le regardant droit dans les yeux. Ton mariage ?

— Il ressemble sans doute au tien, répliqua-t-il. Cela marche, Glynnis. J'y trouve une grande stabilité. Valérie est d'humeur égale, elle est pratique, presque placide. Aucun risque de tangage. Et c'est aussi une bonne mère, pour Jonathan. En outre, elle me laisse vivre ma vie.

Tout près de lui, Glynnis se raidit.

— Que veux-tu dire ?

Il reconnut la jalousie dont elle avait maintes fois fait preuve, par le passé.

— Oh Dieu, non, Glynnis ! Ce n'est pas du tout ce que tu penses ! Il ne s'agit pas d'aventures... Il n'y a pas d'autre femme que toi. Mon unique amour. Simplement, Valérie me laisse poursuivre ma carrière politique sans jamais s'en mêler.

— J'en suis heureuse, parce que c'était ce que tu voulais. Etre un politicien, un membre de la Chambre des communes. Je t'imagine très bien Premier ministre, un de ces jours.

— Je te veux, Glynnis, répliqua-t-il.

— Oh, non, Robin chéri ! Nous avons tous deux fondé une famille, nous sommes mariés.

— Je sais, soupira-t-il. Mais je te veux à jamais dans mes bras. C'est un tel soulagement, que d'être auprès de toi. Je peux tout te dire, être moi-même. Entre nous, pas de faux-semblants. Je n'ai jamais rien ressenti de tel avec une autre femme.

— J'éprouve la même chose. Quoi que je dise, je sais que je ne te choquerai pas.

Il y eut un silence.

— Tu as faim ? demanda-t-il brusquement.

— Non, et toi ?

Il secoua la tête.

— Où est... notre fils ?

— Ma cousine Gwyneth l'a emmené voir la tour de Londres. Il souhaitait ardemment la découvrir... C'est ce qui m'a permis de me rendre à ton rendez-vous.

— J'en suis heureux, murmura-t-il. Je supporte mal l'idée que tu vas devoir me quitter, retourner aux Etats-Unis... Je voudrais revoir Owen. Ce sera possible, ma chérie ?

— Il vaut mieux pas, Robin. Owen est très bavard et peut mentionner ton nom devant Richard. Il est littéralement sous ton charme.

Cette remarque fit sourire Robin.

— Mais Richard sait que tu me connais. Nous nous sommes rencontrés, lorsqu'il fréquentait la cantine que ma mère avait ouverte aux troupes. Le petit me ressemble, mais Richard peut ne pas additionner deux et deux.

— Tout comme il peut le faire.

— Tu as raison, consentit Robin avec un sourire. Mieux vaut être prudent. Je veux te voir demain, et après-demain, et après-après-demain. Chaque jour jusqu'à ton départ.

Glynnis parut prise de court.

— Je ne sais pas... Il y a Owen.

— Essaie d'arranger cela, ma chérie. Je t'en prie. De combien de temps disposons-nous, aujourd'hui ?

Elle lui jeta un coup d'œil, étonnée par son ton désespéré.

— Nous avons jusqu'à six heures. Je dois être rentrée à six heures et demie. Gwyneth et son mari dînent avec moi, ce soir. Elle sera à l'hôtel vers cinq heures et m'attendra. Elle a la clé de la chambre.

— A ce propos, prends celle-ci, qui ouvre la porte extérieure. Je me sentirai bien mieux si je sais que tu l'as.

— Si tu es sûr... Je veux dire que...

— Il n'y a aucun problème ! Et maintenant, viens plus près de moi, laisse-moi te tenir comme je le faisais autrefois.

Robin enveloppa le corps de la jeune femme du sien et continua :

— Voilà ce qui m'a manqué, pendant toutes ces années, enlacer la seule femme que j'aie jamais aimée.

Elle sourit contre son bras.

— Je t'aime tellement.

— Moi aussi, Glynnis.

Il frôla sa bouche du bout des doigts, puis l'embrassa en fermant les yeux. Un instant plus tard, il caressait ses seins et ils s'aimèrent de nouveau. C'est ainsi qu'ils occupèrent le reste de l'après-midi.

C'était l'une de ces soirées délicieuses et embaumées de la mi-juin. Le ciel était bleu pâle, parsemé de nuages blancs et gonflés, filant à l'horizon. Une merveilleuse clarté y planait, bien que le soleil se fût couché quelque temps auparavant. La Tamise, qui reflétait cette lumière, coulait paresseusement, offrant aux regards sa surface miroitante et opaque.

Debout sur la terrasse de la Chambre des communes, Robin Ainsley embrassait tout cela du regard, fixant plus particulièrement Big Ben. Il venait souvent là, en été, pour prendre le thé avec un collègue ou des hôtes. Il appréciait ce moment de la journée. La paix et la tranquillité régnaient, à cet endroit. Robin chérissait la vue de la rivière et ressentait une émotion toute particulière quand il la contemplait depuis la Chambre des communes, symbole du pouvoir.

Il s'appuya à la balustrade, l'esprit empli de pensées diverses. *Glynnis*. La femme qu'il aimait et voulait garder à jamais dans sa vie. Owen, un petit garçon très attachant, et qui lui ressemblait tellement, bien plus que son autre fils, Jonathan.

Robin aurait souhaité passer un peu de temps avec lui, mais c'était impossible. Glynnis ne l'aurait pas permis. Il ne pouvait rien faire : il avait perdu tous ses droits sur l'enfant avant sa naissance.

Il les évoqua en esprit, tous les deux...

Glynnis, belle et sensuelle, concentré de glamour, mais dépourvue de la moindre vanité, douce et gentille. Il n'y avait pas une once de perversion en elle. C'était une jeune femme chaleureuse et aimante, qui l'adorait autant qu'il l'adorait. Comme il était facile de se la représenter dans sa robe bleue... Elle marchait vers lui, tenant Owen par la main. Le garçon portait son short gris et une chemisette blanche. Ils lui souriaient, heureux de le voir.

Dieu ! Qu'allait-il faire ? Comment pourrait-il la laisser partir ?

Et puis, il y avait Valérie, sa femme. Un être calme et affectueux ; elle l'aimait sans être amoureuse de lui, tout comme il n'était pas amoureux d'elle. Pourtant, il la détruirait complètement s'il la quittait, ainsi que Jonathan, parce que toute sa vie tournait autour de lui et de sa carrière.

Robin était bourrelé de remords en pensant à elle. Etonnamment, ce n'était pas parce qu'il la trompait avec Glynnis. Ce que Valérie ignorait ne pouvait la blesser, pensait-il. Sa culpabilité provenait de ce qu'il projetait de divorcer. Mais c'était compter sans Richard Hughes. Glynnis accepterait-elle de le quitter pour vivre avec lui ? Il l'ignorait et devait régler seul son dilemme.

A qui pourrait-il se confier ? Pas à ses frères et sœurs, en tout cas, même pas à Edwina, dont il était particulièrement proche. Sa mère ? Elle l'écouterait attentivement et avec sympathie, mais inévitablement, le désapprouverait. Elle avait pourtant vécu avec Paul McGill, un homme marié, pendant seize ans. Mais Paul était séparé de sa femme bien avant d'avoir rencontré Emma. Et s'il n'avait pas pu divorcer, c'est parce que Constance, en bonne catholique, avait toujours refusé de lui rendre sa liberté.

Robin connaissait parfaitement sa mère. Il l'entendait lui dire qu'on ne pouvait fonder son bonheur sur le malheur d'autrui. Et il savait qu'elle avait raison.

Soudain, les larmes lui montèrent aux yeux. Il les essuya rapidement et regarda autour de lui, vérifiant qu'il était seul sur le balcon. Presque aussitôt, la colère le submergea. Quelle plaisanterie ! Lui, un homme de trente ans, il pleurait pour une femme ! Ici, à la Chambre des communes, où il avait toujours rêvé d'être. C'était ridicule !

Grandis ! se morigéna-t-il, furieux contre lui-même. Tu l'as laissée partir en 1943. C'est à cette époque que tu aurais dû l'épouser.

Six heures sonnèrent à Big Ben et il quitta rapidement la terrasse pour regagner son bureau. Dans une heure, il se rendrait chez Edwina et attendrait Glynnis. Elle avait emmené Owen au pays de Galles, ce week-end. Il devait passer quelques jours auprès de ses grands-parents, avant de repartir avec sa mère pour les Etats-Unis.

Son cœur se gonfla. Il savait qu'elle irait directement à Belgravia en quittant la gare. Bientôt, ils seraient ensemble. Ils auraient toute la soirée devant eux. Ils seraient seuls.

Robin était dans la cuisine et se servait à boire, lorsqu'il entendit la porte se refermer. Il se précipita à la rencontre de Glynnis. Elle se tenait sur le seuil, sa valise à ses pieds, son ravissant visage éclairé par un large sourire.

— Chérie ! s'écria-t-il. Tu arrives plus tôt que je ne l'espérais.

— J'ai pris le train précédent, expliqua-t-elle. J'avais hâte de te retrouver.

— J'ai bien conscience d'être irrésistible ! répliqua-t-il en riant.

— Et tellement modeste, aussi ! dit-elle en se blottissant dans ses bras.

Elle le serra très fort, emplie d'un tel bonheur qu'elle se crut sur le point d'exploser.

Ils se tinrent un instant étroitement enlacés, puis s'écartèrent l'un de l'autre et se rendirent dans la cuisine, main dans la main. Robin lui servit un gin tonic, puis ils retournèrent dans la salle de séjour et s'assirent ensemble sur le sofa.

— A ta santé, mon cœur, murmura-t-il en cognant son verre contre celui de Glynnis.

— A la tienne.

Ils burent une gorgée, puis il demanda :

432

— Comment s'est passé ce week-end dans le Rhondda ? Owen s'est-il bien amusé ?

Les yeux bleus de Glynnis étincelèrent. Elle se mit à rire.

— Oui, avec ses cousins, les enfants de mes frères. Comme je te l'ai dit, Dylan a deux fils, et Emlyn une fille. Ils sont un peu tapageurs, mais ils ont eu du bon temps ensemble.

— Tant mieux ! Je suis heureux de savoir qu'il est content. Et qu'a fait ma chérie ?

— Rien de particulier. J'ai rendu visite aux membres de ma famille, aidé ma mère à la maison, fait ses courses et pensé à toi. *Tout le temps.*

— Tout comme moi. Tu quittes rarement mes pensées.

Elle hocha la tête.

— Tu es allé dans le Yorkshire ?

— Oui, je me suis rendu à Leeds. Je dois être présent dans ma circonscription aussi souvent que je peux.

Robin posa son verre sur la table basse, se tourna vers elle et la débarrassa du sien. Il la prit ensuite dans ses bras et l'embrassa passionnément. Elle répondit à son baiser avec une ardeur égale et, au bout d'un moment, lorsqu'ils s'écartèrent l'un de l'autre, il lui caressa doucement le visage.

— Montons, fit-il d'une voix étouffée. J'ai très envie de toi !

— Moi aussi, Robin, mais je veux que nous parlions, d'abord, répondit-elle.

Son air sérieux, presque sévère, alarma Robin.

— J'ai l'impression que tu vas m'annoncer de mauvaises nouvelles...

— Robin, je souhaite simplement que nous reprenions contact avec la réalité, dit-elle en lui prenant la main. Je t'aime plus que n'importe qui au monde, hormis notre enfant. Je t'ai toujours aimé et mon mariage avec Richard n'y a rien changé. Tu le sais, n'est-ce pas ?

— Bien sûr. Ces dernières semaines, c'est exactement ce que je t'ai répété moi-même. J'ai fait la pire erreur de ma vie quand je t'ai laissée partir, poursuivit Robin, le visage sombre. Et maintenant... je veux que tu reviennes pour toujours.

— Ecoute-moi. T'aimant comme je t'aime, de toute mon âme, je ne te laisserai pas ruiner ta carrière politique à cause de moi.

— Un divorce ne l'anéantira pas. Nous sommes en 1950, ne l'oublie pas.

— Je sais en quelle année nous sommes et peut-être as-tu raison. Mais que se passera-t-il, en cas de scandale ? Si tu tentes de te séparer de Valérie, je pense qu'elle se battra. Crois-moi, une femme peut lutter à mort si les enjeux en valent la peine. En ce qui la concerne, il y en a plusieurs, et de taille : toi, votre train de vie, ton argent...

— Tu n'as pas à t'en préoccuper ! protesta-t-il.

Il craignait de comprendre où cette conversation risquait de les mener. La perspective de la perdre lui était intolérable. Peu lui importait le prix à payer.

Glynnis se tut un instant, puis elle dit doucement, cherchant ses mots :

— Je sais ce que cela représente pour toi, d'être un membre du Parlement. Je l'ai toujours su. De fait, tu as épousé Valérie parce qu'elle faisait une épouse de député plus convenable que moi ; elle favorisait ton ambition politique.

— C'est en partie juste, répliqua vivement Robin, mais pas entièrement. N'oublie pas que nous avons rompu d'un commun accord. Nous étions fous, tous les deux. Pas seulement d'amour... Nous étions des gamins écervelés. Ensemble, nous formions un mélange explosif, ne le nie pas.

— Tu as raison. Si nous nous étions mariés, à l'époque, notre union aurait tourné au désastre.

— Aujourd'hui, nous avons trente ans, nous avons mûri. Nous étions des enfants stupides, vivant en temps de guerre. A présent, cela pourrait marcher.

Ignorant cette dernière assertion, Glynnis reprit :

— Je sais tout cela, nous n'arrêtons pas de le répéter. Je t'en prie, ne nous disputons pas à propos de ce qui s'est passé quand nous avions vingt ans. Cela fait bien longtemps et...

— Je ne supporte pas d'être loin de toi, Glynnis. Cela m'est tout simplement impossible.

434

Le beau visage de Robin s'assombrit, ses yeux bleus devinrent mornes.

— A moi aussi, Robin, mais je ne te permettrai pas d'agir avec inconséquence à cause de moi. Tu es un tout jeune et très populaire député, tes électeurs t'adorent, tu réussis ce que tu entreprends. Il y a de sérieuses raisons de penser que tu pourrais être nommé Premier ministre, un jour. Un grand destin t'attend. Je ne te laisserai pas bouleverser ta vie, Robin, je ne veux pas avoir cela sur la conscience.

— Honnêtement, Glynnis...

— J'ai une idée, l'interrompit-elle, un plan...

— Dis-le-moi.

Elle le fit.

Il l'écouta, la laissa dire tout ce qu'elle avait sur le cœur. Lorsqu'elle eut terminé, il secoua la tête.

— Je ne sais pas... Je ne sais pas si cela marchera... De toute façon, ce n'est pas ce que je veux, chérie, pas du tout !

— Moi non plus. C'est un compromis. Mais je n'ai rien trouvé de mieux. Pas encore.

Il ne répondit pas.

Elle se leva et lui tendit la main.

— Viens en haut, Robin. Faisons l'amour pour sceller notre accord.

Il sembla à Glynnis, ce jour-là, qu'ils ne s'aimaient pas seulement plus passionnément que d'habitude, mais qu'ils y mettaient une sorte de frénésie. Leur séparation étant imminente, puisqu'elle partait à la fin de la semaine, ils s'agrippaient l'un à l'autre avec une sorte de désespoir, une ardeur sans pareille. L'attrait sexuel qu'ils éprouvaient l'un pour l'autre avait quelque chose d'avide, de vorace.

Glynnis serrait très fort Robin contre elle, ses mains caressaient son dos, s'enfonçaient dans la masse épaisse de ses cheveux noirs. D'une voix vibrante de désir, elle murmurait son prénom en se mouvant au même rythme que lui, les jambes enroulées autour de son torse, la tête rejetée en arrière. Et lorsqu'il parvint au plaisir, elle s'y abandonna aussi.

Comme si elle ne devait jamais le laisser partir, elle l'étreignit jusqu'à ce que la chambre s'enfonçât dans l'obscurité.

Bien plus tard, ils étaient étendus l'un contre l'autre, momentanément apaisés. Glynnis posa sa tête sur la poitrine de Robin et son bras en travers de son corps. Il lui caressa les cheveux, mais ils ne dirent rien, se contentant d'être ensemble, perdus dans des myriades de pensées.

Glynnis évoqua la conversation qu'ils avaient eue, un peu plus tôt. Elle avait conscience d'avoir évité un désastre en dissuadant Robin de quitter sa femme et de demander le divorce.

Soudain, les larmes coulèrent sur ses joues et tombèrent sur la poitrine de Robin. Il se redressa aussitôt, alarmé.

— Que se passe-t-il, ma chérie ?

— Rien du tout, affirma-t-elle en lui souriant.

— Pourquoi pleures-tu, en ce cas ?

— Tu me manques déjà, souffla-t-elle.

— Mais c'est juste un *au revoir*. Tu vas revenir, n'est-ce pas ? demanda-t-il, inquiet. Promets-le-moi.

— Je te le promets.

Mais elle se demanda si elle n'aurait pas à rompre cette promesse.

TROISIÈME PARTIE

LE CHANT DES ANGES

Hiver 2001

« *Le monde se fige dans une immobilité solennelle*
pour écouter les anges qui chantent. »

C'est arrivé par une nuit claire,
Edmund Hamilton Sears, 1850

33

Le samedi premier décembre, Linnet O'Neill n'allait pas tarder à entrer dans l'église du village de Penninstone, au bras de son père, Shane. C'était là qu'elle épouserait celui qu'elle chérissait depuis l'enfance, Julian Kallinski. Grâce à ce mariage, les trois clans seraient enfin unis, ainsi que l'avait souhaité Emma Harte.

En attendant, Linnet se tenait au milieu de sa chambre, à Penninstone Royal, vêtue de sa robe de mariée. C'était une splendide création en lourd satin crème, ornée de dentelle et de milliers de perles minuscules.

Evan la fixait avec intensité, la tête penchée de côté. Elle s'assurait qu'il ne manquait rien, qu'elle n'avait laissé passer aucune imperfection depuis que la tenue avait été livrée par la couturière, la semaine précédente.

— Tout est parfait ! déclara-t-elle finalement. Ma modestie dût-elle en souffrir, tu es absolument splendide.

Emsie, qui était présente, s'exclama :

— Evan a raison, Linnet, je ne t'ai jamais vue ainsi. Julian va retomber amoureux de toi en te voyant.

— Il a intérêt ! répliqua Linnet en riant. Je vous remercie pour vos compliments. Et merci à toi, Evan, pour avoir dessiné ma robe, ainsi que celle des demoiselles d'honneur, sans parler de tout ce que tu as créé en vue de ce grand jour. J'ignore ce que nous aurions fait, sans toi.

— Ce fut un plaisir, Linnet.

Evan traversa la pièce, prit la main de son amie et l'amena devant le miroir pivotant, près de la fenêtre.

— Tiens ! Juge par toi-même !

Linnet retint son souffle. Elle n'avait jamais paru aussi... *fantastique*. Evan avait adapté le style Tudor à sa morphologie et c'était une réussite. Elle était très élégante, paraissait grande, bien qu'elle fût de taille moyenne... et si jeune ! Sans doute à cause de la coupe et du corsage ajusté. Elle se faisait l'effet d'un personnage de roman.

L'encolure carrée découvrait à moitié ses épaules, qu'elle mettait en valeur. Les manches, d'abord étroites, s'évasaient, presque comme celles d'un kimono, dévoilant la dentelle qui les garnissait à l'intérieur. La jupe en cloche était prolongée d'une traîne. Elle s'ouvrait sur le devant, révélant un jupon de guipure incrusté de perles et de boutons de cristal. Le haut, serré, moulait le buste, faisant la taille mince. Les broderies, touche finale la plus extraordinaire, parsemaient la jupe et couraient le long du décolleté et sur le bord extérieur des manches.

Linnet portait de simples perles au cou et aux oreilles, cadeau de ses parents, et sa bague de fiançailles.

Dans quitter des yeux son reflet, dans le miroir, elle secoua la tête.

— Evan, c'est la robe la plus magnifique...

Sa voix mourut, étranglée par l'émotion.

— Sur toi, oui, Linnet, parce qu'elle est faite pour toi. Je t'avais dit que je te transformerais en jeune reine Tudor, pour le jour de tes noces.

Tournant sur elle-même, Emsie demanda :

— Et moi ? Comment me trouvez-vous ?

Linnet sourit avec indulgence. Elle fut contente de pouvoir répondre en toute sincérité :

— Très belle, Emsie. Très belle.

D'ordinaire, Emsie était peu soignée, négligée et ne se souciait pas de ce qu'elle avait sur le dos. Mais là, elle était ravissante, dans sa robe de taffetas gris-bleu de demoiselle d'honneur.

Portant la main à sa chevelure, Linnet demanda à Evan :

— Es-tu sûre que je suis bien coiffée, avec les cheveux ainsi tirés en arrière ? La coiffure tiendra-t-elle ?

— C'est parfait, crois-moi, mais ne la mets pas tout de suite. Et surtout, ne t'assieds pas.

— Non ! s'exclama Linnet en riant. Je ne veux pas chiffonner ma belle robe. Et tu devrais en faire autant, ajouta-t-elle en jetant un regard sévère à Emsie.

On frappa à la porte.

— Qui est-ce ? lança Linnet.

— Oncle Robin, ma chérie.

— N'entre pas ! Je ne veux pas que tu me voies !

— Je cherche Evan. J'ai un message pour elle.

— Je suis là, Robin, j'arrive.

Evan se précipita vers la porte, tout en disant à Linnet, comme si l'idée lui venait après coup :

— Tu n'as pas oublié, n'est-ce pas ? Quelque chose de *vieux*. Quelque chose de *neuf*. Quelque chose d'*emprunté*. Quelque chose de *bleu*.

Linnet acquiesça.

— Je me suis procuré tout cela... En fait, c'est Emsie qui me l'a rappelé.

— Un bon point pour toi, remarqua Evan à l'adresse de la jeune fille.

Puis elle se glissa dans le couloir, ravissante dans sa robe gris-bleu.

Robin Ainsley se tenait près de la porte de sa chambre et la rejoignit en souriant.

— Bonjour, Robin, merci d'être venu. Comment saviez-vous que j'étais dans la chambre bleue, maintenant ?

Se penchant vers elle, il déposa un baiser sur sa joue.

— Bonjour, ma chérie. Margaret m'a dit que tu y avais transporté tes affaires, ces jours-ci, pour laisser l'autre à tes parents. Mais celle-ci est beaucoup plus jolie que la jaune, tu ne trouves pas ?

Les yeux de Robin la parcoururent des pieds à la tête et il s'écria d'une voix affectueuse :

— Oh, Evan, tu es vraiment superbe. Ta robe est splendide. Je pense que tu dois être fière de tes créations.

Elle lui lança un regard entendu.

— Merci. Je n'ai pas encore l'air trop enceinte, n'est-ce pas ?

Les lèvres de Robin frémirent de joie et il émit un rire silencieux.

— Pas vraiment. Du moins, seulement aux yeux de ceux d'entre nous qui te connaissent bien et sont au courant de ton état.

— C'est affreux !

— Ne dis pas cela. Tu portes mon arrière-petit-fils, ne l'oublie pas. Plus sérieusement, ma chérie, ton adaptation du style Tudor masque bien les choses, rassure-toi.

— Je l'espérais, répondit Evan. Quelle mariée je vais faire, en janvier ! Je serai vraiment énorme ! Ne restons pas debout dans le couloir !

Elle ouvrit la porte et entra dans sa chambre, suivie de Robin. Elle se dirigea immédiatement vers une commode, prit quelque chose dans un tiroir et, le tenant bien serré dans sa main, revint vers Robin. Elle s'immobilisa à quelques centimètres de lui, sans cesser de le fixer.

— Tu me regardes bizarrement, remarqua-t-il. Qu'as-tu derrière la tête, Evan ?

— Je vous admire, Robin. Je pensais que vous étiez très beau, ce matin. Je dirai même plus, ajouta-t-elle en hochant la tête, vous paraissez en bien meilleure forme depuis l'arrivée de papa dans le Yorkshire, en septembre.

— C'est vrai. Je me sens bien, ces temps-ci.

— Vous semblez moins fragile qu'avant.

— Evan, tu m'as laissé un message m'indiquant que tu souhaitais me parler avant la cérémonie. Est-ce très important ? Je vais devoir y aller assez vite, la pressa-t-il en regardant l'horloge posée sur le manteau de la cheminée. Tes parents et moi devons nous présenter à l'église avant le reste de l'assistance, parce que certaines places sont réservées à la famille et que Jack Figg a instauré un système de sécurité.

— Cela ne prendra pas longtemps. Mais vous ne voulez pas vous asseoir, Robin ? Moi, je ne peux pas, à cause de ma robe. Mais il n'y a aucune raison pour que vous restiez debout.

— Je suis très bien ainsi, ma chérie.

Evan s'appuya contre le bureau, placé près de la fenêtre, et dit lentement :

— J'ai quelque chose d'intéressant à vous dire.

— A propos de quoi ? Ou plutôt, de qui ?

— J'ai percé le mystère de Glynnis. Plus exactement, j'ai résolu le puzzle... Je sais maintenant exactement pourquoi elle m'a envoyée à Londres.

— Vraiment ?

Robin Ainsley paraissait abasourdi. Dressant ses sourcils argentés, il posa sur elle son regard bleu et attentif.

— Parle, continua-t-il. J'ai hâte de savoir ce que tu as en tête, Evan chérie.

— Très bien. L'année dernière, quand grand-mère m'a dit de partir pour Londres pour retrouver Emma Harte qui, soi-disant, détenait la clé de mon avenir, elle n'avait en fait qu'un seul motif.

— Lequel ?

— J'y viendrai dans une minute. Examinons d'abord sa stratégie. Elle était certaine que je souscrirais à sa requête. Vous pourriez vous demander pourquoi, aussi laissez-moi vous expliquer... Depuis mon enfance, elle exerçait une énorme influence sur moi et j'ai toujours fait exactement ce qu'elle voulait. Par ailleurs, elle n'ignorait pas que mon travail à New York ne me plaisait plus, que j'avais besoin d'un changement, d'une occasion de *m'envoler*, comme elle disait. En d'autres termes, elle était certaine que je partirais, d'autant plus qu'elle m'avait laissé de l'argent. Cependant, en m'envoyant ici, elle n'ignorait pas qu'Emma Harte était morte.

Evan s'interrompit, guettant la réaction de Robin, qui demeura impassible. Il ressemblait beaucoup à sa mère, sur ce plan.

Evan prit une profonde inspiration et reprit :

— Réfléchissons... Glynnis n'avait aucun moyen de prévoir que j'obtiendrais un emploi chez Harte dès le premier jour. Ou que je rencontrerais Gideon dans le couloir et que nous tomberions amoureux l'un de l'autre. Je me trompe ?

— Non.

— Glynnis n'avait aucune *garantie* que ces événements surviendraient. *Aucune.* Son plan était tortueux, vous ne trouvez pas ?

— Sans doute, admit Robin, les sourcils froncés. Mais où veux-tu en venir ?

— Glynnis, notre si intelligente Glynnis Hughes, voulait apparemment me pousser dans l'orbite des Harte, comme nous le savons tous les deux, et avant de mourir, elle a dit à maman que je leur paraîtrais *irrésistible.* C'est ce que j'ai appris récemment. Pourtant, cela n'offrait pas de certitude quant à ma rencontre avec un Harte, n'est-ce pas ?

— Non. En réalité, maintenant que tu résumes ainsi les événements, la démarche est assez bizarre. Tu aurais pu arriver au magasin, découvrir que ma mère était morte et t'en aller. Mais tu es tombée aussi amoureuse du cadre... Alors, tu as décidé que ta grand-mère ne savait plus très bien ce qu'elle disait, au seuil de la mort, tu as oublié Emma et trouvé un emploi. C'était tout à fait admirable de ta part, mais tu as raison, Glynnis ne pouvait pas le prévoir. C'est juste, Evan.

— C'est là que notre très avisée Glynnis a protégé ses arrières, si je puis dire.

Robin plissa légèrement les yeux.

— Comment ?

— Quand elle était à l'hôpital, à New York, en novembre de l'année dernière, elle a demandé à maman de se rendre dans son appartement et d'y prendre une valise de lettres. C'était sa correspondance avec Emma, poursuivie pendant toutes ces années. Glynnis conservait ses missives... et Emma les siennes.

— Je vois.

Robin marcha vers la fenêtre et s'assit dans un fauteuil à bascule, l'air pensif.

— Glynnis a dit à ma mère de me remettre l'ensemble et a insisté pour que je le lise. Elle y tenait beaucoup, apparemment, tout comme elle tenait à ce que mon père n'en entende pas parler.

446

Robin lança un regard direct à la jeune femme.

— Et Marietta t'a donné ces lettres ?

— Oui, Robin, mais pas depuis longtemps. Elle les gardait parce qu'elle voulait me les remettre en main propre. Elle souhaitait aussi me rapporter les propos de Glynnis, à l'hôpital. En fait, maman a conservé ce trésor un an. Comme j'avais commencé à travailler chez Harte et que je sortais avec Gideon, elle estimait qu'il n'y avait pas d'urgence, puisque finalement, j'exécutais le plan de grand-mère... J'étais tombée toute chaude et toute rôtie au beau milieu du clan Harte. C'était assez ahurissant.

— Je te le concède. Mais quand, exactement, t'a mère t'a-t-elle donné les lettres d'Emma à Glynnis ?

— En septembre dernier, après mon accident de voiture ; lors de son passage à Penninstone Royal, juste avant de repartir pour New York. Je les ai lues, pour la plupart, quand j'étais immobilisée.

— Je vois... Et sans doute leur contenu était-il révélateur ?

— Très, oui. Et j'ai soudain compris quelque chose de crucial. C'était que... si je n'avais rencontré aucun d'entre vous et si Paula n'avait pas découvert la vérité, à propos de Glynnis et de vous, j'aurais quand même appris que vous étiez le géniteur de mon père. *Grâce à ces missives.* Voilà pourquoi Glynnis souhaitait que je les aie. Elle protégeait ses arrières, comme je l'ai dit. Elle voulait que je sache la vérité sur mes origines, quoi qu'il arrive.

Se calant contre les coussins, Robin laissa échapper un petit soupir. Evan était loin d'avoir tout lâché et il tenta de se blinder.

— Je pense que tu as raison.

— C'était pour cela qu'elle tenait à ce que j'aille à Londres.

— Oui, mais nous le savions déjà, n'est-ce pas ? Ou du moins, nous le présumions. Cependant, je crois en effet que tu as percé à jour la stratégie de ta grand-mère. Mais n'aurait-il pas été plus simple de vous révéler la vérité, à ton père et à toi, lorsqu'elle est tombée si gravement malade ? Après tout, Richard Hughes était mort. Quel mal cela aurait-il fait ?

— Question de génération, je suppose. Glynnis appartenait à la vieille école. Elle avait *peur* de nous en parler, surtout à papa. En tout cas, c'est ce que je pense. Elle ne voulait pas le décevoir, perdre de son prestige à ses yeux. Elle était fière et l'aimait énormément. Je devine qu'elle a dû être terrifiée, comme je l'ai été moi-même, à l'idée de tout lui avouer.

— Je comprends ce que tu veux dire, Evan, vraiment. Et tu as raison. Ta grand-mère et moi avons été élevés dans un monde différent du vôtre, dans lequel les enfants illégitimes étaient l'objet de la réprobation générale.

— C'est pourquoi Glynnis s'est *servie de moi* et fiée au destin. Elle y croyait, ainsi qu'au sort. Mais elle ne s'en est remise à lui *qu'en partie*... Parce qu'elle s'était assurée que j'aurais un jour entre les mains les lettres d'Emma.

Robin ferma les yeux, sa tête argentée reposant sur le dossier du fauteuil. Soudain, son âge était plus accusé. Après tout, pensa Evan, il avait quatre-vingts ans et, à cet instant, les paraissait. Son cœur se gonfla de tendresse pour lui.

Au bout d'un instant, elle toussota et dit doucement :

— Robin.

Il leva les paupières et se redressa vivement.

— Je ne dormais pas. Je réfléchissais à ce que tu viens de me raconter.

Elle hocha la tête et avança d'un pas dans sa direction.

— Elle m'a envoyée vers vous, Robin.

Il resta muet, mais son regard se durcit.

— Glynnis s'inquiétait tellement à votre propos, lorsqu'elle était malade, qu'elle avait besoin que *je* vienne à *vous*. Et, si possible, mon père également. Mais c'était surtout moi, qu'elle souhaitait que vous ayez à votre côté.

— Pourquoi dis-tu cela ? fit Robin d'un ton plus aigu.

— Parce que c'est vrai ! Glynnis voulait que vous retrouviez votre petite-fille et que vous ne demeuriez pas seul après son départ.

Robin laissa échapper un long soupir.

— Continue, dit-il très bas.

— Vous avez toujours été ensemble, n'est-ce pas ?

Il y eut un silence, uniquement troublé par le tic-tac de l'horloge.

— Oui, admit-il enfin avec résignation. Toujours.

— Glynnis et vous vous êtes retrouvés lorsque vous aviez trente ans ! s'exclama Evan. Et votre liaison a duré près de *cinquante* ans, c'est cela ?

— Oui, répondit Robin. Grâce à Dieu.

— A votre façon, vous formiez un couple, continua Evan. Glynnis se rendait à Londres dès qu'elle le pouvait, au moins plusieurs fois par an, sous n'importe quel prétexte. Et vous, vous alliez à New York et dans le Connecticut. Vous passiez les vacances avec elle. Vous la retrouviez dès que la Chambre des communes fermait ses portes, aussi souvent que possible. Vous étiez éperdument amoureux d'elle et auriez fait n'importe quoi pour être *toujours* auprès d'elle, quitté Valérie, renoncé à votre carrière politique. De son côté, Glynnis vous aimait tellement qu'elle n'aurait pas permis que vous compromettiez votre avenir, poursuivit Evan en posant sur Robin un regard affectueux. Les mentalités étaient différentes, à l'époque, et un scandale aurait pu éclater. C'est pourquoi vous avez trouvé un... *compromis*. C'est ainsi qu'elle appelait cet accord... Le *compromis*. Vous restiez mariés l'un et l'autre, mais continuiez de vous aimer et de vous voir chaque fois que vous le pouviez.

Au bout de quelques minutes, Robin murmura :

— C'est trop...

— Robin ! Non ! C'est moi, votre petite-fille, votre descendante. Je ne suis pas fâchée ou bouleversée, vous ne devez pas l'être non plus.

S'approchant encore, elle posa la main sur son épaule et plongea son regard dans les yeux qu'il levait vers elle.

— Glynnis a fait autre chose. Elle m'a laissé *vos* lettres. Des centaines et des centaines, que vous lui avez écrites durant cinquante ans. Elle les a gardées. En fait, elle conservait tout... Vos cartes de Noël ou d'anniversaire, celles que vous joigniez aux nombreux cadeaux que vous lui avez faits.

Evan s'interrompit en remarquant que Robin semblait abattu. Se penchant vers lui, elle murmura :

— Ne pensez pas que je vous critique, vous ou grand-mère, parce que ce n'est pas le cas. Je suis heureuse que vous vous soyez donné mutuellement tant de joie. Elle vous aimait de tout son cœur et a été loyale envers vous.

Les yeux d'Evan étaient maintenant voilés de larmes et elle les essuya du bout des doigts. Lorsqu'elle regarda de nouveau Robin, elle vit qu'il pleurait et que sa bouche tremblait.

— C'était si difficile, sans elle, dit-il d'une voix vacillante. Je voulais mourir aussi… jusqu'à ce que tu arrives.

— Je sais, je sais, dit-elle en lui caressant l'épaule. Je comprends vraiment. Bien peu de gens éprouvent un tel amour.

— Tu as lu ma correspondance ? demanda-t-il en la fixant avec intensité.

— Oui, en partie. Maman ne me l'a remise que l'autre jour, quand elle est arrivée de New York pour le mariage de Linnet. Cela remplit une énorme valise, rangée dans ce placard.

— J'ai écrit autant ? dit-il avec un petit sourire inattendu.

Elle le lui rendit.

— Oh, oui ! Je n'ai lu que quelques courriers récents. Vous l'avez vue juste avant sa mort, n'est-ce pas ?

— Comment le sais-tu ?

— J'ai trouvé le message que vous lui avez envoyé au début du mois de novembre. Vous veniez la voir. Vous vouliez la ramener en Angleterre. Après tout, vous étiez veufs tous les deux et pouviez vivre ensemble, vous marier.

— Nous étions mariés, trancha-t-il, mais sans avoir signé un bout de papier. Je considère Glynnis comme la seule épouse que j'aie jamais eue.

— Je comprends, répliqua Evan doucement. Mais elle est tombée soudainement très malade et ne pouvait plus voyager… La dernière fois que vous l'avez vue, c'était à l'hôpital, à Manhattan.

Robin ne pouvait plus parler, sa douleur était presque palpable. Il sortit un mouchoir de sa poche, s'essuya les yeux et se moucha. Puis il tenta de se maîtriser et de recouvrer son calme. Lorsqu'il fut remis, Evan ouvrit sa main et montra ce qui se trouvait au creux de sa paume.

— C'est pour vous, grand-père.

Elle l'appelait rarement ainsi, aussi ouvrit-il de grands yeux.

— J'ai trouvé cette petite enveloppe. C'est votre écriture, Robin. Vous avez inscrit une adresse et un numéro de téléphone.

Il souleva le rabat et sortit la clé. Ses prunelles bleues étincelèrent et il parut tout à coup moins fatigué.

— C'est celle de la maison d'Edwina, remarqua Evan.

— Non, la nôtre, à Glynnis et à moi. Une jolie maisonnette que j'empruntais à Edwina, au début, mais elle a fini par accepter de me la vendre.

— Et vous l'avez achetée ?

— Oui. Pour Glynnis. Mais elle est restée au nom d'Edwina. Si elle meurt avant moi, elle te reviendra par son fils, Anthony, le père d'India. Si je meurs avant elle, ce sera la même chose. L'endroit t'appartiendra, Evan.

Elle était incapable de dire un mot, tant elle était émue.

— C'est là que j'habite encore, quand je vais à Londres. J'y retrouve le souvenir de Glynnis, des années que nous avons passées ensemble.

De nouveau, les larmes lui montèrent aux yeux et il chercha son mouchoir.

— Tu dois pardonner au vieil homme que je suis, ma chérie.

— Il n'y a rien à pardonner, le rassura Evan. Regardez ! Voilà que je pleure aussi et que je gâche mon maquillage. Et le mariage de Linnet qui a lieu dans une heure !

— J'en suis conscient. Je dois te quitter pour retrouver ton père.

— Votre fils Robin. Le fils que Glynnis vous a donné.

— Nous nous aimions tellement, Evan. Et nous avons réussi à ne blesser personne !

Je n'en suis pas si sûre, songea Evan, mais elle écarta cette pensée.

Il lui tendit la clé.

— C'était celle de Glynnis. Je la lui ai donnée et maintenant, elle est à toi, Evan. Prends-la.

Elle s'en empara, puis l'accompagna jusqu'à la porte.

— Je vous rapporterai la valise la semaine prochaine à Lackland Priory. Mais je me demandais... Puis-je garder quelques photographies ? Vous étiez tellement beaux, quand vous étiez jeunes ! Vous ressembliez à des vedettes de cinéma.

— Glynnis, oui, mais pas moi ! protesta-t-il.

— Si, vous aussi.

— Conserve tout, Evan. Glynnis souhaitait que tu aies cette correspondance. Et je te donnerai celle qu'elle m'a adressée. Elle m'a écrit chaque semaine, depuis 1950, jusqu'à l'année dernière. C'est parfois un peu... chaud, dirons-nous, ajouta-t-il très bas en lui lançant un regard bizarre.

Evan éclata de rire.

— Je m'en doute ! Parce que de votre part aussi ! Très chaud, même, insista-t-elle, avec un éclair de malice au fond des yeux. Et pourquoi ne le serait-ce pas ? Vous avez vécu une incroyable histoire d'amour, Robin.

Il lui ouvrit les bras et elle vint s'y blottir. Il la serra contre lui, songeant combien elle ressemblait à Glynnis, parfois.

— Glynnis se faisait tant de souci à l'idée de me laisser seul... Nous n'étions pas toujours ensemble, mais ce que nous avons vécu était véritablement... *magnifique*. Magnifique.

34

La ravissante petite église du village de Penninstone remontait à l'époque des premiers rois normands. Sa tour carrée était d'origine, mais les vitraux, plus récents, avaient été posés deux siècles plus tard.

Pendant tout le temps qu'elle avait vécu à Penninstone Royal, Emma Harte avait payé les restaurations nécessaires et Paula marchait sur les traces de sa grand-mère. Grâce à cela, l'édifice était magnifiquement entretenu, tant à l'intérieur qu'à l'extérieur, et constituait un trésor local.

En ce samedi de décembre, le temps était froid. Il n'y avait aucun vent et le ciel était d'un bleu glacé, sans le moindre nuage. Le soleil, pâle, brillait. La journée, virginale, brillait de cette clarté propre au climat nordique.

Robin descendit de l'une des premières voitures qui s'arrêtèrent devant le bâtiment, puis aida Marietta à quitter son siège. Elle était très élégante, dans un ensemble composé d'une longue jupe de soie rouge sombre et d'une veste ajustée, ornée de perles noires. Dès qu'Owen les eut rejoints, ils avancèrent.

Le village tout entier s'était réuni pour les noces de Linnet et de Julian. Emmitouflés dans des vêtements chauds, les habitants formaient des grappes et agitaient la main avec enthousiasme. Ils reconnurent immédiatement Robin et leur visage s'éclaira.

Il avait grandi à Penninstone Royal et était très populaire. Il rendit les signes de main, tout en guidant Marietta et Owen le long de l'allée qui menait à l'église.

Comme il regardait autour de lui, il aperçut des physionomies inconnues : des hommes en noir, avec un écouteur à l'oreille et un petit microphone au revers de la veste. Il devina qu'il s'agissait des gars de Jack Figg. Le service de sécurité.

En s'approchant du porche, il remarqua Jack en personne, en haut des marches. Il portait un chapeau haut de forme gris et un habit. Il faisait partie des invités, puisqu'il était quasiment un membre de la famille ; mais cela ne l'empêchait pas de prendre son travail au sérieux et de parcourir la foule du regard. Ses yeux étaient partout.

Il sourit à Robin et ils se serrèrent chaleureusement la main, puis il salua Owen et Marietta, dont il avait fait la connaissance la veille, lors du dîner organisé par Paula et Shane.

Robin se rapprocha de Jack et murmura :

— Je vois que vous avez assuré notre sécurité.

— J'ai réparti plus d'hommes, dans le coin, qu'il n'y a de bernaches sur la coque d'un navire, répliqua-t-il sur le même ton. Paula le souhaitait et j'adore lui faire plaisir, mon vieux.

Le spectre de Jonathan se dressa dans l'esprit de Robin.

— Jonathan n'oserait quand même pas tenter quelque chose...

— Je suis d'accord avec vous, mais Paula a peur de lui, spécialement aujourd'hui. Mieux vaut être trop prudent que pas assez. Mes hommes se mêleront à la foule sans se faire remarquer, tant pendant la cérémonie que la réception. Ne vous inquiétez pas, il ne se passera rien, conclut-il sur un ton rassurant. Je vous rejoins à l'intérieur dans un moment.

Jack descendit les marches et marcha sur la pelouse, en direction du cimetière. Il y eut un petit grésillement dans son écouteur, puis la voix de Chris Light retentit :

— Jack, une camionnette blanche descend la colline, depuis Lackland Village. Je pense que ce sont les loubards dont on nous a parlé.

— Très bien, Chris. Tu y vas. *Tout de suite*. Barre la route avec nos voitures et préviens la cavalerie. Fais aussi couper les autres accès à Penninstone. Je ne veux aucune erreur. Maintiens les fauteurs de trouble à distance et appelle la police. S'ils ne s'échappent pas, nous les ferons arrêter.

— Compris, Jack ! s'exclama Chris.

Jack Figg remercia Dieu qu'il restât une once d'humanité en Mark Longden. S'il n'avait pas eu le bon sens de lui rapporter les propos déments tenus par Jonathan en septembre, à Paris, ils auraient pu avoir une tragédie sur les bras, aujourd'hui. Une église réduite en cendres et toutes les personnes qui se trouvaient à l'intérieur carbonisées. Parmi elles, il y aurait eu Adèle. Visiblement conscient du danger que courait sa fille, Longden avait passé ce coup de fil crucial à Jack, lui permettant de se préparer au pire.

Lorne Fairley et Desmond O'Neill, les frères de Linnet, se tenaient devant le porche où ils accueillirent Robin, Marietta et Owen. Ils leur montrèrent le banc familial et, après leur avoir adressé quelques mots, retournèrent à leur poste pour recevoir les autres invités.

— C'est à couper le souffle, murmura Marietta en regardant autour d'elle. Tout à fait extraordinaire !

— Ce sont les compositions florales d'Evan, rétorqua Robin. Elle est très douée, vous ne trouvez pas ?

— Je le pense aussi, chuchota alors Owen.

Un éclair de fierté traversa son regard alors qu'il évoquait les dons artistiques de sa fille.

Il y avait des orchidées blanches partout et de minuscules arbres dépourvus de feuilles étaient plantés dans de jolis bacs, aux quatre coins de l'édifice. Ils avaient été peints en blanc et garnis de bouquets de fleurs délicates, qui pendaient dans leur collerette de dentelle, évoquant l'époque élisabéthaine. D'énormes vases regorgeaient de tulipes, de jonquilles et d'œillets blancs, et des centaines de chandelles, des cierges effilés jusqu'aux minuscules bougies, se dressaient dans des pots de verre. Comme tous ceux qui se trouvaient là, Robin fut frappé par la beauté des fleurs, qui jaillissaient parmi les flammes vacillantes... On se serait cru au Moyen Age.

Soudain, le soleil transperça les vitraux, qui ressemblèrent à des panneaux ornés de pierres précieuses, sertis dans les murs. L'église, que Robin connaissait depuis son enfance, était un lieu magnifique et propice à une cérémonie de mariage. Il pria en silence pour que sa petite-fille se mariât au même endroit, le mois suivant. Et ce serait aussi spectaculaire. Elle ne méritait pas moins !

Les membres de la famille commençaient à affluer et à s'installer sur le banc, devant lui. Edwina, sa préférée, était royale, comme toujours. Elle portait une robe pourpre, la couleur qu'elle chérissait pour les grands événements. Elle le regarda, sourit et lui adressa un clin d'œil, puis fit signe à son cavalier d'avancer. C'était Russel Rhodes, l'air un peu bagarreur, mais très séduisant, en habit.

Robin était ravi de sa présence. Dusty lui avait énormément plu lorsqu'il avait fait sa connaissance, la veille. Evan lui avait confié qu'India s'était réconciliée avec lui et que tout allait pour le mieux entre eux. Dusty avait visiblement été accueilli à bras ouverts par la famille ; il était assis à côté de la mère d'India, Sally, très élégante en bleu sombre. Anthony Standish, le père d'India, se retourna. Il sourit à Robin, adressa un signe de tête à Owen et Marietta, puis dit quelque chose à Edwina, sa mère.

Sir Robin Kallinski remonta l'allée centrale, accompagné par son fils Michael et par Valentine, l'ex-épouse de ce dernier, qui étaient aussi les parents de Julian. Un instant plus tard, la jumelle de Robin, Elizabeth, entra au bras de celui qu'elle avait épousé quelques années auparavant, Marc Deboyne. Elle ne paraissait pas ses quatre-vingts ans, très chic dans sa robe et son manteau de soie bleu foncé.

Elle murmura quelques mots d'affection à l'oreille de son frère avant de gagner son banc, suivie de sa fille Emily, de sa petite-fille Natalie et de Winston. La tenue prune d'Emily balayait le sol et celle de Natalie était en soie améthyste. Toutes deux firent un signe à Robin.

Au bout d'un quart d'heure, l'église était presque remplie. Paula s'installa au premier rang, avec sa mère, Daisy, et le grand-père Bryan. La mariée n'allait plus tarder.

Robin avait toujours admiré la capacité de Paula à être une femme d'affaires, une épouse et une mère, tout en ayant une allure de mannequin. A cinquante-six ans, elle en paraissait à peine quarante et était l'élégance personnifiée, dans ce manteau

456

de velours vert qui descendait jusqu'à ses chevilles. Elle le portait sur une robe assortie, à manches de dentelle. Les fameuses émeraudes d'Emma brillaient à ses oreilles et le nœud, autrefois offert par Blackie, était épinglé sur son épaule.

Daisy, la plus jeune sœur de Robin, était vêtue de dentelles dorées. Elle lui sourit avant de s'asseoir près de sa fille, au premier rang.

— Vous avez beaucoup d'amis, lui souffla Marietta à l'oreille. Quelle foule ! Le mariage d'Evan sera plus modeste, je pense.

Robin émit un petit gloussement et secoua la tête.

— Ce ne sont pas des amis, pour la plupart... Presque tout le monde, ici, s'appelle Harte, O'Neill ou Kallinski. Vous reverrez ces gens au mariage d'Evan et de Gideon.

Tout en parlant, il regardait autour de lui, remarquant la présence de membres de la famille qu'il n'avait pas vus depuis des années. Il en fut assez surpris. N'était-ce pas Amanda, avec sa jumelle, Francesca ? Il reconnaissait aussi Sarah Lowther, en compagnie de son mari français et de leur fille Chloé. Bonté divine, quelle horde ! songea-t-il. Ma mère et ses frères ont engendré une véritable armée.

Soudain, il y eut une certaine agitation. Les membres de la chorale s'installèrent et, dix minutes plus tard, Julian arriva avec son témoin, Gideon. Ils se tinrent devant l'autel où le marié attendait sa future épouse. Tous deux paraissaient très posés, comme prêts à tout. Le mois suivant, Gideon serait à la même place, attendant l'arrivée d'Evan au bras d'Owen. Mon fils, ma petite-fille, songea Robin.

Soudain, l'organiste attaqua la marche nuptiale, extraite du *Lohengrin* de Wagner. La mélodie s'éleva jusqu'aux chevrons de l'église.

Toutes les têtes se tournèrent... La mariée remontait lentement l'allée centrale, splendide et royale au bras de Shane.

— Sa robe est somptueuse, souffla Marietta à l'oreille de Robin.

Il acquiesça. Il n'y avait pas d'autre mot pour la décrire.

Sur ses cheveux roux, Linnet portait un diadème orné d'un simple diamant, qui retenait son voile de tulle. Il avait appartenu à Emma, pensa Robin, les yeux fixés sur le visage de la jeune femme. Elle lui ressemblait tellement ! Elle était l'exacte réplique d'Emma au même âge.

Les demoiselles d'honneur suivaient Linnet : Tessa et Emsie, India et Evan, puis enfin, seule, et marchant aussi calmement qu'elle le pouvait, Adèle. Elle était la version miniature de sa mère.

Robin sourit et devina que tous les autres en faisaient autant à la vue de cette ravissante enfant blonde, portant soigneusement son bouquet serré dans de la dentelle. Son visage était empreint de solennité et elle avançait à petits pas, ainsi que les circonstances l'exigeaient. Une Fairley, pensa-t-il, elle a tout d'une Fairley. Aucun doute sur ses origines.

Pour Robin Ainsley, la cérémonie se déroula comme dans un rêve. Des souvenirs anciens de sa merveilleuse Glynnis se pressaient dans son esprit. Elle lui manquait, il se languissait encore d'elle. Pourtant, ils avaient eu de la chance ; ils avaient reçu beaucoup de la vie. Ses pensées se tournèrent vers Evan. Elle avait tout compris avec maestria, même si Glynnis l'avait bien aidée ! Il sourit pour lui-même. Glynnis avait voulu qu'il eût Owen et Evan, finalement, lorsqu'elle ne serait plus là. Elle avait toujours culpabilisé de le tenir à l'écart de son fils. Mais Robin savait qu'elle n'avait pas voulu risquer de gâcher la relation qu'Owen avait avec Richard Hughes. Elle avait eu raison, comme toujours.

Néanmoins, Glynnis avait élaboré une stratégie pour que leur petite-fille sût qui elle était, quel était son héritage. Aussi s'était-elle assurée qu'Evan reçût toutes les lettres qui racontaient leur histoire, du début à la fin. Et c'était bien. En ce qui le concernait, Glynnis avait toujours agi pour le mieux.

Robin leva brusquement la tête, alerté par la musique. Son cœur se serra quand la chorale entonna *O Perfect Love,* l'un des chants préférés de Glynnis, qu'il aimait lui-même beaucoup. Il pensa que les choristes avaient des voix merveilleuses et, se penchant vers Marietta, chuchota :

— On dirait des anges, vous ne trouvez pas ? Leur voix est si pure !

458

Elle toucha son bras et hocha la tête. Robin lui plaisait, à cause de sa grande sensibilité, de sa gentillesse et de son immense générosité. Elle ne s'étonnait pas que sa belle-mère l'eût autant aimé pendant toutes ces années.

Une fois que les mariés eurent signé le registre, ils descendirent l'allée, souriants et gais, sur la marche nuptiale de Mendelssohn.

Puis les invités quittèrent l'église à la suite du jeune couple. Lorsque Robin sortit à son tour, il ne put s'empêcher de sourire au spectacle sans pareil qui s'offrait à ses yeux. Des flocons de neige et des pétales de fleurs s'envolaient au vent léger. Radieuse, Linnet était pendue au bras de Julian. Tous deux riaient, assis dans la voiture enrubannée qui les emmenait. On avait accroché des boîtes de conserve au pare-chocs arrière, qui faisaient un bruit d'enfer, suscitant l'hilarité générale.

Tessa, India et Evan se tenaient dans un coin de la bibliothèque. Les invités évoluaient autour d'elles, buvant du champagne et dégustant des canapés. Certains leur souriaient ou leur adressaient un signe, mais elles attendaient leurs cavaliers et refusaient de se mêler à l'assistance.

— Allons, Evan, dit Tessa, raconte-nous tout. Quel était ce grand secret, à propos de Robin et de ta mamie ?

Evan profita qu'un serveur passait avec son plateau pour prendre un jus d'orange.

— Elle n'a jamais été une *mamie*, répliqua-t-elle en riant. Attendons que nos hommes nous aient rejointes.

— Pendant ce temps, j'ai une nouvelle à vous annoncer, murmura India, mais vous devez me promettre d'être discrètes. Je ne veux pas que Linnet soit au courant, parce qu'elle fera toute une histoire et ce ne serait pas bien.

— Alors, dis-la-nous vite, pendant que Julian et elle sont pris en photo, supplia Tessa en buvant une gorgée de champagne.

India sourit.

— Dusty et moi allons nous fiancer la semaine prochaine, avant que mes parents ne repartent pour l'Irlande. Ils le trouvent fabuleux et ils lui plaisent beaucoup. Il n'y a donc aucun problème.

— Toutes mes félicitations ! s'écria Evan. Je sais que tu ne veux en aucun cas attirer l'attention sur toi en ce jour qui appartient à Linnet. C'est très gentil de ta part.

India haussa les épaules.

— Je ne pensais pas que nous nous remettrions ensemble, mais il était si malheureux, il s'est tant excusé de m'avoir menti, à propos d'Atlanta, que je lui ai pardonné. D'ailleurs, Edwina m'a dit de cesser de faire des manières, de grandir et de l'épouser.

— Sacrée Edwina ! fit Tessa en souriant. Toutes mes félicitations, India chérie.

Evan observa Tessa un instant, puis déclara :

— Ton Jean-Claude me plaît. Il est fascinant et Gideon l'a trouvé passionnant, hier soir, pendant le dîner. Dis-nous vite s'il fera bientôt partie de la famille.

Tessa rougit.

— Je l'espère. Il m'a demandée en mariage, en fait. Mais je dois d'abord divorcer. Quand tante Edwina a fait sa connaissance, elle a déclaré devant lui que je ferais bien de l'attraper en vitesse, avant qu'une autre femme ne le fasse à ma place. Elle est extraordinaire, non ?

— Ma *mamie* est incorrigible ! s'exclama India en riant.

— Elle non plus, ce n'est pas une mamie, répliqua Tessa. Oh, regardez ! Nos amoureux arrivent de ce côté.

Gideon, Dusty, Jean-Claude et Lorne s'approchaient d'elles, tenant chacun une coupe de champagne.

— Que font nos trois beautés, réunies dans ce coin ? demanda Lorne. Vous vous cachez ? Vous ne devriez pas circuler parmi les invités ?

— Tais-toi ! répondit Tessa. Nous vous attendions. Evan a découvert quelque chose, à propos de sa grand-mère et de Robin, et...

— Nous connaissons tous l'histoire ! l'interrompit Lorne. Elle circule dans la famille depuis que maman a appris qu'ils avaient eu une liaison, pendant la guerre.

— Oui, mais il y a autre chose, n'est-ce pas, Evan ? dit India.

— C'est vrai, répliqua celle-ci en hochant la tête. Je vais essayer de faire court et d'aller droit au but. Maman m'a apporté un paquet de lettres qu'Emma avait écrites à ma grand-mère, ainsi que celles de Robin à Glynnis, et vous ne devinerez jamais...

— Dis-le-nous, chérie ! lança Gideon. Cela semble très romantique.

— Arrête de m'interrompre...

Appuyée à la fenêtre, elle leur raconta les amours de Robin et de Glynnis, pendant toutes ces années.

Chacun écouta attentivement, mais Jean-Claude fut le premier à réagir.

— Quelle *superbe* histoire ! C'est incroyable !

Glissant un bras sous le sien, Tessa renchérit :

— Oui, et c'est certainement une histoire qu'un Français doit apprécier.

Ils rirent, puis Gideon fronça les sourcils et demanda à Evan :

— Comment s'y sont-ils pris, pour ne pas être découverts ?

— Ils étaient très prudents, et puis ils vivaient dans des pays différents une partie de l'année.

— Je crois qu'ils avaient un allié, remarqua doucement Dusty. Ils avaient sûrement besoin d'aide, de temps à autre. Personne ne peut réussir un tel exploit sans complice pour le couvrir.

— Emma ! s'écria Gideon en fixant Evan. Emma était-elle au courant ? Etait-elle dans le coup ?

— Je ne saurais l'affirmer, Gid. Mais notre arrière-grand-mère savait qu'ils avaient repris leur liaison. En tout cas, c'est possible. Elle l'a appris au bout de deux ans, en fait. Ensuite, elle a compris qu'ils ne pourraient pas renoncer l'un à l'autre. Je suppose qu'elle en a pris son parti et a décidé de les aider.

— Eh bien ! s'exclama Lorne, très étonné.

Gideon aussi semblait surpris.

— Quel âge avaient-ils, lorsqu'ils sont redevenus amants ?

— Trente ans, et ils ne s'étaient pas vus depuis sept ans. Tu imagines ! Mais ils étaient très inflammables, tous les deux, conclut Evan en riant.

461

— Combien de temps sont-ils restés ensemble ? s'enquit Jean-Claude.

— Cinquante ans, ou presque, répondit Evan.

— Mon Dieu ! s'exclama Jean-Claude en regardant Tessa. C'était vraiment une histoire d'amour ! J'aimerais assez rencontrer ce gentleman de nouveau. Viens, Tessa, allons voir ton grand-oncle. Il doit être... unique.

— Il l'est, c'est certain, leur lança Gideon, tandis qu'ils s'éloignaient.

— C'est triste qu'elle soit morte, dit India. D'autant qu'ils étaient veufs tous les deux, pour finir. Ils auraient pu se marier.

— N'est-ce pas ta mère qui nous fait signe ? demanda Dusty.

India suivit son regard.

— Tu as raison. Je suppose que grand-mère nous souhaite auprès d'elle. Tu as fait sa conquête, Dusty.

— Et je suis fou d'elle, répliqua-t-il en l'entraînant de l'autre côté de la bibliothèque.

Lorne se pencha pour embrasser Evan sur la joue.

— Cette histoire est véritablement... remarquable. J'aimerais trouver une femme que je puisse aimer de cette façon. Je ferais bien de m'y mettre tout de suite. Peut-être que l'une des amies de Linnet sera la compagne de mes rêves.

Evan rit et glissa un bras sous celui de Gideon, tandis que le jeune acteur s'éloignait. Puis Gideon se tourna vers elle et lui demanda très bas :

— Peux-tu me garantir cinquante années d'amour, Evan ?

Levant les yeux vers lui, elle contempla ce visage qu'elle aimait tant.

— Je te promets mon amour *à jamais*, Gideon Harte. Je serai auprès de toi jusqu'à la fin de mes jours.

Transcontinental
IMPRESSION
IMPRIMERIE GAGNÉ

IMPRIMÉ AU CANADA